U0151983

王延林编著

常用古文字字典

文史哲出版社印行

國立中央圖書館出版品預行編目資料

常用古文字字典 / 王延林著. -- 臺一版. --臺
北市: 文史哲, 民82
4,806面 ; 26.5公分.
含索引
ISBN 957-547-203-9(精裝) NT$ 700

1. 中國語言 - 文字 - 形體

802.291　　82001528

常用古文字字典

著者：王延林
出版者：文史哲出版社
登記證字號：行政院新聞局局版臺業字五三三七號
發行人：彭正雄
發行所：文史哲出版社
印刷者：文史哲出版社
台北市羅斯福路一段七十二巷四號
郵撥〇五一二八八一二彭正雄帳戶
電話：三五一一〇二八
定價新臺幣一二〇〇元
中華民國八十二年三月台二版

ISBN 957-547-138-5

目錄

序言

柯昌濟

吾國之文字源遠流長，自三五以來，迄今已四千餘年。其間創造嬗嫣分合，蓋非一朝一夕之功績。是以由初文而甲骨，而金文，而篆籀，而隸，而楷，此形式之變化也；為象形，為指事，為會意，為諧聲，為轉注，為假借，此文字之理論也。大氐由淺而深，由草昧而文明。後之學者，幾經研討，辨其所發明，著為成書，尤不可更僕數。然多致力於專門一家之學，範圍於一種研究，若窮源溯流，叙其沿革，蓋不多覯。昔漢許君叔重製為《說文解字》，兼收古文、《史籀》、《蒼頡》之篇。所謂古文，即孔壁、漆書，《史籀》即岐陽刻石一類。郡國山川古器出世無多，許君未得其際會而採用之。其後魏正始中，於洛陽立三字石經，分列古文、篆、隸三體，其蝌蚪書取諸邯鄲淳氏，亦淵源根柢之學也。蓋自甲骨、金文出世，吾人始知古文字之遞變；自泉幣、鉩印之發現，始知秦篆之定一。其關係於史乘、制度、生產、文化為事綦鉅。吾友王君檀研古文字之學，所著以探討古今文字源流沿革，證之以凡例，所搜羅前古遺文自商、周以迄兩漢，分別部居，釐然可觀。其有益於後學之研討，而得其門徑為可知也。其與正始石經、許君解字體例亦同。爰為之序，而附記以詩。

漢家祭酒推南閣，欲步遺蹤問洨園。（某前輩於京師名其園曰洨園取景仰許君）省識六書沿革例，自然訓詁得逢源。

三體曾傳魏石經，邯鄲書法舊知名。開陽門外無遺迹，石墨流傳尚眼明。（三字石經立於洛陽開陽門）

殷墟書契童年習，殷禮吾能說史巫。喜見周原新發現，應同三絕韋編書。

鼎彝印璽刀泉幣，一脈相承造化工。故事曾聞天雨粟，與君一笑祝年豐。

凡例

一　本書共例釋一千一百六十七個古文字，以部首類編，按東漢許慎《說文解字》體例分十四卷。

二　凡所收之字，皆以真書、小篆二體為字頭。每字先釋其意，後例甲骨文、金文、璽文、漢印文、漢金文諸體，字意及流變均能反映。

三　書中所引書名皆為簡稱，如羅振玉《增訂殷虛書契考釋》簡稱《增考》。簡稱和全稱的對照，可見引用書目表。

四　書中所引殷商甲骨文字，欄首以(甲)表示；先秦金文字，欄首以(金)表示；先秦古璽文字，欄首以(璽)表示；漢魏印文字，欄首以(漢印)表示；秦漢金文字，欄首以(漢金)表示。每字下注有出處，或片名，或器名，或璽印全文。璽印全文中不可釋之字，用□表示。

五　為了便於檢字，檢字索引分為二種，一按《說文解字》部首為序，一按筆序。

一

常用古文字字典卷一

古人用一畫表示數字一，數不是事物，不可象形，只能用指事符號來表示。古人由于生活上的需要產生了數的概念，一件事物畫一橫，兩件事物畫二橫，如結繩記事，以結為數。所以甲骨文中的數字一二三四寫作一═☰☰。《說文》「一，惟初太始，道立於一，造分天地，化成萬物。」這種解釋和造字本義不符，《說文》中一二三的古文弌弍弎，是後來產生的。

甲
一 鐵十一·四
一 鐵一四八·一
一 前一·三九·二
一 後上五·一
一 林一·七·三

金
一 我鼎
一 盂鼎
一 毛公鼎
一 散盤
一 胃朕鼎

璽
一 肖勅器容一斗

漢印
一 楊州理軍一印

元

漢

一 上林鼎

一 陽周倉鼎

一 頻鼎盖

一 長楊鼎二

元 代大夫人家壺

元字的本義應為人的頭，甲骨文作[glyph]或[glyph]，金文作[glyph]或[glyph]，甲金文元字的共同點下面都是人，而以一、二或●指明它的部位正在人的頭部。有人釋[glyph]為元，實際兀元是一字，本義完全相同，到後世兀元才分化為意思不同的字。《說文》：「元，始也。从一从兀。」照許慎之意是會意字，但一和兀合在一起很難表明什麼意思。元之意，還可據寇和冠兩字得到證明。寇字金文作[glyph]，表示手執武器入人屋內，擊人頭部，冠字其中寸為手，冖為帽子，元是人頭，冠字表示人用手拿帽戴在頭上。《爾雅釋詁》中首元同訓，在古籍中還常作人頭之意，如《左傳．僖公三十三年》：「狄人歸其元。」後才引申為始。卜辭「貞出自口元示三牛二示二牛十三月」（前三．二二．六）中元作大，「元始」即「大示」。

甲

[glyph] 鐵二五二

[glyph] 鐵四五三

[glyph] 前三．二二．六

[glyph] 前四．三二．五

[glyph] 林一．二八．十一

金

[glyph] 元作父戊卣

[glyph] 旨鼎

[glyph] 師虎簋

[glyph] 辱氏匜

[glyph] 吉日壬午劍

天 天

漢印

俞丞元印

成元私印

梨元

漢金

壽成室鼎

永元四年洗

永和元年洗

永元十三年堂狼洗

之初元年洗

《說文》：「天，顛也，至高無上，从一大。」天字和元字的本意相同，為人頭。天，甲骨文作𠀘或呆，金文作𠀘。大象人正立形，表示大人。甲骨文中二、口，金文中●，都表示人頭，二是指事符號，甲骨文是刀刻的，為方便刻作二或口，金文熔鑄，故从口變為●。因此王國維曾說：「呆𠀘為象形字，天為指事字，篆文之从一大者為會意字。文字因其作法之不同，而所屬之六書亦異。」（集林六卷·釋天）後來人們認為人的頭上就是天空，所以从本意人之頭引申為至高無上的天空了。於是又創作了顛字，从頁真聲，變為形聲字，而天作為人之顛的本意逐漸不用了。卜辭中「天乙」「天戊」一般可釋為「大乙」「大戊」。金文中天有作人姓的，如「天亡又王」（天亡殷），也作上帝講，如「受天有大令」（盂鼎）。

史　吏

甲

拾五·十四

拾十·十八

前二·三·七

前二·二十·四

前八·九·二

金

天父辛卣

克鼎

頌鼎

齊侯壺

蔡侯盤

璽

天

漢印

黃神越章天帝神之印

天帝殺鬼之印

天下大明

漢

廿六年詔版

光和四年洗

新嘉量二

心思君王竟

湅治銅竟

甲金文史、吏、事實為一字。史甲骨文作，吏甲骨文作，金文作，事甲骨文以史為事，金文作，小篆把史吏事區別開來，寫成。說文因而解釋不同：「持書者謂之史，治人者謂之吏，職事謂之事。」史字的本義是什麼，學者意見不一。字从又从中，又者右手，用手持中，中是什麼東西？是分析字義的關鍵。《說文》：「中，正也。」「中，內也，从口丨，上下通。」近人有釋中為簿書簡策；有釋為獵具，或祭示、占卜的工具；有釋為氏族社會中徽幟，用以召集眾人。金文事作[glyph]，有人認為事即使字，象一人手執簡立於旂下，史臣奉使之意。初民造字時不一定已是階級社會，「治人者謂之吏」是有階級以後才使用的意義，最初史吏事的意義只能大致認為是古人手拿杈棍當武器，從事狩獵作戰，是當時的大事。（據徐中舒說）

甲

鐵二五〇·二

師友二·二八

乙七一七九

乙二七六六

京都九二三

金

盂鼎

篆

事子

事

故事

陳窶立事歲㪅邑釜

證事

漢印

宣曲喪吏

長生左吏

漢金

吏 杜氏竟

吏 青蓋竟

吏 許氏竟

吏 吾作竟

上 丄

《說文》：「丄，高也。此古文上，指事也。」上和下，無形可象，因此用一畫作標記，加在其上一短橫為上，放在其下一短橫為下，所以稱為指事字。上甲骨文作二，下面一長橫作弧形，並向上仰，上面作一點或一小短橫，表示大物把小東西托在上面。長橫作弧形，上面用短橫或點主要防止與數字二混淆，小篆改上一短橫為一豎，成丄或上。

甲
- 二 前二·五·二
- 二 前二·二八·七
- 二 前七·三二·四
- 二 後上八·七
- 二 上八·八

金
- 二 大豐簋
- 二 弔上匜
- 丄 蔡侯盤
- 上 上官登
- 二 克鼎

璽
- 郝上志
- 上尹之鉨
- 口上私司
- 敬上
- 上口宦夫：之鉨

漢印
- 上官建印
- 公上翁叔
- 上官建印
- 上東陽鄉
- 上官翁孫

漢金
- 上林鼎
- 上 又盉
- 上 熹平鐘
- 陽嘉二年朱提洗
- 上大山竟

帝 帝

帝甲骨文作帝，金文作帝，小篆作帝。對帝的探源有不同看法。商承祚曰：「甲骨文帝字變體甚多，其作帝帝則與篆文同，或作帝帝帝，蓋帝乃蒂之初字，故象蒂及不鄂也。蒂為花之主，故引申而為人之主。」（古攷四頁）郭沫若根據甲骨文帝字帝認為▼象花之子房，「一象萼，个象花蕊之雄雌。」（金文詁林五十六頁）朱芳圃認為：「帝若帝，象積柴，一象植柴之架，ㅂ所以束之。古者祭天燔柴為禮。禮記祭法，燔柴于泰壇，祭天也。」（釋叢）《說文》「帝，諦也，王天下之號也。从上，朿聲。帝古文帝。」帝應是初民頭腦中認為的主宰萬物的天神。天神謂之帝，因此祭祀天神謂之禘。《爾雅．釋天》：「禘，大祭也。」禘為王者之大祭。」後來統治者借天神在人們頭腦中的威望，稱自己為天子或皇帝。所以「帝為王天下之號」是較晚的事了。金文中有作上帝講，如「隹皇上帝百神」（㝬鐘），有同皇共釋為大的，如「其用亯用孝于皇祖帝考」（仲師父鼎）。

（甲）
帝 鐵二·二　帝 餘七·二　帝 後上四·十七　帝 下九·六　帝 菁十·八

（金）
帝 井侯簋　帝 寡子卣　帝 仲師父鼎　帝 邙卣　帝 㝬鐘上帝合文

旁

漢印　皇帝信璽　天帝殺鬼之印

漢金　大良造鞅方量　廿六年詔權　廿六年詔楕量　元年詔版　新嘉量

旁甲骨文作𠀠或𣃘，金文作𣃘，小篆作㫄。《說文》：「旁溥也，从二，闕，方聲。」許慎不知小篆中冂這部分是怎樣變化來的。故說从二闕方聲。甲骨文旁最早為𠀠，其中上部分凵先變為𠀠，再變為井，小篆變為𠀠。不少人根據小篆𠀠這部分說是从人从上下肖，甲骨文𠀠从凵从方，「凵」象邊界畫分州野的標誌。邊界都有四邊，故甲金文有的作凵，凵或凵，都表示東南西北四方之形，因此可以認為旁的本義是四面八方的意思，字中方是聲符罷了。卜辭中旁有的作地名：「癸亥王卜在旁貞旬亡禍王乩曰吉」（前二．三．二）。金文中旁有作人名的：「旁肇作尊諆」（旁鼎）。

甲　拾五．十　前二．三．二　後下三七．二　林一．十七．十五　庫一五九六

金　周𡩜旁尊　旁鼎　𢦚𤳳母簋

丅 下

漢印：梁旁家丞　旁賞　臨旁　旁敞之印

漢金：新嘉量

《說文》：「丅，底也，指事。下，篆文丅。」上和下相對，下甲骨文作⌒、⌒，金文作二或下。甲骨文上面一長橫作弧形，下面加一小橫表示物在其下。小篆變短橫為豎，成丅或下。

甲：鐵一五十·三　前四·六·八　後上·八·二　上八·三　林一·二四·十五

金：虢弔鐘　番生簋　長由盉　蔡侯盤　魚鼎

璽：明上口下　明下　正下可私　正下可私　下口宮夫：

漢印：下邳丞印　帳下行事　下江將軍章　下良私印　下密丞印

漢金

丅 卄六年詔權量　丅 魏中尚方帳構銅二　丅 見日之光竟二　丅 君有行竟　丅 龍氏竟二

漢金

丅 上廣車飾　丅 湅石華下竟　丅 大騩權　丅 長安下領宮高鐙　丅 騶氏竟

《說文》:「示，天垂象，吉凶，所以示人也。从二，三垂日月星也。觀乎天文以察時變，示神事也。」从示之字，雖多與神名如神、祇、社；祭示的類別，如祈、祓、祝；宗廟如祖、祏；禍福之事如祿、祥、祟有關，但甲骨文示寫作丅或亍，下面只一垂，少數邊上加小點，沒有二垂或三垂的，小篆才變作示。許慎根據小篆示，把下面的小作「三垂，日月星」的說法並不是造字的本意。實際上丅象古代初民拜神祭天的石桌，這個說法从下面講到的禮福、祝等字的釋義中可以得到證明。卜辭中示作為先公先王之通稱，如「辛巳卜大貞之自上甲元示三牛，二示一牛」(前三·二二)。

甲

亍 鐵十·四　亍 餘四·二　丅 後上·一·二　丅 菁·四·一　丅 林一·十八·十

祜，《甲骨文編》所無。《古文字類編》收甲骨文祜為祜。金文作祜或祜，小篆作祜。《說文》:「祜，上諱。」漢皇中有以祜為名者，故許氏避諱，對字形、義不作解釋。《爾雅·釋詁》:「祜，

祜　禮　禮

福也。」段玉裁注：「祜，福也」，从示，古聲。祜訓福則當與祿褫等為類。」祜、福同義字。銘文「劇永祜福」（曾子簠）中祜福同義連文，就好比美好兩字同義連文一樣。另外銘文中還把祜假作古代盛稻粱之器名簠，如「隹伯其父慶作旅祜」（伯其父簠）。

甲　祜　粹二三四　祜　粹二三三

金　祜　曾子簠　祜　曾子簠　祜　伯其父簠

禮，甲金文編所無，李孝定《甲骨文集解》收豊為禮，《金文續篇．卷一》收元始鈁中的禮字作禮，與小篆的禮近同，僅把豊改作曲。《說文》：「禮，履也，所以事神致福也。从示，从豊，豊亦聲。𥘺古文禮。」按小篆禮，示為祭台，豊象兩串玉器放在器具中，豆為盛食肉之器。表人把盛滿玉器的祭具放于祭台上獻給神帝以求福祐，所以禮原義為敬神，後引申為對人敬意的通稱。

甲　豊　後下八二

祿 祿

漢印

禮 禮都審印

禮 禮給私印

禮 禮讓

禮 禮樽

漢金

禮 元始鈁

禮 上大山竟二

祿，甲骨文作[glyph]，其中日象一布袋，上冂為繩索，紮緊，下面二點，象從布袋中滴下的水汁，可知袋中裝有含有水份的物質。金文作[glyph]。甲金文祿，不从示，借彔為之。如「毛[glyph]彡[glyph]」（前六·一·八），「通彔永令」（頌鼎）。小篆作祿。《說文》：「祿，福也。从示，彔聲。」古人稱生活食品為福祿。後又稱官吏的收入為俸祿，是其本義的引申。

甲

[glyph] 粹五〇一

[glyph] 前六·一·八

金

[glyph] 頌鼎

漢印

祿 上祿丞印

祿 尹祿之印

祿 司馬丞祿之印

祿 楊承祿印

祿 張祿

漢金

祿 承安宮鼎

祿 龍氏竟二

祿 王氏竟

祉　祉　福　福

祉，甲金文編無，李孝定《甲骨文集釋》收祉為祉。在卜辭中作祭名，如「貞祉口大口三口三牛」（甲二九四七）。小篆作祉。《說文》「祉，福也。从示止聲。」《詩．六月》「既多受祉」，即多受上天之福。

甲

祉　甲編二九四七

漢印

祉　口口祉附城

祉　郭印允祉

《說文》：「福，祐也。从示，畐聲。」許慎據小篆字形賴其為形聲字。甲骨文福作　象兩手（𠬞）捧着酒罐（酉）把酒澆注在祭台上，丅為祭台，邊下的小點如澆下的酒滴。因此，福字是古人用酒搞祭祀活動的寫照，應是會意字。小篆變酉為畐，已不似酒器，故許慎以此作聲符了。古人拿酒祭神，希望得到幸福。所以，福字以後又被引申為幸福。卜辭有「癸亥卜貞王旬亡𡆥中介囗王……曰福」（存二．九七二），金文有「用祈多福」（大師盧豆）。

甲

鐵三四．四

拾三．十七

林一．十九．四

戩二五．十

戩四一．九

祐

金

士父鐘

國差𦉢

克盨

㝬鼎

周乎卣

璽

福壽

福壽

有福

大福

漢印

和福

羊福之印

丁福

吳福

程福

漢金

五鳳尉斗

承安宮鼎二

壽成室鼎

中宮雁足鐙

鳳皇竟

祐，甲骨文作又或𥘸，卜辭中右、祐、有、又都寫作又。又即右手，𥘸釋祐可从。象人用右手在祭台上放祭品的樣子。小篆作祐。《說文》：「祐，助也。从示，右聲。」卜辭中受右即受祐，也即受福。

甲

拾三.十四

前一.二十.七

後下二三.十六

菁十.十

戩十三.九

漢印

吳祐私印

祐臣

祇　祇　　神　神

祇，金文作𤰈，由即甾。甾甲骨文作凵、由、由、甶、甾諸形，《說文》：「東楚名缶曰甾，象形。」段玉裁注：「瓦器所以盛酒漿，秦人鼓之以節歌。」由象瓦器形，郘鐘𤰈字象兩瓦器底部相抵之形，即抵之本字。小篆訛變為祇，與金文𤰈字形全非，隸定為祇。《說文》：「祇，敬也。」从示，氐聲。在金文中祇、敬同義連文，如「祇敬禴祀」（郾侯殷）。也有作安講的，如《詩·小雅·何人斯》「俾我祇也」，鄭箋：「祇，安也。」

（金）

𤰈　郾侯簋

𤰈　召伯簋

𤰈　秦侯鐘

𤰈　秦侯盤

（漢印）

祇　檀祇　白箋

《說文》：「神，天神，引出萬物者也。从示申。」申甲骨文作ㄣ或ㄣ，象天空中閃電的樣子。《說文》：「申，電也。」電，古文字作𩃬，在閃電上加雨，表示閃電與下雨有關。《說文》：「電，陰陽激燿也。」由于古人最初不瞭解天象的變化，認為閃電變化莫測，威力無窮，出于敬畏而稱之為神。所以金文中申有時作神講，如「䫉孝于申」（克鼎）。由此可見申、電、神三字原來的本意都是自然現象中的閃電，三字出現的時間先後不一，可算作古今字。後來三字的字義又各自發展，當作別論了。

齋 齋

（金）克鼎　寧簋　伯戒簋　𣪕鐘　陳財簋

（漢印）黃神之印　巨神李明　黃神越章　黃神之印　神通印

（漢金）成山宮渠斗　長安下領宮高鐙　大吉丑器　上華山竟　清銅竟

齋，金文作𥛊、𥛊，小篆作𥚸。《說文》：「齋，戒潔也。从示，齊省聲。𩰫，籀文齋从𩰫省。」齊省聲說法不對，齋甲骨文作𥘅，金文作𥘅，小篆作𥚸，比甲骨金文多兩橫。齊本不須加兩橫，故無所謂省聲。齋，古人在祭祀典禮前清心潔身，以示莊敬。《呂氏春秋·孟春紀》：「天子乃齋。」齋現簡化為斋。

（金）蔡侯盤

（漢印）朱齋私印

（漢金）齋　永和二年釓

祭 祭 祀 祀

祭，甲骨文不少字不从示，只从又持肉，如𣍃；也有从示的祭，如𥛄。从這兩個甲骨文的祭來分析，祭有殺牲之意。字中ㅁ是牲肉，⋯象牲的血滴，又是人手，古人殺牲，一是為自己吃，另一就是常把牲肉放在祭台上，祭字就是後一種情況的真實寫照。祭金文作𥛃或𥛄，小篆作祭。《說文》：「祭，祭祀也。从示从手持肉。」祭，小篆與甲金文的形義同，因此許慎的解釋當然正確。祭是殷代祭祀系統中的一種祀典專名，後世才以其為祭示的通名。

甲：前一·二六；前二·三八·二；後上十九·十一；上·二十·十三；林一·十·九

金：史喜鼎；義楚耑；邻王義楚耑；邾公華鐘；蔡侯盤

漢印：新成左祭酒；步昌祭酒；祭它私印；祭尊私印；祭睢

祀字，甲骨文作祀，金文作祀，小篆作祀。三體字形無變，皆象一人跪在祭台前祈禱之形。《說文》：「祀，祭無已也。从示，巳聲。禩，祀或从異。」段玉裁注「祀从巳而釋為無巳，此如治曰亂，徂曰存，終則有始之義也。《釋詁》：祀，祭也。」在殷周祀已作祭祀的總稱。金文中作祭的，如「王祀于天室降」（大豐毀）。作人名的，如「邿白祀作善鼎」

（郬白祀鼎）。還有作名詞「年」講的，如「隹王二祀」（郯卣）。

(甲)

祀 前二·二二·二　祀 前四十九·七　祀 前五·三十·五　祀 前五·四七·三　祀 後下四三·一

(金)

祀 郯卣　祀 作冊𣪘卣　祀 宰桃角　祀 保卣　祀 郬伯祀鼎

(漢印)

祀 齊祠祀印　祀 沛祠祀長　祀 齊祠祀長

祖 祖

《說文》：「祖，始廟也。从示，且聲。」甲金文祖字，有的不从示，作且或且；有的从示，作祖或祖。小篆作祖。祖字的本義正如《說文》講的是祖廟。且象祖廟的樣子。∧象屋頂，||為左右兩牆，下面一橫為地基。古人認為祖宗死後變為鬼，也要有居住的地方，所以造廟供祖宗居住。從而又把廟作為祭祖宗的地方，同時又把且字借為祖字，因此甲金文中有的字从示作祖，後人又造了一個廟字代替且字。許慎不了解祖的本字是且，把且說成是祖的聲符，不妥。金文中有俎作俎，兩夕是肉，俎就是把肉放在廟裏供祖宗鬼神享用。卜辭中祖作先王之名，如「貞告于祖丁」（前編十二頁）。金文有「以祭我皇祖」（欒書缶）。

𥘵 𥘵

甲 鐵四八·四 前一·九·六 拾一·一四

金 盂鼎 䜌書缶 齊鎛 陳逆簋

漢印 祖 胡印 彭祖 祖 樊印 彭祖

漢金 祖 新嘉量 祖 新嘉量又二

𥘵，金文作𥘵，象一個側面人形站在丁前以祈求帝神福祐。于省吾釋曰：「卜辭多以氣為祈求之祈，金文自西周中葉以來，祈求之祈作旂、旂、旂，間或作气。以六書之義求之，𥘵或从，从人示，象人跪于神主之前以祈福。示亦聲，係會意兼形聲。係字係由从滋化為𥘵。典籍則代以从示斤聲的祈字。」（考古一九六三年第八期四四三頁）其說可从。但𠂤與斤字形不同，从字形上隸定為𥘵較好，小篆作𥘵。《說文》：「𥘵，以豚祠司命。从示，比聲。漢律曰：祠𥘵司命。」金文中𥘵通為𥘵，如「皇𥘵（𥘵）聖姜」（齊鎛）。

金 齊鎛

祠　祠　　禘　禘

祠，甲骨文不从示，作司，如同祖省示作且一樣。卜辭中「王廿司」即「王廿祠」。金文作祠是祭名，如「以為祠器」（禹邗王壺）。小篆作祠。《說文》：「祠，春祭曰祠，品物少，多文詞也。从示，司聲。仲春之月，祠不用犧牲，用圭璧及皮幣。」《爾雅·釋詁》：「祠，祭也。」

甲

祠 周甲二〇

司 前二·十四·三

金

祠 禹邗王壺

漢印

祠 齊祠祀印

祠 成紀子典祠令

祠 祠廚

甲骨文中以帝為禘，作帝。卜辭中禘為祭祀的專名，如「貞帝于王亥」（後上十九·二）。金文禘，也不从示，从口作啻，如「啻邵王」（剌鼎），即「禘邵王」。小篆作禘。《說文》：「禘，諦祭也。从示，帝聲。《周禮》曰：五歲一禘。」禘為古代祭名，專指帝王行祭，如《禮記·大傳》：「禮，不王不禘，王者禘其祖之所自出，以其祖配之。」五歲一禘，指天子諸侯宗廟五年一次禘祭。

祝 祝

甲 □ 前四·一七·五 卜辭用帝為禘

金 □ 剌鼎

祝，甲骨文有的作□或□，象人跪在丅邊，用雙手向丅作拜。甲骨文有的作□，□即兄字，上是口，下是人，丅上的∴象祭台上所灌的酒，兄象人仰首開口在呼求禱告。所以，祝表示求天神保佑之意。祀字甲骨文作祀，可能是祝字的簡化，祀字義與祝同。卜辭中祝為專事祭禮的官名，如「乙巳王貞啟乎祝曰……」（甲二三五六）。

金文祝作□，也作官名，如「即井白大祝射」（長甶盉）。小篆作祝。《說文》：「祝，祭主贊詞者。从示从人口。一曰：从兌省。《易》曰：兌為口為巫。」从兌省，不可據。

甲 □ 前四·十八·七 □ 前四·十八·八 □ 前六·十六·六 □ 前七·三一 □ 後上十九·十

金 □ 太祝禽鼎 □ 盂鼎 □ 長甶盉

璽 □ 祝佯

祈

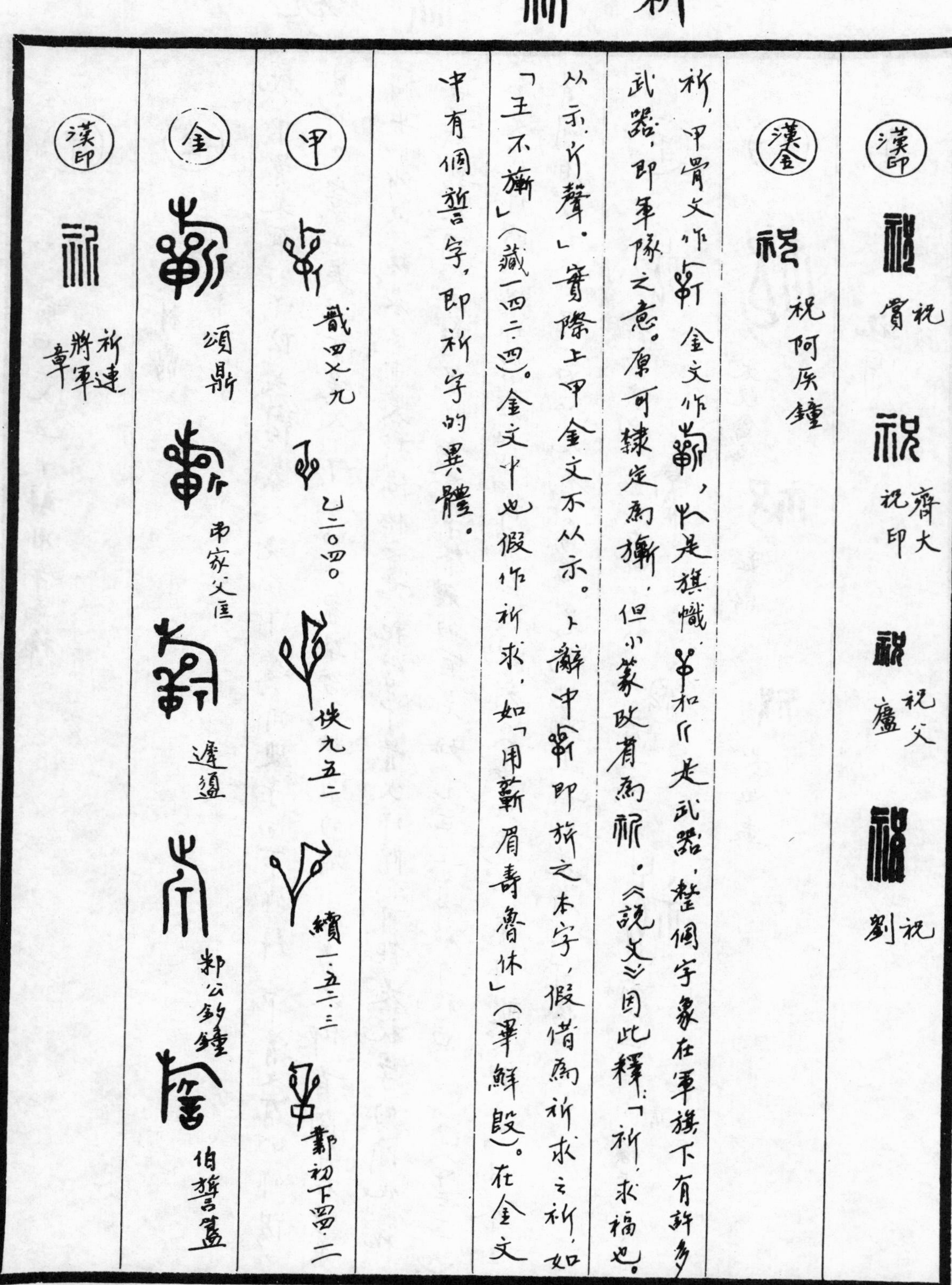
漢印

祝賞　齊大祝印　祝父盧　祝劉

漢金

祝阿床鍾

祈，甲骨文作[glyph]，金文作[glyph]，[glyph]是旗幟，[glyph]和斤是武器，整個字象在軍旗下有許多武器，即軍隊之意。原可隸定為旂，但小篆改省為祈。《說文》因此釋：「祈，求福也。从示斤聲。」實際上甲金文不从示。卜辭中[glyph]即旂之本字，假借為祈求之祈，如「王不旂」（藏一四二·四）。金文中也假作祈求，如「用旂眉壽魯休」（畢鮮段）。在金文中有個䛗字，即祈字的異體。

甲

戩四七·九　乙二〇四〇　佚九五二　續一·五二·三　鄴初下四·二

金

頌鼎　弔家父匡　遲盨　邾公釛鐘　伯䛗簋

漢印

祈連將軍章

禦　禦　禍　禍　⿰礻蒦

禦，甲骨文作□，金文作□，小篆作禦。甲金文不从彳，或省作御，是一種祭祀的名稱，有除災消禍之意。卜辭中有「辛丑卜其御中女己」（乙四五〇七），金文中有「我作禦祡祖乙妣乙祖己妣癸」（我鼎）。《說文》：「禦，祀也。从示，御聲。」皆作為祭名講。後也可假作「防御」之「御」。

甲　□ 河三一二　□ 鄴三下·三七·四

金　□ 我鼎　□ 禦父辛觶

禍，甲骨文作□、□，其中□或□象獸骨形，即骨字。中間卜象卜骨呈兆的裂縫形。□字《說文》所無，卜辭中假□為禍或咎，如「貞卯……帝弗其降□十月」（佚三六）。小篆禍作禍。《說文》：「禍，害也，神不福也。从示，咼聲。」

甲　□ 菁五二　□ 佚三〇四　□ 粹一三〇　□ 粹一二六四　□ 粹一四五五

⿰礻蒦字甲骨文作□，象人用手拿一鳥放在祭台上。⿰礻蒦是一種以鳥（或雞）為祭的祭名。卜辭有「癸卯……貞王……⿰礻蒦」（甲一二六五）。⿰礻蒦字《說文》所無。

禮　三　三

甲

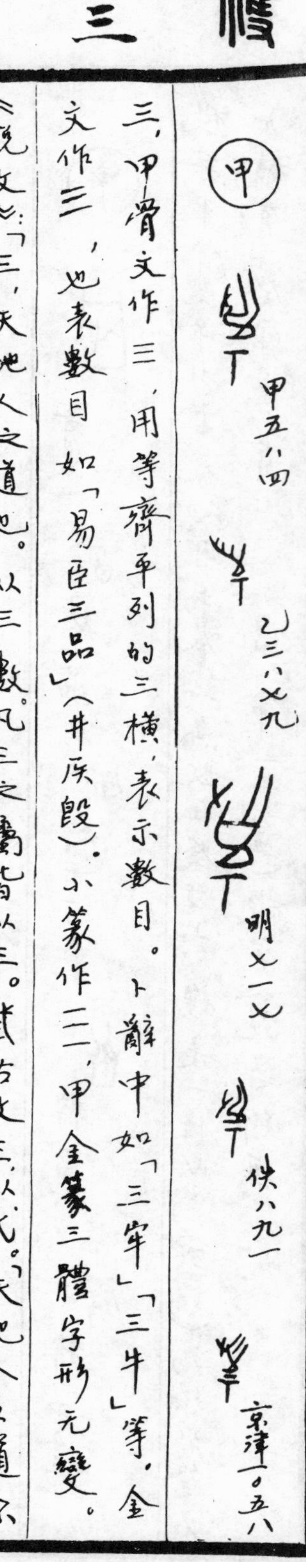

甲五八四

乙三八七九

明七一七

佚八九一

京津一〇五八

三，甲骨文作三，用等齊平列的三橫，表示數目。卜辭中如「三牢」「三牛」等。金文作三，也表數目，如「易臣三品」（井侯段）。小篆作三，甲金篆三體字形無變。《說文》：「三，天地人之道也。从三數。凡三之屬皆从三。弎古文三从弋。」「天地人之道」不可信。

甲

三 鐵四三·三

三 拾三·十四

三 前一·七·三

三 菁五·一

三 林一·十九·一

金

兔簋

大鼎

井侯簋

頌鼎

散盤

璽

陳口三立事歲右稟釜

陳得三眞易

漢印

三封左尉

萬歲單三老

漢金

梁鍾

盩厔鼎蓋

第七平陽鼎

濕成鼎

九斤十二兩鼎

王　王

（漢金）　三 魏中尚方尉斗　三 驕貜博局　弍 光和斛二

王，甲骨文作□、□，金文作王，釋義衆說各異。吳大澂釋：「王，大也，盛也。从二从山，山古火字，地中有火，其氣盛也。火盛曰王。」（古籀補）商承祚曰：「其實王乃旺之本字，王者借字也。」石經古文與篆文同。」（古攷）徐中舒曰「士王皇三字均象人端拱而坐之形，其不同者王字所象之人較之士字其首特巨，而皇字則更于首上著冠形。」（集刊：士王皇三字探源）吳其昌釋：「王字本義斧也。……以上所舉例三十五字考之。……其柄與柲之處，並無大異。而其鋒刃之處，則四類顯各不同。第一類自豐王斧□式變出，故皆方刃作凵凵凵形。第二類則自□式變出，故皆圓刃作凵凵凵形。第三類則自甲骨文字□式變出，故皆銳刃作凵凵凵形。第四類則摹繪生動，……尤為宛肖斧狀。……古之王者皆以威力征服天下，遂驕然自大，以為在諸侯之上，而稱王。以王之本義為斧，故斧武器用以征服天下。故引申之凡征服天下者稱王。」（武大文哲季刊五卷三期）王，小篆作王。《說文》：「王，天下所歸往也。董仲舒曰：古之造文者，三畫而連其中謂之王。三者，天地人也。而參通之者王也。孔子曰：一貫三為王。……𠙺古文王。」《說文》之說不妥，吳其昌之說較合理。

皇

甲

鐵四七.二

鐵一二一.三

鐵二四九.一

前一.七.五

前二.三.五

金

觶尊

小臣系卣

毛公鼎

散盤

曾姬無卹壺

璽

王口

王生口

王文正

王口

王𢡱生鉨

漢印

淮陽王璽

壽王鐘

王嘉

王悍

王口印信

漢金

宜侯王洗

均富貴昌宜侯王洗

𡧍氏洗

美人大王竟

宜公王子孫洗

皇，金文作𡈼，釋義衆說各異。吳大澂曰：「𡈼，大也。日出土則光大，日為君象，故三皇稱皇。頌敦。」（古籀補）汪榮寶釋：「皇者舜時宗廟之冠，……古文皇字即象其形。」㊀

皇

象冠卷，屮象冠飾，土象其架。……皇之本義為冠，天子服之，因以為天子之稱。」（國刊.第一卷二期釋皇） 朱芳圃曰：「皇即煌之本字，《說文.火部》：煌，煌煇也。从火皇聲。其字下作㞷即鐙之初文，鐙膏照夜之器也。上作屮若艸，象鐙光參差上出之形。……《說文.丶部》：主，鐙中火主也。从㞷，象形。从丶，丶亦聲。王筠曰，其下為鐙檠，上曲者鐙盌，丶則鐙炷矣。按皇與主結構相同，惟一象鐙光煇煌，一象鐙中火主。又曰：丶、丶皆象鐙缸，一作俯視形，一作側視形，是其異也」（釋叢釋皇） 朱說較妥。小篆作皇《說文》：「皇，大也。从自，自，始也。始皇者三皇大君也」。自讀若鼻，今俗以始生子為鼻子。」其說字形，只據小篆，與金文不符。皇在金文中作人名，如「函皇父作……鼎」（函皇父段），也有作「大」講的，如「皇天弘猒氏卑德」（毛公鼎）。

（金） 史獸鼎　買簋　召卣　弔角父簋　秦公簋

（璽） 皇□　皇迪　皇　皇得

（漢印） 皇帝信璽　張皇印信　皇建　皇喜　皇尊

王　玉

㊟漢金

皇 陽陵兵符

皇 廿六年詔權

皇 廿六年詔十六斤權

皇 廿六年詔廿斤權

皇 鳳皇竟

王，甲骨文作丰，其中三象三片玉塊，丨是繩索，即丰的省簡，故丰象一繩連結繫着多塊玉片。金文作王，小篆作王，與王之區別在于小篆玉之三橫之間等距，小篆王之中間一橫近上橫而遠下橫。《說文》「玉，石之美有五德，潤澤以溫，仁之方也；䚡理自外可以知中，義之方也；其聲舒揚，專以遠聞，智之方也；不橈而折，勇之方也；銳廉而不技，絜之方也。象三玉之連，丨，其貫也。……𤣩古文王。」金文中作名詞玉石，如「王錫口口𤣩玉十丰章」（乙亥簋）。

㊟甲

丰 前六·六五·二

丰 後上二六·十五

丰 乙一一四四

丰 乙二九二二

丰 京津一〇三二

㊟金

王 鳥且癸簋

王 乙亥簋

王 穆公鼎

王 毛公鼎

王 齊侯壺

㊟漢印

王

王 王智

王 王段

王 王房之印

王 王登之印

王 程玉印

㊟漢金

王 尚方竟二

王 又乂

王 袁氏竟三

王 上大山竟

王 秦山竟

璧　璧　　環　環　　靈

璧，甲骨文編無，金文作璧或璧，小篆作璧。《說文》：「璧，瑞玉，圜也。从玉，辟聲。」段玉裁注：「瑞以玉為信也。」釋器：肉倍好謂之璧，邊大孔小也。鄭注：周禮曰璧圜象天。」金文有的作璧，省簡了中間○。在金文和古籍中，均為玉名，如「白氏則報璧琱生」（召伯毁），《史記》中的故事「完璧歸趙」。

（金）璧　齊侯壺

璧　齊侯壺

璧　齊侯壺

璧　召伯簋

（漢印）璧　璧

環字，金文有的作睘（番生簋）有的作環，小篆作環。《說文》：「環，璧也，肉好若一謂之環。从玉，睘聲。」環也是一種扁平圓形中有孔的玉器。金文中作名詞，如「玉環」（番生簋）。

（金）睘　番生簋

睘　師遽方彝

環　毛公鼎

（漢印）環　環武

環　環臣私印

靈，金文作靈，小篆改示為玉，作靈。《說文》：「靈，靈巫以玉事神。从玉，霝聲。」靈，靈或从巫。」許說可从。古代通常指巫婆，因其能通神，故謂之靈子。在金文中作名

靈

詞，如「獻于霝公之所」（庚壺）。

（金）

霝 庚壺靈公

（漢印）

靈 靈川丞印

靈 靈關道長

靈 靈藺

靈 靈定有

靈 靈則印

（漢金）

靈 精白竟

班 班

班，甲骨文中有「珏」作𤤴，象兩串玉片。班字，金文作班，小篆作班。《說文》：「班，分瑞玉。从珏从刀。」金文小篆的班字形正象一把刀把兩串玉分開之形。後引申為分賜，如《書．舜典》：「班瑞于群后。」還有「分別」、「班次」等意。

（金）

班 郳公孫班鎛

班 弭弔盨

（漢印）

班 班氏空丞印

班 班明印信

气 气

（漢金）　新嘉量二

气，甲骨文作三，中畫特短，是為了區別于三字。三字三畫相同，作三。气字，于省吾釋曰：「甲骨文之三即今气字，俗作乞。《說文》：『气，雲氣也。』石鼓文迄字从乞作气，其三畫均邪作，為《說文》所本。……一，甲骨文之气訓乞求，例如『貞，今日其雨。王固曰：疑，茲气雨。之日允雨。三月。』（前七·三六·二）……二，甲骨文之气訓至，例如『王固曰：有希，其㞢來嬉。气至五日丁酉，允㞢來嬉。』（菁一）……三，甲骨文之气訓終，例如『之日气㞢來嬉。』（前七·三一·三）……甲骨文气字作三，自東周以來，為了易于辨別，故一變作三，再變作气。但其橫畫皆平，中畫皆短，其嬗演之迹，固相銜也。」（釋林·釋气）金文作气或气，用作乞求講，如「用气嘉命」（齊侯壺）。小篆變作气。《說文》：「气，雲气也，象形。」甲骨文雲作云，上二與气字三相近，可理解為雲气層層相疊之狀。

（甲）

三　前七·三六·二

三　後二·一·六·二

三　菁二·一

三　佚六

三　京都九四九

（金）

气　齊侯壺

气　齊侯壺

士　士

士，甲骨文作⊥，象雄性生殖器，故甲骨文中加牛作牡，是雄牛；加羊作羊+士為雄羊；加鹿作麚為雄鹿。金文作士或 。吳其昌根據金文士字形 ，釋曰：「士之最初本義亦為斧形，……在盉銘作百工者，其字作 ，而器銘則作眾百士，其字作 尤足證原始士工之無別。工義為斧，已如上述。士義亦斧，甚為連貫矣。伐木之斧為工，是先民原始之工作也。亦得為士，是先民原始之事業也。有斧于斯，乃有所事事。」（武大文哲季刊五卷三期）其說可為一說參考。小篆作士。《說文》：「士，事也。數，始于一，終于十。从一从十。孔子曰：推十合一為士。」其說不可信。金文多作名詞，如「毆孚士女羊牛」（師寰簋）「王乎士曶召克」（克鐘）。

金

士 駱子卣　士 臣辰卣　士 駇尊　士 克鐘　士 秦公簋

璽

士 士君子　士 上士　士 行士鉨　士 云子思士　士 王之上士

漢印

士 奮武中士印　士 司馬右前士　士 毛博士印　士 司徒中士張尚

漢金

士 新郪兵符　士 常樂衛士飯幘　士 新興辟雍竟

中

中，甲骨文作　中，是旂旗的一種。｜為旗桿，〓象飄動的旗幟，與甲骨文的㫃相類同。㫃，甲骨文作　，象一桿上飄動一旗幟。為何作中間之義？唐蘭先生曰：「余謂中者最初為氏族社會中之徽幟，周禮司常所謂：『皆畫其象焉，官府各象其事，州里各象其名，家各象其號。』顯為皇古圖騰制度之孑遺。（周禮九旗以日月、交龍、熊虎、鳥隼、龜蛇等畫之，亦皆由圖騰蛻變而來。）此其徽幟，古時用以集眾，周禮大司馬教大閱，建旗以致民。民至，仆之，誅後至者，亦古之遺制也。蓋古者有大事，聚眾于曠地，先建中焉，群眾望見中而趨附，群眾來自四方，則建中之地為中央矣。列眾為陳，建中之首長或貴族恒居中央，而群眾左之右之，望見中之所在，即知為中央矣。（若為三軍，則中軍也。）然則中央徽幟，而其所立之地，恒為中央，遂引申為中央之義，因更引申為一切之中。（如上下之中，前後之中，大小之中等。）後人既習用中央等引申之義，而中之本義晦。」（殷虛文字記釋〈中〉）唐說甚是。金文作　，小篆作中。《說文》：「中，內也。从口｜，上下通。」　，古文中。　，籀文中。

(甲)

前一．六．二　前四．三七．五　前六．二．三　前七．二二．一　後下四十．十一

(金)

克鼎　頌簋　企中且觶　中婦鼎　散盤

屮

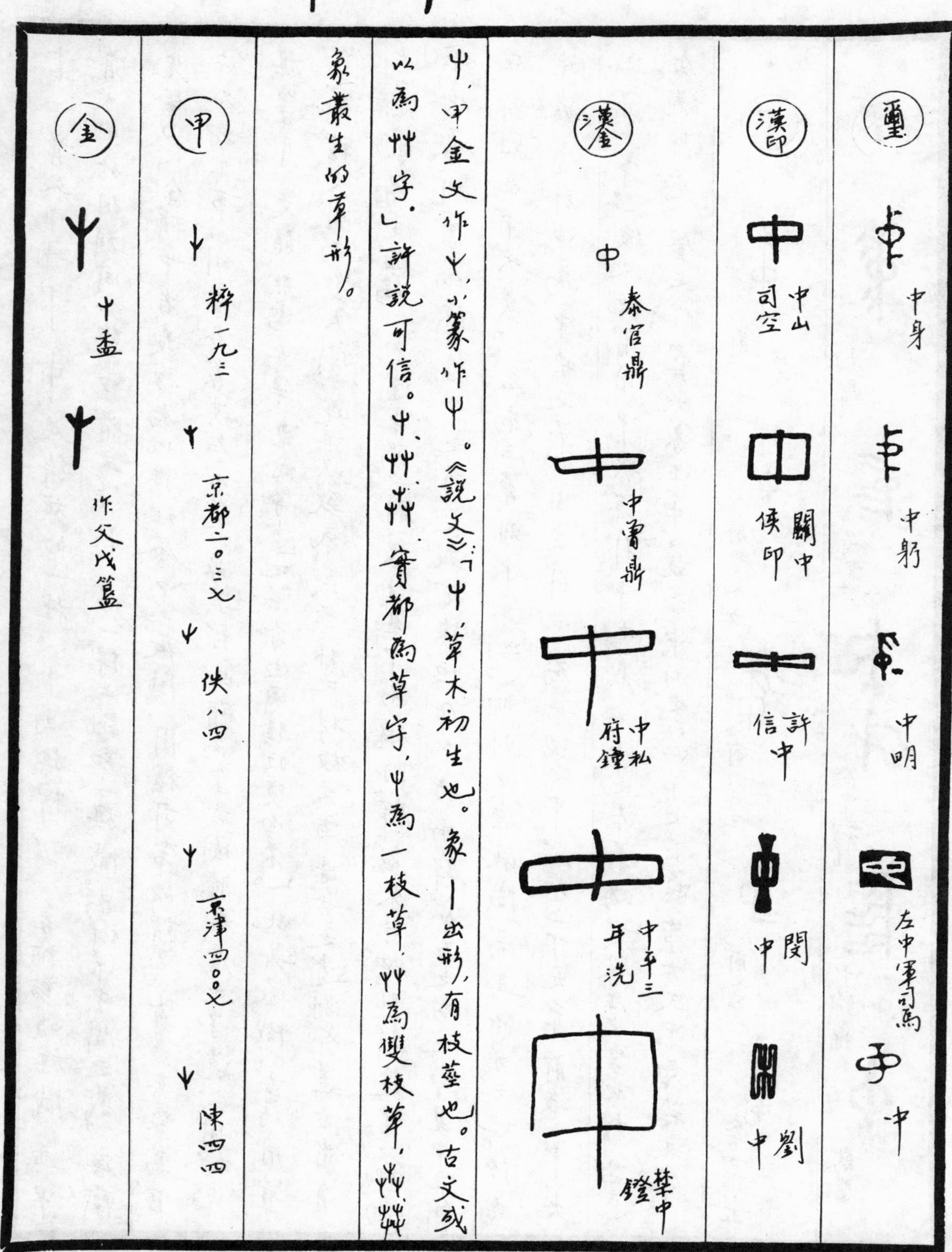

璽
中身
中躬
中明
左中軍司馬
中
漢印
中山司空
關中侯印
許信中
閔中
劉中
漢金
中
秦官鼎
中尚鼎
中私府鐘
中平三年洗
華中鐙
屮，屮金文作屮，小篆作屮。《說文》：「屮，草木初生也。象丨出形，有枝莖也。古文或以為艸字。」許說可信。屮、艸、茻、芔實都為草字，屮為一枝草，艸為雙枝草，茻芔象叢生的草形。
甲
粹一九三
京都二〇三七
佚八四
京津四〇〇七
陳四四
金
屮盉
作父戊簋

屯 [glyph]

屯，甲骨文作[glyph]，金文作屯，小篆作[glyph]。《說文》：「屯，難也。象艸木之初生，屯然而難。从屮貫一。一，地也。尾曲。《易》曰：屯剛柔始交而難生。」許說難信，屯字上一橫，从甲金文的）和•變來，不能作地。此字本義難明，待考。雖有人釋[glyph]象絲回繞形，或象豕形之無足而倒寫，或象植物之種子等等，皆難信。卜辭中屯借為春，如今屯、來屯，即今春、來春。甲骨文春還作[glyph]諸形。金文中屯借作純，如「錫女玄衣黹屯」（頌簋）中屯作純解。

甲：[glyph] 甲二八一五　[glyph] 乙三四四二反　[glyph] 甲二九九三　[glyph] 佚一　[glyph] 佚七九一

金：[glyph] 頌簋　[glyph] 井人鐘　[glyph] 師望鼎　[glyph] 遟盨　[glyph] 頌壺

璽：[glyph] 徒屯涓　[glyph] 屯陽

漢印：[glyph] 屯留丞印　[glyph] 屯留　[glyph] 屯田司馬　[glyph] 屯田丞印　[glyph] 屯田校尉史守之印

漢金：[glyph] 屯官釓　[glyph] 屯官釓

每　[glyph]　[glyph]　蘇

每，甲骨文作[glyph]、[glyph]，从女或从母，頭上加一或屮，象一婦女跪着，頭髮上有笄一類的飾物。卜辭中有作母的，如「貞小[glyph]矢奚」（前一·三三·四），小[glyph]即小母。又假為晦，如「[glyph]不雨」（摭續一九七）。也假為悔，如「弜田其每亡災」（佚四四七）。金文作[glyph]或[glyph]，銘文中通為敏，如「每揚王休」（大豐簋）。小篆作[glyph]。《說文》：「每，艸盛上出也。从屮，母聲。」對照甲金文，許說不可信。

甲

[glyph] 鐵二二三

[glyph] 拾三·五

[glyph] 後上十四·五

[glyph] 上十四·八

[glyph] 上二六·六

金

[glyph] 杞伯簋

[glyph] 杞伯簋

[glyph] 杞伯壺

[glyph] 杞伯壺 省作母

[glyph] 大豐簋

漢印

[glyph] 每當時印

[glyph] 每聿買

[glyph] 每當時

蘇，金文作[glyph]或[glyph]，小篆作[glyph]。《說文》：「蘇，桂荏也。从艸，穌聲。」王筠《說文句讀》注：「本草蘇恭注，蘇从穌，穌，舒暢也。蘇性舒暢，行氣和血，故謂之蘇，蘇乃荏類，而味辛如桂，故爾雅謂之桂荏。」看來，蘇原是一種草藥名。金文作人名，如「穌公子癸父甲作障段」（蘇公簋）。

荊

金
蘇公簋
寬兒鼎

璽
穌文
穌子弟
穌都
穌稟
穌波

漢印
蘇未央
蘇少卿印
蘇瀫翁
蘇氏
蘇湯私印

漢金
蘇季兒鼎

荊，金文作或，不从艸，小篆改作荊。《說文》「荊，楚木也。从艸，刑聲。，古文荊。」从艸訓木，說明此木短小，似草叢生。因有刺，後人稱為荊棘。因荊、楚互訓，故楚國之舊名為荊。

金
貞簋
過伯簋
師虎簋
䝿馭簋

漢印
吳荊
牟荊之印
荊譚
臣荊
荊勝之印

萌　䓝　茲　𦭓

（漢金）

荊　元始鈁

荊　廣漢郡書刀二

萌，甲骨文作𦰩，小篆作䓝。《說文》「萌，艸芽也。从艸，明聲。」从甲骨文萌字看，如日月于草叢艸中，其意當與朝相同，朝甲骨文作𣌭如日月于草叢艸中。艸與艸艸無根本區別。故甲骨文中𦰩與𣌭應同作朝解。作日將出，月將未沒的早晨講。卜辭中作地名，如「貞𡆥亡囚在萌」（後下三·八）。

（甲）

𦰩　後下三八

𣌭　庫一○二五

𦰩　佚二九二

（漢印）

䓝　王萌私印

䓝　成萌私印

萌　王萌之印信

萌　譚萌私印

萌　董萌之印

茲，甲骨文作88，金文作88，小篆加艸為𦭓。《說文》「茲，艸木多益。从艸，茲省聲。」从甲金文88形來看，即絲字。訓為「茲」或「此」，如「貞88雨不……囚」（庫五六九）「子子孫孫其帥井受丝休」（彔伯簋）。

（甲）

88　鐵六九四　卜辭用丝為茲

蔡

金

88

录伯簋

漢印

兹少儒

陰兹之印

兹膺私印

兹局

蔡，甲骨文作，金文作，魏三體石經古文作，小篆作。《說文》：「蔡，艸也。从艸，祭聲。」甲金文與小篆字型不同，从甲金文字形看，大象正面的人形，乀象人之腿上所繫之物，其本義難明，待考。金文中多作國名，如「蔡侯作旅鼎」（蔡侯鼎）。《說文》殺的古文作。此系本蔡字，假作為殺字，故古文中蔡殺通用。

甲

戩三三·九

金

蔡大師鼎

蔡姞簋

𠭯鐘

蔡侯鼎

蔡侯匜

漢印

蔡勳

蔡桂私印

蔡禹私印

蔡順

蔡氏

漢金

祭

蔡氏竟

藥 藥 芻 芻

藥，金文作[glyph]，象樹木上結有果實之形。小篆作[glyph]。《說文》：「治病艸。从艸，樂聲」。此是引申義。金文中作人名，如「藥作寶鼎」（藥鼎）。

（金）[glyph] 藥鼎

（璽）[glyph] 藥涤

（漢印）[glyph] 藥府臧印 [glyph] 藥始兄 [glyph] 藥嬰 [glyph] 藥野 [glyph] 藥踦

（漢金）[glyph] 吾作竟三

芻，甲骨文作[glyph]，从又从艸；金文作[glyph]。唐蘭釋為若，象用手取草，可訓為擇菜。《說文》：「若，擇菜也。从艸右。右，手也」。此字釋艾或若，要比釋芻更為適當。卜辭中[glyph]，似為祭名，如「貞父乙[glyph]于王」（乙五五四）。金文作地名，如「封于[glyph]迷」（散氏盤）。小篆譌變為[glyph]。《說文》：「芻，刈草也」，象包束草之形。」

（甲）[glyph] 鐵九五·四 [glyph] 前一·十一·五 [glyph] 前七·二九·四 [glyph] 後上九·九 [glyph] 林一·二八·十一

金
散盤
散盤

璽
匋口
口齎匠匋信鉨
王匋

漢印
匋印長壽
匋惮
匋令信印

薶，甲骨文作 或 等形，象一牛或一狗掉落陷阱，落阱之動物可為牛、馬、鹿、羊各不同，但字義相同。卜辭中作埋牲之祭名，如「辛巳卜𡆥貞薶三犬五豕卯四牛一月」（前七·三·三）。也作動詞，以阱獲禽，如「乙卯卜殻貞我其薶禽」（乙編二二三五）。小篆作薶。《說文》：「薶，瘞也。从艸，貍聲。」《爾雅·釋天》：「祭地曰瘞薶。」

甲
前一·三三·六
前七·三·三
後上二三·十
上二三·十二
下四·四

折字甲骨文作 ，金文作折，小篆作𣂚。三體字形無變，皆為用斧斤割斷草形。是會意字。《說文》：「折，斷也。从斤斷艸。譚長說。𣂚，籀文折，从艸在仌中，仌寒故折。𣃔，篆文折从手。」卜辭作地名，如「在折」（人三一三一）。金文有的作折，如「折獻于口」（孟鼎），有的假作誓，如「折于大司命用璧」（齊鼎）。

艿

（甲） 前四八·六　京津二七三七　京都三一三一

（金） 盂鼎　不𡢁簋　甲盤　師寰簋　虢季子白盤

（璽） 艿上

（漢印） 艿衛猥千人

艿，甲骨文作，金文作，小篆作。《說文》：「艿，艸也。从艸，乃聲。」許說可从。卜辭中艿作祭名，如「己卯貞在囧𣈆來告艿王」（摭續一〇六）。金文中多作人名，如：「白艿乍寶毁」（伯艿簋）。

（甲） 續三·二八·六　摭續一〇六　京都二八九四

（金） 師艿鼎　伯艿簋　姬乃母鬲　散盤

春 萅 莫

春，甲骨文作𣌾或𣆀，三體石經之古文作旾與甲骨文𣆀相同。金文作𦸗，小篆作萅。卜辭「叀𣌾令𠘨田〇叀𪓝令𣌾」（續存上一九九九），𣌾即春，與𪓝（秋）為對貞。金文也作季名，如「正月季春之日己丑」（欒書缶）。《說文》：「春，推也。从艸从日，艸春時生也，屯聲。」本義可為春天生的草，春季之春，是其假借意。

（甲） 𣌾 粹一一五一 𣆀 拾七·五 𣆀 前六·三九·三 𣆀 明一五五八 𣆀 庫一七〇八

（金） 𦸗 欒書缶 𦸗 蔡侯殘鐘

（璽） 𣆀 杜春信鉨 𣆀 春安君

（漢印） 萅 宜禁春丞 春 李春私印 春 杌春 春 吳春私印 春 張春

（漢金） 春 壽春鈁

莫，甲骨文作𦱤、𦬁，金文作𦱤、𦬁，小篆作莫。《說文》：「莫，日且冥也，从日在茻中。」三體字形無變。象太陽落在草叢中之形，表太陽落山，天將暗，即暮之初文。卜辭中有作地名

莫

的，如：「貞王勿生于莫」（人二七八）。金文中借為否定副詞，如：「諭莫不曰韻覧」（晉公盞）。
後世造了區別字暮，莫就長作否定詞。

甲

拾一·十五

前四·九·二

後上十四·六

下二·五

戩十·十二

金

父乙莫觚

散盤

晉公盞

璽

周莫

王莫臣

韓莫

口相垂 莫罷

梁莫

漢印

蘇莫如印

甄莫如

田莫如

衣莫

史莫御

常用古文字字典卷二

小　川　少

小字甲骨文寫作[glyph]，金文作[glyph]，象細小的沙粒形。小和少（甲骨文作[glyph]）都是沙的本字。因為沙粒是細小的，故《說文》「小，物之微也。」但「从八丨，見而分之。」的說法不對，許慎是根據小篆的寫法川來分析字意，認為丨是物，八為分開，分一樣事物為兩樣，則分而微之。他不見甲金文，不知小字原不從丨八，故得出這種不全面的看法。

類					
甲	甲六三〇	後上十八·六	菁三·二	菁一·二六·四	菁一·二九·七
金	盂鼎	嬴霝德鼎	小臣鼎	遣小子簋	散盤
漢印	勃小府	李小叔印	小但	高小奴	孫小卿
漢金	光和斛	滎陽宮小鐎登	筑陽家小立錠	小吉五器	館陶家小釓

少字甲骨文作[glyph]，金文作少，也[glyph]，小篆作[glyph]。少與小都是「沙」的本字。此少字，原為四小點，象細小的沙粒。沙字甲骨文有的還寫作[glyph]。《說文》「少，不多也。從小，丿聲。」許慎根據小

少　八

篆字形，把原來的一點變成一丿，說成是讀音，是無根據的。

甲：拾十·十五　前四·四二·五　前四·五五·三　前五·四十·二　甲二九○四

金：鄦侯簋　蔡侯鐘　會志盤　吉日壬午劍

璽：少事少臣

漢印：少府丞印　少曲況印　馮少公　趙少　王印少君

漢金：壽成室鼎　朝陽少君鐘　衛少主鐘　平陸鼎　淯鼎

八字甲骨文作八，金文作八，小篆作八。八字用二個相背而略帶弧形的筆畫表分別之意，所以《說文》「八，別也。象分別相背之形」。八字與分字同義，但後來假借爲數目字八。

甲：鐵六二·四　鐵一五五·三　前四·六·四　前六·四三·六　菁四·二

分

金

旂鼎

戈甲鼎

軝侯鼎

鄭伯氏鼎

鄘侯簋

漢印

第八封完

廿八日

騎舍印

八千万

日利八千万

八千合文

漢金

慮俿尺

南陵鍾

陶陵鼎

安邑鼎

杜鼎

《說文》:「分,別也。从八从刀,刀以分別物也。」甲骨文作,金文作,小篆作,分字從甲金篆三種字形來看,都是用刀分割事物的意思。

甲

鐵三八·四

前五·四五·七

續六·二五·九

中大四三

金

高攸比鼎

逢父甲觶

己侯貉子簋

梁鼎

四分鼎

漢印

耐分

李分訾

分定居印

漢金

大良造鞅方量

新嘉量

光和斛

館陶家行釘

清銅竟

介 [小篆] 曾 [小篆]

介字甲骨文作[字形]、[字形]，象人身上穿着鎧甲形，𠆢是人，八象聯在一起的鎧甲片，是用以防身的武器之一。古籍中介字就常作鎧甲解釋。卜辭中常作人名，如「多介父」。小篆作[字形]。《說文》：「介，畫也。从八从人，人各有介。」

(甲) [字形] 鐵八十二　[字形] 拾二十五　[字形] 前一·二七·四　[字形] 後上·十三　[字形] 戩九·六

(金) [字形] 禺邘王壺

《說文》：「曾，詞之舒也。从八从曰，四聲。」甲骨文作[字形]、[字形]，不從四，上面八與下面田相連。金文却分開，作[字形]。曾字本義有人據甲骨文字形[字形]，認為象苗生田中；有人認為曾即甑之初文，是用來燒飯烹菜的器具；二說依據不足。曾在卜辭銘文中作地名、祭名，古籍中可作贈講。

(甲) [字形] 拾五·六　[字形] 前六·五四·一　[字形] 前六·五七·六　[字形] 林二·一七·三　[字形] 燕六一八

(金) [字形] 鄫伯盨　[字形] 易鼎　[字形] 段簋　[字形] 曾者鼎　[字形] 曾姬無卹壺

尚

（漢印）任曾　曾勝之印　曾子賓　曾山　曾勢

（漢金）中曾鼎　曾　吾作竟　曾　杜氏竟

《說文》：「尚，曾也，庶幾也。从八，向聲。」金文作尚，銘文有「永保是尚」、「萬年是尚」句。尚似為賞之初文，《說文》以曾釋尚，贈賞同義，都有把自己錢物送給别人之意。尚賞曾贈，四字聲近義通。

（金）陳公子甗　裘安賓鉼　陳侯因資錞　尚鼎　啚鼎

（璽）尚　尚　尚口鉨　尚　武尚都丞

（漢印）尚浴　尚嘉之印信　尚聖之印　尹尚私印　王尚

（漢金）雲陽鼎　家官鐘　駘蕩宮壺　永元雁足鐙　尚方故治器

㒸 公

㒸字即豕的重文。豕甲骨文作[glyph]，金文作[glyph]，象一只豬形。而㒸字金文作[glyph]，與甲金文的豕無大區別。可見㒸的本義與豕一樣是豬形。而《說文》：「㒸，从意也。从八，豕聲。」

有時把㒸假借為隊或墜，作从高處向下落的解釋。

甲

[glyph] 乙七六七四

金

[glyph] 毛公鼎

[glyph] 井侯簋

[glyph] 彔伯簋

[glyph] 克鐘

[glyph] 邾公華鐘

公甲骨文作[glyph]，金文作[glyph]。共字金文作[glyph]，象雙手捧着一個鍋形的器物。八為八字，是分別意。公為分器物的意思。小篆公訛變為[glyph]，把口變成厶（私字）。《說文》因此解釋為「平分也。从八从厶，八猶背也。韓非曰背厶為公。」从而公作為私的反義詞長期用於漢字中。公也作先君的尊稱出現在卜辭中，如「多公」（粹四○五）。

甲

[glyph] 前二·三七

[glyph] 菁十·一

[glyph] 京津二三一八

[glyph] 粹四○五

[glyph] 甲一七七八

金

[glyph] 盂鼎

[glyph] 矢尊

[glyph] 毛公鼎

[glyph] 虢文公鼎

[glyph] 蔡公子果戈

必

璽

公

公孫口

公

公

口口公鉨

漢印

少公

莊少公印

成公右乘

王公子

公乘舜印

漢金

公主家鬲

綏和鋗

宜公王子孫洗

位至三公竟

公

袁氏竟

《說文》：「必，分極也。从八弋，弋亦聲。」小篆是由甲骨文變為再變成的，因此初文必不從八弋聲。于省吾根據甲骨卜辭、商器銘文和有關古注，認為「即必字，亦作柲，甲骨文以必或柲為祀神之室，商代金文作宓，宓為密之初文。」（甲骨文字釋林）本義難明，從字形上看似一個有柄的水勺子。

甲

前一·十·四

前四·三八·三

後下·七·一

戩二五·十

甲一·十·十三

金

袁盤

休盤

無叀鼎

漢印

必免

必羣

必布

杜必

必庫之印

余　余

漢金

日有憙竟

余字不見甲骨文，金文作余余等形，對余釋義有幾種不同看法。一是認為余是舍的本字，因為舍金文作舍（亼是屋頂，干是屋樑，口是基礎），而余只少下面的石基，故余可算舍的本字。二是認為余古文字是矢鏃形或裝有柄的錐子（上亼是銳角形的錐子，下面丨是柄）。由于余歷來多作第一人稱代詞，無房屋和刀箭之類的解釋，故又有人把余解釋為：上為口，下為手，用手指口猶如用手指鼻謂自己。但亼與口形又不符合。《說文》：「余，語之舒也。从八，舍省聲。」

甲

鐵十一·三

前五·三六·七

菁七·一

戩十二·十三

林一·二二·十一

金

盂鼎

毛公鼎

散盤

吉日壬午劍

王孫鐘

璽

稿余

蒂余離

余繯

稿余

余得

漢印

余蒼私印

張錄余

譚春余

禁余

番　番　半

《說文》「番，獸足謂之番。从釆，田象其掌。𨂀番或从足从煩，𤰷古文番。」甲骨文有釆字，十象獸足之掌，八象其爪，所以釆即蹯之本字。金文有番，可把釆、番、蹯三字看為同義的古今字。釆已象掌爪，《說文》「田象其掌」之說不可取，可把番字下部的田理解為獸足所踩的田地或印子。

甲

釆 粹一二　釆 甲八七五　釆 陳九八

金

番 魯侯鬲　番 番匊生壺　番 番君鬲　番 番生簋

璽

番 番私千　番 番瘙　番 番遷　番 番口　番 番角

漢印

番 番後私印　番 番志之印

漢金

番 君有紂竟

半金文作[glyph]，小篆作[glyph]。《說文》「物中分也。从八，从牛，牛為物大，可以分也。」八是分別、分割之意，因此半字由本義分割牛引申為事物的一半。

牛

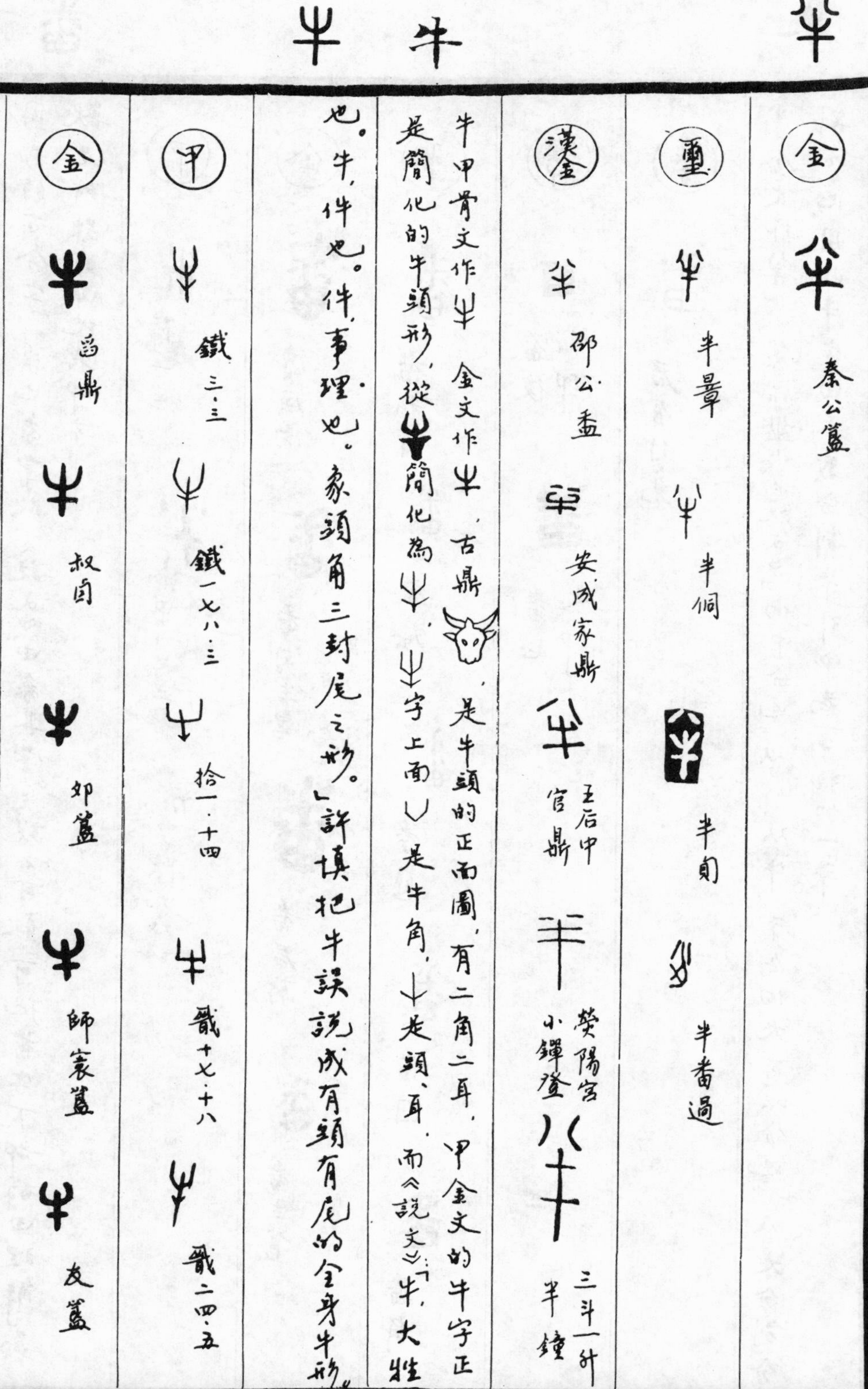

金
秦公簋
璽
半章
半侗
半𠛢
半番過
漢金
邵公盉
安成家鼎
王后中官鼎
滎陽宮小鐙
三斗一升半鐘
牛甲骨文作ㄓ，金文作牛，古鼎[牛頭形]，是牛頭的正面圖，有二角二耳，甲金文的牛字正是簡化的牛頭形，從[牛頭形]簡化為ㄓ，ㄓ字上面ㄩ是牛角，↓是頭、耳，而《說文》：「牛，大牲也。牛，件也。件，事理也。象頭角三封尾之形。」許慎把牛誤說成有頭有尾的全身牛形。
甲
鐵三·三
鐵一七八·三
拾一·十四
戩十七·十八
戩二四·五
金
盂鼎
叔卣
如簋
師寰簋
友簋
璽
公孫□牛鉨
牛□
千□牛
千□牛
千牛金□

牡 牡 牝 牝

漢印

牛鞞長印

封多牛

牛禹

牛樂之印

牛長子

漢金

宜牛犢鈴

大吉利宜牛犢鈴

造作臣書鈴

大富貴鈴

牛 朱氏竟

《說文》：「牡，畜父也。从牛，土聲。」甲骨文作牡、牡、牡，左邊象牛、豕、羊等各種動物形，右邊⊥是雄性動物生殖器的象形。牡實為雄牛，後作雄性動物通稱，如牡羊、牡馬即雄羊雄馬。金文小篆把⊥改為土。

甲

拾一·四

前一·三九·五

或从鹿 前七·十七·四

或从羊 林二·十三

或从豕 乙四六〇三

金

剌鼎

《說文》：「牝，畜母也。从牛，匕聲。」甲骨文匕作ㄅ或𠂆，象側面人形，這匕加上一個動物形，表示這動物為雌性，如牝為母牛，牝為母羊。因此牝原為母牛，後引申為一切雌性動物的通稱。

甲

或从豕 鐵十五·二

或从虎 拾十三·十

或从馬 前六·四六·六

或从羊 前五·四三·六

後下·五·九

牲　牢

《說文》「牲，牛完全。从牛生聲。」金文作牲，實是牡字的變體，甲骨文牡變為金文牡或牲，小篆作牲。牲原應與牡為同義詞，後來引申為一切牲畜的通稱。

甲　天五二　牲或从羊

金　矢方彝　矢尊　盂鼎

《說文》「牢，閑。養牛馬圈也。从牛，冬省，取其四周帀也。」甲骨文作牢，金文作牢或牢。小篆作牢。牢是關養牛羊的牲畜圈，其中是圈，小篆在出口處加一橫作為圈門，而許慎把小篆中作為圈和門的看作冬字的省略，不可取。在卜辭中作為祭祀中用牲如太牢、少牢。

甲　拾三·十五　前一·十一·六　或从羊　前十二·八　戩二三·一　戩二三·十二

金　貉子卣　爵文从羊與卜辭同

璽　旂牢

物　物　告　告

漢印

牢　牛牢賀印

牢　門牢安宗

漢金

牢　永初元年堂狼造作洗

牢　永建五年朱提洗

牢　永元十三年洗

牢　光和七年洗

牢　建安四年洗

甲骨文作𢼄，勿是刀，𠂤為牛，以刀殺牛，刀中幾小點可理解為殺牛時牛血沾滴在刀上。卜辭中也可理解為屠殺，如「勿羊酌河」是用殺羊來祭河。《說文》「萬物也。牛為大物，天地之數起於牽牛，故从牛，勿聲」。《說文》把會意字說成形聲字，其釋義應是本義的引申。

甲

前六·四·五

後上四·十五

後上二·十六·五

上二·三十·五

前四·三五·三

告，甲骨文作𠱰，金文作𠱰。《說文》「牛觸人，角著橫木，所以告人也。从口从牛。《易》曰：僮牛之告」。从牛从口，其造字法應與吠、鳴同。吠為狗叫，鳴為鳥叫，則告為牛叫。引申為報告及告訟之義。卜辭中「告」為殺牲以祭的祭名，由祭禱之意又引申出祝告、告示、申訴等意。

口

甲：鐵六·二；鐵八六·二；前一·四七·四；後上·二四·十；菁六·一

金：告田罍；亞中告鼎；告田觶；田告作母辛鼎；田告父丁簋

漢印：范告私印；告牛翁孺；告閔

漢金：張氏竟；騶氏竟；王氏竟；尚方竟

《說文》：「口，人所以言食也。象形。」甲骨文作ㅂ，正象人的口形。

甲：甲一一九三；甲一二七一；簠地三；粹二二〇；佚二八六

璽：競口口鈢；徒口都丞

漢印：歷口男典書丞；張口

吹　明　名

漢金

谷口鼎

丙午神鉤

袖珍奇鉤

《說文》：「吹，噓也，从口从欠。」甲骨文作，左邊是欠字，象張开嘴巴的人形，右邊是人口形，表示人用口呼氣或吹氣。卜辭中吹作人名，如「吹入」（甲二九七四）；作地名，如「卜王在吹丁口」（佚九三九）：

甲

甲二九七四

乙三四

乙一二七八

後二·二四·一四

名，甲骨文作，金文作。《說文》：「名，自命也。从口，从夕。夕者冥也，冥不相見，故以口自名。」照許慎之意，D即夕，表黑夜，口表人嘴，黑夜看不清對方是何人，各自報姓名。另外，名與明，音同義通。明甲文作，用月光照進窗子裏來表示明亮之意。自報姓名的目的是為了別人明白自己，把自己區別於他人。故名的字義又可理解為明字本義的引申。卜辭中名作地名，如「在名受㞢年」（乙三二九〇）。

甲

甲三四八八

乙二四六一

乙三二九〇

乙七八〇八

前六·一·四

吾

（金）召伯簋　吉日壬午劍

（漢印）李名　周便名印　脩躬德以俟賢世興顯令名存

（漢金）銅鼎　文盞　杜鼎　新成鼎　臨晉鼎

《說文》「吾，我自稱也。从口，五聲」。五甲文作X，故吾吾可為古今字，吾似語的初文，借為第一人稱，後為區別開來，再加言造出新字「語」。

（金）商尊　沈子簋　毛公鼎　四年相邦戟

（璽）吾丘鄉

（漢印）周印免吾　賈夷吾　吾丘延年　劉弟吾　任濤吾印

（漢金）熹平三年竟　吾作竟　吾作竟又二　吾作竟又三

哲　哲　君　君

《說文》「哲，知也。从口，折聲。」《爾雅》「哲，智也。」金文作悊、賢，不从口，却从心或从貝。悊字《漢書》注：「悊，智也」。小篆把悊改為哲，故悊，哲是古今字，都是智慧的意思，後人就把哲人當作賢人、能人來講。

(金)
曾伯簠
又云明哲覲孝
王孫鐘
井人鐘
番生簋

(璽)
悊
悊
悊
悊
悊行

君字甲骨文作君，金文作君，尹即尹字，表示一手拿着一根指揮棒，指揮別人做事。《說文》「尹，治也。」尹為治人的官吏。君字是尹字下加口表示能對官吏發號施令，以此會意君為統治人民的一國之主，从國君之意後又引申為對一般人的尊稱。《說文》「君，尊也。从尹，發號，故从口。君古文象君坐形。」

(甲)
後二·一三·二
後二·二七·一三
存一五〇七
七Ｐ一〇八
燕二八

(金)
天君鼎
番君鬲
散盤
縣妃簋
夜君鼎

命 命

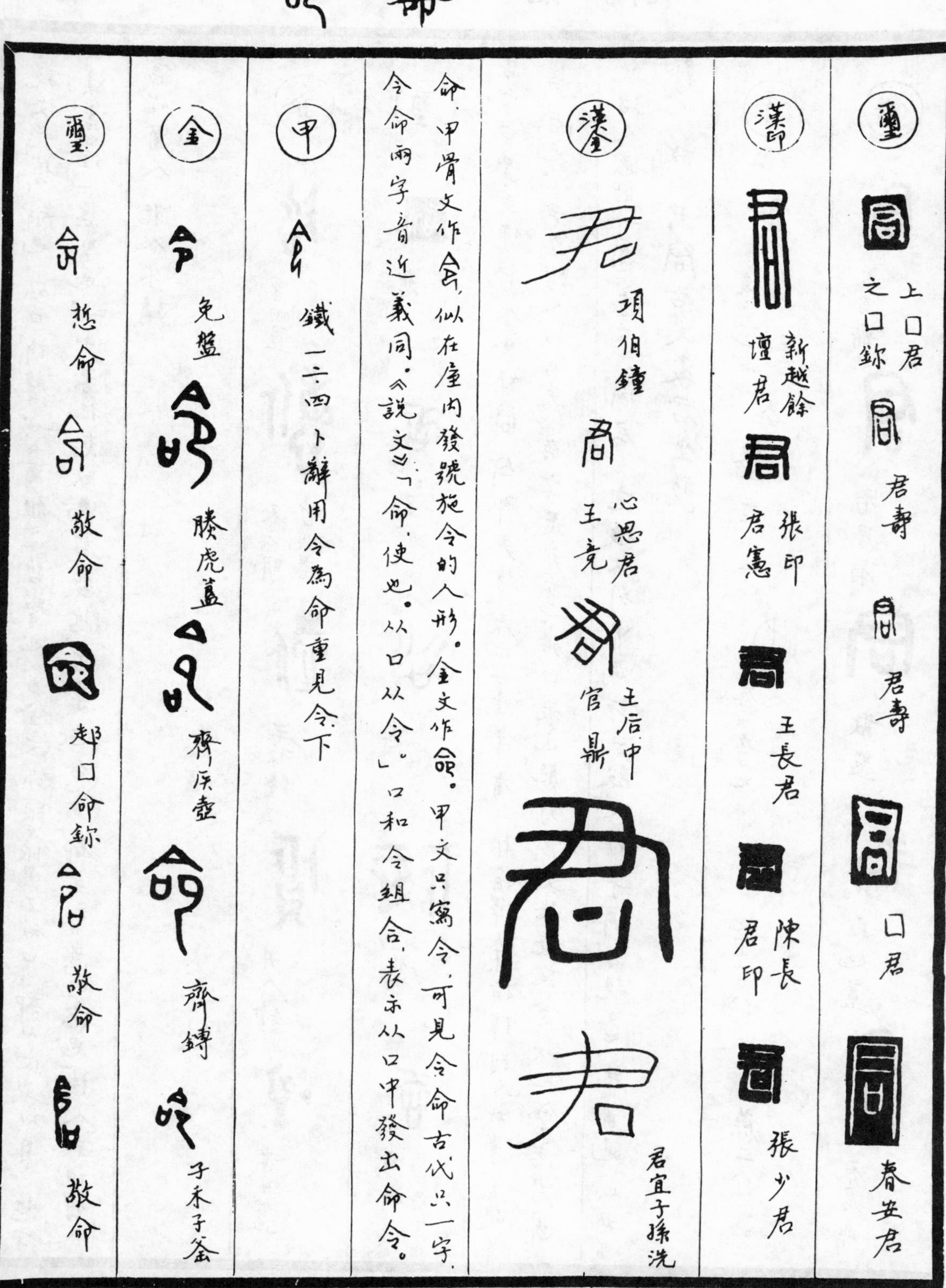

璽
上口君之口鉨
君壽
君壽
口君
春安君
漢印
新越餘壇君
張印君憲
王長君
陳長君印
張少君
篆
項伯鐘
心思君
王后中宮鼎
君宜子孫洗
命，甲骨文作，似在屋內發號施令的人形。金文作。甲文只寫令，可見令命古代只一字。令命兩字音近義同。《說文》「命，使也。从口从令。」口和令組合，表示从口中發出命令。
甲
鐵一六·四卜辭用令為命重見令下
金
免盤
滕虎簋
齊侯壺
齊鎛
子禾子釜
璽
悊命
敬命
郵口命鉨
敬命
敬命

召　　問

（漢金）

新嘉量

命　吾作竟

命　吾作明竟

《說文》：「召，評也。从口，刀聲。」甲文作□或□，金文作□或□，字形有繁有簡。从繁体的召字形分析，最上面ㄉ是刀字，是聲符，其餘部分為義符，象人的兩手把一個酒器从座几□中取出來，朝自己口中喝。簡化字召把主要的義符去掉大部分，本義就很難顯示出來了。卜辭中召作人名或地名，如「召其達至于攸若王乩曰大吉」（前五．三十二）、「……貞王……于召……來亡災」（京五三三二）。銘文中可釋輔助，如：「夙夕召我一人」（盂鼎）。

（甲）

粹一一二〇

寧滬一．四六

前二．二十．三

前二．二二．四

林一．十六

（金）

伯害盉

召卣

召鼎

盠駒

鐘

師害簋

（漢印）

召仁

召異之印

召子孫

召褱印信

召優私印

《說文》：「問，訊也。从口，門聲。」甲文作問，金文作□，篆文作問。甲、金文字形相差很大，其中變化難明，因此初義也難說。郭沫若據金文字形認為「□即昏庸之昏，讀為

問

問。」（兩攷二二○頁因資鐔）

（甲）問 後下·九·十 問 明八一三

（金）問 陳侯因資錞朝問諸侯

（璽）問 王重問 問 㔯問

（漢印）問 張不問 問 程印問仁

唯 唯

《說文》：「唯，諾也。从口，隹聲。」唯嗚誰，造字法相同，意義相同。隹和鳥，都是鳥類，口與言意義也相通，兩者會意為鳥叫。但只有嗚字保存本義。唯誰分別借為語氣詞和疑問代詞。卜辭中唯作人名或地名如「……唯受……」（京四八六○）、「癸卯卜䟫貞……于唯」（乙七四五五）。唯字甲骨文作唯，金文作唯，小篆作唯，三體字形無變。

（甲）唯 前四·二七·二 唯 前五·三九·八 唯 明六八二 唯 甲一五四○ 唯 甲四十辭用隹為唯

和

（金）

頌簋　不昝

旂鼎

檎侯壺

豆閉簋

禽卣

（漢印）

樂成唯

户陽唯印

房里唯印

唯印

東里唯

《說文》：「和，相譍也。从口，禾聲。」金文作和，本作龢，其中龠是笙簫之類的古樂器，上面二口是笙孔，禾是聲符。後來龠簡化為口，因此和的本義可能是一種古代樂器。《爾雅·釋樂》：「大笙謂之巢，小者謂之和。」後引申為古代五聲音階中的一個音級，五聲為宮、商、角、變徵、徵、羽、變宮，其中變宮亦稱和。此外還引申為調和、和諧等義。

（金）

陳肪簋　从木

史孔盉借（為）盉

（璽）

上下和

和善

和鉨

和

和䜌

（漢印）

六師軍壘壁前和門丞

和福

（漢金）

光和斛又二

綏和鍹

邵宮盉

新有善銅竟

哉　台　㠯

漢

和 光和七年洗

和 光和斛

和 綏和雁足鐙

和 邵宮盉

《說文》:「哉,言之間也。从口,𢦏聲。」金文作𢦏哉。𢦏實是災字,原為𢦏,象用戈割斷人的頭髮,以表示人遭災禍。在哉字中為聲符,哉字从口,表示人言,《說文》的釋義可从。在經傳中多作語氣詞,如《詩·邶風·北門》:「謂之何哉?」

金

𢦏 禹鼎

哉 郘公華鐘

哉 余義編鐘

哉 者汈鐘

漢

哉 好哉泉範

𢦏 日有憙竟

台,金文作㠯或㠯,小篆作㠯。台在金文中作「以」解,金文台字去口就是以字,毛公鼎中的台就不从口,寫作㠯,故以台是一字。《說文》:「台,說也。从口,㠯聲。」《爾雅·釋詁》訓台為我,也訓為予。因此台作為第一人稱出現在經傳中。

金

㠯 毛公鼎

台 林氏壺

台 鄲孝子鼎

台 上官登

台 俞肯盤

咸咸 启启

(漢印)

盱台丞印

白台翁叔

台奴

瞻台虞印

启，甲骨文作，小篆作启。卜辭中用启或啟作為晴，如「今日辛大启」（綴一六七）、「乙又貞……不……雨」（鄴五‧三五‧二）。甲骨文啟為作或，象人用手（又）把門戶（戶）打開，讓太陽（⊙）光曬射進來，以表示天晴，由此也引申為打開。《說文》：「启，開也，从戶从口。」

(甲)

前五‧二一‧三

乙八二五

甲九九七

京都一八六

咸，甲骨文作，卜辭中咸作人名，如「乙亥卜爭貞求于咸十牛」（前一‧四四‧二），金文作。咸字从戌从口，戌是長柄大斧，口為人口，在這裏表示人頭。大斧砍人頭，所以咸的本義是殺，經書中有「則咸劉商王紂」中的咸與劉都是殺的意思。《說文》：「咸，皆也，悉也。从口从戌，戌悉也。」把咸釋為皆、悉、詳盡，是咸本義殺盡的引申義。

(甲)

鐵九二‧一

鐵二百五‧四

前四‧三三‧五

後下‧十八‧九

林一‧十三‧十七

(金)

咸父乙簋

咸𣪊鼎

我鼎

作冊魖卣

盂鼎

右

璽

咸

咸鄗里竭

漢印

張咸

左印咸

徐咸

石咸

尹咸

漢金

公主家鬲

右，甲骨文作ㄡ，象人的右手形，卜辭中引申為左右的右，或保祐的祐，也借作又（再一次）。金文作𠮢，小篆作㕛，都加上口。《說文》「右，助也。从口从又。」許慎把右釋為相助，是又的引申義，非本意。

甲

鐵文·四 卜辭用又為右 重見又下

金

𠂤壺

右鼎

俞季鼎

頌鼎

散盤

璽

右司工

右庫

右口王鉩

右桁正木

右司馬敀

吉 吉

漢印

勵右尉印

長壽單右尉護

漢金

光和斛

萬歲宮高鐙

上廣車飾

尚方竟

桼言之紀竟

吉，甲骨文作𠮷，金文作吉，小篆作吉。从甲骨文𠮷看，亼象兵器，口象藏放兵器的器具，吉字表示把兵器藏放在器具中不用。這種置某物于口中的字，甲文中多見，如𠮷象放弓于口上。𠮷字表示把兵器藏放好，不用武器，減少戰爭是人民喜慶的好事，所以後來吉字引申為吉利的好事。《說文》：「吉，善也。从士口。」是對小篆吉字形理解，吉與甲骨文𠮷在字形上已有較大變化。

甲

鐵一五九·二

前二·三七·二

前四十九·一

戩十三

戩四十·十四

金

旂鼎

𢾊簋

毛公鼎

吉日壬午劍

中子化盤

璽

吉

吉公

吉

吉

吉

周 周

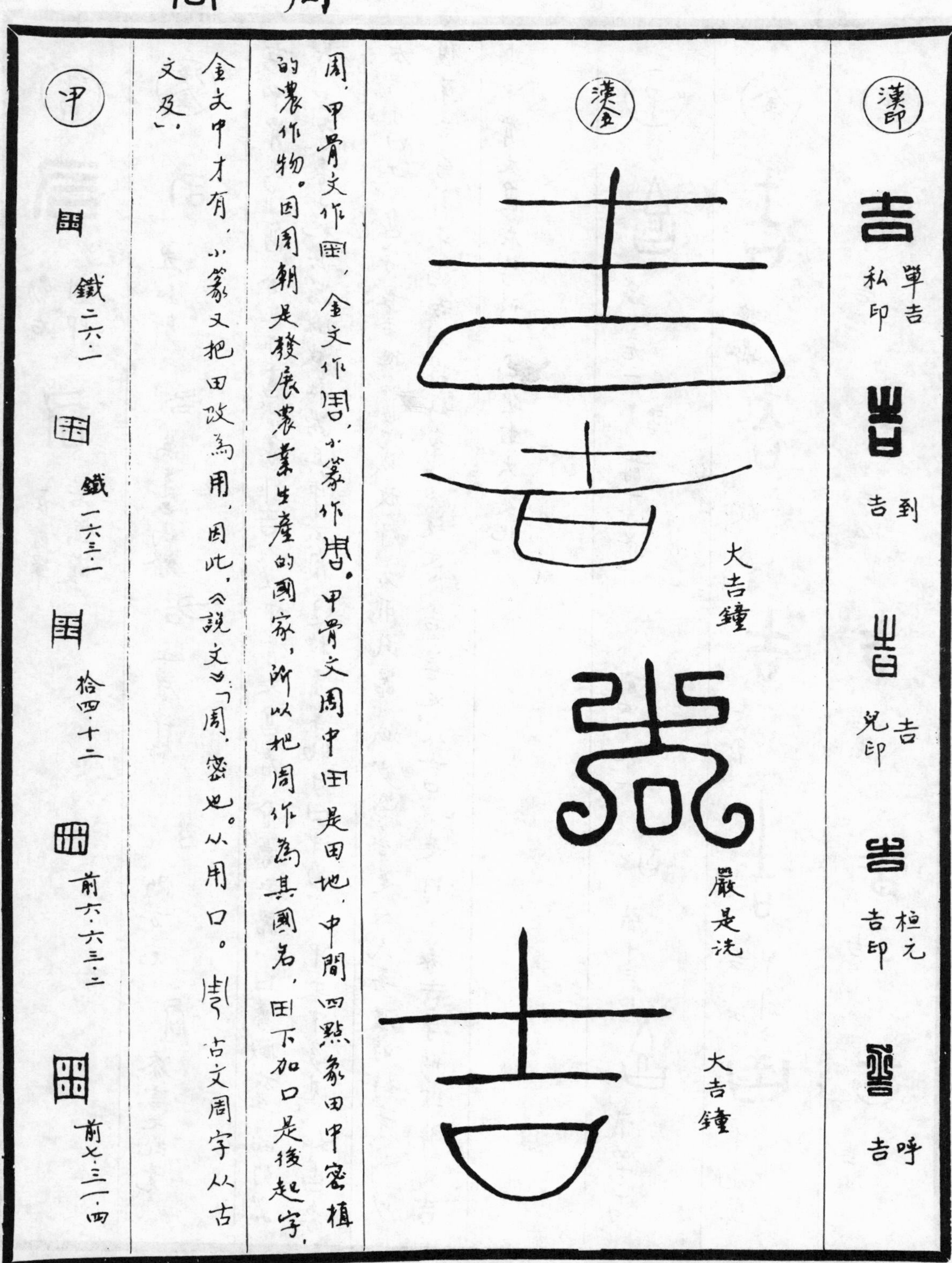
漢印

吉 單吉私印

吉 到吉

吉 吉兒印

吉 桓元吉印

吉 呼吉

漢金

吉 大吉鐘

吉 嚴是洗

吉 大吉鐘

周，甲骨文作囲，金文作周，小篆作周。甲骨文周中田是田地，中間四點象田中密植的農作物。因周朝是發展農業生產的國家，所以把周作為其國名，田下加口是後起字，金文中才有，小篆文把田改為用，因此，《說文》「周，密也。从用口。」周 古文周字从古文及。

甲

囲 鐵二六·一

囲 鐵一六三·一

囲 拾四·十二

囲 前六·六三·二

囲 前七·三一·四

唐

金

犴簋

周安旁尊

散盤

盂鼎

頌鼎

璽

周口

周勳

周莫

周氏

周城之鉨

漢印

陽周僕印

周衍

周顏

周昌之印

周奴

漢金

建武泉範

建安二年洗

周 許氏竟

周 吾作竟

唐，甲骨文作[glyph]，金文作[glyph]，小篆變作[glyph]。其初義難明，从甲骨文唐的字形分析，中即庚字，中象某一工具，放在器具口中。卜辭中作為地名人名，殷商第一先王就以唐為名。《說文》：「唐，大言也。从口，庚聲。陽，古文唐，从口易。」後人就大言為唐本義。《莊子天下篇》中荒唐之言，這唐字就作大言講。

甲

藏十八·二

藏二一四·四

前四·二九·六

後上·二九·三

下·五·五

金

唐子祖乙爵

唐子且乙觶

各 吝

璽

暘攻師鉨

暘范《說文》：「唐，古文作暘。」

漢印

高唐丞印

作唐令印

外唐

臬唐

漢金

唐氏洗

各，甲骨文作𠯑，金文作各，小篆作各。各是出的反義詞，出，甲骨文作出象人足止，从人住的地方凵，向外出走的樣子。而各，甲文作各象人足夂，而向人住的地方凵，表示人來到住的地方。卜辭中「各雲自東」，即「从東方有雲飄來」，這個各就釋來。《說文》：「各，異詞也。从口夂，夂者有行而止之，不相聽也」。這已是各的假借意了。

甲

拾三．十七

前五．二四．四

前五．二四．六

前五．二四．七

菁四．一

金

乙亥鼎

趙曹鼎

無叀鼎

沈子簋 从彳

庚贏卣 从辵

璽

各口

哀　[seal]　單　[seal]

漢印

[seal] 魏屠各率善佰長

[seal] 晉屠各率善佰長

[seal] 各息私印

漢金

各 蔡氏竟

哀字金文作[seal]、[seal]，小篆作[seal]。本義難明。《說文》：「哀，閔也。从口，衣聲。」閔，憐憫也。《詩·小雅·鴻鴈》「哀此鰥寡」中，哀即憐憫之意。同時哀通愛，《呂覽·報恩》：「人主胡可不務哀士」，高注：「哀，愛也。」

金

[seal] 沈子簋

[seal] 禹鼎

漢印

[seal] 齊哀寢印

[seal] 齊哀寢印

[seal] 王哀私印

單，甲骨文作[seal]，金文作[seal]，小篆作單。單本義應是捕禽獸的工具。獸字甲骨文作[seal]，金文作[seal]，是一個捕獸工具邊上加一隻狗，以狗配合獵具，會其意為獸獵。而左邊那個象裝有長柄的獸叉，正是單字。同時單字與干實為一字，獸字甲文也有作[seal]，邊上[seal]簡化為丫（干）。《說文》：「單，大也。从吅甲，吅亦聲。」

哭 哭

(甲) 前七·二六·四　後下·十二·七　菁五·一　京津一四二四　京都二○五六

(金) 小臣單觶　[illegible]尊　單伯鬲　弔單鼎　單伯鐘

(璽) 單　鄲□甘單　單□都□鉨　單□　單右都□ 王□鉨　單□

(漢印) 單文 令印　萬歲 單三老　單印 仁伉　單 中公　單 音

(漢金) 單　單安矦家奩蓋

哭，甲骨文作㗊，小篆作哭。《說文》：「哭，哀聲也。从吅，獄省聲。」犬是獄省的說法無據。段玉裁注：「本謂犬嗥而移以言人。」他認為吠哭同義，《說文》：「吠，犬鳴也。」近人葉玉森把甲骨文中㗊釋為哭，說：「从𠆢象一人擗踊；从吅，表號呼意。」（前釋）陳啟彤曰：「哭亦从犬之譌，吅哭音相近……吅訓驚呼，犬訓屈，屈身而呼，哭之形也。」（說文疑義）

此二說可取。

喪 [ancient form] 走

甲 [glyph] 前五·十·七

喪，甲骨文作[glyph]，金文作[glyph]，小篆作[glyph]。按甲骨文字形分析，[glyph]象有枝葉的桑樹，即桑字。桑字由[glyph]變成[glyph]，再變成[glyph]。加口數目不一，有二至五口，口表盛桑葉的器具，說明殷商已發展養蠶織絲事業，所以該字本義是采桑。在卜辭中用為人名地名，或假借為喪亡的喪。到了金文改作[glyph]，小篆改為[glyph]，到此桑已改為亡。而《說文》：「喪，亡也。从哭，从亡，會意，亡亦聲。」

甲 [glyph] 鐵一八五·三 [glyph] 前二·二一·五 [glyph] 前四·四七·一 [glyph] 後下·三五·一 [glyph] 戩十·五

金 [glyph] 旂作父戊鼎 [glyph] 毛公鼎 [glyph] 齊侯壺 [glyph] 量侯簋 [glyph] 南疆鉦

漢印 [glyph] 宣曲喪吏 [glyph] 都尉喪鄉 [glyph] 喪尉 [glyph] 喪延年 [glyph] 喪貴

走，金文作[glyph]上面[glyph]是大的變形，象人屈其兩手，是人跑時兩手擺動形狀，下面用人的腳趾[glyph]，突出表明人在奔跑。走本義為奔跑。《說文》：「走，趨也。从夭止。」

走　越　趙

說的也是其本義。

(金) 盂鼎　元年師兌簋　召卣　右走馬嘉壺　大鼎

越，金文作，是古代的國名。越王劍上越字从邑，作，邑字上口為人住區域，下面是人字變形，邑是代表人住的地方。小篆改為从走，作。《說文》：「越，度也。从走，戉聲。」《楚辭．天問》：「阻窮西征，巖何越兮？」其越可釋為度。後引申為經過、超出、墮落等義。

(金) 者沪鐘　越王劍

(漢印) 越青邑君　黃神越印　新越餘壇君　楊越私印　張越

趙，金文作，小篆作，其本義是快步行走。《說文》：「趙，趨趙也。从走，肖聲。」「趨趙久也。」段玉裁注：「夂，行遲曳夂夂也。趨趙雙聲字，與峙躇、篤著、蹢躅字皆為雙聲轉語。」在經籍中作古國名和人姓，如戰國七雄之一。另通超，有兼程而進意，如《穆天子傳》卷二：「天子北征，趙行□舍。」郭璞注：「趙，猶超騰。」

止

金

禺邗王壺

漢印

趙太子丞

趙湯

趙黑

趙松印信

歸趙侯印

漢金

趙鍾

趙常樂鈁

鄀邑家鈁

信都食官行鐙

趙鋗鏤

止，甲骨文作𠂤，是人的腳趾形的簡化：小篆作止。《說文》：「止，下基也。象艸木出有址，故以止為足。」許慎把象艸木有址作止本義，再假借為人足之說不可取。他根據譌變的小篆字形來分析，本義當然不顯。止的本義就是人足。

甲

拾十·五

後下·二五·九

林一·二八·十三

戩九·十六

戩二四一

璽

君之稟

肖止

猗止

事止

漢印

臣止

臣止

蘇止

馮止之印

綠止

前 歬 歷

前，甲骨文作𣥠，金文作歬，小篆作歬。《說文》「歬，不行而進謂之歬。从止在舟上。」對比甲骨文字形，許慎據小篆字形的釋義不全面。原甲骨文前中的彳亍為四通八達的馬路，止為人腳趾，凡為啥？象船，但不能定船形，因為船只能行于水中，不能行于陸上。這裏只能理解為象船形的鞋子，人腳穿了鞋子在大路上不停地行走，是前的本義。

甲　前一·四十三　前四·十八·六　前六·二一·八　後下十一·十　下十一·十一

金　咢仲鐘　追簋　善鼎

漢印　三長私記宜身至前追事不閒顧君自發封完印信

漢篆　新嘉量　歬从刀

歷，甲骨文作𣦡，金文作歷，小篆作歷。从甲骨文字形分析，止表人足，秝表長滿禾苗的田地。其本義為有人經過長滿禾苗的田地。《說文》「歷，過也。从止厤聲。」

歷 歸 歸

前一·三三·一 後下十一·三 下十一·四 下十一·五 下十一·六

（金） 毛公鼎 禹鼎

（漢印） 歷口男典書印 歷陽左尉

歸，甲文作　金文作　或　，小篆作　。《說文》：「歸，女嫁也。从止从婦省，𠂤聲。」甲文　不从止。𠂤象𠂤形，帚象掃帚之形，二者會意為：戰士或獵戶用帚掃𠂤類武器，結束戰鬥，將要歸回。在卜辭中或釋還，或為方國名。《說文》釋為女嫁是後起義。經籍中常作女子出嫁意。但歸還通饋，是贈送之意。如《論語》「歸孔子豚。」

（甲） 鐵二·三 鐵一五二·二 前五·二九·二 後上·三十·五 下·四·十三

（金） 女帚卣 矢方彝 矢尊 毓且丁卣 令鼎

（漢印） 歸德尉印 歸阜 李歸 趙歸 歸義長印

登 豋

登甲文作[glyph]，金文作[glyph]，小篆作豋。甲文[glyph]中下廾是兩手，中間豆是放食品的禮器豆，上面𣥠是簡化的人的兩足，是向上走動的表誌，三者會意為：人兩手捧着禮器向上進獻給祖宗或主人。卜辭「耆貞其彝且辛于卯一牛」（藏四八·四），姬鼎銘文「用彝用嘗」中的登和《詩經·信南山》「是烝是享」中烝同義，都是一種向上進獻的祭名。引申為上升、登高等意。

《說文》：「登，上車也。从𣥠豆，象登車形。𤼷籀文登从廾」。上車可作登的引申義，但字象登車形不可信。

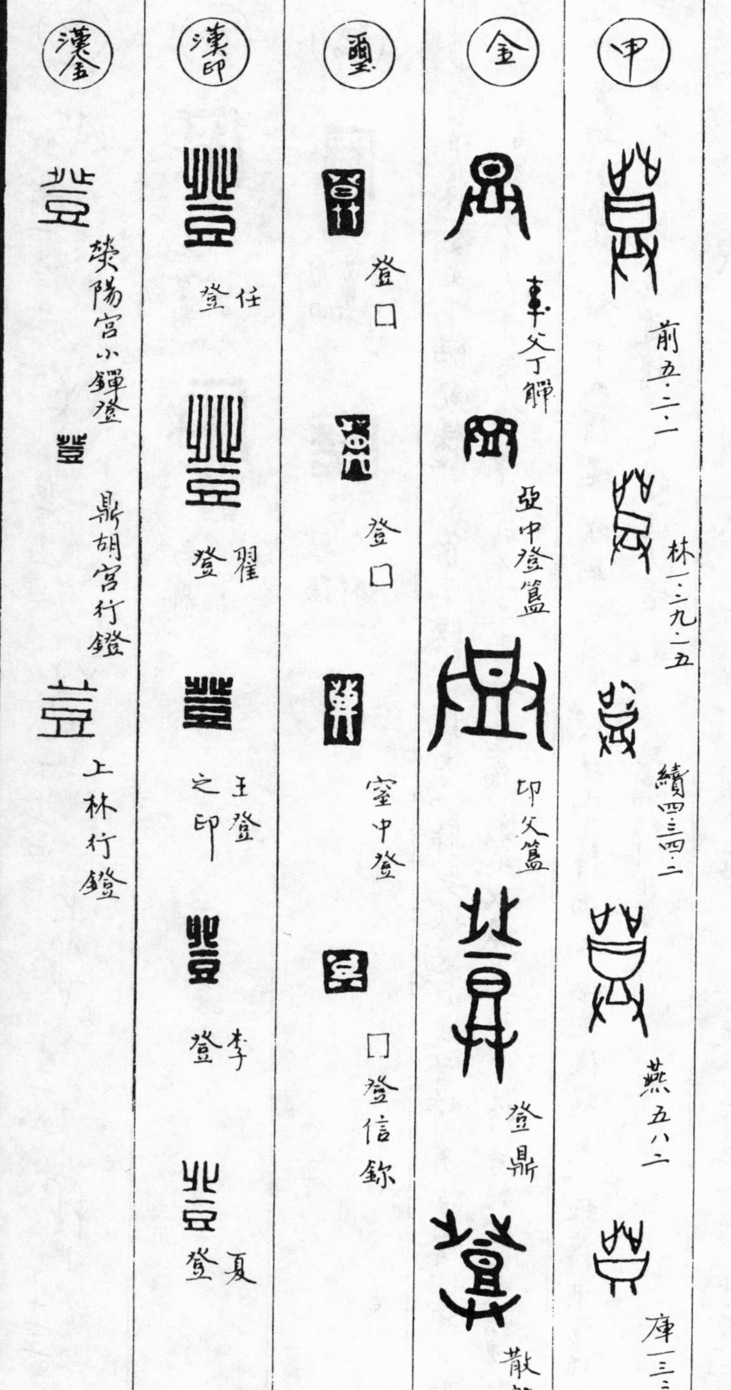

甲
前五·二·一
林一·二九·二五
續四·三四·二
燕五八二
庫一三三四
金
車父丁觶
亞中登簋
卯父簋
登鼎
散盤
璽
登囗
登囗
室中登
囗登信鉩
漢印
任登
瞿登
王登之印
李登
夏登
漢金
滎陽宮小鐎登
鼎胡宮行鐙
上林行鐙

步 步 歲

步　甲文作或，金文作，小篆作步。甲文中是人足趾，表一左一右的兩足，在一前一後地行走。甲文加行表示人在馬路上行走。《說文》：「步，行也，从止少相背。」實際上人兩足左右前後，並不相背，而是相配合，如相背怎麼行走呢？

甲
鐵九七·四
鐵一三八·二
後下十一·九
菁二·一
戩三九·十

金
子且辛尊
父癸爵
爵文

璽
邵步
肖步
相不步

漢印
董步安
步絫
廣步安印
趙步可
步子山

漢金
步高宮高鐙

歲　甲文作或，金文作，小篆作歲。象一把裝有柄的斧鉞之形，關於其中兩點，于省吾在《甲骨文釋林》中謂：「近年來出土之商器斧鉞屢見，其闊刃處作弧形，有類于近

歲

世武術家所用之月牙斧，其上下刃尾卷曲迴抱。由是可知，戉字上下二點，即表示斧刃上下尾端迴曲中之透空處，其無點者，乃省文也。」其說可从。戉是斧鉞，可殺牲，在卜辭中有作祭名。歲又作劌，指收割莊稼。而農作物一般一年一熟，一年收割一次，故年和歲後人借代為時間上概念。《說文》：「歲木星也。越歷二十八宿，宣徧陰陽，十二月一次。从步，戌聲。律歷書名五星為五步。」

甲	鐵二六九·二；餘一·二；前四·十·二；前七·三八·二；後下·十五·六
金	毛公鼎；為甫人盨；曶鼎；陳猷釜；子禾子釜
璽	陳窶立事歲安邑□釜；千歲；歲昉信鉨；千歲；千歲
漢印	萬歲單三老；任萬歲；陳萬歲；尹歲；朱印萬歲
漢金	晉大康奩；光和七年洗；萬步宮高鐙；新嘉量

此　正

此，甲文作，金文作，小篆作，三體字形無大變化。是人腳趾，即是人，二者會意強調是人的腳趾，而不是他物。故此應是趾的本字。在卜辭「燎有雨」中，有人釋為柴。柴是一種燒柴祭天的祭名。《說文》「此，止也。从止从匕，匕相比次也。」

宜弟兄竟　新嘉量　湅治銅竟

甲　甲一四九六　餘四·二　拾八·二　拾一〇·一三　明藏四二五

金　此尊　此盉　南疆鉦　居簋

漢金　大騩權　旬邑權　元年詔版　兩詔楕量　陳彤鐘

正，甲文作或，金文作或，小篆作。甲文上面作口，是因刀契刻便利，如天字作，金文作，後來這口和●都變為一。正也如此。根據字形，為人足，口●難定何物。口●可能是人之住地，如邑，上面口為人住國邑。正表示人要到住的地方去，與各字意近。卜辭中用作征伐之意，如「王來正人方」（前二·十五）這個正用作征，卜辭中

𣆞　是

還有當祭名用的正，如「貞，正祖乙」（綴合二七八）。《說文》「正，是也。从止，一以止。……正古文正，从二，二，古上字。𤴓古文正，从一足，足者亦止也」。

（甲）鐵三一·三　鐵六十·三　前二·五·三　菁一·一　戩五·八

（金）散盤　休盤　陳侯鼎　蔡侯盤　中子化盤

（璽）正孫口鉨　右桁正木　方正口芝　王文正　正行亡私

（漢印）正鄉　正行里附城　安民正印　莊印正賜　正離平

（漢金）新嘉量　新嘉量　新始建國權　尹續有盤　壹平三年竟

是，不見甲文，金文作是，小篆作𣆞。《說文》「是，直也。从日正」。是字本義難明。根據字形析義有幾種：郭沫若謂「是亦即匙，早象匙形，从ㄚ或一以示其柄，手所執之處也。从止，止乃趾之初文，言匙柄之端掛於鼎脣者，乃匙之趾，故是與匙實古今字，是假為是非，若彼是字，而本義廢矣」。（兩攷釋叔氏）高鴻縉謂「是古文从又（手）遮日光，从止，止為

辵

腳，有行走意，是之本義當為審諦安行。」（字例三篇十五頁）張日昇謂「是字之衍演，與萬字最為相似萬□↓□↓□。是□↓□，是所从早，乃早之變。而从止者，與□同例，竊疑是本蟲類。始作□後漸次變作早昇以至是是。」（金文詁林八五七頁）

三說以張說最合理。

（金）□ 陳公子甗　□ 叉李良父壺　□ 袁史賓鉼　□ 郐龤尹鉦　□ 樂書缶

（璽）□ 秦是

（漢印）□ 是嚴私印　□ 劉是千万　□ 萬是唯印

（漢金）□ 義陽是鐘　□ 祝阿侯鐘　□ 趙是鈁　□ 刈是洗　□ 蜀郡董是洗

辵，甲文作衜，小篆作辵。甲文从彳亍，小篆變作彡，都表道路，从屮或止表人的腳，二者會意表人在路上行走。辵在漢字中多作偏旁，所从的字都有行走之意。《說文》：「辵，乍

辵 徒 赴

行乍止也。从彳从止」

(甲) 後二·四·八　佚二九〇　甲二二一　乙三〇〇二

徒，甲文作𨑒，金文作徒，小篆作赴。《說文》「徒，步行也。从辵土聲」分析字形，確與人步行有關，ㅂ是人足趾，◇是土，可作聲符兼形符。徒表示步行者以足踏地。徒在卜辭中有的作人名或地名，如「貞于庚午令辻囗」(後上十六·二)，「于徒京北」(佚三七四)。

(甲) 拾十四·十八　後上十六·三　下八·十三

(金) 楊簋　禹鼎　子仲匜　南疆鉦　無叀鼎

(璽) 口徒　徒痔　口徒　左司徒　口都司徒

(漢印) 賓徒丞印　故且蘭徒丞　申徒朗　徒府　武徒府

征　延　過　過

征甲文作□，郭沫若把□釋為征之繁體，金文作□，小篆作□。甲文征，有時也作□，卄六表道路，加不加無大區別。正征延，古實為一字，其本義都為征伐之意，卜辭征字多為征伐之意。《說文》「征，延或从彳」把征說成延的異體字。「延，正行也，从辵，正聲。」征除征伐義外，還作巡狩之意，如《公羊．僖十八年傳》：「與襄公之征齊也。」疏：「征謂巡狩征行。」

甲

□ 續一．三．三

□ 存下八四八

□ 甲三三五五 不从彳卜辭用正為征

金

□ 麥鼎

□ 陳公子甗

□ 無㠱簋

□ 為甫人盨

□ 郘龤尹鉦

漢印

□ 征羌國丞

過字不見甲骨文編，金文作□或作□，小篆作□。《說文》「過，度也。从辵，咼聲。」《甲骨文集釋》收□為過，非是。□當為武字的初文。□字本象骨架相支撐形，對□字，郭沫若謂：「過字原作□，唐蘭釋如是，卜辭有□字（日本京大藏片，辭殘，似為地名）又有从□之字，如□（殷契佚存八六頁，九五〇片，亦地名。疑是骫之古文，小篆作□，形正相近）羅振玉所藏魚鼎匕有兩□字，亦從此作。依唐釋，則□當是骨字矣。古有過國，左傳襄四年曰：寒浞處澆于過。杜注：過，國名，東萊掖縣北有過鄉。」（兩攷五十四頁）

進 進

（金）過伯簋　過伯爵

（璽）鄖過　半番過

（漢印）賁過　臣過倫　王過之印　師過　馬過私印

（漢金）過 尚方竟四

進，甲文作𨑟，𨑟是隹，是一個有頭，有翅有尾，有趾的小鳥形。故下面止不是鳥脚，而是人趾。其造字法應與豕相同，逐表人追趕豬，那麼𨑟很可能表人追趕小鳥。《說文》：「進，登也。从辵，閵省聲。」有人認爲「隹脚能進不能退，故以取意」。此可作一說。

（金）召卣　兮甲盤

（漢印）進睦子印章　武進長印　聊進私印

造

造字不見甲文，金文造字有多種字形結構：，本意難明。從金文字形來看，或从戈，或从之，或从貝，从金，从舟。可能說明製造對象各有不同，从舟則意為製造船隻，从戈意為製造兵戈，从貝、从金意為製造錢財。小篆改作。《說文》：「造，就也。从辵，告聲。」其實金文不从告，告甲文作，上面牛字表牛角的不彎曲，故可認定不為告，可能是告字。經籍中造字常訓至、致，如《孟子》「深造之以道」。注：致也。

金

頌鼎

淳于戟

高密戈

秦子戈

宋公䜌戈

漢印

宜造鄉

孟造

張造

漢金

藍塵鼎

光和斛

永和元年洗

永元四年洗

中平三年洗

逆

逆，甲文作[甲骨文字形]，金文作[金文字形]，小篆作[小篆字形]，三體字形變化不大。[字形]是大字倒寫，大是正面人形，[字形]是倒的正面人形，象一人從外而入。[字形]是人趾在倒形人的頭下，顯然不是倒形人的足，應是他人的足，可表迎接外人的主人的足。故逆有迎接外人來的意思。《說文》：「逆，迎也。从辵，屰聲。關東曰逆，關西曰迎。」可見逆迎是同義異體字，只是許慎把倒人的[字形]說成是聲符了。卜辭中逆可當迎講，如「辛丑卜殻貞𢀛方其來逆伐」（前四·二四·二），另外卜辭中逆還作人名，如「庚子卜逆貞翌辛丑雨」（前五·二六·五）；作地名，如「甲戌卜囗曾角取逆芻」（前四·五三·二）。

甲	前四·二四·二；前四·五三·二；後上十六·十三；下十一·十六；下十二·二
金	令簋；㝬鐘；叩簋；逆尊；仲爯簋
璽	逆
漢印	囗逆里附城；捕逆將軍司馬；逆臣；逆齊；逆扁

遘　講　通　誦

遘，甲文作[glyph]，金文作[glyph]，小篆作講。冓歷來學者多宗《說文》：「交積材也，象對交之形。」故有相遇之意。講《說文》：「遘，遇也。从辵冓聲。」在卜辭中，遘多作祭名，如「遘上甲口隹十祀」（前三·二七）。但也有作遇的，如「戊寅卜今日王其田遘不遘大雨」（前二·二八·八）。

甲

[glyph] 鐵四八三

[glyph] 拾七·九

[glyph] 前二·三五·三

[glyph] 後上三十·八

[glyph] 下十三·五

金

[glyph] 郑卣

[glyph] 橋伯簋

[glyph] 保卣

[glyph] 緯簋

[glyph] 克盨

通，甲文作[glyph]，金文作[glyph]，小篆作誦。《說文》：「通，達也。从辵甬聲。」甲文中義符彳即辵，是與人行走有關的字偏旁。聲符用甬，甲、金、篆字形有變，甲文用，實是鐘。金文用，上面的⊙不是太陽，而是鐘頂上掛鐘的圓鉤，小篆變為甬，上面的马更象鐘鉤。通的本義可从《說文》。卜辭中通作國族名，如：「丙申卜其正通丁酉」（人三一三二）。

甲

[glyph] 京津三一三六

[glyph] 庫一〇五一

[glyph] 甲七〇九

[glyph] 京都一八五七

[glyph] 京都三一三二

金

[glyph] 頌鼎

[glyph] 頌簋

[glyph] 頌壺

徙

璽

梁通

漢印

田通私印

劉通世

司馬通

陳通印

趙通之印

漢參

杜陵東園壺

建武泉範

龍氏竟三

徙，甲文作𢓊或𢕝，金文作𢓊，小篆作𨑢。《説文》：「徙，迻也。从辵，止聲。」从甲金文徙的字形看，从彳从步，應是會意字。彳是道路行的省簡，㞢是步，二者會意表示人沿着道路一直向前走。到小篆變爲𨑢。徙从字形字義上看，可作步的繁體或初文。《説文》或體从彳，作𢓊。古文作𡴘。

金

徙觚

徙觶

徙尊

璽

鄭徙

穌㢟

漢印

范徙

還 □

還，甲文作□或□，金文作□，小篆作□。《說文》：「還，復也。从辵，睘聲。」《爾雅·釋言》：「還，返也。」唐蘭釋□為還字本字。他說：「卜辭曰『貞吕方□号告于且乙』者（後上二九·三）貞吕方還勿告于祖乙也。『貞吕方口□』（簠文十四）貞吕方其還也。此云『貞方不口□』者，貞方不其還也。字从行从方从□。从方與口同，卜辭以□為衛，可證衛袁古一字，卜辭□或省作□，師遽尊環字偏旁作□，當即□之省變。□從□與目同，伯睘卣睘作□可證，然則□即古睘字亦即還字也。」（天壤文釋四十九頁下六十一片釋文）其說可从。金文中聲符□上象眼睛，下為人衣服，中間○可作為胸前掛的玉器環。金文還作動詞復講，如「唯還自征」（咢侯鼎）。也有作人名，如「鯀還乍寶用鼎」（鯀還鼎）。作地名，如「□奠還□眔□眔牧」（免毀）。

㊙甲

□ 甲三〇八

□ 後一·二九·二

□ 簠文一四

□ 天六一

□ 明藏七九

㊎金

□ 免簋

□ 散盤

□ 咢侯鼎

□ 遽伯簋

□ 鯀還鼎

遣 □

遣，甲文作□，以象兩手，□象弓形，□象器具，□象人用兩手把弓放入□弓的器具中，（或把弓从□器中拿出）遣金文有的作□□，有的加彳或□作□□。小篆變□為辵，變□為□，與本來面貌相異了。《說文》：「遣，縱也。从辵，□聲。」此字原不从辵，不从□，因此《說文》與本意難符。金文中遣有作人名的如「□□從□征」（大五）。

遲 遟 違 違

㊥ 後下三·十　下十二·四　甲一五四〇　乙九八〇　簠人八八

㊎ 小臣遲簋　大保簋　𢊁鼎　趞曹簋　作冊䰧卣

遲，甲文作㣄，亻是道路，ㄅ象二人相背形。㣄表二人在道路上朝相反方向行走。卜辭中㣄常作人名，如「貞追弗其杢」（拾·九十四），「貞追獲」（拾九十五）。金文作𨒈，《說文》把違字作遲的籀文，「遟籀文遲从屖」。甲文中也有作𢔁的字，甲文編收為𢔁。高明《古文字類編》收作遲字，實即違字。小篆又變作遟。《說文》：「遲，徐行也。从辵，犀聲。」

㊎ 仲𢽎父簋　伯遲父鼎

漢印 違臣　違中翁　違賜　違房私印

違字不見甲文，金文作違（小篆作違）。違字含義和衛字相近，衛字甲文作韋，金文作𩏑，其中口為都邑，止是人脚，表許多人沿着都邑走動，有守衛之意。金文違，只多加了彳，與衛意同。《說文》：「違，離也。从辵，韋聲。」《爾雅·釋詁》：「違，遠也。」《广雅·釋詁》：「違，偝也。」這三者釋義相近，但都不是其本意。

達 逹 遺

㊎ 臣卿鼎　臣卿簋

達，甲文作，金文作，小篆作。从甲文达字看，大為人正面形，加道路「彳」和人足「止」同樣表人在馬路上行走。金文小篆變大為羍。《說文》「達，行不相遇也。从辵，羍聲。《詩》曰：挑兮達兮。迖，達或从大或曰迭。」段注：「訓通達者今言也。」

㊙甲 存二〇二　佚四二九　京都六二四

㊎ 師寰簋　保子達簋

璽 口達　衛生達　玉達　口達

漢印 冷達　紀達　巳達　宋達　公孫達

遺，不見甲文，金文作，小篆作。《說文》「遺，亡也。从辵，貴聲。」段注：「《廣韻》：失也，贈也，加也。按皆遺亡引申之義。」曶鼎「遺十秭」和左傳隱公元年「小人有母……請以遺之。」中的

遺　遂　𨗉

遺皆通作饋，作贈送之意。《詩·邶風·北風》：「王事一卑遺我」。毛傳：「遺，加也」。贈，加意看來是假借意，可能要比遺失、遺棄等意用得更早一點。

金

曶鼎

漢印

荆遺

王遺

臣遺私印

遺登

王遺

漢金

項伯鐘

遂不見甲文，金文作𨑓，即述字。《說文》：「述，循也。从辵，朮聲。𨘘，籀文作秫」。「秫，稷之黏者，从禾，朮象形。」朮字中又象手形，又前後四點難明何物，如按說文意，這四點應象一粒粒黏手的稷。古音述和遂同音，義相通。《左傳·僖公三十三年》：「西乞術」，《公羊傳》作遂。商器銘文中把述借為遂。盂鼎「王各于周廟，遂于圖室」。其遂有到達之意。小篆作𨗉。《說文》：「遂，亡也。从辵，㒸聲。𨗉古文遂」。段玉裁認為到達是亡的引申義。

追 追

金

孟鼎

小臣謎簋

魚鼎匕

璽

公孫遂

漢印

趙遂之印

陳遂

瓦閭遂

閔遂

周遂

追，甲文作𠂤止，金文作𨑥，小篆作追。《說文》：「𠂤，小𠂤也。象形。」一般理解為小堆，小丘之類。王國維謂：「𠂤乃胾肉初文，象純肉之形。」（甲金論叢）張與仁謂：「殷文𠂤亦蛇也，象形。」（中國文字，十九冊）皆不確。𠂤乃弓形。止為人足，止與彳同意，與人行走有關。𠂤止為會意字，字義與人追趕，追逐有關，可理解為戰士（或獵手）拿著武器在追趕敵軍（或禽獸）。《說文》：「追，逐也。从辵，𠂤聲。」

甲

鐵九七·四

前五·二六·七

前五·二七·三

後下·四十七

戩四十·五

金

召尊

師奎父鼎

兮仲鐘

買簋

井侯簋

逐 遂 遠 遠

漢金 追 青龍竟

逐，甲文作𢓜或作𢔈字象一猪在前奔逃，人于後追趕之形。金文作逐，小篆作逐。《說文》：「逐，追也。从辵从豚省。」从豚省無據，應从辵从豕。

甲 𢓜 餘五·一 𢔈 或从鹿 拾六·八 𢓜 前三·三三·三 𢓜 後上·二五·一 𢔈 林二·十五·一

金 逐 逐簋 逐 歔𡠜方鼎 逐 逐鼎

璽 逐 長逐

漢印 逐 漢匈奴惡適尸逐王 逐 逐臣

遠不見甲文，金文作𨖸，小篆作遠。《說文》：「遠，遼也。从辵袁聲。𨖸古文遠。」《爾雅》：「遠，遐也。」遠字義符辵表人在道上行走。聲符袁上屮原是止，小篆變為屮，《說文》中古文遠作遠，字下的止，應是金文衣字下半部分𠃌變化而來。金銘文「𡢁遠能㝁」（克鼎）中作形容詞遐講，㝁作邇講，遐邇即遠近。

𨔞 道

金

克鼎

番生簋

漢印

袁印寑遠

代遠

篆

大騩權

旬邑權

兩詔楕量

元年詔版

精白竟

道 不見甲文，金文作衜或𨕥，小篆作𨔞。《說文》「道，所行道也。从辵，从首。一達謂之道。𨖊古文道，从首寸。」金文道中彳止即辵，表人在路上行走，字中間首是有眼有髮的人頭，在古文字中首、百、頁、𩠐為一字，皆表人頭。首，始也，字中表帶頭人，即引導人。故道即導之初文，本義為引導。《說文》中古文道𨖊从首从寸，也是導的古文，原無導字，以道兼導，導是後起字。《石鼓文》「𠦬于𣚏衜」作地名。

金

貉子卣

曾伯簠

㝬鼎

散盤

漢印

古道令印

青衣道令

乘馬道人

行道吉

冬道得

遽 遽 邊 邊

(漢)

道 故道殘詔版

龍氏竟三

夷道官斛

遽字不見甲文，金文作遽，从辵字形上看，象一隻張口的虎在道路上行走。銘文中多作人名，如遽仲、遽父、師遽等。《說文》「遽，傳也。一曰窘也。从辵，豦聲。」遽是一種古代接送文告信件的驛車，如《左傳．昭公二年》「懼弗及，乘遽而至。」又引伸為疾、急義，如《左傳．僖公二十四年》「公遽見之。」

(金)

遽仲觶

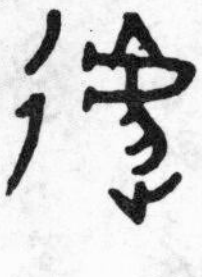

遽從角

遽從鼎

遽父己尊

師遽方彝

邊不見甲文，金文作邊或邊，其中彳止即辵，臱上面自字是人的鼻形，下是丏即旁字。旁有四周、邊緣之意，邊的本義與旁同，引申為邊界，因國界是國家的四邊，邊緣。小篆作邊。《說文》「邊，行垂崖也。从辵，臱聲。」段註「《釋詁》曰：邊，垂也。土部曰：垂，遠邊也。厂部曰：厓，山邊也。屵部曰：崖，高邊也。行于垂崖曰邊，因而垂崖謂之邊。然則邊不當廁於此。」

(金)

散盤

盂鼎

途　䢒　德　德

漢印

䢒　孫勝邊印

䢒　徐邊克印

途，甲文作𡍮，于省吾釋曰：「契文𡍮字即今途字，其用法有二：一為道途之途，殺存二八「𡍮若茲鬼」，鬼為惡方之……此言道途若此之惡方也」……一途作動詞，用義為屠殺伐滅，應讀為屠，途與屠聲韻並同……前七．三二．一「重隮令𡍮𠂇」，言令隮屠戮而有所禽獲也。…… 契文之𡍮，从止余聲，以為道途之途者，本字也。以為屠殺之屠者，借字也」。（駢三第二十三頁）其說甚確。小篆作䢒，《說文》所無。

甲

鐵一一十四

拾十一．十六

前六．二五．二

前七．三二．一

林一．二七．十六

德，甲文作㣥，从彳从直。𥄂即直字，甲文直字𥄂，象一個張大的眼睛一直看著前方，其中丨表視線，不是其他物品。《說文》：「直，正視也。」甲文值與直義相近，加彳為道路，表人在路上邊走邊看，可為巡視意。卜辭如「庚申卜㱿貞今春王㣥土方囗之口又」（甲二九．二）中值就可譯巡視講。金文作德，加心為德。《說文》：「德，升也。从彳，悳聲」。德在銘文中除作專名外假作悳。《說文》：「悳，外得于人，內得于己。」段注：「內得于己，謂身心所自得也，外得于人，謂惠澤使人得之也。」這種處世態度可能是當時儒家提倡的，《說文》稱之為悳，

復 復

後人借為道德之德，而悳字遂漸不用了。

甲　甲二三○四　乙三七五　鐵一六三·三　拾五·一　一一四○

金　辛鼎　盂鼎　異中壺　秦公簋　王孫鐘

漢印　德庚邑丞　復德左尉　衛德　郭印博德　張德

漢金　大駝權　兩詔楕量　元年詔版　新嘉量二　池陽宮行鐙

甲文亞夂即复，亞象亞或壺之類的器具，這裏作聲符。夂是人足，故復有行走意。《說文》：「復，行故道也。从夂，畗省聲。」卜辭中复用作復。如「乙卯卜余乎复」（藏一四五·二）。金文中也有不加彳的复，如鬲比盨作复。多數金文加彳作復。金銘文中有作人姓名，如復公子𣪘。小篆作復。《說文》：「復，往來也。从彳，复聲。」其實复與復是同一字。

甲　鐵一四五·一　卜辭用复為復

往　徃

金
禹比盨
禹比盨
復公子簋
㽙鼎
散盤

璽
王復
肖復
口復
鄆復

漢印
魚復長印
馬復之印
復關
椑復之印
李復

漢金
王氏竟
騶氏竟
張氏竟
新興辟雍竟
日有憙竟

往，甲文作𡉄，卜辭中𡉄常為祭名。對于這種祭名，于省吾分析為「往祭即後世之禳祭，禳乃往的借字。就古音言之，往禳疊韻，故通用。……再就義訓言之，典籍每訓往為去，又訓禳為攘除，以為除咒去殃之祭。然則往和禳不僅音通，義也相涵。……儀禮聘禮的『禳乃入』，鄭注：『禳，祭名也，為行道累歷不祥，禳之以除災咒。』」（釋林·釋㞷）其說可从。卜辭「㞷夏以雨」（南北明四二九）是說因乞雨而在夏地舉行㞷祭。卜辭「于羌甲卯克㞷疒」（乙一三九四）中㞷通作攘解，是說于羌甲用禦祭，能夠攘除疾病。金文往作徃，小篆作徃《說文》：「往，之也。从彳，㞷聲。𢓸古文从辵。」後世根據《說文》把往一直解釋為去。

後

甲

鐵一三 卜辭用生為往

後一・一四・八 卜辭用䢔為往

金

吳王光鑑

璽

長生

長生

石生

口陽往

後，甲文作𢆶夂，夂即後之初文。𢆶是絲繩，是古玄字。夂是人足，𢆶夂表人的足被繩子繫縛了，不能自由向前走動。引申為先後的後。卜辭中也作先後之後，如「夂東𣎆」（乙八八二三）是講祭祀中後剎殺牲，「先夂東」（乙八七二八）是說在祭祀中剎殺牲有先後。金文作後，小篆作後。《說文》：「後，遲也。从彳幺夂者，後也。𨒥古文後，从辵。」

金

令簋

小臣單觶

師寰簋

曶鼎

余義鐘

璽

左口後

鄒猲弩後持

漢印

集降尹中後侯

後將單假司馬

番後私印

呂後生印

妟後來

得 𢔶

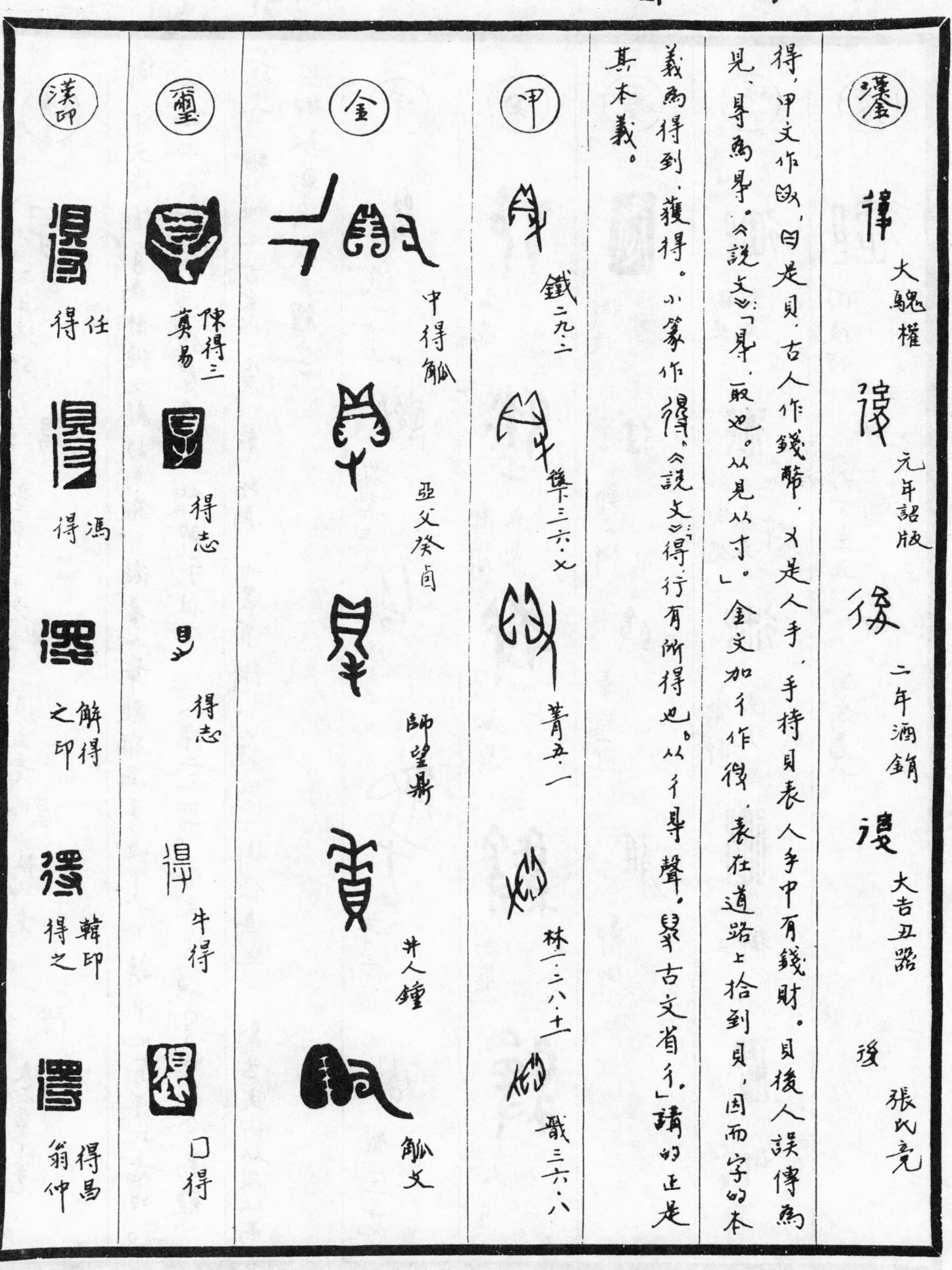
篆
大騩權
元年詔版
二年酒鋗
大吉五器
張氏竟
得，甲文作𢔶，曰是貝，古人作錢幣，又是人手，手持貝表人手中有錢財。貝後人誤傳為見，㝵為㝵。《說文》「㝵，取也。从見从寸。」金文加彳作得，表在道路上拾到貝，因而字的本義為得到，獲得。小篆作𢔶。《說文》「得，行有所得也。从彳㝵聲。㝵古文省彳。」講的正是其本義。
甲
鐵二九·二
後下三六·七
菁五·一
林一·二八·十一
戩三六·八
金
中得觚
亞父癸卣
師望鼎
井人鐘
觚文
璽
陳得三
莫易
得志
得志
牛得
口得
漢印
任得
馮得
解得之印
韓印得之
得昌翁仲

御 御

御，甲文作𢓊，8為絲繩之類的馬鞭。𢓊象人舉鞭驅馬于道中。卜辭中也有作此意的，如「馭茲邑」（乙三一六三）。作祭名的，如「御于祖乙……」（粹二三一）。金文作馭，𢓊象手拿馬鞭，《說文》「鞭，驅也，古文作𠋝」，𢓊即馬。小篆作御。《說文》「御，使馬也……馭古文御从又从馬。」故御馭為同義異體字。

(漢金) 二年酒鋗、壹平三年竟、青盖竟、杜氏竟、湅石華下竟

(甲) 鐵十四·三、前六·六·三、後上·五·九、菁三·一、戩三三·十七

(金) 盂鼎、邾伯御戎鼎、盂鼎、禹鼎、大鼎

(璽) 御棱、鄆不御、事駿（御）、鄘御

(漢印) 御史大夫、御史大夫章、齊御史大夫、王御、史莫御

(漢金) 南陵鍾、御 尚方竟五、御 尚方竟六

廷 𢌬 延 𢓊

廷，不見甲文，金文作𡈼或𡈼，乚為宮殿門前石階的斜坡，三為石階，亻為入朝的官員，故廷本義為官員上進朝廷。廷也即庭初文。商器銘文常有「立中廷」句，即立于朝廷中。小篆作𢌬。《說文》：「廷，朝中也。从廴，壬聲。」許慎作形聲字，以金文字形可為會意字。

㊎

毛公鼎

吳方彝

諫簋

卯簋

無叀鼎

漢印

郤印當廷

鄭廷私印

延，甲文作𢓊，表人在道上行走。金文作𢓊，與甲文同，延金文也作𢓊，從𢓊，是甲文作𢓊，故辵、延、延、𢓊原本一字，都表人在道上行走。《說文》：「延，安步延延也。从廴从止。」在卜辭中延，引申為連續不斷，如「延風」「延雨」為連續不斷刮風下雨。也引申為改動、遷移，如「延陟」「延彡」「延御」等，是改變祭祀的對象。「㱿貞周𤞞延㵣」是卜問田獵是否从周遷到㵣。呂鼎中「呂延于大室」是呂遷到大室。金銘文中也多作人名，如「延作周公尊彝」（延盤）。

㊙

鐵三·一

前一·一·七

後上十二·五

林一·七·二

戩十六·十一

延 㢟 行

金

子父辛尊

丁未角

甾鼎

盂鼎

蔡侯鐘

璽

王延

延、康侯簋作㢟，碧落碑以㢟為延。故延延古為一字，義同為步行。小篆改作延。

《說文》：「延，長行也。从㢟，丿聲。」

金

康侯簋以㢟為延

漢印

張延壽

騶延

王延年

臣延

延壽

漢金

臨虞宮高鐙二

延光三年洗

延平元年洗

元初二年鐖

延光四年鐖

行、甲文作⋯，金文作⋯，小篆作⋯，三體形同，字象兩條相交的十字馬路，馬路是人走的，故引申為行走。《說文》：「行，人之步趨也。从彳从亍。」石鼓文作⋯，是甲文中術字，是人

行　衛　衞

在道上行走的行。《詩·大東》：「行彼周行」，上行為行走意，下行為道路。

甲

鐵二三一·三

拾八·十八

後下二·十二

下二·十三

下十三·四

金

行父辛觶

沖子鼎

為甫人盨

異伯盨

孫弔師父壺

璽

行私

正行

行口關

行

正行亡私

漢印

吳行私印

行慶

行吉

今日利行

行吉

漢金

建昭行鐙

尚浴府行燭槃

內者行鐙

奉山宮行鐙

君有行竟

衛，甲文作，金文作，小篆變作衞。中口表城邑，四止表衆人環繞城邑走動，有守衛之意。口是見方的，故有衛字从方，方與口在這裏是同義。有的省為，則韋與衛是一字。卜辭中有作官名的，如「衛臣」、「多射衛」。銘文中也从人名，如「伯衛父」「衛始」等。衛也為古國名，周公封周武王之弟康叔于衛。《說文》：「衛，宿衛也。从韋帀，从行。」

行列衛也。」

甲：鐵一・三三・二；前一・三・五；後下二・十六；戩四十・一；前四・三一・六

金：子衛爵；衛父卣；司寇良父簋；㒼攸比鼎；衛尊

璽：衛生口；衛生達；衛口；衛齊；衛得

漢印：衛官侯之印；衛成；衛子；衛子長印；衛霜

漢金：衛少主鼎；衛鼎；衛少主鐘；常樂衛士飯幘；大衛無極鼎

齒 齒

齒，甲文作𠚕，象人口中上下兩排牙齒形，金文變作𠚕，小篆作齒，原象形字變成了形聲字。《說文》「齒，口齗骨也。象口齒之形，止聲。……𠚕古文齒字。」卜辭「貞疾齒御于父乙」（前一・二五・一），是講牙齒有病祈求父乙保佑。

足

甲：乙二六五五　乙二五二三　鐵一八五·一　乙二二〇三　乙七四八二

璽：口盌　肖盌　口盌　口盌　盌

漢印：呂盌之印　臣盌　王盌　鮮于盌印　宋盌之印

足，甲文作𠯑，孫海波曰：「卜辭足與正字同形，從文義上可以別之。」（甲文編卷二）甲文中有𠯑字，也為足字，有人釋為足。《說文》：「足，足也，上象腓腸，下从止。」𠯑象人之大小腿形，下𠂆為趾，故𠯑可釋足或足。足，足同義，金文足作足，小篆作足。《說文》：「足，人之足也。在下，从止口。」卜辭中足有作人名的，如「庚辰卜命足于咸」（前一·四四·三）。

甲：甲一六四〇　前四·四〇·一　摭續二一四　金三七三　乙三一八四

金：免簋　師晨鼎　師兌簋　元年師兌簋　善鼎

璽：鄭足　足落司馬　口足

路　品

漢印　樂足私印

漢金　建昭雁足鐙　中宮雁足鐙　竟寧雁足鐙　綏和雁足鐙　永元雁足鐙

路，不見甲文，金文作路，只見史懋壺一字，小篆作路。《說文》：「路，道也。」道是路的本義。《離騷》：「回朕車以復路兮，及行迷之未遠。」史懋壺中有「路筭」，郭沫若在《兩考》中釋路為大。「路筭」即大筭（計算用的籌）是有根據的。《詩·大雅·生民》：「厥聲載路」毛傳「路，大也。」《史記·武帝本紀》：「路弓乘矢。」裴駰集解「路大也，四矢為乘。」又通「露」，作敗講《管子·四時》：「國家乃路。」

金　史懋壺

漢印　路鄉　董路人　張子路　路並　趙子路

品，甲文作品，口為人口，古人以三為多數，如雥从三隹，群鳥。茻，从三屮，百艸之總名。三口表多口。品與众造字法同義也同。三人為众，口也表人，三口即三人，品、众都表众多的

品　喿

人。卜辭品多為祭名，如「己未卜貞王賓品亡尤」（前五·三五·二）。金文、小篆从甲文，都作品。金文中作量詞，如「王五品」、「田四品」。《說文》：「品，衆庶也。从三口。」

(甲) 品 前五·三五·二　品 前五·三五·四　品 後下九·一三　品 下十·一　品 戩一·十

(金) 品 井侯簋　品 保卣　品 穆公鼎

(璽) 品 品相在宮

喿，不見于甲文，金文作喿，小篆作喿。《說文》：「喿，鳥羣鳴也。从品在木上。」此字與雧同義。雧象衆鳥在樹上，必齊鳴。喿字上三口正表衆鳥之口齊鳴。金文中喿作人名，如「喿父」。喿即後人所造的噪、譟的本字。

(金) 喿 弔喿父簋

(漢印) 喿 王孫喿　喿 成喿

龠　龠　龢　龢

龠，甲文作冊，𠬞象雙管，管口是洞，〇乃繩索，以並列雙管，是一種古樂器。金文作龠或龠已與甲文有變，小篆變二口為三口，變〇為冊，成龠。《說文》：「龠，樂之竹管，三孔以和眾聲也。从品侖。侖，理也。」卜辭銘文中龠借作禴，是一種用樂來祭的祭名。如「乙卯卜出貞王穷龠不冓雨」（掇二·一二二），「隹王大龠于宗周」（臣辰盉）。

（甲）
龠　前五·十九·二
龠　前五·十九·四
龠　後上·四三
龠　林二·七·四
龠　存下七四

（金）
龠　散盤
龠　臣辰卣
龠　臣辰盉

（漢金）
龠　新嘉量
龠　簽龠小量

龢，甲文作龢，金文作龢，小篆作龢。龢也是古樂器，《爾雅》：「大笙謂之巢，小者謂之和」。小笙即龢之本義。笙是由多竹管合併而成的，字中冊正表多管並列形。和是龢的簡化字，後起字。《說文》：「龢，調也。从龠，禾聲。讀與和同」。卜辭用龢表用音樂來進行祭祀，如「貞甲龢眾唐」（前二·四五·二）。金文中作人名的如「伯龢父」。

（甲）
龢　前二·四五·二
龢　寧滬一·七三
龢　京津八四三二

册

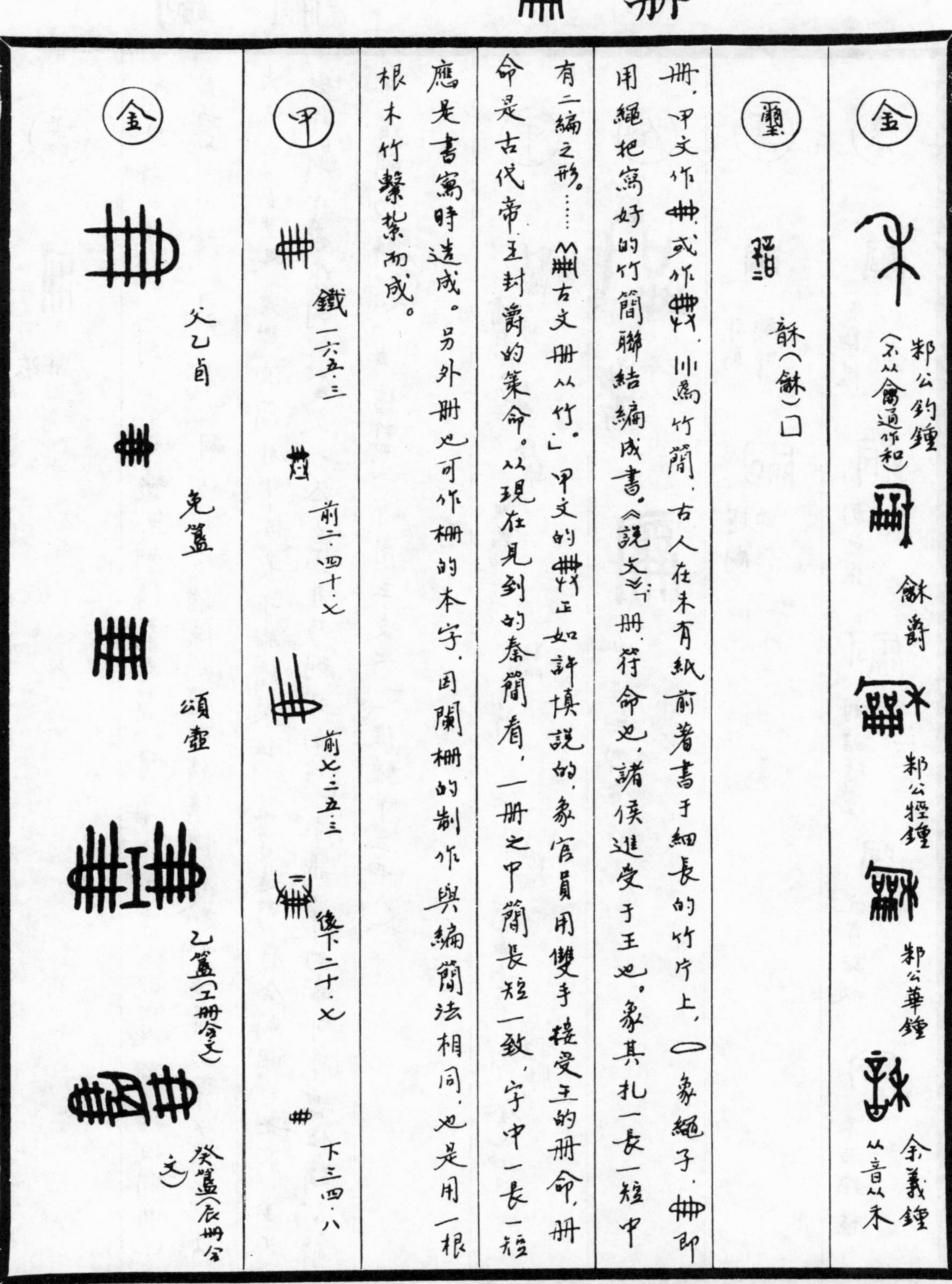
金

邾公釛鐘（不从命爵通作和）

龢爵

邾公牼鐘

邾公華鐘

余義鐘 从音从禾

璽

龢（龢）囗

册，甲文作丗或作𠕋，川為竹簡，古人在未有紙前著書于細長的竹片上，一象繩子。丗即用繩把寫好的竹簡聯結編成書。《說文》：「册，符命也，諸侯進受于王也。象其札一長一短中有二編之形。……𥬲古文册从竹。」甲文的𠕋正如許慎說的，象官員用雙手接受王的册命，册命是古代帝王封爵的策命。从現在見到的秦簡看，一册之中簡長短一致，字中一長一短應是書寫時造成。另外册也可作栅的本字，因闌栅的制作與編簡法相同，也是用一根根木竹繫紮而成。

甲

鐵一六五·三

前二·四十·七

前七·二五·三

後下二十·七

下三四·八

金

父乙卣

免簋

頌壺

乙簋（工册合文）

癸簋（辰册合文）

嗣

漢印 張冊

嗣《集釋》收𨽻爲嗣。《甲文編》無嗣，釋𨽻爲𨽻。實𨽻爲嗣字。《說文》「嗣，諸侯嗣國也。从冊从口，司聲。孠，古文嗣，从子。」諸侯嗣國即諸侯傳位給嫡長子，故甲文作𨽻，𠀤大子，即長子也，是聯編簡引申爲長子聯續父位。𨽻字造形符合嗣國的要求。金文變作𦉪，小篆作嗣。金文「令女盂井乃嗣且南公」（盂鼎）中的嗣可作繼位講。卜辭中借嗣爲辭，如「叀舊𨽻冊三牢用王受之」（後編下三四、八）。

甲 續存一七九三　明藏四五五　京津二九〇七　明藏五一五　金七四〇

金 盂鼎　曾姬無卹壺

漢印 司馬嗣印　趙嗣印信

漢金 大騩權　旬邑權　兩詔橢量　元年詔版　禾石鐵權

嚣 嚻 器 器

常用古文字字典卷三

嚣字，金文作[glyph]，小篆作嚣。《說文》：「嚣，聲也。气出頭上。从㗊頁。頁亦首也。」字形象人頭四周有許多口，表示人的喧譁聲。金文中有作人名的，如「嚣伯媵[glyph]盨般」（嚣伯盤）。甲骨文[glyph]即嚣字，字義和嚣相同。《說文》：「嚻，語聲也。从㗊臣聲。嚚，古文嚚。」

金：[glyph] 嚣伯盤

璽：[glyph] □嚣之□；[glyph] □相垂莫嚣

漢印：[glyph] 嚣成里附城；[glyph] 宋嚣之印

器，金文作[glyph]，小篆作器。《說文》：「器，皿也。象器之口，犬所以守之。」器的造字法應與嚣相同，四口不是物器，而是表示喧嘩聲。器本義當是狗叫，與吠同義。假借為器皿之器。金文中常見的「寶器」、「祭器」，非其本義，當為假借義。

舌 舌

金

散盤

𠂤皇父簋

鄭子蒷夷鼎

帀姬簋

鄘侯簋

璽

肖勅器容一斗

漢印

器府

器臨

器助

器府

漢金

董是洗

舌，甲骨文作或，口是人口，丫即舌，丷象口液。象人舌从口中伸出，并有口液外濺。舌字也出現在其他甲骨文中，如歙字，甲骨文作，象人低頭把舌伸向酒器之狀。卜辭「疒舌隹㞢它」（續五．十七．三）中「疒舌」即「舌有病」。舌在卜辭中還作祭名，如「王昜舌河」（粹五十）。小篆作舌。《說文》「舌，在口所以言也，別味也。从干从口，干亦聲」。舌應爲象形字，非形聲字。

干

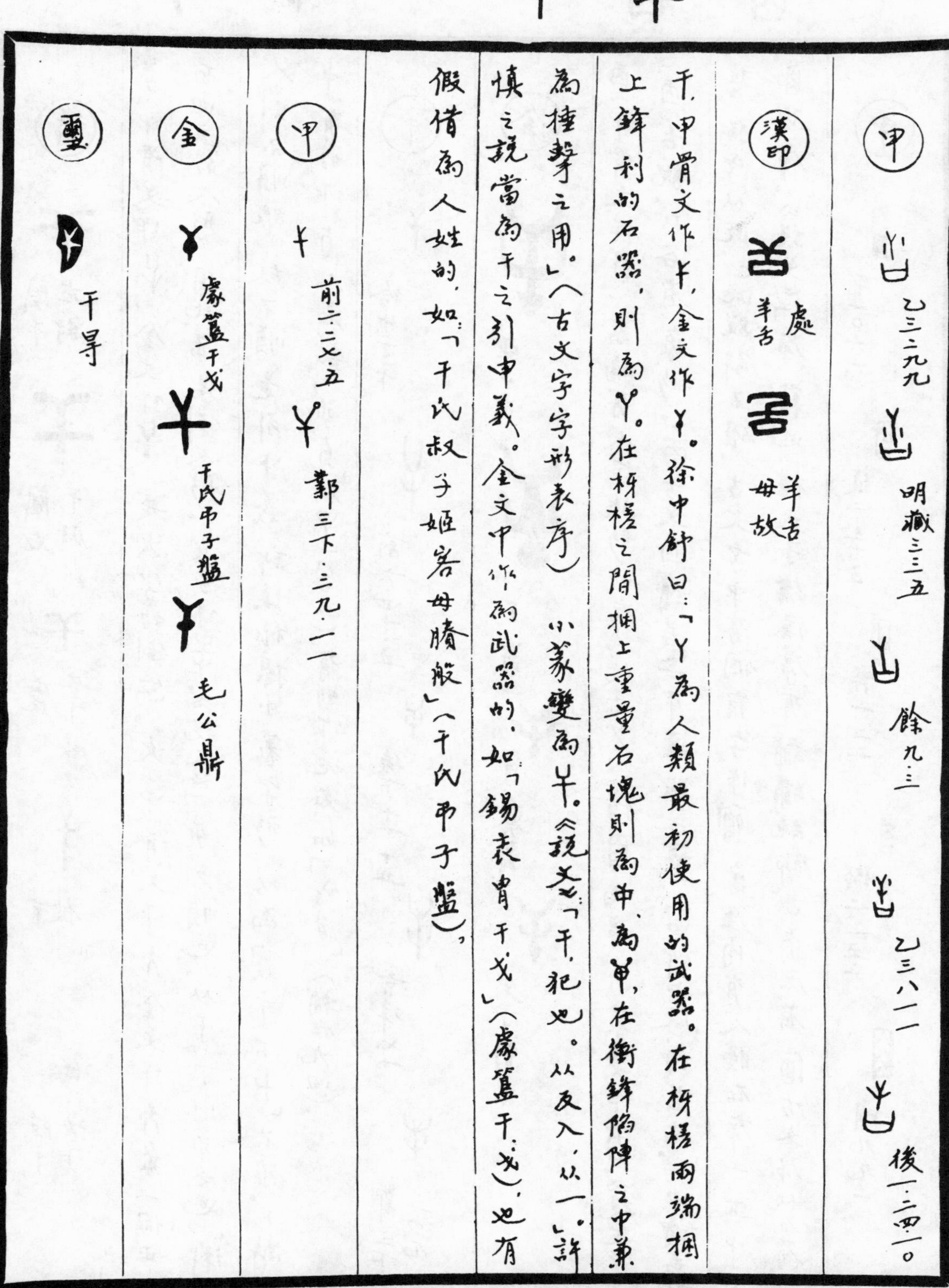

甲　乙三二九九　明藏三三五　餘九三　乙三八一一　後一·二四·一〇

漢印　處羊舌　羊舌毋故

干，甲骨文作 ，金文作 。徐中舒曰：「 為人類最初使用的武器。在枒杈兩端捆上鋒利的石器，則為 。在枒杈之間捆上重量石塊則為中，為 ，在衝鋒陷陣之中兼為擋擊之用。」（古文字字形表序）小篆變為 。《說文》：「干，犯也。从反入，从一。」許慎之說當為干之引申義。金文中作 為武器的，如「錫表冑干戈」（豦簋：干戈），也有假借為人姓的，如「干氏叔子姬客毋媵般」（干氏弔子盤），

甲　前六·三七·五　鄴三下·三九·一一

金　豦簋干戈　干氏弔子盤　毛公鼎

璽　干㝵

屰　屰　㐁　㐁

漢印

蘭干右尉

蘭右干尉

龐比干

被干

段干功子

屰，甲骨文作𠂎，金文作屰，是大字的倒寫。大，甲骨文作大，金文作大，象一個正面而立的人形，因此屰是倒人形。小篆作屰。《說文》：「屰，不順也。从干，下屮屰之也。」倒人，則不順眼，故不順是引申義。許慎根據小篆字形，以為「从干，下屮」不確。卜辭中有的作貞人名，如「屰貞」（甲二八〇五）；有的作地名，如「伐屰」（輔仁九四）。

甲

拾十二·十

前六·四十·五

後下·十一·十五

京津七一

鄴三下·三四九

金

亞屰卣

屰爵

目父癸爵

父丁爵

㐁，甲骨文作㐁，象編有人字紋形的席。故不少人釋㐁為席。小篆變作丙。《說文》：「㐁，舌貌。从谷省，象形。㐁古文㐁，讀若三年導服之導。一曰竹上皮，讀若沾。一曰讀若誓，弼字从此。」此說解不確。古文字中有個宿字作㐁，象屋內有一人睡在席上，其中㐁即席。《說文》：「席，籍也。禮天子諸侯席有黼繡純飾。从巾庶省。㐁古文席从石省。」

甲

甲一〇六六

後二·三六·五

粹六二三

掇二·一五·一

明九九二

㕯　商

㕯，甲骨文作㕯，小篆作㕯。《說文》「㕯，言之訥也。从口从内。」㕯、吶、訥三字皆从口（言）从内，可作義同的異體字。本義可从《說文》。卜辭「若㕯祖乙魯王受又」（粹一四六），其中㕯似為祭名。

（甲）㕯 前一·三六·六　㕯 林一·五·十二　㕯 摭續二七七　㕯 庫一七一九　㕯 珠三九三

（璽）㕯 痲㕯　㕯 梁㕯　㕯 鄭㕯

商，甲骨文作𠅹、𠅺，金文作商、𧶜。朱芳圃釋商曰：「字象𠆢置𠆢上。𠆢，物之安也，亦謂之堤。《淮南子·詮言訓》：瓶甌有堤。高注：堤，瓶甌下安也。今俗謂之底座。蓋商人祭祀時，設燭薪於𠆢上以象徵大火之星。或增○○，象星形，意尤明顯。又增口，附加之形符也。考星宿三星為東方七宿之一，在房宿之東，尾宿之西，中有一等大星，其色極紅，故謂之大火。商人主之，始以名其部族，繼以名其國邑及朝代。」（釋叢）卜辭中「大邑商」的商是國邑之名。甲金文常假商為賞，如「癸已卜貞商舁晉」（卜通別一大龜第三版五二），「商之台（以）（玉）嗣衣裘車馬」（庚壺）。小篆作𧶜。《說文》「商，从外知內也。从㕯，章省聲。𧶜古文商。𧶜亦古文商。𧶜籀文商。」

句

甲　鐵九五·一　餘二·二·一　後下·四一·十六　林一·二七·三　戩四三·七

金　康庚簋　商婦甗　商角盉　矢簋　乙亥鼎

漢印　商上禁印　商賈之　商宗之印　高商　張商印信

漢金　商鼎盃　吾作竟　又三

句，甲骨文作冋，金文作句，小篆作句。《說文》：「句，曲也。从口，丩聲。」高田忠周釋句曰：「句，从口从丩，丩亦聲，會意而兼形聲。字以口為義本。《說文》體下曰，讀若章句之句。詩關雎疏：句者局也。聯字分疆所以局言者也。此當句字本義，即言語之曲折也。轉為凡事物之曲屈，俗或作勾。然則句叫二字，皆均从口丩為形，而造意全異，若不然，句叫元同字。叫嘷義以吅為本字，作叫借句為吅，吅下曰高聲也，从吅丩聲，即高聲號嘷也。故从吅為義本。又訆下曰大呼也，从言丩聲。凡言部字，古文从口，即知叫訆同字，訆亦句字異文，假借為吅，吅為大呼也。要元有句吅無叫訆耳。」（古籀篇）句，金文中有作人名的，如「㲃句作其寶壺」（㲃句壺）。

丩

甲 前八·四八

金 鬲比盨　殷句壺　襄[illegible]父鼎　鑄客簠　師鄂父鼎

璽 □上私句　王句□　肖臨夫句

漢印 句陽令印　呂句

丩字甲骨文作，小篆作。《說文》：「丩，相糾繚也。一曰瓜瓠結丩起。象形」。字正象二絲繩交結之狀。卜辭中丩作人名，如「貞于土方帝王有夢隹（惟）咼（禍）乎（評）丩ナ」（乙·二八四四）。

古

甲 後二·二六·五　乙二八四四　乙三八〇五反　掇一·二七二

古字，唐蘭釋甲骨文𠮛為古，郭沫若、于省吾等釋甲骨文𠮚為古。𠮚、𠮛兩字有區別。𠮛字上中象甲（盾）放在凵上，𠮚可理解為十口。郭沫若認為卜辭中常見的「古王事」即《詩經·唐風·鴇羽》中的「王事靡盬」之盬的初文。金文古作古，小篆作古。《說文》：「古，故也。从十口，識前言者也。……𠖠古文古。」段注：「識前言者，口也。至於十則展轉因襲，是為自古在昔矣。」古可作詁的本字，《說文》：「詁，訓古言也。从言古聲。」古今言語不同，向後人講清古語即訓詁。而古，也是指講古代之事，因此古詁可為同義之異體字。

(甲) 古 甲一八三九　古 甲二四一反　古 乙三八一〇反　古 乙一二五九　古 京都一〇九五

(金) 古 古伯尊　古 盂鼎　古 師旂鼎

(漢印) 古 古孫克印　古 年冬古　古 董冬古　古 張冬古　古 臣冬古

(漢金) 古 青蓋竟　古 泰言之始竟　古 吾作佳竟

十，甲骨文作直畫為丨，金文中間或加肥厚，或加圓點為丨十。小篆把金文中圓點變作一橫為十。《說文》：「十，數之具也。一為東西，丨為南北，則四方中央備矣。」東南西

十

此之說與甲金文之十不符。

甲：鐵四三·一；拾二·十七；前一·五·五；後上六·十四；菁二·一

金：艅尊；麩伯簋；令簋；大鼎；申鼎

漢印：執法直二二

漢金：上林鼎；陶陵鼎；永元十二年洗；永元十三年洗；十四鈁

千　[glyph]

千，甲骨文作[glyph]、[glyph]、[glyph]，金文作[glyph]、[glyph]，小篆作[glyph]。《說文》「千，十百也。从十，从人。」从十應為从一。朱芳圃曰：「千為大數，造字之術窮，故以人代表之。一千作[glyph]，二千作[glyph]，三千作[glyph]，四千作[glyph]，五千作[glyph]，數至六千，合書不便，乃析為二字矣。」（釋叢）

廿 廿

甲

鐵一三二·四

前四·一·七

前六·四六·五

後上·三一·六

林一·一·十三

金

盂鼎

矢簋

散盤

盾帛多父盤

禹鼎

璽

千口牛

千秋萬世昌

千羊

宜千金

千万

漢印

千乘丞印

日入千萬

大潘千万

桓千万

日入千万

漢金

新嘉量

千歲大富樂洗

日利千萬泉範

大監千鐘

千斤金合符鉤

廿，甲骨文作∪，金文作∪，廿，小篆作廿。《說文》：「廿，二十併也。古文省。」此字由兩個十字合成，該讀爲二十。

甲

前一·三五·五

前一·四五·五

前三·二四·二

前七·二五·四

後下·三八·七

卅 卅

（金）

宰椃角

盂鼎

㝬鐘

伊簋

善夫克鼎

（漢印）

廿八日騎舍印

廿二日唯印

（漢金）

永元十三年洗

卅四錞于

長安鋗

永初鐘

卅六年詔權

卅，甲骨文作山，金文作山，小篆作卅。《說文》「卅，三十并也，古文省。」此字合三個十字為文，讀作三十。本應作二字，此作一字，故稱之省也。

（甲）

鐵七二·一

前一·三五·五

後上二三·十一

林一·二六·十

戩二二·四

（金）

矢簋

毛公鼎

𠧪鼎

鬲攸比鼎

僕公壺

（漢金）

長安鋗

廣陽鼎蓋

菑川鼎二

陶陵鼎蓋

新鈞權

世　丗　卌

世，金文作止、屮等形，或从木从竹作枻、笹。象樹木的枝葉，可作為葉之本字。金文中有個枼字，《金文編》收作葉字，也「象樹木上有枝葉」。故世、枼、葉原是一字，都是樹葉的葉。世、枼在金文中借為永世的世，如「永世毋忘」（十年陳侯午錞）、「永枼毋忘」（驫羌鐘）。小篆作丗，《說文》：「世，三十年為一世。从卅而曳長之，亦取其聲。」三十年為一世，是世的後起義。金文世、卅有較大區別。卅作屮，是並列、聯結的三個十。世作屮，是交叉的樹枝。

金　吳方彝　師晨鼎　寧簋　伯𨾊簋　獻伯簋

璽　千秋萬世昌　千秋萬世昌

漢印　張印定世　李印奉世　尤利世之印　史世之印　范萬世印

漢金　承安宮鼎二　丞不敗杯　元延乘輿鼎二　騶氏竟　王氏竟

卌，甲骨文作卌或𠔿，金文作𠔿，用四個並列或下連結的十表示數目四十。《說文》所無。甲、金、漢碑中常有卌字，如「𠟭付卌秭」（曶鼎）、「年卌二」（鄭固碑）。

言

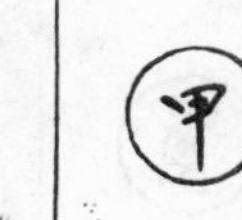
拾八·七　前二·二七·一　前四·八·三　後下·四一·十二　菁十·十三

甾鼎

漢金
一石鐘　蔔少夫鼎　衛少主鐘　南皮侯家鐘　中私府鐘

言，甲骨文作𠮷、𠶷，金文作𠶷，字形與舌相近，从口从辛，小篆作𧥢。《說文》：「直言曰言，論難曰語。从口，䇂聲。」于省吾釋言曰：「言與音初本同名，後世以用各有當，遂分化為二。周代古文字言與音之互作常見。……又甲骨文稱：『囗囗卜，子龢言多亞。』（後下四一·九）『貞，王史言且丁，正。』（乙四七〇八）『貞，來乙辛，其言日彫。』（粹三八八）以上三條言字均應讀作音，音與歆通。音之通歆，猶古文字龠之亦作歙。左傳僖三十一年之『不歆其祀』，杜注謂：『歆猶饗也。』國語周語之『王歆太牢』，韋注謂『歆，饗也』。再以周代金文證之，䢅仲簋之『音王賓』，即歆王賓也。伯矩鼎之『用言王出內（入）使人』，言字亦應讀作音通歆。然則甲骨文之通音，音字有時亦讀為歆，均脗合無間。」（釋林）

甲
拾八·一　前五·二十·三　後下·十三　下·十·四　林一·四·一

語

金

伯矩鼎

鬲比盨

敦自

璽

言尚

言身

悊言

悊言

口言

漢印

郭巨言事

漢金

永和三年鈚

天相壽竟

桼言之始竟

桼言之紀竟二

語，金文作，小篆作語。《說文》：「語，論也。从言，吾聲。」語字與吾字原為同字，古文字从口與从言無別。《說文》：「吾，我自稱也。」此非吾之本義，是吾的假借意。後世只用其假借意，其本義廢矣。

金

余義鐘

璽

口語

五口語

肖語

和語痏

語

謂　䛋　許　許

漢印

語翁私印

謂，金文不从言，借胃為謂，作[金文字形]，如「胃之少虞」（吉日壬午劍）。小篆作謂。《說文》：「謂，報也。从言，胃聲。」段注：「夲部曰：報，當罪人也。蓋刑與罪相當謂之報。引申凡論人論事得其實謂之報。謂者，論人論事得其實也。」謂當為報告之語，如《左傳．僖公四年》：「姬謂大子曰：君夢齊姜，必速祭之。」後引申為說、以為、稱、叫做等意。

金

吉日壬戌劍

許，金文作[金文字形]或䛩。䛩釋為許，是許的異體字。小篆作許。《說文》：「許，聽言也。从言，午聲。」段注：「聽从之言也。耳與聲相入曰聽，引申之凡順從曰聽。許或假為所，或假為御，《下武傳》：許，進也。」王筠：「桂氏曰，言當為信。《孟子》則王許之乎？趙注，許，信也。」（說文句讀）本義可从《說文》。

金

鬲攸比鼎

毛公鼎

曶鼎

漢印

許光之印

許蓋之

許信

許建

許生之印

雔 諸

漢 金

許氏竟

雔，金文作，从雔，中加言，會意為二鳥對鳴。小篆作雔。《說文》「雔，猶應也。从言雔聲。」此字當和售唯，誰都為鳥叫之義。金文中雔借為名字，如「雔作文父日丁」（雔尊）。

金

甬比簋

雔尊

漢印

徐之雔印

袁雔私印

戴雔

李雔

郭雔

諸，金文作者，小篆作諸。《說文》「諸，辯也。从言，者聲。」「者，別事詞也。从白，𣎵聲。」銘文以者為諸，如「其隹我者侯百生」（兮甲盤）。《蒼頡篇》「諸，非一也。」《廣雅·釋詁》「諸，衆也。」均為諸之引申義。

金

兮甲盤

漢印

諸倉

諸誤

諸萬信印

闞騄諸印

諸奇

誨　謀　訊　訊

（漢金）

謀　大騩權

謀　廿六年詔權

謀　廿六年詔橢量

謀　廿六年詔版

謀　尚方竟四

誨，金文作䛬，小篆作誨。《說文》：「誨，曉教也。从言，每聲」。段注：「曉教者，明曉而教之也。訓以柔克，誨以剛克。周書無逸胥訓告胥教誨是也。曉之以破其晦，是曰誨。」誨與謀互通。《說文》：謀，古文作㖼或𧥓。母、某古音同。吳大澂：「《書·說命》朝夕納誨，當讀納謀。」（《說文古籀補》）卜辭用每為誨。

（甲）

每　甲五七三

（金）

䛬　王孫鐘

䛬　不䁥簋

訊，甲骨文作𡥎、𡥎，金文作𧥢，字形象一個人跽在地上，雙手被繩反縛在背後，左邊的口表示另一個人在審問他。卜辭銘文中作審問俘訊義的，如「乙丑王訊因乜在宊」（續三．三一．五）、「女多折首執訊」（不䁥簋）。小篆作訊，為後起形聲字。《說文》：「訊，問也。从言卂聲。𧥢，古文訊，从鹵。」

（甲）

𡥎　續三．三一．五

諫　誓

（金）兮甲盤　不嬰簋　䖒簋　䖒簋　揚簋

（漢印）訊林之印　訊章之印

誓，金文作𣃔，或不从言作𣃔，小篆作誓。《說文》「誓，約束也。从言，折聲」。《禮記·曲禮》「約信曰誓」。另外悊、哲可作誓字異文。古文字中口、言、心常通用。《說文》「哲，知也。从口，折聲」。「悊，敬也。从心，折聲」。哲訓知、悊訓敬是字義的引申。其本義皆為發誓之言。

（金）齊侯壺　散盤　散盤　鬲攸比鼎　番生簋

諫，金文作𧦝，小篆作諫。《說文》「諫，証也。从言，柬聲」。証是以言正人，那麼，諫即用講述正道來糾正別人的錯誤。後專指官員進言國君。金文中有「用諫三方」（番生簋）。

（金）番生簋　諫簋

（璽）訟生諫　諫　口諫　口諫

詠　詠　評　評　䜌

詠，金文作[金文]，小篆作[小篆]。《說文》：「詠，歌也。从言，永聲。咏，詠或从口。」段注：「堯典曰，歌永言。樂記曰，歌之為言也，長言之也。」歌唱，曼聲長吟是其本義，後引申為作詩詞或詩體的名稱。

漢印

[印文]　孟詠將印

[印文]　詠蒼印信

[印文]　詠訟私印

金

[金文]　詠尊

漢印

[印文]　樂詠印信

評，甲文作乎，金文作乎，小篆作評。《說文》：「評，召也。从言，乎聲。」「呼，外息也。从口，乎聲。」乎、呼、評為一字。如「王乎史虢生冊令頌」（頌鼎）。乎，後假借為語氣詞。如《說文》：「乎，語之餘也。」

甲

乎　鐵三二卜辭用乎為評

金

乎　頌鼎銘文用乎為評

䜌，金文作[金文]，小篆作[小篆]。《說文》：「䜌，亂也。一曰治也。一曰不絕也。从言絲。[古文]，古文䜌。」段注：「與爪部𤔔，乙部亂音義皆同。」𤔔，上下兩手，中間三絲，象用絲做線、繩之形。和

䜌　諆　𧪚　詐

𤔔、亂都可作理絲講。金文中借䜌為𤔔，如「用政䜌方」（虢季子白盤）即「用征𤔔方」。

（金）

宋公䜌戈　䜌書缶　豆閉簋　寰盤　休盤

（璽）

䜌總　䜌敢　䜌口敢

（漢印）

䜌最眾　䜌德私印　䜌奉德印　䜌從　䜌還

諆，金文作𧪚或䛏，小篆作諆。《說文》「諆，欺也。从言，其聲」。言、口古文字互通。金文中或借諆為器，如「旁肇乍尊諆」（旁鼎）。或借諆為其，如「寧肇諆作乙考尊簋」（寧簋）。或借諆為期，如「眉壽無諆」（邾王子鐘）。

（金）

旁鼎　考尊簋　逐鼎　師寰簋　王孫鐘

詐，金文作𧥣，小篆作詐。《說文》「詐，欺也。从言，乍聲」。《爾雅·釋詁》「詐，偽也」。《左傳·宣公十五年》「我無爾詐，爾無我虞」，用其本義。金文中假借為作，如「用詐大孟姬媵

彝盬」（蔡侯盤），後引申為假裝，如「曹洪詐敗而走」（三國演義）

㊎

詐　蔡侯盤

訟　金文作訟、訟，小篆作訟。《說文》：「訟，爭也。从言，公聲。曰：歌訟。𧥢古文訟」。段注「公言之也」。朱駿聲「以手曰爭，以言曰訟」。訟本義可从《說文》，通「頌」，古本《毛詩》，「雅頌」字多作「訟」。後訟引申為訴訟斷案之意，如金文中「訊訟罰」（𩰫簋）、「子曰：聽訟，吾猶人也」（《論語·顏淵》）。

㊎

訟　𩰫簋

訟　楊簋

訟　盂鼎

訶，金文作訶、訶，小篆作訶。《說文》：「訶，大言而怒也。从言，可聲」。古文字中可、呵、訶三字皆从口或从言，應為同字。金文中訶假借為歌，如「歙飲訶遄」（余義鐘）歌訶，原作哥。故可、呵、訶、哥、歌、謌六字音近同，義相通。

㊎

訶　余義鐘

訶　余義鐘

訶　蔡侯鐘

訶　朝訶右庫戈

誰　誰　善　譱

（璽）

盉訶

誰，金文作䛧，小篆作誰。《說文》：「誰，何也。从言，隹聲。」是其假借義，本義為鳥叫。後世長用假借義，作疑問代詞，其本義則廢。

（金）

梁鼎

（漢印）

誰順私印

段誰

臣般誰

善，金文作譱，小篆作譱。《說文》：「譱，吉也。从誩从羊。此與義美同意。」羊作祥講，譱即為兩人用吉祥之言對講。漢隸書簡省作善。金文中善假作膳，如「王令尹氏友史趛典善夫克田人」（克盨）。

（金）

毛公鼎　善鼎　大簋　卯簋　師晨鼎

（璽）

善壽　善何　善口　善仲　善

競

漢印

善 魏率善羌伯長　善 漢匈奴守善長　善 張善之印　善 上善　善 善田里附城

漢金

善 陽泉熏盧　善 龍氏竟三　善 漢善同竟　善 善同竟　善 又二

競，甲骨文作[glyph]或[glyph]，金文作[glyph]或[glyph]，小篆作[glyph]。甲金文字形相同，分別象兩個並列的人形，只不過有的作側面人形，如ㄅ，有的作正面人形大，頭上加平即辛字，為頭飾。故此字本義為兩人並列。與並、并同義。並古文作竝，并作[glyph]，都是兩人并列之形。卜辭銘文中競作人名，如「貞𠭯競令八月」（前五·四一·五）「競作父乙旅彝」（競作父乙卣）。《說文》：「競，彊語也。一曰：逐也。从誩从二人。」从誩是小篆的偽變。《說文》之說解已為引申義。

甲

[glyph] 前五·四一·四　[glyph] 前五·四一·五　[glyph] 後下十·十六　[glyph] 戩三三·十二　[glyph] 京都一七九八

金

[glyph] 簋文　[glyph] 競作父乙卣　[glyph] 競簋　[glyph] 仲競簋　[glyph] 𠭯鐘

璽

[glyph] 競訓　[glyph] 競訓　[glyph] 競口口鉨

音　章

音，金文作𫩏、𠆦，小篆定作音。《說文》：「音，聲也。生於心，有節於外，謂之音。宮、商、角、徵、羽，聲也。絲、竹、金、石、匏、土、革、木，音也。」从言含一。」本義為言之聲。

漢印　成竟

金　䣄王子鐘　楚王領鐘

漢印　呂音之印　朱音　郭音之印信　李音　畢音

章，金文作章、章，小篆作章。《說文》：「章，樂竟為一章。从音从十。十，數之終也。」根據金文字形，其本義難明，現引下列幾說作參考。林義光曰：「本義當為法。从辛，辛罪也。以曰束之法，以約束有罪也。」（文源）高田忠周曰：「章之以華，即是畢省。畢本訓田網也。从田从華，華有柄可持之象。此有本有末者，轉為畢終義……又辛即䇂省文，童章古音相近，其始當為同音，章从童省聲。」（古籀篇）高鴻縉曰：「章，明也。从日辛聲。日與辛字合。古作章，後世借為樂章文章等意，乃段彰為之。」（字例）朱芳圃曰：「字象薪燃燒時光彩成環之形。」《書堯典》：「平章百姓。」鄭注：「章，明也。」《易豐六五》：「來章，有慶。」虞注：「章，顯也。」《國語周語》：「其飾彌章。」韋注：「章，著也。」是

童

其義也」（釋叢）

金文中多借章爲璋，如「穌賓章」（史頌簋）。

（金）
乙亥簋　頌簋　頌鼎　大簋　召伯簋

（璽）
肖章　肖章　長章　章　公孫章

（漢印）
廣漢大將軍章　護軍印章　賈章　琅琊相印章　臣章

（漢金）
章和二年洗　章和二年堂狼造作洗　吾作竟　青羊竟　湅治銅竟

童，金文作𥃫，小篆作童。《說文》「男有辠爲奴，奴曰童，女曰妾，从䇂，重省聲。𥃫籀文童，中與竊中同，从廿。廿，以爲古文疾字」。童本義是奴僕，如「喪其童僕」（易·旅）。金文中假借爲動，如「女母童余一人才立」（毛公鼎）。後引申爲未成年的人，如「童子佩觿」（詩·衛風·芄蘭）。

妾

金　毛公鼎　番生簋

璽　童□　童休　童□□鉨　□童□

漢印　童仁之印　尹童　郭馬童　童闞

妾，甲骨文作，金文作，小篆作。《說文》：「妾，有辠女子給事之得接於君者。从䇂从女。《春秋傳》云：女為人妾，妾不娉也。」朱芳圃曰：「妾象女頭上戴䇂，䇂與辛同，辛𤕤薪也。……蓋古代戰爭時俘獲異族之婦女，使之服析薪炊烹之役，故造字象之。《釋名·釋親屬》：妾，接也。以賤見接幸也。即被俘獲之婦女，除服役外，兼薦枕席，後漸轉為多妻制度中婦女等級之名。」（《釋叢》）《說文》與朱說皆為妾字引申義，其本義从字形上看當為頭戴飾而跽着之女子。

甲　鐵二〇六·二　餘四·三　拾一·八　前四·二　後上一六·三

金　克鼎　伊簋

業　業　對

璽

妾

漢印

妾剽

妾服

妾周諸

妾繻

妾款

漢金

君有竹竟

業，金文作，小篆作。《說文》「業，大版也，所以飾縣鐘鼓，捷業如鋸齒，以白畫之，象其鉏鋙相承也。从丵从巾，巾象版。」業是挂古樂器如鐘、磬之類的架子橫木上的大版，刻如鋸齒狀。後引申為築牆版。《爾雅·釋器》「大版謂之業」。郭璞注「築牆版也」。也引申為古時的書版、學業、事業等義。

金

郾王職劍

漢印

衛業

韓業私印

張業印

臨業

甯業印信

對，甲骨文作，金文作，小篆作。《說文》「對，譍無方也。从丵从口从寸。對，對或从士。漢文帝以為，責對而為言，多非誠對，故去其口，以从士也。」對之本義，眾說紛紜。

對

林義光曰：「丵者業首，从廾持業。業，版也」。業本覆簴之版，引申為書冊之版。曲禮請業則起。注謂篇卷也。版亦即笏。對者執之，所以書思對命」（文源）高鴻縉曰：「丵字之本意，以其从之之各字推之，當為古之兵器，其首有橫木，而下有直柄，柄之上周，及橫木之上方，均有簇嶽並出之齒。執其柄可以撲人。亦可以對禦刀劍戈矛之屬。（字例）朱芳圃曰：「象手持丵。丵，熚煌之鐙也。……（廣雅．釋詁）對，當也。蓋黑夜無光，持鐙以當明。故有相當之義，引申為答」（釋叢）李孝定曰：「對字从丵，丵許訓叢生艸，與封字从丰同意。字亦象以手持丵樹之之形，其下亦从土，金文對字作土……正金文對字所从也」。然則對之與封其異祇在丵丰之別，其意當同標識之物，旨在明顯示人，故金文對字皆有明顯之意」（甲骨文集釋）張日昇曰：「蓋甲骨文除上舉一形外多作對。土非土也，竊疑蓋為符節。土為座，上作鋸齒形，以便勘合……對之本義為符節，有相當相配之意。引申之為對答、對譍」。（金文詁林）李張兩說較合理。

（甲）

前四．三六．四

林二．二五．十

甲七四〇

佚六五七

菁華一四八

（金）

延父乙尊

貉子卣

克鐘

召伯簋

[illegible]侯鼎

僕

（漢印）朱 對容

僕，甲骨文作　，象一個戴有頭飾辛，綮有尾飾木的奴僕，雙手拿着笸在干活。金文作　或　，小篆作　。《說文》「僕，給事者。从人从菐，菐亦聲。　古文从臣。」僕原為古代奴隸的名稱，如「師旅衆僕不從王征于方」（師旅鼎）、「易白克僕卅夫」（白克壺）。後泛指供役使者，如男僕、女僕。《周禮》注曰：「僕侍御于尊者之名。」周代官名中有車僕、太僕、祭僕等。

（甲）

後下·二十·十

（金）

旂鼎

呂仲僕爵

召伯簋二

道簋

令鼎

（漢印）

大僕丞印

王僕

左甲僕射

臣僕

趙僕私印

（漢）

建武泉范

延光四年釓

𠬞 □ 奉 □

𠬞，甲骨文作□，是一雙相向的手。金文作□，小篆作□。《說文》：「𠬞，竦手也。从𠂇从又。……□，楊雄說𠬞从兩手也。」王筠曰：「以西嶽華山廟碑嶽字，度尚碑雝字推之，似當作□，仍是兩手相向，拱揖之狀。不然，汗簡拜之古文□，亦是兩手，何以別焉。」（說文句讀）其說在理，𠬞可作拱之古字。金文中𠬞常作人名，如：「司馬𠬞右諫入門立中廷」（諫簋）。

甲　□ 鐵二六·三　□ 拾十一·十六　□ 前一·十二·四　□ 後上·十七·二　□ 上·三一·六

金　□ 弔向簋　□ 諫簋　□ 師晨鼎

篆　□ 𠬞

奉，金文作□。原多釋作表，爲井田之間分界之木，表从衣从毛。□从𠬞从丰，兩字不同。奉，小篆作□。古文字□三手，𠬞兩手，意同。《說文》：「奉，承也。从手从廾，丰聲。」奉封音同。散氏盤中□假爲封，如「□于周衟」。

丞

金

散盤　散盤　散盤

璽

肖奉

漢印

當奉　梁奉　薛奉　夏侯奉親　奉車都尉

漢金

熹平鐘　奉山宮行鐙　奉　廣漢群書刀三

丞，甲骨文作[glyph]。羅振玉曰：「象人臽阱中有拼之者，臽者在下，拼者在上。故从𠬞象拼之者手也，此即許書之丞字。而誼則為拼救之拼。許君訓丞為翊，云『从𠬞从卩从山，山高奉丞之義』。蓋誤以𠬞為𠬞，誤凵為山，誤㔾為卩。故初誼全不可知，遂別以後出之拯代丞，而以承字之訓訓丞矣。」（增考）羅說在理。金文作[glyph]，小篆作[glyph]。《說文》：「丞，翊也。从𠬞，从卩，从山。山高，奉承之義。」

甲

鐵一七一·三　後二·三〇·一二　京津一一一〇

畀

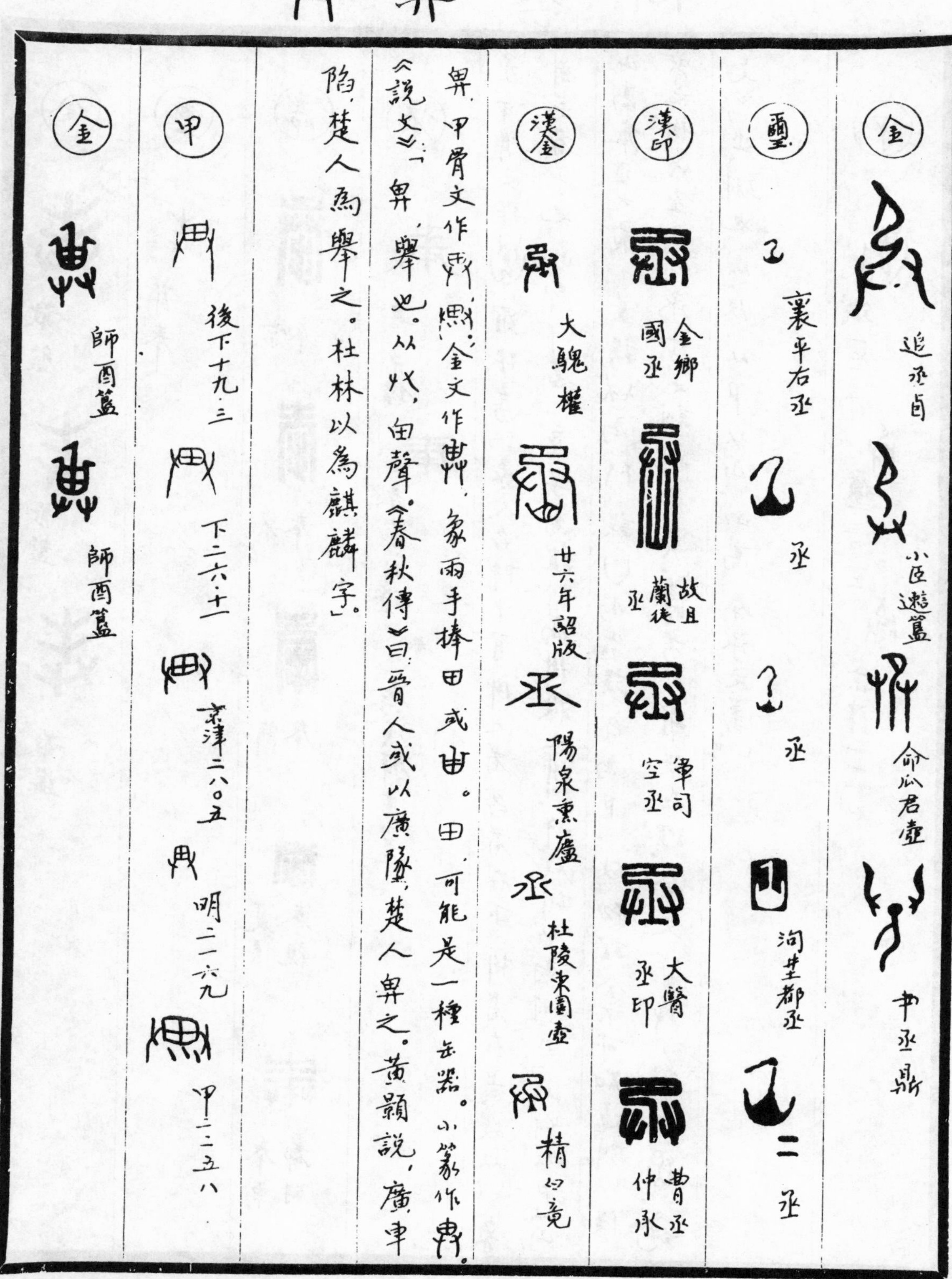

金
追丞卣
小臣遽簋
命瓜君壺
中丞鼎
璽
襄平右丞
丞
丞
洵芏都丞
二丞
漢印
金鄉國丞
故且蘭徒丞
輋司空丞
大醫丞印
曹丞仲承
漢金
大騩權
廿六年詔版
陽泉熏盧
杜陵東園壺
精白竟
畀，甲骨文作㽬、㽬，金文作畀，象兩手捧田或甶。田，可能是一種缶器。小篆作畁。《說文》：「畀，舉也。从廾，甶聲。《春秋傳》曰：晉人或以廣隊，楚人畀之。黃顥說，廣車陷，楚人為舉之。杜林以為麒麟字」。
甲
後下十九.三
下二六.十一
京津二八〇五
明二一六九
甲一二五八
金
師酉簋
師酉簋

弄 𢍭 𢍰

弄，甲骨文作𢍭，金文作𢍭，象兩手玩弄着玉器之狀。小篆作𢍭。《說文》「弄，玩也。从廾持玉。」卜辭中有作方國名，如「隹其弋弄」（佚九六一）。

(甲) 乙一八〇 乙一八〇

(金) 㸚氏壺 天尹鐘 智君子鑑

(漢印) 弄狗廚印 弄弓盧

𢍰，甲骨文作𢍰，象兩手持肉之狀，可作「有」的本字。有，从又从肉，與𢍰从廾从肉意同。《說文》「𢍰，持弩拊。从廾，肉聲。」从廾持肉，與弩拊無關，《說文》無據。卜辭「𡈼多毋囚𢍰」（拾三·五）中𢍰可當作祭名。

(甲) 拾三·五 戩三七·十二 戩三七·十二 甲一二五六 寧滬一·三一三

(璽) 右𢍰宦 王𢍰 鄹𢍰 𢍰連

戒　兵

戒，甲文作[古文字]，金文作[古文字]，小篆作[古文字]，象人的兩手拿着武器戈。《說文》「戒，警也。从廾持戈。以戒不虞。」所以，拿着武器警戒是戒字本義。另外，戒還可看作祴的本字《說文》「祴，宗廟奏祴樂，从示，戒聲。」祴是持戈而舞的一種祭示活動。金文中戒有作人名的，如「戒币作寶阩彝」（戒币尊）。

（甲）[古文字] 甲二八七四　[古文字] 乙六六五七　[古文字] 乙七六六六　[古文字] 粹一一六二　[古文字] 珠三六三

（金）[古文字] 戒鬲　[古文字] 戒币尊

（璽）[古文字] 口戒之鉨　[古文字] 戒　[古文字] 戒

兵，甲文作[古文字]，[古文字]象雙手持斤（斤即斤）金文作[古文字]，小篆作[古文字]《說文》「兵，械也。从廾持斤，并力之皃。[古文字]古文兵，从人廾干。[古文字]籀文。」古文[古文字]象人兩手持干，手持武器是其本意。引申為兵器或戰士。

（甲）[古文字] 後二·三九六　[古文字] 京津一五三一　[古文字] 佚七二九　[古文字] 摭續八九　[古文字] 陳一〇

龏

(金) 郤諮尸鉦　庚壺　龠志鼎　龠志盤

(璽) 喬兵　喬生兵

(漢印) 趙兵　曹印辟兵　臣辟兵　杜辟兵　史兵之印

(漢金) 新郪兵符　陽陵兵符　除光去央鈴　口方辟兵鉤　龍蛇辟兵鉤

龏，甲文作[glyph]，金文作[glyph]，象雙手捉拿一條龍。卜辭中龏為地名，如「辛未卜在龏貞王今夕亡禍」（前二·十三·六）。金文中或作人名，如「亞龏父辛」（龏父辛尊）。或作恭，如「龏（恭）盟槐神」（陳昉簋）。小篆作龏。《說文》：「龏，慤也。从廾，龍聲。」廾與共同意，故龏是龔的異體字。慤，謹也。慤字與恭字音義相同，龏可看作恭的古字。那麼龏的本義可為恭敬。

(甲) 拾六·四　前二·十三·六　前二·二五·六　前四·二九·三　前七·三二·四

具

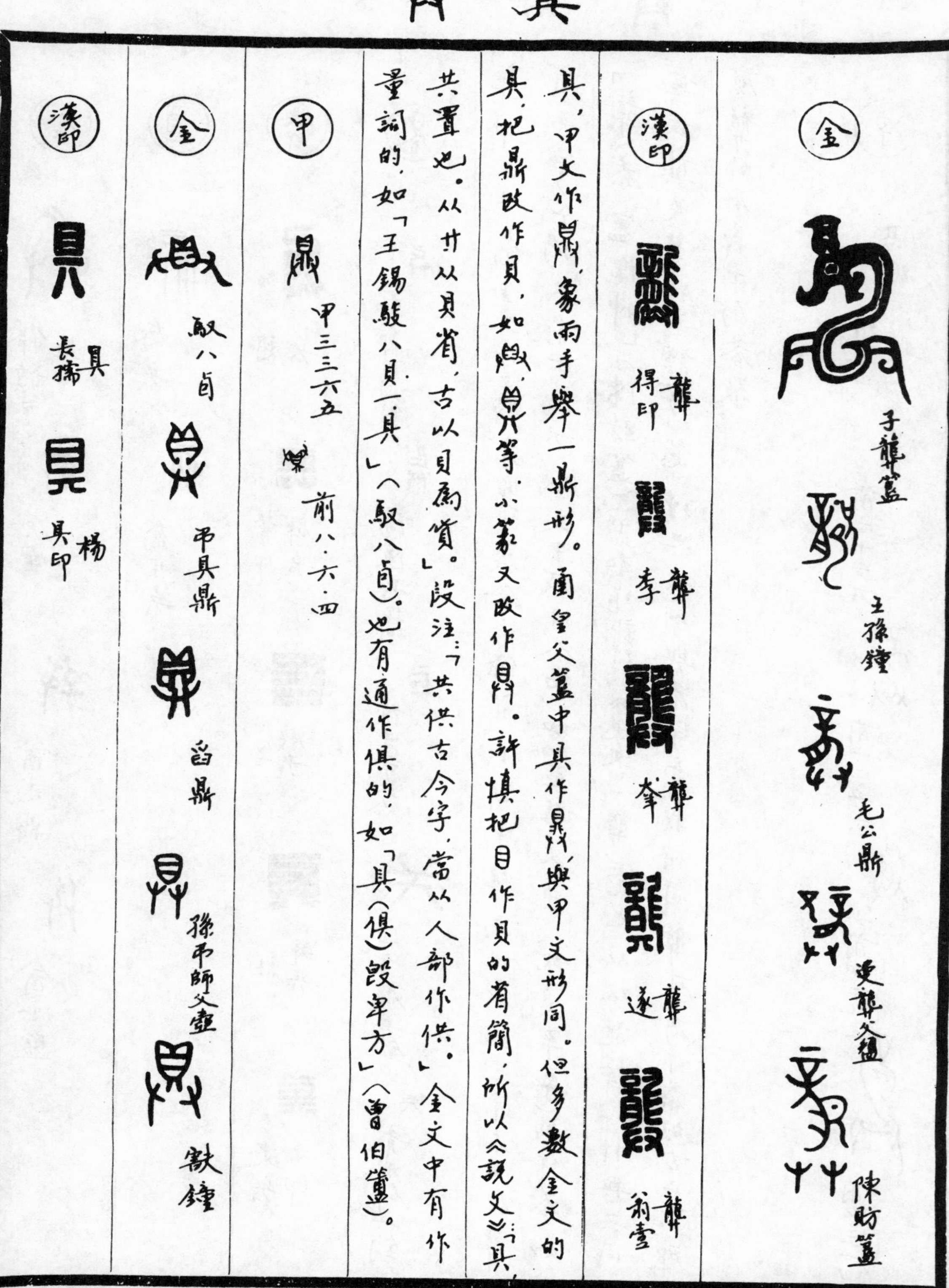

金
子龔簋
王孫鐘
毛公鼎
陳肋簋
漢印
龔 得印
龔 李
龔 遂
具，甲文作𦥑，象兩手舉一鼎形。圉皇父簋中具作𦥑，與甲文形同。但多數金文的具，把鼎形改作貝，如𠔱、𠔱等。小篆又改作具。許慎把目作貝的省簡，所以《說文》：「具，共置也。从廾从貝省，古以貝爲貨。」段注：「共供古今字，當从人部作供。」金文中有作量詞的，如「王錫駿八貝一具」（駿八卣）。也有通作俱的，如「具（俱）毀犁方」（曾伯簠）。
甲
甲三三六五
前八·六·四
金
駁八卣
弔具鼎
孫弔師父壺
獸鐘
漢印
具 長孺
楊 具印

𢍁 共 廾

（漢金）具 尚方竟三　具 又五　具 又六　具 新興辟雍竟　具 青羊竟

𢍁，甲文作，象兩手捧一根木棒之形。金文變作，小篆變為。《說文》無𢍁字，而有㑊字：「㑊，送也」。毛公鼎中通假為贈，如「錫女茲𢍁」。

（甲）庫一三九七

（金）毛公鼎　㑊匜　𢍁　斘小量

共，甲文作，象兩手捧一種器具。金文作，小篆作。《說文》：「共，同也。从廿廾」。金文中有作人名的，如「牧共作父丁𠭯食𣪕」（牧共簋）。《論語．為政》：「為政以德，譬如北辰，居其所而眾星共之」中「共」通作為「拱」，是環抱的意思。「同」和作環抱的「拱」，都是共的引申義。

（甲）續五．五．三　京都四五九A

（金）亞且乙父己卣　牧共簋　善鼎　酓忎鼎　酓肯盤

異

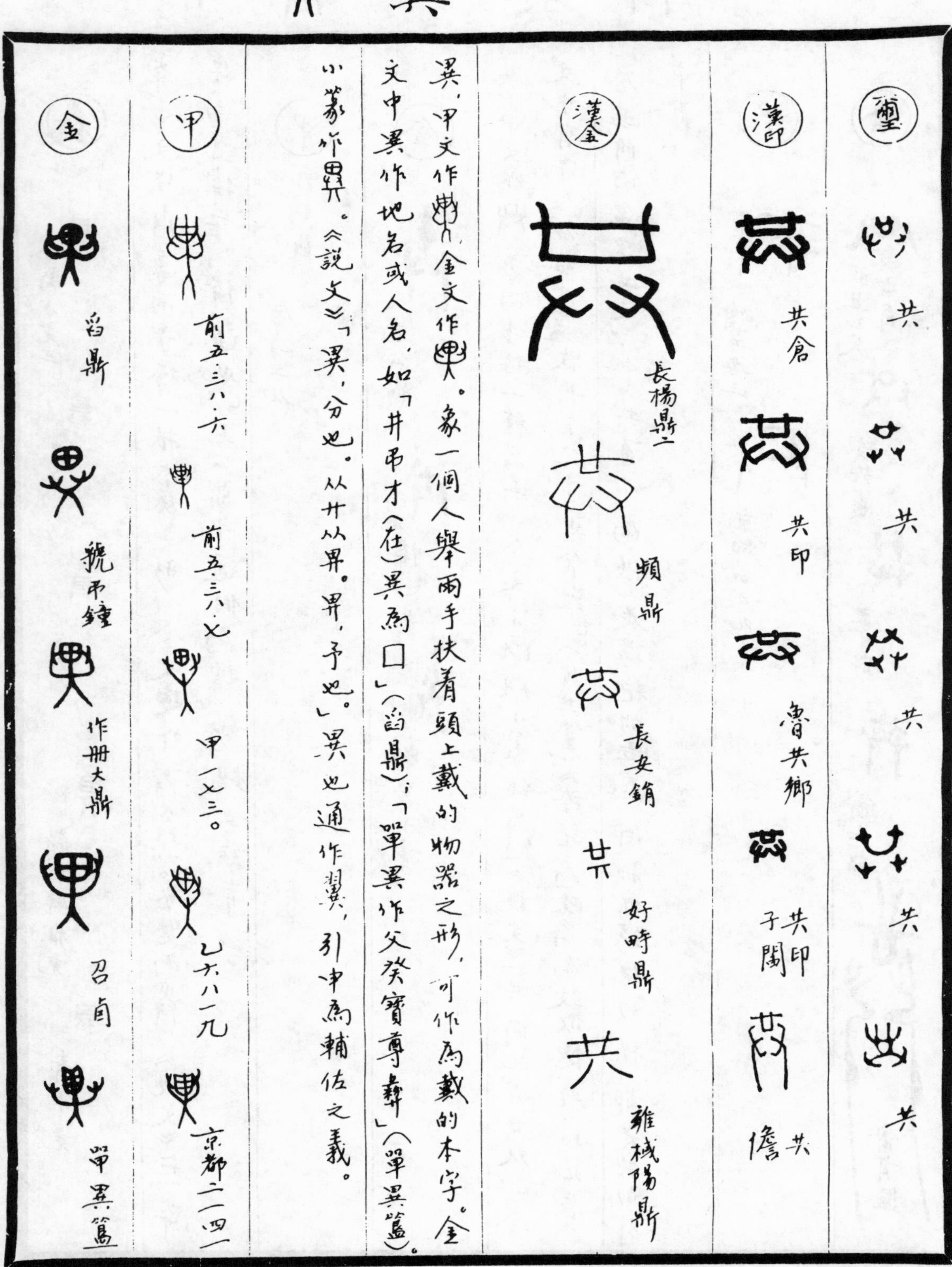

璽
共
共
共
共
共
漢印
共倉
共印
魯共鄉
子閭 共印
儋共
漢金
長楊鼎二
頻鼎
長安鋗
共
好畤鼎
雍棫陽鼎
異，甲文作，金文作。象一個人舉兩手扶着頭上戴的物器之形，可作為戴的本字。金文中異作地名或人名，如「井弔才(在)異為口」(曶鼎)；「單異作父癸寶尊彝」(單異簋)。小篆作。《說文》「異，分也。从廾从畀。畀，予也。」異也通作翼，引申為輔佐之義。
甲
前五·三八·六
前五·三八·七
甲一七三〇
乙六八一九
京都二一四一
金
曶鼎
虢弔鐘
作冊大鼎
召卣
單異簋

璽 □ 郣異

漢印 □ 苦成異人 □ 張異方 □ 張印異衆 □ 妾異方 □ 鑄異之印

與，金文作□，小篆作□。《說文》「與，黨與也。从舁从与。□古文與」。朱芳圃釋曰「與象兩人用手鉤牙之形。金文从口，附加之形符也。《論語·雍也篇》「與之粟九百」《堯曰篇》「猶之與人也。」《孟子·離婁篇》「可以與，可以無與」。《萬章篇》「一介不以與人」。此皆謂給與，當即此字之本義。許君訓爲黨與，乃借義也。」（釋叢·釋與）

金 □ 齊鎛

漢印 □ 鴻與光印 □ 陽印與成

漢金 □ 安國侯虎符 □ 與天相壽竟 □ 與天無極竟 □ 湅治銅竟 □ 湅治竟

興，甲文作□□□，金文作□□，象四手共舉一物之形。其中月有人以爲是舟，有人以爲是槃。小篆作□。《說文》「興，起也。从舁，从同。同，同力也。」金文中有作人名的，如「興作寶鼎」

要

（與鼎）。

甲

前五·二一·七

前五·二二·八

前五·二三·一

後上·二六·六

下十一·二

金

父辛爵

與鼎

甬弔盨

殷句壺

璽

所與

東方與

敢與

□與

長與

漢印

新與治庫督印

劉與

王與

田與

張與

漢金

新郪兵符

新與辟雍竟

永興二年洗

元興元年堤洗

要，甲文作□，金文作□，小篆作□。《說文》：「要，身中也。……从臼，交省聲。□古文要。」李孝定釋曰：「契文□字與許書要之古文作□者形近，上所从◎本象頸形，其初當本作○，古文空廓中每增點畫為彣飾，遂與日混。許書要之古文从𡇒乃⊙形之譌變。要字象女子自臼其要之形，女子尚細要蓋自古已然，故制字象之篆文譌𦥑為𦥑。」（甲骨文集粹）

（甲） [glyph] 前六一八四

（金） [glyph] 伯要段

（璽） [glyph] 要□

（漢印） [glyph] 要慶忌 [glyph] 要遷 [glyph] 要忌

晨

晨，甲文作[glyph]，金文作[glyph]，小篆作[glyph]。《說文》：「晨，早，昧爽也。从臼从辰。辰，時也。辰亦聲。」朱芳圃釋曰：「晨即槈之初文。《說文》木部：『槈，薅器也。从木，辱聲。』鎒，或作从金。考槈經傳通作耨。《呂氏春秋·任地篇》：『耨，柄尺，此其度也。其耨六寸，所以間稼也。』高注：耨，所以耘苗也。刃廣六寸，所以入苗間也。蓋上古之世，制作未興，先民利用摩鋭之蜃

農

殺以除田穢。及文物改進，乃斷木為柄，削木為刃。自金屬發明後，則柄用木而刃用金，故其字有从木从金之分。」（釋叢）《說文》訓晨為昧爽，是其通假義。

甲　前四・十・三

金　䡜侯鼎　師晨鼎　鄀公鼎

農，甲文作，金文作，象農民手持農具刃，耕于田中或林中，古文字从林與从田可互通。小篆作。《說文》：「農，耕也。从晨囟聲。」實囟非聲。囟，小篆寫作囟，是甲金文農字中的林、田，所譌變。古文字辱、蓐、農造字法都从手从辰，有手持農具耕田之義，故實為一字。

甲　前五・四七・五　前五・四七・六　前五・四八・二　後上・七・十一　下三九・十七

金　農簋　農卣　史農觶　令鼎　散盤

漢印　桐馬農丞　樊農　吳農　左農私印　南郭農

革 革 勒 勒

（漢金）

▢ 建武平合

▢ 永平平合

革，金文作▢、▢，象被剝剝下來的獸皮。▢是獸的頭、身、尾，中間○是被剝下的獸身皮。小篆作革。《說文》：「革，獸皮治去其毛，革更之。象古文革之形。……▢，古文革，从三十。三十年為一世，而道更也。臼聲。」世道更改之訓是革之引申義。

（金）

▢ 康鼎

▢ 革同簋

（璽）

▢ 革□□

（漢印）

▢ 吳革生

▢ 杷革

▢ 爽革

▢ 衛革

▢ 淳于革印

勒，金文作▢，小篆作勒。《說文》：「勒，馬頭絡銜也。从革，力聲。」馬頭絡銜用皮革做成，故字从革。段注：「絡銜者謂絡其頭而銜其口，可控制也。」引申為抑勒之義。金文中有「易女攸勒」（諫簋）。

鬲

金

康鼎

吴方彝

彔伯簋

頌壺

師嫠簋

漢印

勒山

勒尊

勒代

鬲，甲文作，原是一種陶製炊器。上象鼎，下有三個空心足，取火易達，故常飪用之。後不專為陶器，銅器中也有這種鬲。《爾雅》：「鼎絕大謂之鼐，圜弇上謂之鼒，附耳外謂之釴，款足者謂之鬲。」《索隱》曰：「款，空也。」金文作，小篆作。《說文》：「鬲，鼎屬也。實五觳，斗二升曰觳，象腹交文，三足。」小篆中是从三足變化而來。

甲

甲二一三二

乙二五四四

粹一五四三

明藏六二五

金

盂鼎

召仲鬲

祖仲鬲

魯姬鬲

邾伯鬲

漢印

鬲右尉印

漢金

公主家鬲

鬳 爪

鬳，甲文作　金文作　小篆作　。《說文》：「鬳，鬲屬，从鬲虍聲。」卜辭中　字通作甗，如「乙卯卜狄貞鬳羌其用匕辛升」（甲編二〇八二），是說在祊祭妣辛中以甗羌人作牲。金文中有的鬳作　即甗字，但字義乃作鬲，如「子邦父乍旅甗」（子邦父甗）。

甲

甲二〇八三

河六八

前五·四·三

京津二六七五

京津二九七七

金

鬳戈

見甗

王孫壽甗

子邦父甗

爪，甲文作　，小篆作爪。《說文》：「爪，丮也。覆手曰爪。」段注：「仰手曰掌，覆手曰爪，今人以此爲叉。」甲骨文中的爪　和又　都是手的象形。如采字作　，象一人手在摘樹上之果。爪本義是手爪，引申爲人指甲或動物的爪子。

甲

乙三四七一

漢金

中尚方著爪爐

孚 孚　爲 爲

孚，甲文作𡥈，金文作孚，小篆作孚，象人手抓子之形，即俘字的初文。卜辭銘文中孚已作俘，如「我用𦥑孚」（乙六六九四）是說用𦥑方國的俘虜作人牲。又如「孚人萬三千八十一人」（盂鼎）。《說文》「孚，卵孚也。从爪子。」許氏訓孚為卵，非本義，是假借義。金文中有的孚作孚，其中子字的頭，與身體、手分開，因此有人釋孚為孚，从爪从大中，象貝，作兩手攫貝形，這是誤解。

（甲）
𡥈 乙六六九四

（金）
孚 師寰簋
孚 盂鼎
孚 䨥鼎
孚 孚公𣏟甗
孚 孚尊

（璽）
孚 北孚口口
孚 肖孚

為，甲文作爲，表示用手牽著大象為人類做事。如「商人服象，為虐于東夷」（呂氏春秋．古樂篇）。說明我國商代已使用大象。金文作爲，小篆作爲。《說文》「爲，母猴也。其為禽好爪，爪母猴象也。下腹為母猴形。王育曰，爪，象形也。」爲古文為，象兩母猴相對形。」許慎以小篆字形誤認為母猴。為字最基本的用法做動詞做，是引申義。

在不同的上下文中，為字可解釋成各種不同動詞。

(甲) 前五·三十四　後下·十一　下·十·十二　下·十·十三　下十·十三

(金) 曶鼎　益公鐘　散盤　吉日壬午劍　陳子子匜

(漢印) 犍為太守印　敕印自為　鄧為　任自為　蘇為印信

(漢金) 廿六年詔權量　壽成室鼎　熹平鐘　湅治竟　清銅竟

丮

丮，甲文作[glyph]，金文作丮，象一個跪着的人伸出雙手。小篆作[glyph]。《說文》：「丮，持也，象手有所丮據也。」許慎把小篆[glyph]中的〃作為手，丨為手中所持之物。這是一種誤解。[glyph]即[glyph]，[glyph]變化而來。

(甲) 鐵八九三　前五·三十·三　後下·三八·二　菁十一·二三　林一·二二·十七

埶

金　沈子簋

埶，甲文作[古文字]，金文作[古文字]。象一個人雙手執一棵樹苗。以後金文在木下加土作[古文字]，其種樹于土之義十分明顯。故埶本義為種植。卜辭中埶或讀為禰，如「王其田牢枳」(後上十四·二)或讀為禰，是祭祀親近的祖宗，如「甲申卜行貞王賓枳禰亡囚」(戩十九·七)。埶在金文中有的已變作[古文字]為埶，有的作[古文字]為婁，後人又繁寫作蓺、㙯、藝。小篆作[古文字]。《說文》：「埶，種也。从坴丮，持亟種之。」埶訓種植，金文經籍中常有，如「王令盠曰䟵嗣六𠂤眔八𠂤埶」(盠方彝)。《書·酒誥》：「其藝黍稷」。埶字又引申為園藝、技藝、藝術等。

甲

前四·三三·五

後上·十四·六

後上二八·四

後下三十·十二

林二·二八·九

金

執觚

父辛簋

毛公鼎

克鼎

番生簋

璽

埶關

⿰亯丮　⿰亯丮　⿰食丮　⿰食丮

⿰亯丮，甲文作□，□象一個祭祖宗的小廟，即亯字。亯，獻也。是人把食品放於廟中供祖宗享用。而□字正象一人在祖廟前搞祭祀活動。金文作□，食下之女，應是丮中人腳變化而成，可作「止」理解。銘文「白侄作⿰亯丮殷」（伯侄簋）作祭器名。小篆變作□。《說文》：「⿰亯丮，食飪也。从丮，𦎫聲。《易》曰：⿰亯丮飪。」段注：「亯部曰：𦎫，孰也。此會意兼形聲字，非也。」

(甲) □ 京津二六七六

(金) □ 伯侄簋　□ 伯侄簋

(漢金) □ 騶氏竟

⿰食丮，甲文作□，𢦏，金文作□，□，□，□是一個人拿一食器，食器上面中是聲符。有時𢦏作聲符。才、𢦏，由古音相通。⿰食丮字本義是人用食品祭祀祖宗。如卜辭「乙酉卜，重今日酒⿰食丮于父乙」（前四·一·三），銘文「作茲簋用⿰食丮饗己公」（沈子簋）。卜辭中也作地名，如「在⿰食丮貞」（前二·十·一）。小篆作□，因這種祭示要用食品，故《說文》：「設飪也。从丮从食，才聲，讀若載。」

(甲) □ 甲二六二二　□ 甲二六七五　□ 甲二六九五　□ 前二·一○·一　□ 金五四四

巩　⿰丮凡

（金）

卯簋　弔䚂卣　𢿚豦簋　邵王鼎　𨟭昊鼎

（璽）

鄆䚂

巩，金文作[古文字]，象兩手捧工形。小篆作[古文字]。《說文》「巩，褱也。从丮工聲。𢀜，巩或加手。」𢀜、攤也。攤，褱也。所以巩、𢀜實為一字。毛公鼎銘文「丕巩先王配命」中，巩可理解為保護好，不失掉，是攤、褱之意的引申。由之還引申為巩（鞏）固等義。

（金）

毛公鼎

毛公鼎

（漢印）

𢀜記印

⿰丮凡，甲文作[古文字]，金文作[古文字]，象一個人用雙手持戈之形，因此⿰丮凡字本義應和戒字相同。小篆作[古文字]。《說文》「⿰丮凡，擊踝也。从凡从戈，讀若踝。」銘文中作人名，如「林⿰丮凡作父辛寶尊彝」（林⿰丮凡鬲）。

鬥 又

甲

前五·十五·五

後下二六·十七

乙七一三八

簠地四八

續五·十六

金

邲卣

𡧊史甗

縣妃簋

鼄婦觚

林𠃬鬲

鬥，甲文作𩰊，小篆作鬥。《說文》「鬥，兩士相對，兵杖在後，象鬥之形。」甲文鬥字，為兩人徒手搏擊。許氏釋解為兩人持物相對，此當誤解，出於不明字形演變之故。

甲

藏一八一·四

前二·九·三

前六·九·四

粹一三二四

存下一七四

又，甲文作ㄡ，象人的右手形。卜辭中，又字有多種用法，或作左右之右的，如「又(右)子族」(甲二七三)。或作有無之有，如「又(有)禍」(甲編三八四)。或作再之又的，如「獲𢦏卅又七」(甲四七八)。或作福佑之佑的，如「受出又(祐)」(前一·二七·四)。金文作ㄡ，小篆作ㄡ。《說文》「又，手也，象形，三指者，手之列多，略不過三也」。

甲

鐵七·四

拾三·十五

後上十八·三

下八·十七

拾一·三

金

盂文

盂鼎

麥鼎

散盤

秦公簋

叉　父

（璽）

目叉

王孫之右

宜有千萬

有志

叉生

叉，甲文作𠬶，𠬶是右手，其中兩點，難明何物。𠬶隻能理解爲手中有細小之物。小篆作㕚。《說文》「叉，手足甲也。从又，象叉形。」把兩點作手的指甲，可爲一說。卜辭中叉常作地名，如「□□卜在叉□在果亡災」（前二．九．三）。

（甲）

前二．十九．三

前二．十九．五

前二．十九．五

前五．七．一

後下三七．六

父，甲文作𠂇，象右手持棒之形。金文作𠂇，小篆作𠂇。《說文》「父，矩也。家長率教者。从又，舉杖。」看來父是初民的首領，用手持指揮棒來表明其地位之高。到了父權制時代，在家中父親作主，此時父才作父親之父。如銘文中多作「父乙」「父辛」等。後來又引申爲對老年男子的尊稱或男子的美稱。

（甲）

鐵一．四

拾二．五

後上五．五

林一．二．八

戩六．十二

（金）

父癸鼎

史父庚鼎

傳尊

散盤

魯伯盨

叜 㝔 曼 𡿪

漢印

單叜令印　祝叜盧　雍叜樂陽　王叜宮印　宮叜口印

漢金

袁氏竟二　蔡氏竟

叜，甲文作，象一人在屋內手中持火炬照明全屋。小篆作㝔。《說文》：「叜，老也。从又从灾闕。籀文从寸。傁或从人。」《說文》非本義之訓。傁字从人爲尊老之稱，無疑。叜訓老，應屬假借之義。

甲

前四·二八·七　前四·二九·一　前四·二九·二　後下四十

金

漢叜邑長　叜陷陳司馬　漢傁邑長　晉率善叜仟長　晉歸義叜侯

曼，金文作。郭沫若釋曰：「金文曼龏父盨作，君，从此曰聲，則曼蓋曼之初文也。象以兩手張目。《楚辭·哀郢》：『曼余目以流觀兮』，即其義引申爲長、爲美（可通）」銘文中曼常作人名，如「曼龏父乍寶盨」（曼龏父盨）；鄧孟作監曼尊壺中作，从曰从女，也即嫚的古字。小篆作。《說文》：「曼，引也。从又冒聲。」从金文字形看，从曰聲。

尹

金

鄧孟作監　曼尊壺　曼龏父盨　曼龏父盨

漢印

曼胡宣印　定曼之印　張曼私印　荀曼私印　周曼私印

尹，甲文作𠂇，金文作尹，小篆作尹。《說文》「尹，治也。从又丿。握事者也。𥄉古文尹。」有人認為尹與父字形相近，字義相同，皆手中持丨。但細析之，還是有別。父（攴）是手舉杖，杖在手上方。尹（㕜）手持杖，杖朝手下。李孝定釋尹曰「尹之初誼當為官。尹字殆象以手執筆之形。蓋官尹治事必秉簿書，故引申得訓治也。筆字作聿，以其意主於筆，故特象其形，作⺕，尹之意主於治事，故手筆形略而作丨也。」（甲骨文集釋）把丨作筆的簡化，與《說文》中𥄉古文尹之不可作筆形。字形字義上亦講得通。

甲

鐵二四二·四　拾三·七　前一·十一·五　後上二二·五　菁十一·十八

金

矢方彝　令簋　㺇公鼎　克盨　嚚伯盤

璽

尹□　尹□　尹從　上尹之鉨　連尹之鉨

𢽼 𢽼

漢印

尹賢

尹長史印

尹臨

尹□印信

尹王遂

漢金

尹

尹繡有盤

𢽼，甲文作𢼸，金文作𢽼。卜辭銘文中常作方國名，如「戍弗及𢽼方」（甲編八○七）、「𢽼乃及王降征命于大保」（大保簋）。銘文中或假作且，如「中（終）斡（翰）𢽼（且）揚（颺）」（子孫鐘）。有的假作祖，如「陟雩𢽼（祖）𦌾隈」（散盤）。小篆作𢽼。《說文》：「𢽼，叉取也。从又，虘聲。」段注：「叉取者用手自高取下也。今俗語讀如渣。若手部云摣者以𣑥物刺而取之也。《方言》：摣，樝取也。南楚之間，凡取物溝泥中謂之担，或謂之摣，亦此字引申之義。」

甲

前五·三七·五

後上十八·三

鄴三下四三·七

京津四三八五

京都二一四七

金

大保簋

𢽼壺

沈子簋

散盤

王孫鐘

璽

武關𢽼

𠩺 𠩺 及 及

𠩺，甲文作[glyph]，象左手拿着來（麥子），右手持物打麥脫粒之形，是收穫麥子的會意字。因收穫糧食，是人類生存的依靠，故卜辭中「延𠩺」可理解為不斷收穫長久得福。其中𠩺假為釐。《說文》「釐，家福也」。金文作[glyph]。銘文中作人名，如「師𠩺拜稽首」（師𠩺簋）。小篆作[glyph]，把甲金文中來變作未和厂。《說文》「𠩺，引也。从又，𠩺聲」。

甲

前二·二八·三

前五·三九·三

後上五·十二

上八·五

下二二·八

金

毓且丁卣

師𠩺簋

師𠩺簋

及，甲文作[glyph]，金文作[glyph]，小篆作[glyph]。《說文》「及，逮也。从又从人。[glyph]，古文及，秦刻石及如此。弓亦古文及。[glyph]亦古文及。」[glyph]在前，象一個人正在逃跑，手在後，象後邊伸來一隻手把前面的人逮捕住了。後引申為追上，達到，比得上等義。卜辭「貞王追及囗月」（前五·二七·四）。銘文「王令保及殷東五侯」（保卣）其中兩個及均可作追捕之義。及作聯詞是後起義。

甲

鐵十四·二

前一·四五·六

後上二二·三

下三五·一

戩三七·六

金

保卣

賁弔多父盤

彔弔盨

毛公鼎

伯庶父簋

秉　秉　反

漢印
許反私印
反印母婉

漢金
又
陽泉熏鑪

秉，甲文作，金文作，小篆作秉。本義當為手握着一把禾。引申為把持，如「秉燭夜游」。卜辭「☐卜賓貞☐疾王秉棗」（續六．二三．十），亦作把持義。卜辭中或作地名，如「𢀛四羌在秉十二月」（珠四六五）。後來又作單位量詞，如同今語之把，故《說文》「秉，禾束也，从又持禾。」《家語正論注》「一把曰秉。」

甲
後下十．十四
下二一．十三
珠四六五
珠五七二
存一九四

金
秉中鼎
秉中父乙簋
秉冊丁卣
虢弔鐘
井人鐘

漢印
秉德侯相
莊秉

反，甲文作，厂象山崖，為用手攀登山崖之意。故反是扳或攀的本字。卜辭中作地名，如「癸巳王卜貞旬亡禍在反」（簠徵．地望七）。金文作，小篆作。《說文》「反，覆

反　𠬝　𠬝

也，从又，厂反形。反古文」訓覆或返，皆非本義。

㊥ 反 前二·四·一　反 簠蓋地七

㊎ 反 大保簋　反 小臣遽簋　反 過伯簋　反 頌鼎　反 頌壺

漢印 反 蒲反丞印　反 郭反　反 徐反　反 衛反　反 公孫反之

漢金 反 迎光宮鼎蓋　反 君有行竟

𠬝，甲文作𠬝𠬝，金文作𠬝，象用手按撫一個跽着的人，即服的本字。卜辭中𠬝有的作方國名，如「貞我奴人伐𠬝方」（鐵一五九·二）。𠬝也假作征服、剭服、順服之服，如「車其𠬝告」（粹一二八九）。小篆作𠬝。《說文》「𠬝，治也。从又从卩。卩，事之節也。」从卩顯然不對，卩是人，非手中所持之節。

㊥ 𠬝 鐵八一·二　𠬝 拾一·十二　𠬝 前一·三四·六　𠬝 後上六·四　𠬝 上二一·十

㪲　㪲　叔　叔

金

㪲，甲文作𣏟，象一人用手把木放于祭台示上。金文作𣂎，从朿與从木意同。㪲是一種祭祀的名稱，卜辭中也作祭名，如「丙午卜行貞王賓㪲亡尤」（卜一五八）。小篆譌變作㪲，以出代木。《說文》：「㪲，楚人謂卜問吉凶曰㪲。从又从祟，祟亦聲。讀若贅。」

㝬鐘

甲

鐵三五·二　前一·五·八　後上十九·十四　林一·十八·十三　戩三七·一

金

我鼎

叔，金文作叔，右是人手，左象木橛之形，字形象人用手从土中拔出木橛之形，下三點是拔起的土粒。故引申爲收拾之義。小篆作尗。《說文》：「叔，拾也。从又，尗聲。汝南名收芋爲叔。」《詩經·豳風》：「九月叔苴。」毛傳：「叔，拾也。」另外叔還假借爲叔父之叔，如《釋名》：「仲父之弟曰叔父。叔，少也。」卜辭用弔爲伯叔之叔。

甲

前一·三九·三　前三·三二·三　前五·十七·二　後下十三·二

取

金：叔卣　師嫠簋　克鼎　吳方彝

漢印：公上翁叔　叔印得意　公叔延印　王叔　口長叔召

取，甲文作[甲骨文字形]，金文作[金文字形]，象用手拿着一個被人割下的耳朵。卜辭中作祭名，如「癸酉卜其取羔雨」（粹二八）。小篆作[小篆字形]。《說文》：「取，捕取也，从又从耳。《周禮》：獲者取左耳。司馬法曰：載獻聝。聝者耳也。」《詩・大雅》「攸馘安安」，傳曰：「馘，獲也，不服者殺而獻其左耳，曰馘。」後引申為獲取、拿取之意。

甲：鐵三六・三　鐵六十・一　拾二・八　前五・九・一　前七・二一・二

金：毛公鼎　揚簋　格伯簋　郰盧匜　郰它人鼎

璽：取女　下水匠取

漢印：取春

彗 彗 段 段 友

㊟漢 彗 漢善同竟

彗,甲文作羽,象掃竹之形。甲文霎字作[雨羽],除掉[雨]則羽為彗字。彗,小篆作彗。《說文》:「埽竹也。从又持甡。」篲,彗或从竹;[竹習],古文彗,从竹从習。彗,本義為掃帚,引申為掃除,如卜辭「王疒首中日羽」言王的頭疾中日解除。卜辭中彗常作人名,如「乙子卜㗊貞羽受羌」(簠歲四)。也假作霎,如「戊申貞彗又羽」(前五·三八·三)。

㊥ 羽 鐵六十·四　羽 前四·二九·六　羽 林一·七·二　羽 林二·二十·二　羽 林二·二十·四

段,金文作[段]。厂是山崖,中有石粒形。ヨヨ是父之雙手,字形表示人用雙手在山崖中取石。銘文中有通作遐的,如「盠曰天子不段(遐)不其」(盠方彝)。有通作瑕的,如「為德無段(瑕)」(曾伯陭壺)。小篆作段。《說文》:「段,借也。闕。[古]古文段」。

㊎ 段 曾伯簠　段 寰盤　段 禹鼎　段 曾伯陭壺　段 克鐘

友,甲文作[友],金文作[友],小篆作[友]。字形都象兩隻相同形手相并列,可見這兩手不是同一人的,因每人兩手都是相反,或左右相對。兩人的手相并為友。《說文》:「友,同志爲友。从二又相交，友也。𦬈古文友。」卜辭中似作動詞，却難明其義，如「貞翌令共子方友右事」（前七·一四）。銘文中已多次出現「朋友」兩字。

（甲） 前四·二九·三　前四·二九·四　菁一·二　林二·十六·九　戩二四·四

（金） 君夫簋　命簋　辛鼎　王孫鐘　曆鼎

（漢印） 劉友私印　原印陵友　劉友印　王印賢友　堂印猛友

（漢金） 五鳳尉斗　昭臺宮扁　元康雁足鐙

ナ，甲文作ナ，金文作ナ，小篆作ナ。象人的左手。《說文》「ナ，左手也，象形。」秦漢後用左、佐，ナ字遂廢。从本義左手引申爲方位詞左右之左，如卜辭中「ナ赤馬」（藏十二），銘文中「ナ右走馬」（師兌簋）。

（甲） 鐵八·三　前三·三一·二　前七·三十·三　菁五·一　林二·一·十二

卑 史

（金）

𠂇鉦　盂鼎　散盤　善鼎　師虎簋

卑，金文作[glyph]，𠂇是左手，甲象工具。[glyph]表示一人手拿工具甲在工作。小篆作[glyph]。《說文》：「卑，賤也，執事也。从𠂇甲」。段注：「古者尊右而卑左，故从𠂇，在甲下。甲象人頭」。段注不確。𩏂氏鐘、余卑盤中的卑皆不从𠂇而从右，作[glyph]，而且也難定為人頭。銘文中多作為「俾」釋，如「迺卑（俾）西宮襄武父誓曰」（散盤）。俾者，使也。

（金）

曾伯簠　散盤　𠭯鼎　國差𦉢　余卑盤

（璽）

口卑

（漢印）

卑梁國丞　卑守私印　卑君都　卑容印信　徐毋卑

史，甲文作[glyph]，金文作[glyph]，小篆作[glyph]。《說文》：「史，記事者也，从又持中。中，正也」。史的釋義與史相同，可參見史字釋文。

（甲）

鐵八八·四　鐵一八三·四　前五·三·一　後下·十·十　下·二八·十一

事 事

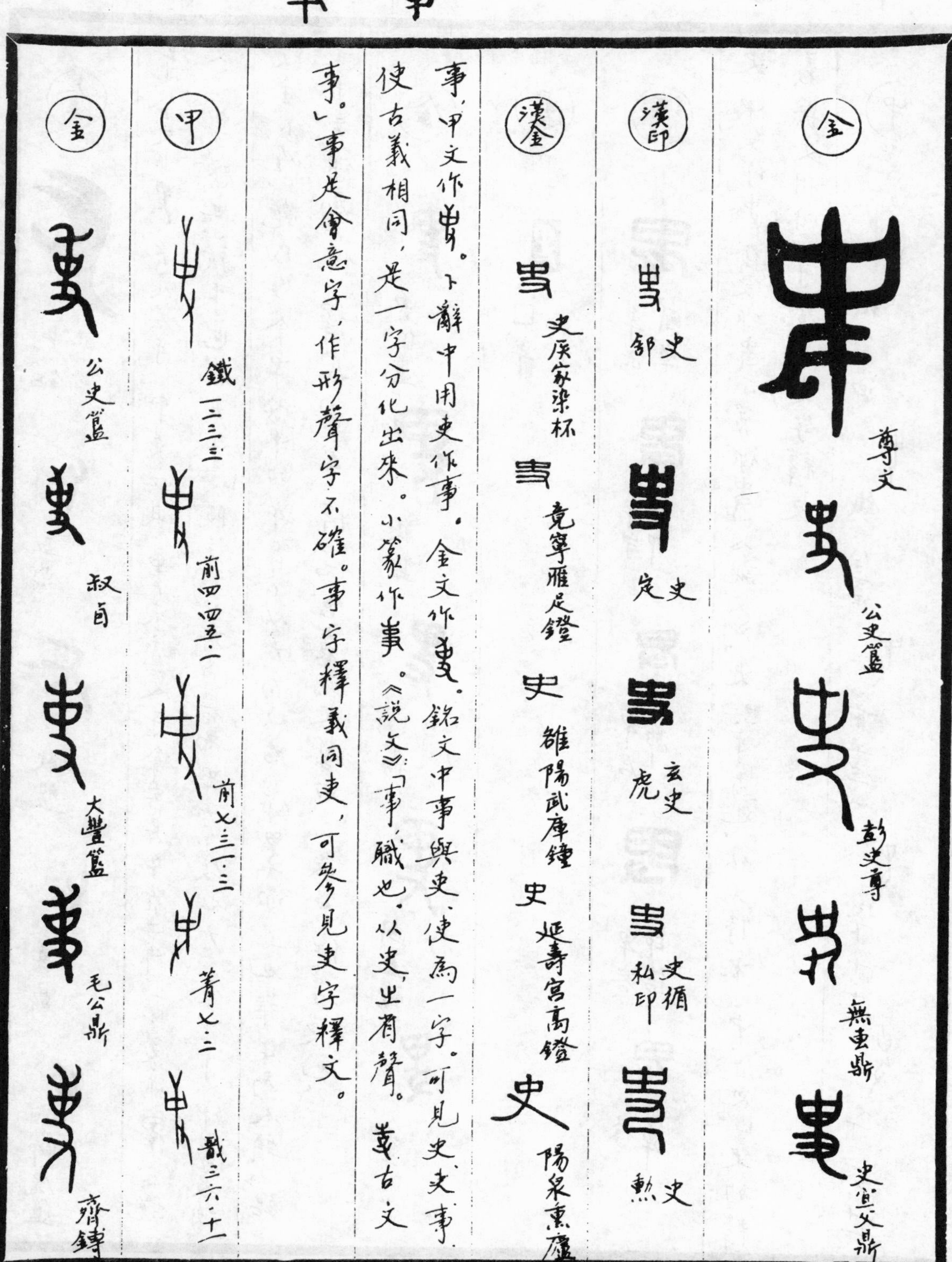
㊎ 尊文 公史簋 彭史尊 無叀鼎 史宜父鼎

漢印 史部 史定 史玄虎 史循私印 史勲

漢金 史侯家染杯 竟寧雁足鐙 史 雒陽武庫鐘 史 延壽宮高鐙 史 陽泉熏爐

事，甲文作㞢。卜辭中用史作事。金文作叓。銘文中事與史、使爲一字。可見史、吏、事使古義相同，是一字分化出來。小篆作事。《說文》：「事，職也。从史，之省聲。」古文事。事是會意字，作形聲字不確。事字釋義同吏，可參見吏字釋文。

㊙甲 鐵一二三·三 前四·四五·一 前七·三一·三 菁七·二 戩三六·十二

㊎ 公史簋 叔卣 大豐簋 毛公鼎 齊鎛

肄

璽　事口　事蜜璽　陳口三立事歲右廩釜　敬事　敬事

漢印　立義挽事　郭巨言事　頓事私印　張𦘔事　顯平𦘔事印

漢金　新鄭兵符　長貴富竟　精白竟　日有熹竟　又二

肄，甲文作 ，有人釋為叙字。金文作 ，小篆作 。《說文》「肄，習也。从聿，希聲。 籀文肄。」甲文象用手去捉希。《說文》「希，脩豪獸。一曰河內名豕也」。于省吾釋曰：「叙字象以手刷洗希畜豪毛之形，或从數點者，象水滴之形。金文肄字多从巾者，《左桓二年傳》曰『藻率鞞鞛』，服注：『率為刷巾』；《說文》『刷，刮也。禮有刷巾』。刷洗之初，衹以手，繼則用巾，此乃人事自然之演進也。又肄通肆，經傳作肆。《說文》肄之篆文作𦘔」。（駢枝，釋叙嫠）卜辭中常有「肄嫠」兩字，嫠訓福，肄通㨓。《說文》：「㨓，緣也」。緣，沿循，延長之意，故「肄嫠」可理解為「不斷延長福祐」。

甲　甲五三七　甲六一三　甲六三四　後二·六七　粹三一七

聿 𦘒

金 [ancient glyph] 毛公鼎 [ancient glyph] [ancient glyph] 𨽸簋 [ancient glyph] 禹鼎 [ancient glyph] 克鼎 [ancient glyph] 𥾆妃簋

璽 [ancient glyph] 𨽸 [ancient glyph] 夫二𨽸

漢印 [ancient glyph] 𨽸延之印

聿，甲文作[ancient glyph]，金文作[ancient glyph]，象手持筆形，本義當為執筆寫字。卜辭中聿作人名，如「貞由聿有从𠂤𢦏古王事」（後下三八・一）。小篆作[ancient glyph]，《說文》「聿，所以書也。楚謂之聿，吳謂之不律，燕謂之弗。从聿，一聲。」从許氏之說，聿當為筆之初文。

甲 [ancient glyph] 前七・三三・二 [ancient glyph] 後下三八・一 [ancient glyph] 下三八・五 [ancient glyph] 乙五三九四 [ancient glyph] 京津三〇九一

金 [ancient glyph] 壺文 [ancient glyph] 戈文 [ancient glyph] 女帚卣 [ancient glyph] 聿父鼎 [ancient glyph] 者沪鐘

璽 [ancient glyph] 口聿（隶） [ancient glyph] 口聿（隶）

書

書，金文作[金文]，小篆作[小篆]。《說文》：「書，著也。从聿，者聲。」《說文·叙》：「著於竹帛謂之書。書者，如也。」著，明也。故書本義為：用筆記事，以明白分辨各種事物情況。段玉裁曰：「古用竹木，不用帛，用帛蓋起于秦。秦時官獄職務繁，初有隸書以趨約易，始皇至以衡石量書決事，此非以縑素代竹木不可。許于此兼言帛者，蓋隱括秦以後言之。」「書者，如也」是从語音角度來釋意的，如言象其事物之狀。

漢印：張聿印信

金：免簋　頌鼎　格伯簋　欒書缶　廿年距悍

璽：書　書　書　郵書　佃書

漢印：尚書令印　歷□男典書丞　楊旃歸書　尚書散郎田邑　公孫書印

漢金：光和斛　書 廣漢郡書刀　書 永和二年釠

畫　畫　畫

畫，甲文作畫，金文作畫，小篆亦作畫。《說文》所無。字象人執筆畫圖之形，所以王國維認為是畫的初文。卜辭用為方名、地名，如「畫受年」（乙一九六六）、「田于畫半大豕」（甲三六三九）。銘文中畫假借為一種食器的名稱，如「用作季日乙畫」（甬簋）。

甲：鐵二四一　前六·五四　後下四·十一　戩十·六　戩三一·六

金：子畫簋　父癸觶　甬簋　師望鼎

畫，金文作畫畫，小篆作畫，象人持筆畫田四界之形。《說文》「畫，界也。从聿，象田四界，聿所以畫之。……畫古文畫。劃亦古文畫。」畫與劃原為一字，引申為繪畫之畫。

金：吳方彝　宅簋　鞄侯鼎　上官登　彔伯簋

璽：孫畫　長畫　公乘畫　口畫　王畫

漢印：畫鄉

隶　隶　臤　臤

（漢金）隶 逑昭雁足鐙 隶 龍氏竟三

隶，金文作𣎵，从手持木。木，尾也。用手拉住禽畜之尾，即逮之本字。小篆作隶。《說文》：「隶，及也。从又，尾省，又持尾者从後及之也。」逮獲的禽畜作為人的附屬，故隶又引申為附屬、奴隶等意。隸、隷、隸是隶的異體字。銘文中孳乳為肄，作量詞，如「大鐘八隶（肆）」（郘鐘）。

（金）𣎵 郘鐘

（璽）𣎵 口隶（聿） 𣎵 口隶（聿）

臤，甲文作臤，金文作臤，小篆作臤。《說文》：「臤，堅也。从又，臣聲。……古文以為賢字。」徐灝曰：「臤即古賢字。臤本訓勞，从又，操作之意也。《小雅北山篇》曰：我從事獨賢。毛傳：賢，勞也。引申為賢才，賢能之稱。漢碑皆用其本字，非假借也。若賢則本訓多財，故从貝說見貝部。古音賢臣相近，故用為聲。」（徐箋） 銘文中臤也當作賢，如「中子異引作臤（賢）文父丁尊彝」（引觥）。

臣

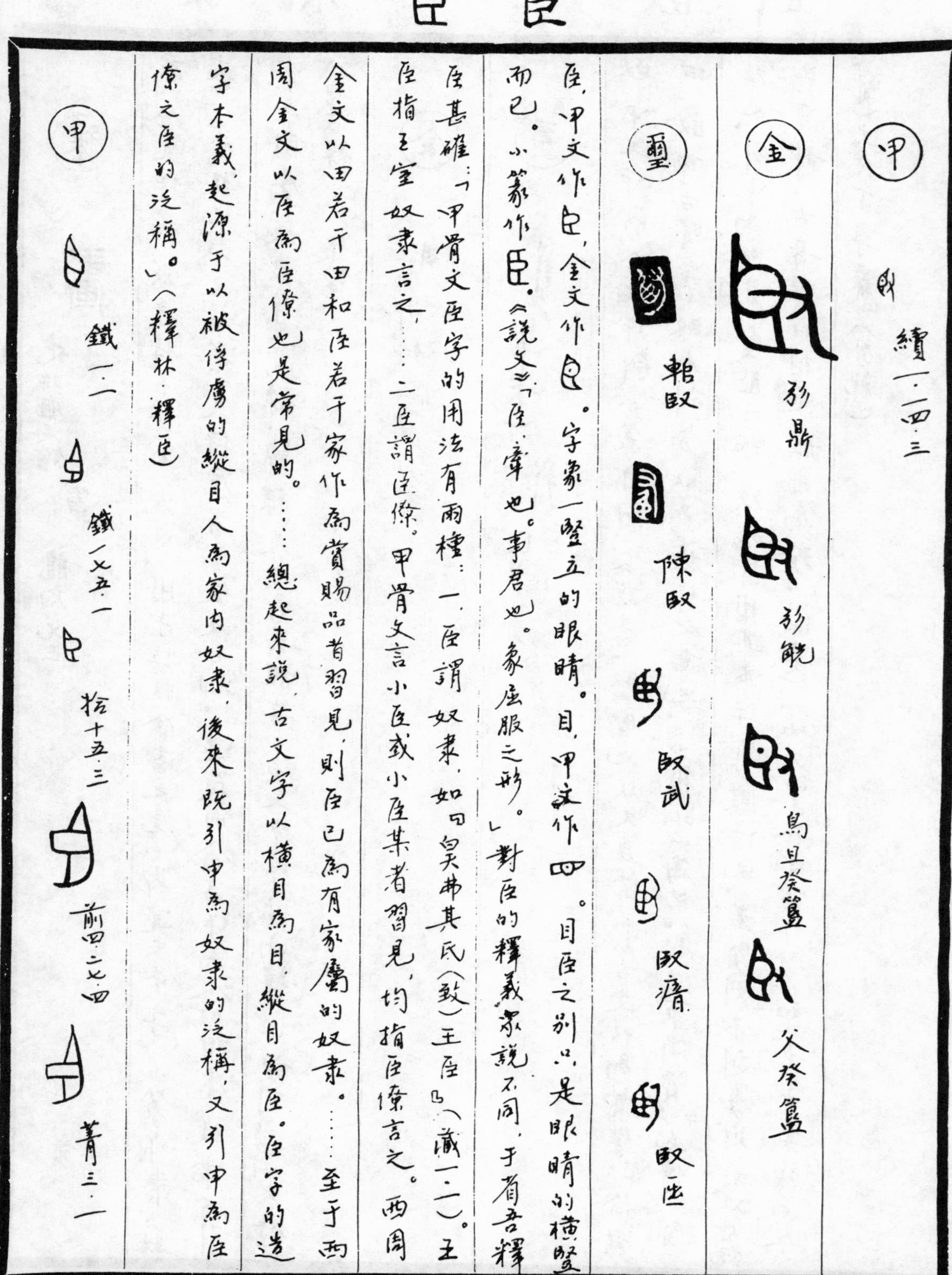
（甲）續一·四·三

（金）彤鼎　彤簋　鳥且癸簋　父癸簋

（璽）輈臤　陳臤　臤武　臤瘠　臤坐

臣，甲文作𦣞，金文作𦣞。字象一豎立的眼睛。目，甲文作𥃦。目臣之别，只是眼睛的橫豎而已。小篆作臣。《說文》「臣，牽也。事君也。象屈服之形。」對臣的釋義，衆說不同，于省吾釋臣甚確：「甲骨文臣字的用法有兩種：一，臣謂奴隸，如『𠂤吳弗其氏（致）王臣』（藏一·二）。王臣指王室奴隸言之，……二，臣謂臣僚。甲骨文言小臣或小臣某者習見，均指臣僚言之。西周金文以田若干田和臣若干家作爲賞賜品首習見，則臣已爲有家屬的奴隸。……至于西周金文以臣爲臣僚也是常見的。……總起來說，古文字以橫目爲目，縱目爲臣。臣字的造字本義，起源于以被俘虜的縱目人爲家內奴隸，後來既引申爲奴隸的泛稱，又引申爲臣僚之臣的泛稱。」（釋林·釋臣）

（甲）鐵一·一　鐵一七五·一　拾十五·三　前四·二七·四　菁三·一

臧 臧

(金)
臣辰父癸鼎
臣辰父癸簋
臣辰父乙鼎
盂鼎
克鼎

(璽)
鄆臣
肖臣
喬臣
侯臣
□臣私鉨

(漢印)
臣長
駟臣私印
禹臣
詡臣
中臣

(漢金)
東海宮司空槃
永始乘輿鼎
又二
元延乘輿鼎
永始三年乘輿鼎

臧，甲文作𦣞，金文作𢧵，小篆作臧。《說文》：「臧，善也。从臣戕聲。𦣞，籀文。」李孝定曰：「蓋象以戈盲其一目之形，其本義為奴隸。《方言》三：『罵奴曰臧，凡民男而壻婢謂之臧』云云奴謂之臧也……奴婢必恭順唯謹，故引伸得有善誼。」（甲集文集釋）

(甲)
菁八·一
甲一·六九

(金)
㠱伯盨
㠱伯盨

殳　㱿

璽

臧可

臧孫口鉨

王臧

臧口

夏后盟

漢印

臧孫則印

臧加犂

臧奉之印

臧福之印

臧博

殳，甲文作[glyph]。[glyph]象頭上裝有圓形的長柄捶器，[glyph]似為杸的初文。金文作[glyph]，小篆作[glyph]。《說文》：「殳，以杸殊人也。禮：殳以積竹，八觚，長丈二尺，建於兵車，旅賁以先驅。从又，几聲。」

殳是手持捶物，由殳組成的字多有打擊之義，如毆、敲。

甲

乙·一六五五

乙三五一一

金

趞曹鼎

㱿，甲文作[glyph]或[glyph]，字象人持枝敲打肖形。肖，似鐘形的樂器。卜辭中㱿字常見，多作人名，㱿是武丁時期的貞人名，國家大事常由㱿代王貞卜，如「甲戌卜，㱿，貞我勿般丝邑」（前四·四·三）。小篆作[glyph]。《說文》：「㱿，从上擊下也。一曰素也。从殳，肯聲。」

𣪘 毆 敺

𣪘，甲文作𣪘，小篆作𣪘。《說文》：「𣪘，繇擊也。从殳，豆聲。古文投如此。」段注：「繇擊者遠而擊之，如良與客狙擊秦皇帝博浪沙中也。」卜辭中常有「𣪘一人」「𣪘二人」，似爲擊殺義。

（甲）甲八四　甲八九　甲一〇四三　乙八六〇二反　前五·四一·八

（甲）前一·三五·六　後二·七·一四　續一·二五·二　寧滬一·二三一　京津四四六二

（璽）𣪘肯

毆，金文作毆，小篆作毆。《說文》：「毆，捶毄物也。从殳，區聲。」毆義與驅同。《說文》：「驅，馬馳也。从馬，區聲。敺，古文驅，从攴。」銘文「毆孚士女羊牛」（師寰簋）中「毆孚」即「驅俘」。驅是後起字。

（金）師寰簋　師寰簋

（漢金）王毆置

段　段　𣪘　𣪘

段，金文作[glyph]，象手持物在山崖中敲捶石之形，是碫的本字。小篆作[glyph]。《說文》：「段，椎物也。从殳，耑省聲。」段之本義當為捶石。捶石即把石敲碎，故引申為分段之段。段玉裁曰：「分段字自應作斷，蓋古今字之不同如此。」

金

[glyph] 段簋

[glyph] 段金𨱇尊

[glyph] 段金𨱇簋

璽

[glyph] 王段

[glyph] 段肰

漢印

[glyph] 段市之印

[glyph] 段廣成

[glyph] 周臣段

[glyph] 臣段

[glyph] 段襄

𣪘，甲文作[glyph]，金文作[glyph]。皀象食器之形，殳象手持勺子從食器中扱取食物之形。金文中有當作器名的，如「皇母龏始寶障𣪘」（頌簋）。小篆作[glyph]。《說文》：「𣪘，揉屈也。从殳从皀。皀，古文叀字，廄字如此。」許訓非其本義。

甲

[glyph] 甲七五一

[glyph] 後下七·十三

[glyph] 下七·十三

[glyph] 乙八八一〇

[glyph] 菁十·十五

役 伇 殺 殺

㊎ 頌簋

役，甲文作𠊳，从人从殳，象手持殳擊人。卜辭中有作人名的，如「甲申卜役貞口囗冉冊学从」（前七．六．一）。役字《說文》所無。但作役字古文。《說文》「役，戍也。从殳从彳。伇古文役，从人。」段注：「與戍从人持戈同意。」

㊙ 前六．四一　前六．十二．四　前七．六．一　後下二六．十八　下三二．八

殺，甲文作朩、朩，金文作朩，象一禽獸之形，即希字。卜辭有假希為殺，如「丁巳卜行貞王宓父丁朩十牛」（粹編三〇二片）。也有假希為祟，如「貞父乙不朩」（林一．二．八）。《說文》希，希之古文作𣏂，蔡之古文作朩，殺之古文作朩。可見甲文朩的本義是獸名希，假借為殺、蔡、祟。小篆作殺。《說文》：「殺，戮也。从殳，杀聲。𢾰古文殺，𣏂古文殺，朩古文殺。」

㊙ 戩三三．九　甲四五五　鐵一八五．一　菁一．一　後二．九一

寺 㞢寸

金 （蔡大師鼎）

漢印 （天帝殺鬼之印）

寺，金文作㞢，从又止聲。寺是持的本字，如石鼓文「弓茲以寺」「秀弓寺射」，邾公牼鐘「分器是寺」。《說文》「持，握也。从手，寺聲」。小篆寺作㞢寸，改又為寸。《說文》：「寺，廷也，有法度者也。从寸，㞢聲」。意即官署，這是假借意。自秦以宦者任外廷之職，而官舍通稱為寺，如大理寺、太常寺。《左傳·隱公七年》：「發幣于公卿」注：「詣公府卿寺」疏：「自漢以來三公所居謂之府，九卿所居謂之寺」。以後「寺」轉移為僧衆供佛居住之所，相傳東漢明帝時，天竺僧攝摩騰竺法蘭以白馬馱經東來，初止于鴻臚寺，遂取寺名，立白馬寺于洛陽雍關西。

金 （沃伯寺簋）（寋侯簋）（吳王光鑑）（邿季簋）（驫羌鐘）

漢印 （寺從市府）

尋 [篆]

專 [篆]

尋，甲文作[甲文]或[甲文]，象伸兩手度量物長之狀，或為兩手伸直之長相同于席子之長。卜辭中假為渡，如「乙亥卜行貞王其尋舟于河亡災」（前二·二六·六）。小篆作[篆]。《說文》「尋，繹理也。从工从口，从又从寸。工口，亂也。又寸，分理之。彡聲。此與㲋同意。度人之兩臂為尋，八尺也。」引申為長。《方言》：「尋，長也。」

（甲）[甲文] 前五·二三·二　[甲文] 戩三八·一　[甲文] 粹八五三

（漢印）[印] 王尋私印　[印] 田尋私印　[印] 袍休尋印

專，甲文作[甲文]。[甲文]象一個紡錘之形，加[手]，表示用手在運轉收絲的紡錘。卜辭中專多作人名，如「壬子卜專貞今夕亡禍」（甲一·六·九）。小篆作[篆]。《說文》「專，六寸簿也。从寸，叀聲。一曰專，紡專。」段注「簿蓋笏也，……君有命，則書其上備忽忘也。」「紡，網絲也，網絲者以專為錘。」後又引申為專一之專。

（甲）[甲文] 鐵二六·三　[甲文] 前五·十二·四　[甲文] 前十二·二　[甲文] 林一·二八·七　[甲文] 林一·二八·九

（璽）[璽] 專室之鉨　[璽] 專室之鉨

尃 皮

漢印

尃芒私印

張尃私印

尃，甲文作𤰈，字形與甲文尃近似。卜辭中尃用作搏，如「乎多尹侯尃𢦏叔」（乙二〇〇〇）。也有作地名的，如「貞乎乍圉于尃」（乙八一一）。金文作尃，銘文中用為敷，如「出入尃命于外」（毛公鼎）。尃作敷，是頒布之義。小篆作尃。《說文》：「尃，布也。从寸，甫聲。」

甲

甲三一〇三

乙八一二

燕四三

粹一三四

拾二·一八

金

毛公鼎

克鐘

王孫鐘

番生簋

皮，金文作𤿺，林義光曰：「从尸象獸頭角尾之形，コ象其皮，又象手剝取之。」（文源）小篆作𤿺。《說文》：「皮，剝取獸革者謂之皮。从又，為省聲。」另作「為省聲」，不確。段注：「剝，裂也。謂使革與肉分裂也。」本義為剝皮，引申為獸體之皮。金文中有作人名的，如「作鑄叔皮父尊𣪘」（叔皮父簋）。

金

弔皮父簋

弔皮父簋

者減編鐘

郘𪒠尹鉦

攴 攴 啟 啓

（璽） 甘皮 北宮皮自 肖陸皮

（漢印） 皮安 漢印 瘳皮 戎印 皮光之印 皮敫 皮田

（金） 南皮侯家鍾 南皮侯家鼎

攴，甲文作攴，象手持木棍、鞭子之類，敲擊它物之形。如甲文「牧」「鼓」皆从攴，表示手持鞭子牧牛羊，手持棍子敲鼓。小篆作攴。《說文》：「攴，小擊也。从又，卜聲。」此字當會意兼形聲，卜不僅當聲符，還兼義符。

（甲） 摭續一九。

啟，甲文作启，或加口作启，象用手開門之形。卜辭中用作啟晴，如「丙戌卜今日启」（甲八六○）。金文作啓，小篆作啟。《說文》：「啟，教也。从攴，启聲。《論語》曰不憤不啟。」字本會意，訓教是其引申義。楊樹達曰：「教者必以言，故字从口。教者發人之蒙，開人之智，與啓戶事相類。故字从攴聲，兼受攴字義也。」（小學．釋启．啓）

徹　徹

（甲）[glyph] 藏九二·四 [glyph] 拾八·八 [glyph] [glyph] 後上三十·五 [glyph] 下十二·十四 [glyph] 菁ㄨ·一

（金）[glyph] 啟尊 [glyph] 番生簋 [glyph] 召卣 [glyph] 王子啟疆尊 [glyph] 虢弔鐘

（璽）[glyph] 口啟 [glyph] 長啟邦

（漢印）[glyph] 方啟 [glyph] 桓啟

徹，甲文作[glyph]。羅振玉曰：「此从鬲从又，象手象鬲之形。蓋食畢而徹去之。許書之徹，从攴，殆从又之譌矣。卒食之徹乃本義，訓通者，借義也」。（增考中七十一頁）卜辭中徹多作地名，如「乙卯王卜在鳴貞今日步于徹亡禍」（前二·九·六）。小篆作徹。《說文》：「徹，通也。从彳从攴从育。徹古文徹」。在經籍中徹字有不同釋義，如《鄭注論語》：「徹，通也。為天下通法也」。《詩》：「徹彼桑土」。傳曰：「裂也」。「徹我牆土」，曰：「毀也」。「徹我疆土」，曰：「治也」。

（甲）[glyph] 前二·九·五 [glyph] 前二·九·六 [glyph] [glyph] 前六·三五·一 [glyph] 寧滬二·一三 [glyph] 佚九九。

敏　敷　效　效

敏，甲文作𢼂，象手在理婦女的長髮，似為妻的本字。卜辭中敏可用作妻，如「丅工𢼂匕庚」（乙一九一六）可釋為「示壬妻妣庚」。金文作每攴。銘文中有作人名的，如「敏朝夕入諫」（盂鼎）。小篆作敷。《說文》「敏，疾也。从攴，每聲」。敏疾者，行事勉而捷也。如《論語·學而》：「敏於事而慎於言」。疏：「疾速也」。《禮記·中庸》「人道敏政」。注：猶勉也。

（甲）

前五·十七·四

前五·十七·五

後下·十·十五

下二三·九

菁二·一

（金）

師𠭰簋

師𠭰簋

盂鼎

（漢印）

力敏 任印

孫敏 印信

孫敏 白記

效，甲文作𢽩，金文作效。卜辭銘文中多作人名，如「丁卯卜爭貞令子效□𠦪于□」（藏二六·四）、「公錫𢽩順子效王休貝廿朋」（效卣）。小篆作𢽩。《說文》「效，象也。从攴，交聲」。段注：「象當作像。人部曰像，似也。《毛詩·君子》曰是則是傚，又曰民胥傚矣，皆效法字之或體」。

（甲）

鐵二·二·四

鐵一七五·一

前五·十九·六

後下十·十六

林一·二一·十二

故 故

金

故 毛公鼎

故 曶鼎

故 效卣

故 效尊

故 效父簋

璽

故 效

漢印

故 綦毋效印

故，金文作故。盂鼎不从攴，作古，如：「古天翼臨子」即「故天翼臨子」。銘文中有作國名的，如「不故屯夫人匋（始）乍（迮）龏公」（鄧公簋），不故爲古國名。小篆作故。《說文》：「故，使爲之也。从攴，古聲。」段注：「今俗云原故是也。凡爲之必有使之者，使之而爲之則成故事矣。」引申爲「故舊」之「故」、「因故」之「故」。

金

古 盂鼎

故 邿季簋

故 郐詣尹鉦

故 鄧公簋

璽

故 故耳

漢印

故 故鄣尉印

故 脩故亭印

故 故且蘭徒丞

故 故彭鄉

故 衛毋故

政 𢼊

漢金

故 大騩權

故 旬邑權

故 兩詔椭量

故 元年詔版

故 尚方故治器

政，甲文作𢼊，金文作𢼊。銘文中有用爲征的，如「用政（征）䜌方」（虢季子白盤），「王令甲政（征）𤔲（治）成周四方……」（兮甲盤）。小篆作政。《說文》「政，正也，从攴从正，正亦聲。」卜辭中正用作征，金文中政用作征，可見正、政、征三字通用。征伐是政的本義，匡正是其引申義。

甲

𢼊 燕六八六

金

𢼊 毛公鼎

𢼊 虢季子白盤

𢼊 兮甲盤

𢼊 齊鎛

𢼊 南疆鉦

璽

𢼊 肖政

𢼊 政

𢼊 政

𢼊 右口政鉨

𢼊 政

漢印

政 寶政

政 胡政

政 呂政私印

漢金

政 光和斛二

更　[篆文]　敶

更，甲文作[字形]，金文作[字形]。攴象手持鞭策之形，故更之本義與攴相近，爲鞭打。卜辭云「戊午卜更[字形]弗其[字形]」(乙七六八○)，更[字形]，是用鞭驅打槖，使槖陷入阱。銘文「令(命)女(汝)更乃且(祖)考嗣卜事」(曶鼎)，其更可訓嗣續更代。小篆作[字形]。《說文》「更，改也。从攴，丙聲。」更訓改，是假借義。

(甲) 乙七六八○　鄴三下五○·六　京津二四五七　摭續一三八　佚四三九

(金) 曶鼎　師嫠簋　趩簋　師虎簋　曶壺

(璽) 王更

(漢印) 更始　公息更　趙更　公乘更得　趙更生

(漢金) 光和斛

敶，金文作[字形]，象在山邊排設戰車之形，似爲陣字初文。銘文中多假用作人姓陳，如「敶(陳)侯作滕嬀囧母媵鼎」(陳侯鼎)。《說文》「陳，宛丘也，舜後嬀滿之所封。」「敶，列也」

敶　救　殺　攸　[glyph]

从攴，陳聲」。小篆作敶。

金

[glyph] 陳公子甗

[glyph] 陳侯簠

[glyph] 陳之裹鼎

[glyph] 陳侯鼎

[glyph] 陳子匜

漢印

[glyph] 陷敶司馬

[glyph] 突陷敶司馬

救，金文作[glyph]。在銘文「□周宅作救姜寶匜」（周宅匜）中，救通作[glyph]，作地名。小篆作[glyph]。《說文》「救，止也。从攴，求聲」。《論語·八佾》：「子謂冉有曰：『女弗能救與？』」此救，猶止也。

金

[glyph] 周宅匜

漢印

[glyph] 救宜私印

[glyph] 公救沈印

[glyph] 救真私印

[glyph] 救翁穉

[glyph] 救稱友

攸，甲文作[glyph]，象手持卜打人之形。其造字法與役作[glyph]相同。卜辭中多作地名，如「在攸」（甲二一四）「攸雨」（甲五六二）。金文作[glyph]，或[glyph]。小篆作[glyph]。張日昇曰「按《說文》云：『攸，行水也。从攴从人水省。[glyph]秦刻石嶧山文攸字如此。』甲文作[glyph]，金文井鼎、王占尊、[glyph]尊等同。字从攴从人，會意，持兵襲人。被逐者乃處險境。《左傳·昭公十二年傳》曰：「湫乎攸

敦 𩫏

手」注云：「懸危之貌」。即此踖也」文或从⋯⋯。蓋象人被血汗，後誤从水，遂有行水之說。由人之奔逃變為水之急流。《孟子》「攸然而逝」注云「迅走水趨深處也」。人水固然不同，其言疾者一也」。（金文詁林）銘文中攸用作鋚，如「攸勒」（毛公鼎）即鋚勒也。鋚革，轡首垂也」。

甲

前四·三十·四

前五·三十·三

前六·九·二

前六·九·三

林二·三·十八

金

井鼎

王占尊

嗖尊

攸鬲盨

頌壺

璽

攸身（攸假作修）

漢印

徐攸

趙攸

敦，金文作〔…〕、〔…〕。〔…〕象食器，〔…〕象手持物將羊入食器中。在銘文中，敦被引申為器名，如「齊侯作媵寡□孟姜膳敦」（齊侯敦）。小篆作𩫏。《說文》：「敦，怒也，詆也。一曰誰何也」。从攴，𦎫聲」。許氏之訓，已假借為責問之義了。《詩·北門》假為惇，如「王事敦我。」惇，厚也。

敗

（金）齊侯敦　陳猷釜

（璽）敦于絅信　王敦狐

（漢印）敦浦　敦譏里附城　敦印輔賢　徐敦　敦建德印

敗，甲文作，金文作，小篆作。字象手持卜擊毀貝形。《說文》：「敗，毀也。从攴貝。敗賊皆从貝，會意。䝪，籒文敗，从賏。」敗，會意兼形聲，从貝，貝亦聲。卜辭「貞王曰侯虎敗女（汝）事，智受」（菁七·一）中，敗可訓敗毀，用其本義。字形義與「賊」字近似。

（甲）乙八七〇五　前三·二七·五

（金）南彊鉦

（漢金）敗　丞不敗杯

寇　鼓

寇，金文作[古文字]，象手持武器入室擊人頭之形。銘文中「司寇」為官名，如「司寇良父作為衛姬壺」（司寇良父壺）。小篆作[古文字]。《說文》：「寇，暴也。从攴从完。」引申為暴亂。

(金)

舀鼎

虞司寇壺

揚簋

司寇良父簋

司寇良父壺

(璽)

司寇徒□

司寇之鉨

佗司寇

□奴司寇

司寇耴

(漢印)

寇憙

寇喜之印

寇延印信

寇鳴

寇勳

鼓，甲文作[古文字]。壴象上有飾物的鼓形，象形字。[古文字]象手持桴擊鼓之形，會意字，作動詞，如卜辭「辛亥卜，出貞其鼓彡告于唐牛一月」（餘十二片）。金文作[古文字]，小篆作[古文字]。《說文》：「鼓，擊鼓也。从攴从壴，壴亦聲。」銘文中引申為敲奏鼓樂，如「鼓鐘一律」（齊侯壺）。

(甲)

餘十二

鐵三八·三

甲二二八八

佚一〇六

(金)

齊侯壺

鼓觶

攻 攻 𢻮 𢼄

攻，甲文作𢆉，工即工字。金文作工，象有柄的斧形，故𢆉表手持錘敲擊工形，其小點，似錘打時濺物。卜辭中有「子攻」，似人名。金文作攻，亦有作人名的，如「攻吳王」。小篆作攻。《說文》：「攻，擊也。从攴，工聲。」許訓當為本義。引申為堅固，如《詩．車工》「我車既攻」。

（甲）

𢆉 柏根氏四九

𢆉 甲編三一七一

（金）

攻 國差𦉜

攻 攻吳王監

攻 攻敔王夫差劍

攻 齊鎛

攻 攻吳王光戈

（璽）

攻 東武城攻師鉨

攻 右攻師鉨

攻 喝攻師鉨

攻 左攻師□□

攻 □右攻師

𢻮，甲文作𢻮，張哲釋曰：「釐，甲骨文中作𢻮（甲二六三）作𢼄：象以手持杖打麥，意在表示收獲。收獲為儲糧之始，在古人的意識上，有食即有福，故《說文》『釐，家福也』。此字一旁象麥，一旁象手持杖打麥，麥脫穗離殼為粒，釐聲或由此而來」（中國文字七冊）卜辭中𢻮、𢼄同文，皆假為釐。銘文「易釐無疆」（克鼎）即「錫釐」，錫福也。小篆作𢼄。《說文》「𢼄，坼也。从攴从厂。厂之性坼，果孰有味亦坼，故謂之𢼄，从未聲。」

改

甲

前六·十二·二

前六·十二·三

後下二二·八

下三三·二

截五·十三

金

師寰簋蓋

師寰簋

克鼎

辛鼎

改，甲文作𢻮。㠯象一跪着的孩子。𢻮象執鞭打跪着的小孩之形，含教子改錯歸正之意，引申為更改，如卜辭「弜改其唯小臣囗令王弗每（悔）」（前四·二七·二）。金文作𢻮。銘文中作人名，如「改作朕文考乙公旅盨」（改盨）。小篆分為二字，一作𢻮，為改。《說文》「改，毅改，大剛卯，以逐鬼魅也。从攴已聲。讀若巳。」一作改，為改。《說文》「改，更也。从攴己。」

甲

前四·二七·二

前四·三一·六

前五·十·六

前五·十七·六

菁十一·十四

金

改盨

漢印

王改

漢金

新嘉量二

牧　牧　教　斆

牧，甲文作牧或牧，金文作牧。象手執鞭策趕牛羊之形。卜辭中作放牧義，如「甲戌卜穷貞在易牧隻羌」（珠七五八）。銘文中作人名，如「牧共作父丁𠫓食毁」（牧共簋）。小篆作牧。《說文》：「牧，養牛人也。从攴从牛。《詩》曰：牧人乃夢。」

（甲）

牧 餘二·一

牧 前五·四五·七

牧 後下十二·十三

牧 下十三·十六

牧 菁二

（金）

牧 牧師父簋

牧 小臣謎簋

牧 鬲攸比鼎

牧 免簋

牧 柳鼎

（漢印）

牧 右牧官印

牧 北地牧師騎丞

牧 殷牧印信

牧 牧利之印

牧 牧傷

教，甲文作斆，金文作斆。字象手執鞭策教子之形。小篆作斆。《說文》：「教，上所施，下所效也。从攴从孝。……𢽾，古文教。𤕝亦古文教。」高鴻縉曰：「字原从尹子會意，爻聲，動詞。亦作效，从攴，爻聲。後變尹為攴，意亦得通。古者扑作教刑。扑子即所以教也，爻聲。」（字例·五篇）

（甲）

斆 前五·八·一

斆 前五·二十·二

斆 甲一五九七

斆 粹一一三九

斆 甲二六五一

數 斆

金

散盤

鄭厌簋

漢印

相敎

相敎

漢金

敎

萬年縣官斗

斆，即學字，甲文作⋯，金文作⋯，小篆作斆。甲文不从攴，从兩手有模仿之義。《尚書大傳》云：「學，效也。」《說文》：「斆，覺悟也，从教从冂，冂尚矇也，臼聲。學，篆文斆省。」古文中學教相通，如《禮記·學記》：「兌命曰：學學半。」上學字謂教。

甲

鐵一五九·四

前一·四四·五

前五·二十·一

後上·八·四

林二·二五·九

金

盂鼎

師嫠簋

靜簋

令鼎

者沪鐘

卜

卜，甲文作⋯，金文作卜。象龜兆縱橫之形，故以之表示占卜之義。如卜辭「戊戌卜㱿貞王曰……」（菁七·一），銘文「令（命）女（汝）更乃且（祖）考𤔲卜事」（曶鼎）。小篆作卜。《說文》：

卜　卟

「卜，灼剝龜也。象灸龜之形。一曰象龜兆之縱橫也。……𠁦古文卜。」

甲

鐵九十·四　拾三·八　前一·一·一　菁二·一　林一·一·三

金

召鼎　卜孟簋

璽

卜得信鉨　卜口　卜坤　卜總不

漢印

卜廣私印　郗卜　卜口私印　卜音

卟，甲文作𠂤。《甲骨文編》「从卜在𠂤中，𠂤蓋盛卜之器，唐蘭以爲即𠂤也。𠂤咎聲相近，卜辭假爲咎，字亡𠂤即亡咎。」（《甲骨文編卷三》）實際上𠂤象獸骨形，𠂤即在獸骨上刻有兆形。金文作𠂤，小篆作卟。《說文》「卟，卜以問疑也。从口卜，讀與稽同。」

甲

鐵四三　鐵一三一·二　前七·三九·二　菁五·一　戩三十·六

貞

貞，甲文作𠕁或𠕁，金文作𣅀。郭沫若釋曰：「𠕁實即𠕁若𠕁等形之簡略急就者。猶𣅀若𠕁等之簡化為𠕁也。古乃假鼎為貞，後益以卜而成鼎（貞）字，以鼎為聲。金文復多假鼎為鼎。……鼎貝形近，故鼎乃譌變為貞也。（卜通）小篆作貞。《說文》「貞，卜問也。从卜貝，以為贄。一曰：鼎省聲，京房所說。」

（金）𣅀 明公簋

（甲）𠕁 鐵三·三　𠕁 鐵十四·一　𠕁 前七·三九·二　𠕁 後上·二六·十五　𠕁 菁二

（金）𣅀 散盤　貞 沖子鼎

（璽）貞 口口山金貞鉨　貞 右未貞鉨

（漢印）貞 王貞君印　貞 李貞私印　貞 訾貞　貞 馮貞　貞 胡貞

（漢金）貞 二年酒銷

用 甫

用，甲文作　，金文作　，小篆作　。甬，金文作　，是鐘的象形。金文　上的　不是太陽，是鐘頂上掛鐘的圓鉤。小篆作　上面的　更象鐘鉤。而甲文用，即有了鐘鉤的鐘。在卜辭銘文中假作施用之用，如「其用人牛十又五」(南明五二五)、「子子孫孫其永寶用」(己侯簋)。《說文》「用，可施行也。从卜从中。衛宏說。……　古文用。」

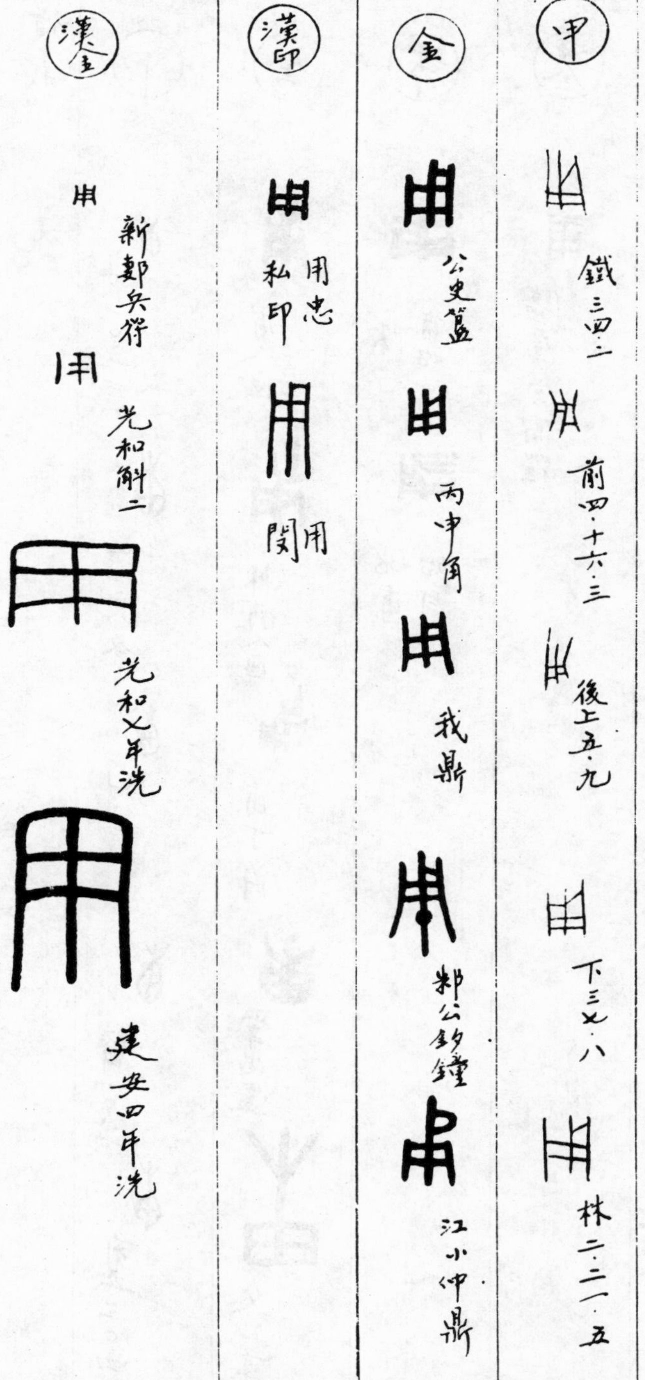

甲
鐵三四·二
前四·十六·三
後上五·九
下三七·八
林二·二一·五
金
公史簋
丙申角
我鼎
鄴公釛鐘
江小仲鼎
漢印
用忠私印
閔用
漢金
新郪兵符
光和斛二
光和七年洗
建安四年洗

甫，甲文作　。《甲骨文編·卷三·五二》：「　甲一〇五一，王襄釋甫，唐蘭說卜辭早期之　，晚期之　，其義均為語詞。」《甲骨文集釋·第三》收　為甫，借為圃。唐蘭釋　為苗。唐際苗圃形義

甫

相近，皆象田中有菜苗之形。卜辭中有作地名的，如「貞其雨在甫魚」（後上三一·二），有作人名的，如「□卜貞甫其禽」（前六二·一）。金文作甫，變爲从田父聲。銘文中常有「甫人」，可通爲「夫人」，小篆作甫。《說文》「甫，男子美稱也，从用父，父亦聲。」訓男子美偁，是假借義。

(甲)

甲一〇五一

乙七二八反

乙八六一

粹一〇八一

前五·三〇·四

(金)

甫人匜

穌甫人匜

甫丁爵

宰甫簋

父乙尊

(漢印)

陳甫始

姚甫始印

(漢金)

臨虞宮高鐙

葡

葡，甲文作葡，象矢在箙中。卜辭中作祭名，如「葡一牛」（前五·十·一）。金文作葡，小篆變作葡。《說文》「葡，具也，从用苟省」。葡本義是盛矢之器，因能盛多矢，引申爲具備之義。

爻 爾

㊙甲 鐵二·四 餘二·一 前五·九·六 後上二八·三 戩四四·十三

㊙金 丙申角 毛公鼎 番生簋

爻，甲文作爻，金文作爻。朱芳圃曰：「蓋象織文之交錯。甲文网字从此，是其證矣」（釋叢）。小篆作爻。《說文》「爻，交也。象易六爻頭交也。」徐灝曰：「交者，交錯之義。六爻爲重體，故作重爻象之。頭交疑當作相交。」（徐箋）

㊙甲 鐵百二 拾十·六 前六·五十四 後下·十四·四 下四一·一

㊙金 盂文 爻父乙簋 父乙爻角 父丁簋 䩤戾鼎

爾，金文作爾，小篆作爾。本義待考。林義光曰：「《說文》云：『爾，麗爾，猶靡麗也。』从冂，㸚，其孔㸚，尒聲。按古作爾（洹子器）……實檷之古文，絡絲架也，象形。下象絲之糾繞。易繫于金柅（始卦）以柅爲之。」（文源）爾字，後借爲第二人稱代名詞，如同女汝。後又省作尒，再加人旁作你，爲現代漢語所用。再則爾亦借爲語氣助詞，如同「耳」一樣。

爽　爽

（金）　齊侯壺　晉公𥂴

戩爾

爽，甲文作𡘡。于省吾曰：「甲骨文爽字初文作爽，象人左右腋下有火，故典籍中訓爽為明者習見。甲文晚期爽字變形滋多，由于得到邲卣「遘于匕丙彡日大乙爽」為證，既認識出爽之初文，又辨別出爽為爽之譌變。至于爽之通相，相之通詁訓為輔佐，與匹配之義亦無不符。」（釋林）卜辭中爽為匹配之義，即今語夫人。如「癸酉卜貞王賓祖丁爽妣癸，彘亡尤」（後上三·十四），金文作。銘文中亦作匹配義，如「遘于妣戊武乙爽」（䣄簋）。小篆作爽。《說文》「爽，明也。从㸚从大。𡙁，篆文爽。」

（甲）　後上二·七　甲二八九三　戩三三·七　後上四十　前一·八·二

（金）　邲卣　䣄簋　矢尊　散盤

（漢印）　爽印 壽王　王爽

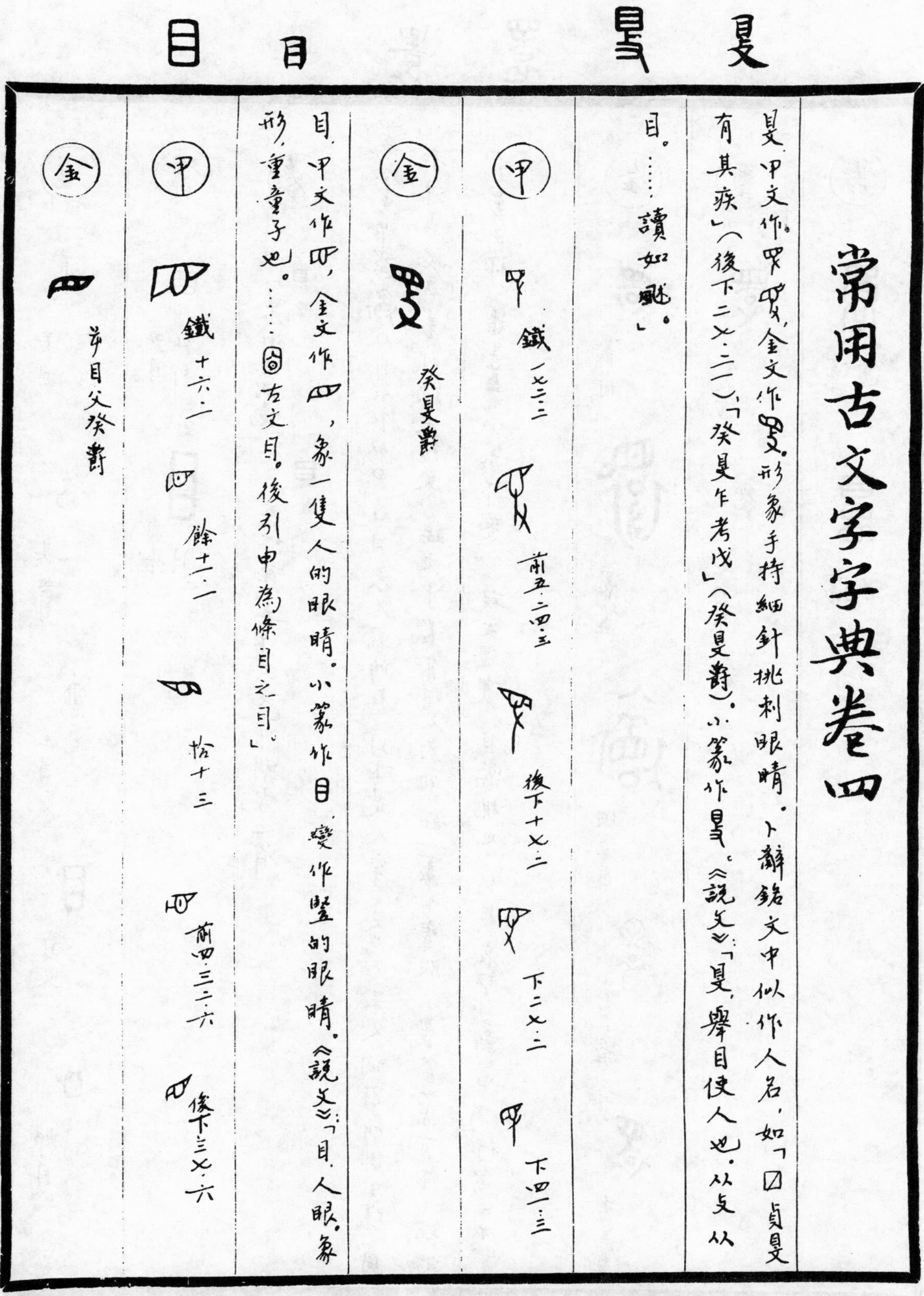

常用古文字字典卷四

旻，甲文作〔古文〕，金文作〔古文〕，形象手持細針挑刺眼睛。卜辭銘文中似作人名，如「☐貞旻有其疾」（後下二七．二）、「癸旻作考戊」（癸旻爵）。小篆作〔篆〕。《說文》：「旻，舉目使人也。从攴从目。……讀如颳。」

甲　鐵一七三　前五．二四．三　後下十七．三　下二七．二　下四一．三

金　癸旻爵

目，甲文作〔古文〕，金文作〔古文〕，象一隻人的眼睛。小篆作〔篆〕，變作豎的眼睛。《說文》：「目，人眼。象形。重童子也。」……〔古文〕古文目。後引申為條目之目。

甲　鐵十六．二　餘十一．一　拾十三　前四．三二．六　後下三七．六

金　屰目父癸爵

睘

璽　長目　其毋目　土目　目文　邦目

漢印　尹目私印　張目

漢金　朱游玄武竟　吾作竟「吾作目竟」乃明字之省

睘，金文作[glyph]，从目从衣从○。从目，表人頭所在，目下是人穿之衣，○表人胸前所掛玉環，因此郭沫若認爲睘即環之初文。銘文中睘有作人名的，如「睘作寶殷」（睘簋）。亦有作玉環的，如「玉睘玉琭」（番生簋）。小篆作[glyph]。《說文》：「睘，目驚視也。从目，袁聲。《詩》曰：獨行睘睘。」

金　睘卣　睘簋　伯睘卣　睘小器　番生簋

璽　睘事　睘蔡

漢印　睘遷　睘偏

眔　眔　相　相

眔。甲文作罒⺌，金文作眔，象眼睛流淚之形，似為淚的初文。卜辭中有作地名的，如「囗于漁于眔隹口」（佚九五九）。有的作祭名，如「癸卯卜何貞其眔祖乙」（甲編二八八二）。卜辭、銘文中眔多作連詞，義同「及、與」，如「戊戌卜㱿貞旃眔𢻰亡咎」（乙三二·二）、「𦨶生眔大姛」（𦨶生簋）。小篆作眔《說文》「眔，目相及也。从目，从隶省。」「隶省」之說不確。

（甲）

鐵六九·四

拾九·八

前二·四五·二

前六·三四·三

後下三八·四

（金）

靜簋

井侯簋

矢尊

𠭯編鐘

弔[illegible]簋

相。甲文作𥄉相眔，金文作𥄉，小篆作相。《說文》「相，省視也。从目从木。《易》曰：地可觀者莫可觀于木。《詩》曰：相鼠有皮。」卜辭中亦有作視義的，如「相日今允雨」（前五·二五·五）。亦有作人名的，如「貞乎相𦍌牛」（乙四〇五七）。後引中為丞相之相。

（甲）

前二·十七·四

前五·二五·五

前七·三七·一

乙四〇五七

簠雜八九

（金）

相侯簋

庚壺

四年相邦戟

睗 睗 䀠 䀠

璽

□相乘莫爲

相室

相室

事相如

尧奴相邦

漢印

私睦子則相

梁上相如

趙相私印

許相光印

相產

漢金

句邑權

廿六年詔版

壽成室鼎

見日之光竟

富貴安樂竟

睗，金文作(glyph)，小篆作睗。《說文》：「睗，目疾視也。从目，易聲。」銘文中借為賜、錫，如「中午伯懋父賜召白馬」（召尊）。

金

召尊

虢季子白盤

㫚鼎

易鼎

鄭公盉

䀠，金文作(glyph)，小篆作䀠，為人張大兩眼，有驚恐之狀。銘文中作人名，如「䀠作父癸寶尊彝」（䀠鼎）。《說文》：「䀠，左右視也。从二目。」驚恐是䀠的本義，左右視可為人驚恐時的樣子。䀠、瞿、懼，从䀠，皆有驚恐之義。

金

䀠父丁簋

且癸鼎

䀠當卣

䀠鼎

䀠爵

眉　𥃩　省　省

（璽）

口明

眉，甲文作[glyph]，象人眼上有眉毛之形。卜辭中眉有作人名的，如「貞子眉」（存一·一○六九）。有作地名的，如「己卯卜㱿貞眉雨……」（乙五一九）。金文作[glyph]或作[glyph]。[glyph]是𩰪字，字象從手倒皿洗頭之形，似爲沐之初文。銘文常借𩰪爲眉，多有「眉壽無疆」句。「眉壽」即「美壽」「長壽」之義。小篆作𥃩。《說文》「眉，目上毛也。从目象眉之形，上象額理也。」

（甲）

鐵七三·一 　拾十四·三 　前六·七·四 　後下二五·七 　後下二八·六

（金）

小臣逋簋　周㝬鼎　散盤　姬鼎　汝伯寺簋

（漢印）

佛眉

省，甲文作[glyph]。[glyph]即眚字。卜辭中用作省。省眚，古爲一字。敦煌本尚書說命「惟干戈眚厥躬」，今本作省。卜辭中可作視察義，如「辛王弜省田其敝」（後上卅）。金文作[glyph]或作[glyph]，可見甲金文中無省字，皆作眚，以眚爲省。銘文有作人名的，如「省作父丁」（省觚）。亦有作視察義的，如「公違省自東」（臣卿簋）。小篆作省。《說文》「省，視也。从眉省，从屮。」後用作爲減省之省。

𦣹 自

或借為省市之省。

甲	鐵二四四·四 拾五·九 前三·二三·二 後上二九·十二 後下三九·二
金	臣卿鼎 散盤 髙攸比鼎 㝬鐘 豆比簋
璽	省窴
漢印	徐省
漢金	壽成室鼎 元始鈁 竟寧鴈足鐙 新中尚方鐘 杜陵東園壺

自，甲文作𦣹，象人的鼻形，是鼻的初文。卜辭「貞有疾自隹有𢀛」（院乙·六三八五）中，「疾自」可訓為「鼻有病」。卜辭中亦訓為由或从，如「卜貞王宓自武丁至武乙……」（後上二〇·六）。金文作自。銘文有的訓為从，如「毛公易（錫）朕文考臣自氒（厥）工」（孟簋）中「臣自氒工」是「从他自己的工奴中拿出的臣」。（裘錫圭《錫朕文考臣自厥工解》見《考古》一九六三年第五期）後假借為自

白

己的己，並另造「鼻」字。小篆作自。《說文》：「自，鼻也。象形。……古文自。」

甲：鐵五十二　拾一·二　後上九·九　上三二·九　下二九·十五

金：臣卿簋　令鼎　毛公鼎　散盤　中子化盤

璽：自私　自私　自私

漢印：自何瘠　自當時印　救印自為

漢金：自龍氏竟　自許氏竟　自青蓋竟　自青龍竟　自泰言之始竟

白金文作白，小篆作白。《說文》：「白，此亦自字也。省自者，詞言之氣從鼻出，與口相助也。」正因為白即自字，銘文有的用作自，如「隹斋君酌白（自）作寶鬲」（斋君鬲）。故白的本義為鼻，假作自己的自，伯父的伯，黑白的白。

皆 魯 魯

金

皆 番君鬲

皆 白者君盤

皆 㠯仲艾匜

皆，金文作皆，小篆作皆。《說文》：「皆，俱詞也。从比从白。」段注：「其意為俱其言為皆。」《小爾雅．廣言》：「皆，同也」。皆，古今義同，為「全部」。銘文有作人名的，如「皆作尊壺」（皆壺）。

金

皆 皆壺

漢金

皆 大騩權

皆 廿六年詔權

皆 廿六年詔廿斤權

皆 元年詔版

皆 龍氏竟

魯，甲文作魯，金文作魯，小篆作魯。《說文》：「魯，鈍詞也。从白，鮺省聲。《論語》曰：參也魯。」于省吾釋曰：「甲骨文魯字作魯，从魚从口，口為器形，本象魚在器皿之中，說文譌為从白。甲骨文稱：『乙丑卜，古貞，帚妌魯于黍年』（佚五三一）。……魯與旅音近字通。書序嘉禾篇『旅天子之命』，旅字史記周本紀作魯，魯世家作嘉，魯與旅均應訓為嘉，故魯世家以嘉代詁。嘉為美善之義，故典籍中訓嘉為美為善者習見。書召誥之『拜手稽首，旅王若公』，即嘉王及公也；邢侯毀之『拜䭫首，魯天子。』即嘉天子也；匡卣之『尹其亙萬年，受氒永魯』，即受厥永嘉也。由此可知，前文所引甲骨文之言魯，言允魯，魯均應訓為嘉。甲骨文又稱『丁子卜，㱿貞，黍田年魯○王固曰，吉魯』（乙七七八一）。吉魯連用，尤可證魯為美善之義。至于說文訓魯為鈍詞，乃後起之義」。

者

（釋林）魯又假作人名、地名，如「壬午卜魯嘉、魯不其嘉……」（乙三〇〇〇）、「貞今一月在魯王囚」（餘十一·二）。

（甲）
餘十一·二
餘十一·三
後上三一·三
乙七七八二反
乙二九五七反

（金）
井侯簋
魯侯爵
無叀鼎
頌鼎
頌簋

（璽）
魯口瘣
魯口
魯戌
鄙口
鄙安

（漢印）
魯公鄉
魯隨
魯明
魯君侶
魯平

（篆）
魯
許氏竟

者，金文作[glyph]，小篆作[glyph]。《說文》：「者，別事詞也。从白，[glyph]聲。[glyph]，古文旅。」旅，古文作[glyph]，象羊旗下有多人之狀，而[glyph]與旅絕然不同。金文[glyph]，上象一棵有桿枝的樹，上小點可作為樹葉或果實，下口象一可種樹的盆器。銘文中借者為諸，如「其隹我者侯（諸侯）百生（姓）」（兮甲盤）。後又借指人物，如「學者」。

智 𥏼

金

伯者父簋

者女觥

者姛爵

者敢罍

戒者鼎

漢印

齊宦者丞

宦者丞印

左河堤謁者印

李印段者

跡者單尉

漢金

廿六年詔權

兩詔橢量

廿六年詔版

雲陽鼎

陽泉熏爐

智，甲文作𥎿，金文作𥏼。銘文中有作人名的，如「智君子之弄鑑」（智君子鑑）。古文中知智音義相同，知、智可訓識、覺，如銘文「下民無智」（魚鼎匕）。小篆作𥏼。《說文》：「智，識詞也。从白从亏从知。𥏼，古文智」。今文「知道」「知識」皆引申義。

甲

前五・十七・三

金

冉宦鼎

毛公鼎

智君子鑑

魚鼎匕

漢印

霍毋智

王毋智

智寅

王智言事

王智

百　百　習　習

百，甲文作百，金文作百，小篆作百。《說文》：「百，十十也。从一白。數十百為一貫。貫，章也。

百，古文百从自。」實際上卜辭銘文中借白為百，一百作百，二百作百，五百作百。

甲

鐵六五・二

拾十四・十四

拾三・二三・三

下一・四

林一・八・十三

金

矢方彝

令簋

伊簋

史頌鼎

兔盤

璽

百千万

漢印

募五百將

百何之印

外營百長

漢金

上林鼎二

杜鼎蓋

杜鼎二

扶侯鐘

新嘉量

習，甲文作習，从羽从日，不从白。卜辭中常有「習一卜」、「習二卜」（佚二二〇），其習可訓重複。

小篆作習，改日為白。《說文》：「習，數飛也。从羽，从白。」引申為學習。

甲

甲九二〇

粹一五五〇

寧滬一・五八三

明七一五

京都二二二六

羽 羽 翊

璽

習 楫習

習 囗習

漢印

習 習封之印

習 成習私印

羽，甲文作羽或[glyph]，象鳥羽翼之形。羽字在卜辭中有的作地名，如「于羽受年」（粹八六三），有的作人名，如「乙酉貞王其令羽……」（明藏四七二）。[glyph]字在卜辭中借用為翌，昱字从此。如「羽辛卯」（鐵三·四），即明日辛卯那天。小篆作羽，與甲文不同。《說文》：「羽，鳥長毛也。象形。」

甲

羽 前二·二一·四

羽 林一·七·二

羽 明藏四七二

[glyph] 鐵十六·三

[glyph] 前七·三二·二

金

羽 羽憙之印

羽 徐羽

羽 羽子豪

羽 羽廣

漢金

羽 嘉至搖鍾

翊，甲文作[glyph]，小篆作翊。本義難明。《說文》：「翊，飛皃。从羽，立聲。」《爾雅·釋言》：「翌，明也。」

某些古文字偏旁上下左右無定位，故此字可寫作𦏸、翌、翊。卜辭中「翊」字同「羽」、「昱」兩字皆訓為明日，是假借義。如「翊日乙酉」（前二二·六）。

甲

戩十三

戩十三·八

戩十三·十

戩三六·六

戩四六·十四

漢印

左馮翊丞

左馮翊印章

左奉翊掾王訢印

張翊

李翌

隹，甲文作、，金文作，小篆作隹。象一隻有頭、身、翅、尾、足的鳥形。《說文》：「隹，鳥之短尾總名也。象形。」卜辭銘文中假作語詞之「唯」，如「隹十月」（藏龜一七八·二）、「隹十月又一月丁亥」（我鼎）。

甲

鐵六·四

鐵一二一·三

拾七·三

菁八·一

林一·二·十四

金

戍甬鼎

𦨶尊

隹父己簋

麥鼎

虢季子白盤

璽

□□隹鉨

公孫隹

隻 雀

隻，甲文作，金文作，小篆作隻。《說文》：「隻，鳥一枚也。从又持隹。持一隹曰隻，二隹曰雙。」此說不確，鳥一枚兩枚與手無關，可作量詞。隻象用手捕捉鳥形，是獲的本字。卜辭銘文皆可訓為獲，如「癸子卜隻（獲）妥」（乙八七二二），「戰隻（獲）兕銅」（禽志盤）。隻作數量詞，是假借義。

甲　鐵七·三　拾四·三　菁七·一　戩十二·四　戩四三·十一

金　父癸爵　弓隻鼎　禽鼎　禽志盤　上官登

雀，甲文作，小篆作雀。《說文》：「雀，依人小鳥也。从小隹。讀與爵同。」段注：「今俗云麻雀者是也。」卜辭中雀有作人名的，如「辛卯卜令雀戍……戾」（人三二六）。有作地名的，如「癸丑卜穷貞于雀𠂤」（乙八九三五）。

甲　鐵一·二　鐵一七四　拾四·十三　林一·三·三　戩四七·七

漢印　雀　觀雀臺監

雉　雉　雞　雞

雉，甲文作[glyph]，象箭射鳥之形。古文字中雉夷通用，如《爾雅·釋詁》「雉，陳也」。樊注：「雉，夷也。」夷古多訓傷，滅，殺，故卜辭中雉亦可訓殺傷，如「貞[glyph](亞)行用戈不雉眾」(粹一一五八)。小篆作雉。《說文》：「雉，有十四種：盧諸雉，喬雉，鳪雉，鷩雉，秩秩海雉，翟山雉，翰雉，卓雉，伊雒而南曰翬，江淮而南曰搖，南方曰𠷎，東方曰甾，北方曰稀，西方曰蹲。从隹，矢聲。」以上十四種鳥名，皆為《爾雅·釋鳥》所列。

(甲) [glyph] 前二·十一·六　[glyph] 前二·三·五　[glyph] 前四·四一　[glyph] 前七·四二　[glyph] 後下六·四

(漢印) [glyph] 雉崇私印

雞，甲文作[glyph]，小篆作雞。《說文》：「雞，知時畜也。从隹，奚聲。[glyph]，籀文雞，从鳥。」卜辭中雞作地名，如「戊辰卜貞王田雞往來亡𡆥」(前二·三七)。金文雞魚鼎作[glyph]，象形。如同一隻有頭眼嘴冠翅足的鳥形。

(甲) [glyph] 掇二五九　[glyph] 前二·三六·七　[glyph] 前二·三七·二　[glyph] 前二·三七·三　[glyph] 京都二〇八

離　離　雝　雝

㊎

離魚鼎

離，甲文作。即畢字，象長柄上裝有網的捕鳥工具。則是用捕鳥工具捉鳥，後畢變作禽，成離字。小篆作離。《說文》「離，黃倉庚也。鳴則蠶生。从隹，离聲。」離，除訓鳥名外，屈原《離騷》之離，古籍多訓遭、罹。故卜辭「貞弗其離土方」（後下三七．六）亦似可訓「遭遇到土方」。「捕鳥」是其本義。訓「遭」、「罹」是其引申義，作鳥名或「別離」之「離」，是假借義。

㊙甲

前六．四五．四

前六．四五．六

後下三七．六

㊙璽

離平

縱橫離　與省幣文離石離字同

㊙漢印

符離丞印

正離平

鍾離□

鍾離公孫

雝，甲文作或，金文作。原象屋室參差之形，象宮室外有水流之形。小篆改作雝。卜辭多作地名，如「辛酉卜貞王田雝往來亡災」（前二．三六．四）。銘文中雝作地名國名外，還假作動詞饔，如「用雝（饔）賓客」（毛公鼎）。《說文》「雝，雝鷄也。从隹，邕聲。」此為鳥名。段注「渠，鳥部作鶏」。

雇　雇

甲

[glyph] 前二·七·八　[glyph] 前二·二八·七　[glyph] 前二·三六·二　[glyph] 後下二一·十一　[glyph] 林二·二·六

金

[glyph] 雍嬰盨　[glyph] 彔簋　[glyph] 㝬鐘　[glyph] 毛公鼎　[glyph] 辛鼎

璽

[glyph] 孫雝　[glyph] 雝口　[glyph] 雝晨　[glyph] 敗雝口鉨　[glyph] 長車雝

漢印

[glyph] 雝賀　[glyph] 雝根私印　[glyph] 雝彭私印　[glyph] 雝武私印　[glyph] 雝樊

漢金

[glyph] 雍一斗鼎　[glyph] 雍棫陽鼎　[glyph] 雍年陽宮鼎　[glyph] 雍鼎　[glyph] 精白竟

雇，甲文作[glyph]，小篆作雇。《說文》「雇，九雇農桑候鳥，扈民不婬者也。从隹，戶聲。」雇本義爲鳥名，卜辭中用作地名，如「丁卯王卜……今日……于雇在四月隹來征……」（續五·一五·二）。後假作「僱」，爲「雇工」「雇用」之雇。

甲

[glyph] 前二·四·八　[glyph] 後上十三·三　[glyph] 林一·九·十二　[glyph] 佚七五六　[glyph] 乙二一〇一

琟　琟　奪　奪

琟，甲文作…，金文作…，小篆作琟。《說文》：「琟，鳥肥大琟琟也。从隹，工聲。鳿，琟或从鳥。」羅振玉認為琟字與鴻雁之鴻古為一字。卜辭銘文中琟作地名，如「甲寅卜在琟貞王今月亡禍」（續三．三一．七）；「呂西至琟莫（墓）劇（堳）」（散氏盤）。

甲

前二．九．六

後上九．十二

續三．三一．七

金

散盤

散盤

漢印

畢鳿私印

鳿居

鳿與光印

趙鳿

鳿竝

奪，金文作…。象用手把小鳥放於衣服中。小篆作…，變衣為大。《說文》：「奪，手持隹，失之也，从又从奞。」段注：「引伸為凡失去物之偁。凡手中遺落物當作此字，今乃用脫為之，而奪為爭。」銘文中奪作人名，如「奪作父丁寶僔彝」（奪壺）。

金

奪簋

奪壺

奮　雈　雚

奮，金文作[glyph]。小篆變衣為大，作[glyph]。《說文》：「奮，翬也。从奞在田上。《詩》曰：不能奮飛。」翬，大飛也。奮在銘文中作人名，如「令眔奮先馬走」（令鼎）。奮，由本義奮飛引申為奮鬥之奮。

（金）

[glyph] 令鼎

（漢印）

[glyph] 虎奮將軍章

[glyph] 夏奮

[glyph] 賈奮

[glyph] 辛奮之印

[glyph] 王奮

雈，甲文作[glyph]，象鳥頭上有毛角之形。卜辭中有作地名的，如「貞婦姘田雈」（甲三〇〇二）。也有作人名的，如「乙未卜御子媿于母雈」（前六·四四）。對卜辭「丁亥由雈」（甲四四四），陳夢家讀為收穫之穫。小篆作雈。《說文》：「雈，鴟屬，从隹从𦫳，有毛角。所鳴其民有旤。……讀若和。」

（甲）

[glyph] 鐵一二一·二

[glyph] 拾二·三

[glyph] 前一·十六·五

[glyph] 後下·六·九

[glyph] 林二·十三·九

雚，甲文作[glyph]，此字在[glyph]上加兩口，為讀音，其義仍為頭上有毛角的鳥，因此雈、雚可為一字。卜辭中雚可假為觀，如「往雚（觀）河不若」（乙一七·一九）。可作祭名，如「乙未卜爭來辛亥酒雚匚于祖辛」（乙二七二八）。金文作[glyph]，亦假作祭名灌，如「王雚于嘗」（效卣）。小篆作雚。《說文》：「雚，小爵也。从雈，吅聲。」《詩·豳風》：「雚鳴于垤。」即用其本義，作鳥名。

舊 舊

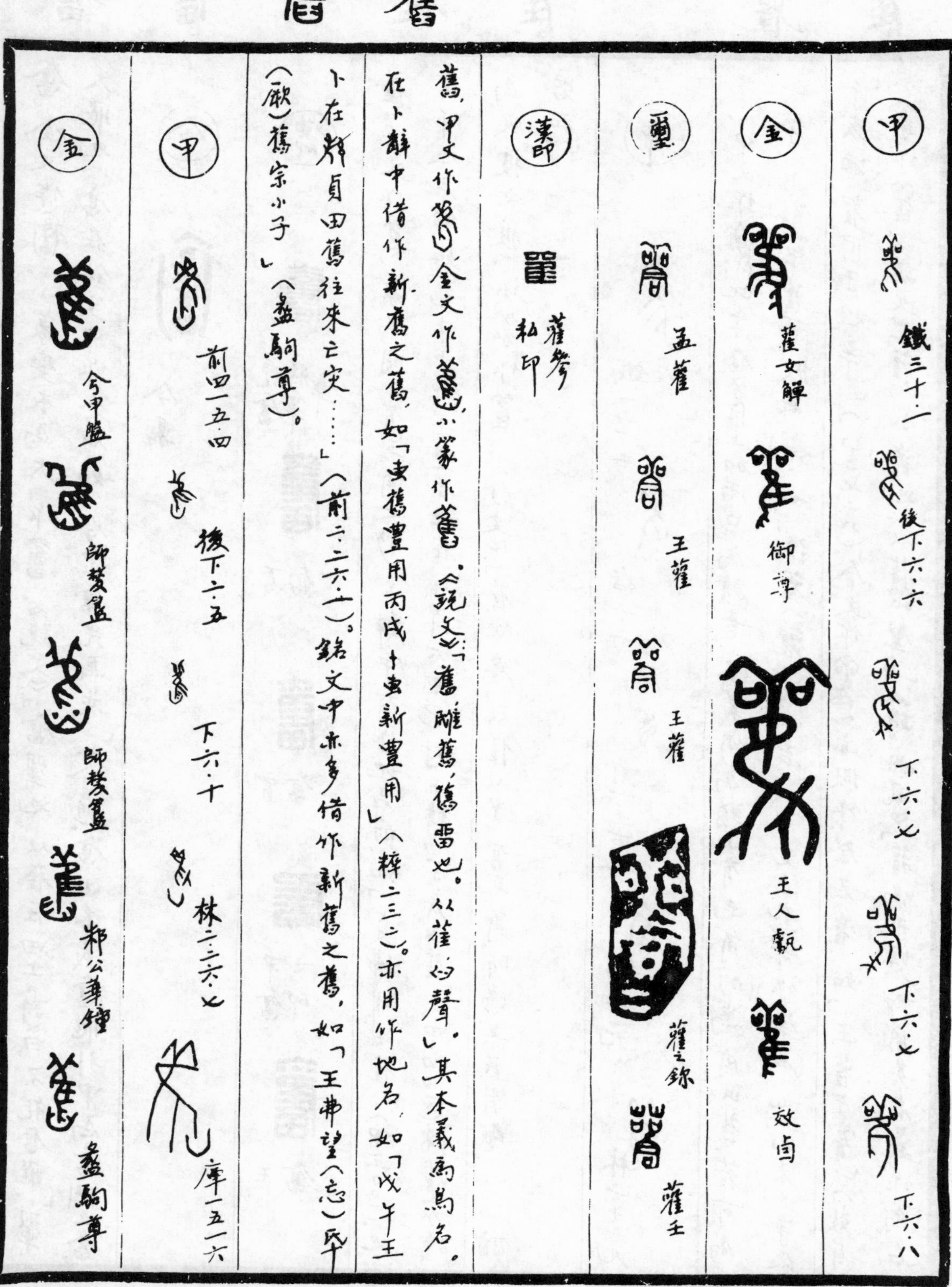

舊，甲文作𦾔，金文作舊，小篆作舊。《說文》：「舊，雖舊，舊留也。从萑，臼聲。」其本義爲鳥名。在卜辭中借作新舊之舊，如「叀舊豊用，丙戌卜，叀新豊用」（粹二三二）。亦用作地名，如「戊午王卜在𢦏貞田舊，往來亡災……」（前二·二六·一）。銘文中亦多借作新舊之舊，如「王弗望（忘）氒（厥）舊宗小子」（盠駒尊）。

蔑 蔑 羊 羊

漢印

舊石私印

蔑，甲文作𦫳，金文作蔑，小篆作蔑。《說文》：「蔑，勞目無精也。从苜，人勞則蔑然，从戍。」甲金文實从苋从戈。卜辭中多作人名，如「乙亥卜𣪊貞出伐于黃尹，亦出于蔑」（前一五二·三）。銘文中常有「蔑歷」兩字，蔑可通作勉，為勉勵、嘉獎，歷是經歷，引申為功績，故「蔑歷」可作「嘉獎有功績之臣」。在文獻中蔑還訓無、訓滅等不同意義。

甲

前一·四九·三

前一·四九·三

前一·四九·三

前五·三九·二

佚七七七

金

录簋

適甗

保卣

段簋

封簋

璽

孫蔑

羊，甲文作𦍌，金文作𦍌，是一隻有角有耳的正面羊頭，以表整個羊。卜辭中除作牛羊之羊外，還通作祥，如「不羊雨二月」（前四·四九·三）。銘文中有作人名的，如「羊作父乙寶尊彝」（羊卣）。小篆作羊。《說文》：「羊，祥也。从𦍌象頭角足尾之形。孔子曰：牛羊之字，以形舉也。」

羔

甲

捨一·三

前四·五十·五

後上二三·四

下三十·七

戩四一·五

金

羊卣

夨羊爵

盂鼎

羊則車觚

羊父癸觶

璽

千羊

千羊

千羊

千羊

羊

千羊

漢印

羊咸之印

羊真

羊讓

羊長孺

羊印舜

漢金

蜀郡嚴氏富昌洗

吉羊洗

吉羊洗

嚴氏造作洗

羔，甲文作[甲骨字形]，象羊在火之上。卜辭多作地名，如「貞史人于羔」（前一·五〇·六）。金文作[金文字形]，小篆作[小篆字形]。《說文》：「羔，羊子也。从羊，照省聲。」羔原从羊从火，「照省聲」不確。

羔　羣　羣

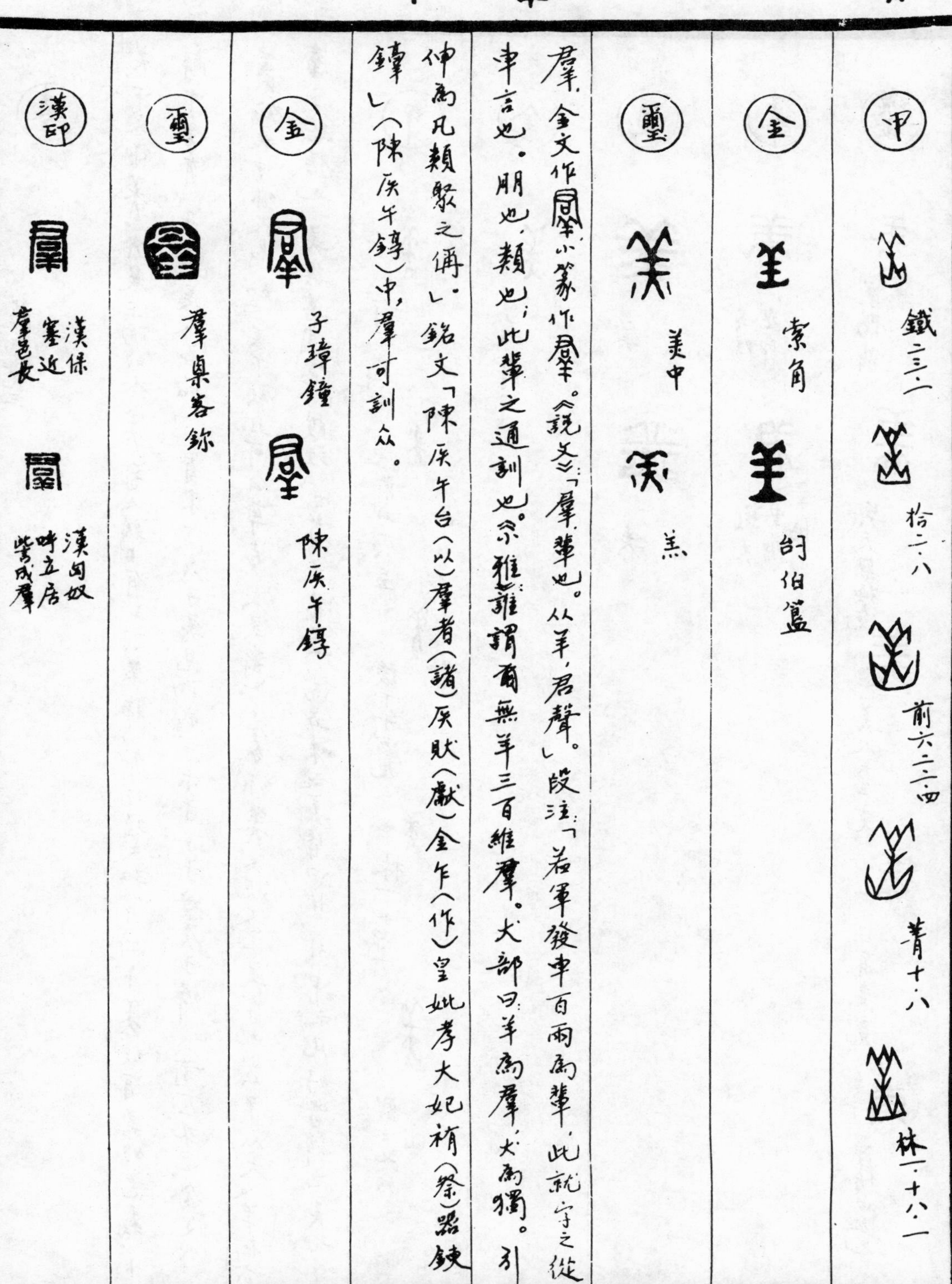
(甲) 鐵二三·一　拾二·八　前六·二二·四　菁十·八　林一·十八·一

(金) 索角　刣伯簋

(璽) 羔中　羔

羣，金文作[glyph]，小篆作羣。《說文》「羣，輩也。从羊，君聲」。段注「若軍發車百兩為輩，此就字之從車言也。朋也，類也，此輩之通訓也。尔雅：誰謂爾無羊三百維羣。犬部曰：羊為羣，犬為獨。引伸為凡類聚之偁」。銘文「陳侯午台(以)羣者(諸)侯貼(獻)金乍(作)皇妣孝大妃祐(祭)器錞鐘」(陳侯午錞)中，羣可訓众。

(金) 子璋鐘　陳侯午錞

(璽) 羣臬客鉨

(漢印) 漢保塞近羣邑長　漢匈奴呼丘居訾成羣

美 美

漢金

𦍋 龍氏竟三

美，甲文作美，大是正面的人，美象人頭上有毛羽裝飾，有的頭上加筭寫作美，故有美的意義。卜辭中常有「子美」是人名，如「卜貞來丁亥子美見氏歲于示于丁于母庚于婦」（前一·二九·二）。金文作美，銘文中作人名，如「美乍厥且可公尊彝」（美爵）。小篆作美。《說文》「美，甘也。从羊从大。羊在六畜主給膳也。美與善同意。」段注「甘者五味之一，而五味之美皆曰甘。引申之凡好皆謂之美。」

甲

美 前一·二九·二

美 前五·十八·五

美 後下十四·九

美 林一·十四·一

美 戩三七·八

金

美 美爵

璽

美 美

美 美

漢印

美 美陽丞印

美 顯美里附城

漢金

美 美陽鼎

美 與天無極竟

美 美人大王竟

美 日有熹竟

美 精白竟

羌　羌　羴

羌，甲文作𦍌，象一個頭戴羊角的人，或作𦍋象用繩索縛紮羌人。卜辭中多作人牲或俘虜，如「羌十人卯宰一㞢一牛」（佚一五四）。金文作羌，銘文作人名，如「羌作父己寶尊彝」（羌尊）。小篆作羌。《說文》「羌，西戎牧羊人也。从人从羊，羊亦聲。……𢍏古文羌如此」。甲文从人不从儿，𢍏作古文羌，甲金文中無見。

甲
- 𦍌 鐵三一·三
- 𦍌 餘七·一
- 𦍌 拾二·三
- 𦍌 後上三·十六
- 𦍌 菁三·一

金
- 羌 𪉯羌鐘
- 羌 鄭羌伯鬲
- 羌 羌尊

璽
- 羌 王羌

漢印
- 羌 新西國安千制外羌佰右小長
- 羌 征羌國丞
- 羌 魏率善羌佰長
- 羌 王羌私印
- 羌 擇地羌王

漢金
- 羌 龍氏竟二

羴，甲文作𦍩或𦍩，金文作羴，象多羊，可表羊群。卜辭中似爲人名或方國名，如「口子卜羴其史眔沚」（金六六三）。銘文中作單字的爵文或鼎文。小篆作羴。《說文》：「羴，羊臭也。从

羴　雔　雔　靃　靃

三羊」。羊臭是引伸義，因羊多而成羊臭。

(甲)

鐵十六.二

餘六.二

拾五.三

前一.三五.一

林二.十三.十

(金)

爵文

鼎文

雔，金文作𠦪，象兩鳥相對之形；小篆作雔。《說文》「雔，雙鳥也。从二隹。」段注：「按《釋詁》仇、讎、敵、妃、知、儀，匹也。此讎字作雔，則義尤切近。若應也、當也、讎物價也、怨也、寇也，此等義則當作讎，度古書必有用雔者，今則讎行而雔廢矣。」銘文中雔亦可作配匹之義，如「雔父辛」（父辛觶）。

(金)

父癸爵

卯郊觚

父丁觶

父辛觶

趩罍

靃，甲文作靃，金文作靃，小篆作靃。象眾鳥在雨中飛。《說文》：「靃，飛聲也。雨而雙飛者，其聲靃然。」从雨雔，會意，不能表飛聲。「飛聲」是引伸義。也引伸為揮霍義。卜辭中靃作地名，如「癸亥卜在靃貞王旬亡禍」（續三.二九.四）。銘文中作人名，如「靃乍乙公寶鼎」（靃鼎）。今簡化為霍。

雧 集

甲

前二·十五·七

前五·三五·五

菁十·五

珠四九二

乙七七四六

金

弔男父匜

霍鼎

漢印

霍印君賓

霍武

霍拾之印

霍㩳

霍守印

漢金

霍壺

雧，甲文作[glyph]，金文作[glyph]，象一隻鳥停息在樹枝上。故本義鳥棲，後引申作聚。卜辭中似作聚集義，如「囗夢集囗鳥」（佚九一四）。銘文中有作人姓名，如「集俗作文癸寶尊彝」（集俗簋）。小篆變作[glyph]。《說文》：「雧，羣鳥在木上也。从雥从木。集，雧或省。」集本非雧省，應把雧作為集之別體。

甲

前五·三七·二

後下六·三

佚九一四

粹一五九一

乙一九五六

鳥

（金）
作父癸卣
父癸爵
集僣簋
毛公鼎

（漢印）
集降尹中後侯
新成順得單右集之印

（漢金）
新嘉量

鳥，甲文作，金文作，小篆作。《說文》：「鳥，長尾禽總名也。象形。鳥之足似匕，从匕。」字象有頭羽足尾的側面鳥形。卜辭中有作星名，稱為「鳥星」（乙六六六四）。還有作人名，如「甲戌貞令鳥……」（甲八〇六）。亦作地名，如「……友于鳥」（京二四九五）。

（甲）
鐵四三·三
拾十三·七
前四·四二·五
前七·二三·二
後下十八·七

（金）
鳥且癸簋
子口弄鳥

（漢印）
鳥屋侯

鳳 [小篆]

漢金

[鳳] 周王巨唐竟

[鳳] 張氏竟二

[鳳] 青羊竟

[鳳] 尚方竟

[鳳] 又三

鳳，甲文作[甲文]或[甲文]，字象頭上有毛冠的鳥形，加凡為聲符。卜辭中假用為風，如「其遘大鳳」（粹八三三）。小篆作[小篆]。《說文》：「鳳，神鳥也。天老曰：鳳之象也，鴻前麐後，蛇頸魚尾，鸛顙鴛思，龍文虎背，燕頷雞喙，五色備舉。出於東方君子之國，翺翔四海之外，過崑崙，飲砥柱，濯羽弱水，莫宿風穴，見則天下大安寧。从鳥凡聲。𠘱古文鳳，象形。鳳飛羣鳥从以萬數，故以為朋黨字。」本義為鳥名。風、朋是其假借義。

甲

[甲文] 鐵四·四

[甲文] 鐵百六·二

[甲文] 拾七·九

[甲文] 拾七·十三

[甲文] 後上·十四·八

漢印

[鳳] 龐鳳

[鳳] 向鳳私印

[鳳] 紀鳳

[鳳] 蘇鳳

[鳳] 周鳳私印

漢金

[鳳] 五鳳尉斗

[鳳] 建武泉范

[鳳] 張氏竟二

[鳳] 鳳皇竟

鳴

鳴，甲文作[甲文]，金文作[金文]，小篆作[小篆]。《說文》：「鳴，鳥聲也。从鳥从口。」卜辭作人名，如「子鳴比王吏西」（京二二二〇）。本義為鳥叫。引伸泛指發聲，如「雷鳴」。也引伸作敲，如「鳴鼓」、「鳴鐘」。

鳴 烏

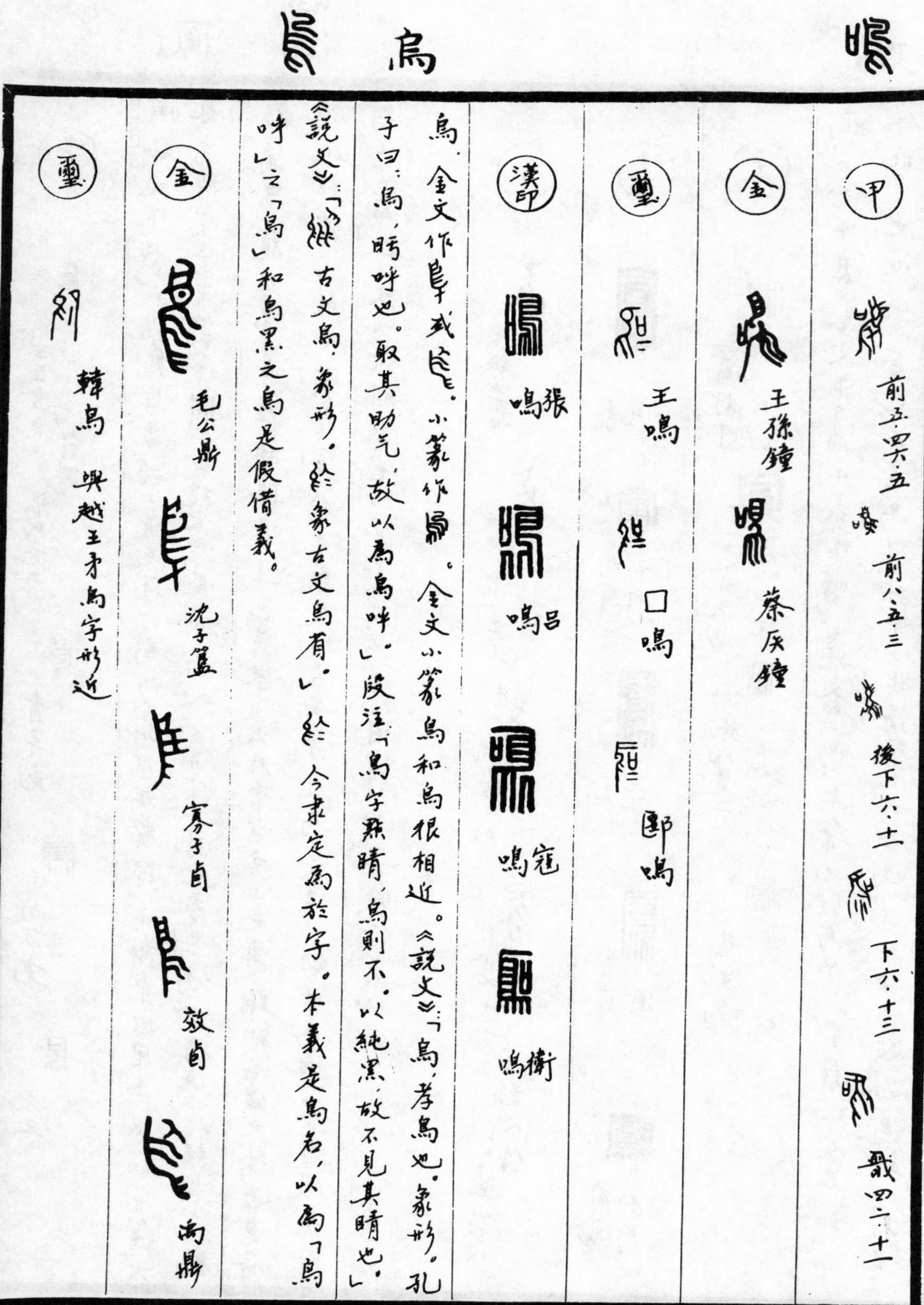

甲　前五·四六·五　前八·五·三　後下六·十一　下六·十三　戩四二·十一

金　王孫鐘　蔡侯鐘

璽　王鳴　口鳴　鄭鳴

漢印　張鳴　呂鳴　寇鳴　衛鳴

烏，金文作　、　。小篆作　。金文小篆烏和鳥很相近。《說文》：「烏，孝鳥也。象形。孔子曰：烏，盱呼也。取其助气，故以為烏呼。」段注：「鳥字點睛，烏則不。以純黑，故不見其睛也。」《說文》：「　，古文烏，象形。　，象古文烏省。」今隶定為於字。本義是鳥名，以為「烏呼」之「烏」和烏黑之烏是假借義。

金　毛公鼎　沈子簋　寡子卣　效卣　禹鼎

璽　韓烏　與越王矛烏字形近

畢

漢印

烏國右尉　烏傷空丞印　漢保塞烏丸率眾長　漢保塞烏桓率眾長　魏烏桓率善佰長

漢金

烏氏鼎　大騩權　元年詔版　兩詔橢量　清銅竟

畢，金文作畢，小篆作畢。《說文》「畢，田网也。从華，象畢形，微也。或曰由聲。」羅振玉曰：「卜辭諸字正象网形，下有柄，即許君所謂象畢形之華也。但篆文改交錯之網為平直相當，于初形已失。後人又加田，於是象形遂為會意。」（金文詁林二四五一頁）甲文中有個𠂹似即畢字，加田表明用畢田獵，是其本義。借作地名，人姓，如「西安府咸陽縣北五里有畢原」（春秋大事表），「余畢公之孫」（郘鐘）。

金

段簋　畢鮮簋　倗仲鼎　史䢅簋　邾公華鐘

漢印

畢當邑　畢忠家　畢弘之印　畢光之印　畢鴻私印

漢金

畢　青羊畢少郎葆調

棄　冓　冓

棄，甲文作[glyph]，金文作[glyph]，象用雙手把箕中的嬰兒拋棄。卜辭中有的作方國之名，如「不若棄方」（後下二一·四）。小篆作[glyph]。《說文》：「棄，捐也」。从廾推芏棄之。从𠫓，𠫓，逆子也。[glyph]古文棄。[glyph]籀文棄」。此爲引伸義。

甲　[glyph] 後下七·十三　[glyph] 下二一·十四

金　[glyph] 散盤

璽　[glyph] 宋弃疾　[glyph] 畋弃

冓，甲文作[glyph]，象兩條魚相遇之形。故有遘遇之義。卜辭中亦多作遘遇之義，如「冓方不隻」（前八·二六·五）。金文作[glyph]。銘文中有作人名的，如「冓乍寶障彝」（冓卣）。有用作媾的，如「兄弟諸子婚冓無不喜」（晉𠂤多父盤）。小篆作[glyph]。《說文》：「冓，交積材也」，象對交之形。」

甲　[glyph] 鐵七四·三　[glyph] [glyph] 前一·四十·五　[glyph] 後上二六·六　[glyph] 上三二·一　[glyph] 戩四二·二

再 再 爯

（金）

冓𢍰

厝帀多父盤

（甲）

前七·一·三

（金）

屭羌鐘

陳璋壺

再，甲文作，从二从。是魚，則再為兩條魚，引申為兩，重複之義。金文作，小篆作再。《說文》：「再，一舉而二也。从冓省。」銘文中亦作二，如「唯廿又再祀」（屭羌鐘）。

爯，甲文作，金文作，象手提魚之形。卜辭云「沚戠爯冊……」（前七·二五·一），于省吾曰：「沚戠為人名，爯稱古今字，冊經典通用策。爯冊之義舊無釋。按稱謂述說也，冊謂冊命也……沚戠為武丁時主冊命之臣，故征伐方國，沚戠必先爯述冊命也」（駢續十四頁）。銘文中爯多作人名，如「爯作日父丁障彝」（爯罍）。小篆作爯。《說文》：「爯，并舉也。从爪冓省。」此為引伸義。

（甲）

鐵百三·二

前五·二三·二

後上十八·四

下十二·十四

林二·十一·十四

（金）

爯簋

仲爯簋

爯罍

幺　幼　丝

幺，金文作8，小篆作𠂤。《說文》：「幺，小也。象子初生之形。」許說不確，此8即糸之初文，是細線，非子初生之形。引伸為細小。銘文中用作玄，如「錫女幺（玄）衣黹屯」（頌簋）。

㊎

8　父癸爵

8　𠂤壺

8　師奎父鼎

8　敔簋

8　頌鼎

幼，甲文作[glyph]，象手臂上掛根細小絲線，以示手力之小。卜辭中用作人名，如「𠱠貞幼漁在……」（後下三五．二）。小篆作𠢊。《說文》：「幼，少也。从幺从力。」

㊙甲

[glyph]　後下三五·一

[glyph]　庫一八七

[glyph]　明二四五

漢印

[glyph]　秦幼印

[glyph]　李幼文

[glyph]　任幼公印

[glyph]　杜幼子

[glyph]　宛幼卿印

丝，甲文作88，金文作88，小篆作𢆶。象兩股細絲線，亦即絲的本字。卜辭銘文中皆用作茲，如「癸亥卜㱿貞丝（茲）雨隹若」（乙二二八五）「乍丝（茲）寶段（簋）」（陳助簋）。《說文》：「丝，微也。从二幺。」訓微小是引伸義。

甲

88　鐵一七八·二

88　拾七·三

88　前一·九·七

88　前一·二一·四

88　菁三·一

幽

金 伯康簋 禹父盤 陳猷釜 曾姬無卹壺 陳財簋

幽，甲文作，从火从𢆶。𢆶，微小也」。即不亮的微小之火。幽，可通黝，黑也。卜辭中幽，假爲黝，作黑色義，如「𢆶幽牛𡳾黃牛」（粹五四九）。金文作，銘文中幽用作玄，如「易女赤芾幽（玄）黃，攸勒」（柳鼎）。小篆作。《說文》「幽，隱也。从山中𢆶，𢆶亦聲」。訓隱，是其引申義。

甲 後下九·五 乙七一二二 粹五四九 粹五五〇

金 召伯簋 康鼎 弔向簋 伯𩁹簋 盠方彝

璽 高幽信鉨

漢印 幽州刺史 所幽白記

漢金 凶 音作竟三 山 音作竟

叀 叀　疐 疐

叀，甲文作叀，金文作叀。本義難明。專字作專。專，紡專，字象手轉動紡塼之形。那麼叀字作叀，可由此推斷，叀是塼的本字。卜辭中假作語助詞「惟」，如「貞叀令甲子嗇」（藏十三．四）。銘文中用為惠，如「虔夙夕叀（惠）我一人」（毛公鼎）。亦有作人名的，如「叀乍父戊寶尊彝」（叀貞）。小篆作叀。《說文》：「叀，小謹也。从幺省，屮，財見也，屮亦聲。……叀古文叀，叀亦古文叀。」

（甲）
鐵十二．二
拾三．五
後上十九．七
下十六．五
戩六．十一

（金）
彔伯簋
叀父戊簋
虢叔鐘
鬲比盨
克鼎

（漢印）
扶叀私印

疐，甲文作疐或疐，象兩人立田中，屮為農作物，本義難明，似與種田有關。卜辭中作地名，如「戊戌王卜貞田疐往來亡災」（前二．三九．一）。金文作疐，銘文作器者名，如「疐乍寶尊彝」（疐貞）。小篆改作疐。《說文》：「疐，礙，不行也。从叀，引而止之也。叀者，如叀馬之鼻，从此與牽同意。」甲金文不从叀，此說僅據小篆。

（甲）
前二．二七．八
前二．三九．二
前二．三九．三
京都一九五七
存二三三六

爰

金：叀卣　叀尊　叀甗　秦公簋　井人鐘

爰，甲文作𠬪。ㄨㄨ是兩手，丿是引取之物，𠬪象兩手有所引取物器之形。卜辭中多作人名，如「貞呼爰」（摭續二七〇）。金文作爰。銘文「王各周廟宣廟爰饗」（虢季子白盤）中，爰似皆用為虛字，作「於是」意。亦作量詞，如「寽絲五十爰」（辛伯鼎）。小篆作爰。《說文》：「爰，引也。从受从于。」籀文以為車轅字。爰是援的本字，爰作虛詞後，再造出援字。

甲：後下三十·十六　甲二七五四　乙三七八七　燕三〇　明藏二二四

金：辛伯鼎　虢季子白盤　散盤

璽：司馬爰

漢印：爰輔之印　爰當户印　爰良私印　爰世私印　爰壽

漢金：大良造鞅方量

𤔔　受

𤔔，金文作　，字象上下兩手在整理架子上的散亂之絲。周谷城曰：「象兩手相向把一根一根的散絲搓攏去，決不是把一團亂絲來分開。至今我們家鄉的女子謂績麻爲織麻。俗話有所謂織麻績線者，故亂字的基本意義實在是結合，凡團結、終結、綜結等，是它的最原始的意義。」（古史零證）小篆作　。《說文》：「𤔔，治也，幺子相亂，𠬪治之也。讀若亂，一曰理也。　古文𤔔。」故理絲是本義，治理是引申義。

金

彔伯簋

毛公鼎

受，甲文作　，金文作　，小篆作　。《說文》：「受，相付也。从𠬪，舟省聲。」甲金文从舟形，不省。用作授，如「帝受祐」（丙二四）、「貞東土受年」（人文八四）、「王受乍冊尹者（書）」（免簋）。受授兩字，古皆作受。《說文》：「授，予也。从手从受，受亦聲。」受祐，即給予保佑。

甲

鐵二四三　後上九·十　下二七·十四　林一·三·九　戩一·五

金

尊文　亞受且丁尊　盂鼎　頌壺　國差𦉜

寽　受　敢　[illegible]

漢印

受　臣受

受　李受

受　王受

受　李受

受　郭受私印

漢金

受　新嘉量二

受　安陵鼎蓋

受　上林量

受　竟寧雁足鐙

受　角王巨虛竟

寽，金文作[古文字]或[古文字]。小篆作[古文字]。《說文》「寽，五指持也。从受，一聲。讀若律」。段注「凡今俗用五指持物引取之曰寽」。銘文中假作鋝，為重量單位之名稱，如「王易(賜)金百寽」(禽簋)。

金

寽　毛公鼎

寽　師旂鼎

寽　𧽊簋

寽　呂鼎

寽　趞簋

敢，金文作[古文字]，或[古文字]，象用手去捉丮(動物之形)，以示人之勇敢，甘為聲符。小篆變作[古文字]。《說文》「敢，進取也。从受，古聲。[古文字]，籀文敢，[古文字]，古文敢」。敢，今作敢。用為助動詞，如「女(汝)母(毋)敢妄寍」(毛公鼎)。

金

敢　盂鼎

敢　毛公鼎

敢　令簋

敢　頌鼎

敢　今甲盤

璽

敢　[illegible]□敢

敢　䜌敢

死  冎

漢印

真敢

母留敢印

許敢生印

王敢私印

漢金

新鄭兵符

死，甲文作，金文作。羅振玉曰：「从象人跪形。生人拜於朽骨之旁。」（增考）假為生死之死，屍體之屍，如「……夕死……」（甲一一六五）、「迺紹夾死（尸）嗣戎」（盂鼎）。屍，主也，死嗣戎即主司戎，主持管理戎之事也。小篆作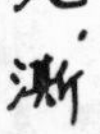。《說文》：「死，澌也，人所離也。从歺从人。……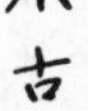古文死如此。」

甲

前五·四一·三

後下四·十六

甲一一六五

乙一〇五

金

競簋

追簋

兮甲盤

卯簋

齊鎛

漢印

馮辟死

薛死

連辟死

冎，甲文作，于省吾曰：「甲骨文字本象骨架相支撐之形，其左右的小豎劃，象骨節轉折處突出形。金文薛字从骨作，係从肉冎聲的形聲字。象形字再加形符變作

冎　肉　膏　胾

形聲，乃文字孳乳之慣例。《說文》謂骨「从冎有肉」，誤以形聲為會意。西周器過（過）伯簋和過伯爵的過字所从的冎，與甲骨文同形。冎既為古文骨字的初形，骨、過雙聲（并見紐一等字）。故過从骨聲。古鉩文「陰滑」之滑右从骨作[glyph]，為小篆所本。」（釋林）　于說甚是。小篆作冎。《說文》「冎，剔人肉，置其骨也。象形。頭隆骨也。」

(甲)　[glyph]　粹一三〇六　[glyph]　掇一·四三二

肉，甲文作[glyph]或[glyph]，小篆作[glyph]。象牲肉體中有肋骨形。[glyph]為肉體，丶丶為肋骨。卜辭云「丁酉卜……貞肉來[glyph]」（明一九二四），似為用肉用參搞祭卜活動。《說文》「肉，胾肉也。象形。」

(甲)　[glyph]　甲一八二三　[glyph]　乙一八八　[glyph]　乙二一一五　[glyph]　佚一一　[glyph]　佚九一五

膏，甲文作[glyph]，从高省，或又作[glyph]。卜辭中作地名，如「戊……（卜在）膏（貞今）月（亡畎）」（前二·一五·二）。小篆作[glyph]。《說文》「膏，肥也。从肉，高聲。」

(甲)　[glyph]　前一·三九·四　[glyph]　前二·十五·一　[glyph]　後下五·一

胾，甲文作[glyph]，金文作[glyph]，小篆作[glyph]。《說文》「胾，大臠也。从肉，𢦏聲。」胾為从肉从戈，以戈割肉是其本義。卜辭銘文中作祭名，是以肉祭祀，如「以共（供）胾棠」（裔肯鼎）。

𢦏　散　肯

甲

佚七三九

金

酓肯鼎

酓肯盤

酓志鼎

酓志盤

璽

口𢦏

散，金文作𢽳，小篆作𢻫。《說文》「散，雜肉也。从肉，㪚聲。」據金文字形，當从肉㪚，㪚，是手持物打擊竹菜，以致為分離之義。加肉，訓「雜肉」可从。銘文中多作國邑名，如散盤、散伯簋、散姬鼎。有人曾考證散是周王朝統轄下的小國，地在今陝西寶雞縣西南。

金

散伯簋

散盤

散姬鼎

散伯匜

羊皇朿戈

漢印

尚書散郎田邑

散胥之印

肯，金文作𠕖，小篆作肎。隸書亦作肯，與小篆不同。《說文》：「肯，骨閒肉肎肎箸也。从肉，从冎省。一曰：骨無肉也。」金文皆从止从肉，故「从冎省」不確。《莊子．庖丁解牛》：「技經肯綮之未

肎　刀　刀　利

嘗」。肯，即綮附于骨上的肉。綮，筋肉聚結處。而銘文中作楚王名，如「楚王酓肯作盤鉈鼎」（酓肯鼎）。

（金）　酓肯鼎　酓肯盤　酓肯簠　梁鼎

（璽）　西方肎　鄙肯　□肯　備肯　陳肯

刀，甲文作刀，小篆作刀。象有柄的刀形。《說文》：「刀，兵也。象形」。卜辭中刀作刀國名，如「癸卯卜刀方其出」（粹一一八八）。

（甲）　甲三〇八五　粹一一八四　粹一一八六　粹一一八八　掇一·四六三

（漢印）　刀印信都　刀豪　刀左車　刀澤　刀堯之印

（漢金）　膠東食官刀　廣漢郡書刀

利，甲文作利，金文作利，小篆作利。《說文》：「利，銛也。从刀，和然後利，从和省。《易》曰：利者義之和也」。字象用刀割禾，并有皮屑四濺之狀。故本義為割禾獲利，引申為利益之利，吉利之利。卜辭中亦作吉利義，如「其伐弋利，不利」（前二・三・一）。卜辭銘文中亦有作人名，如「利示六屯」（粹一五〇五）、如「利乍寶障䵼彝」（利簋）。

甲

前二・十八・二

前五・三二・五

後下十三・六

珠六七五

明一六八七

金

師遽方彝

利簋

利鼎

厝帀多父盤

缺鐘

璽

利高

利𦙶

任利

漢印

孔利之印

楊利

李氏大利

日利

利行

漢金

大吉日利壺

日利千萬泉范

日利泉范

大利千萬泉范

初　初　則

初，甲文作，金文作，小篆作。《說文》「初，始也。从刀从衣。裁，衣之始也。」卜辭銘文訓始，如「口王初口賓口改」（前五·三九·八）、「隹正月初吉丁亥」（齒壺）。

甲

前五·三九·八

後下十三·八

京津四九〇一

金

旂鼎

散盨

虢季子白盤

寡兒鼎

蔡大師鼎

漢印

王初

許初私印

遥印初宮

鄭初私印

綦毋初印

漢金

新嘉量二

元初元年洗

建初八年洗

永初元年洗

永初元年堂狼造作洗

則，金文作，从鼎从刀。小篆作。《說文》「則，等畫物也。从刀从貝。貝，古之物貨也。古文則，亦古文則，籀文則从鼎。」从貝爲从鼎之省變，从刀从鼎，以刀刻畫鼎文，故《說文》訓等畫

則　剛　剛

物。」段注：「等畫物者，定其差等而各為介畫也。今俗云科則是也。介畫之，故从刀；引伸之為法則；假借之為語詞。」銘文中有假為載的，如「用明則(載)之于銘」(屬羌鐘)。

(金)
[字形] 兮甲盤
[字形] 曶鼎
[字形] 召伯簋
[字形] 散盤
[字形] 格伯簋

(漢印)
[字形] 麗兹則宰印
[字形] 宰則
[字形] 沐生則
[字形] 董則
[字形] 李則之印

(漢金)
[字形] 旬邑權
[字形] 廿六年詔權
[字形] 廿六年詔權量
[字形] 廿六年詔版
[字形] 陽泉熏廬

剛，甲文作[字形]、[字形]，从刀网，象用刀斷网之形。金文作[字形]或[字形]，小篆作剛。《說文》：「剛，彊斷也。从刀岡聲。[字形]古文剛如此。」卜辭中有的作人名，如「癸酉卜貞剛其有疾」(前六.三八.一)。有的作祭名，如「壬申剛于伊奭」(後上二二.四)。銘文中作人名，如「剛乍寶尊彝」(剛爵)。

(甲)
[字形] 前四.三十.三
[字形] 後上二二.四
[字形] 上二三.四
[字形] 下七.十一
[字形] 戩四八.四

(金)
[字形] 剛爵
[字形] 散盤
[字形] 散盤
[字形] 禽志鼎
[字形] 禹鼎

劓　𠝹　刀　刃　㓞

漢印

劓甁右尉

口劓之印

高劓之印

李劓之印

王劓

漢金

佳銅竟

劓，甲文作，从刀从自，自是人鼻，以刀割鼻，劓刑也。金文作，小篆亦作。《說文》：「劓，刖鼻也。从刀，臬聲。《易》曰：天且劓。劓，劓或从鼻。」段注：「刖，絕也。《周禮》注曰截鼻。」

甲

鐵二五十·一

前四·三二·八

乙三二九九

燕一七三

金

辛鼎

刃，甲文作，是刀，丶為指事符號，表刀有鋒利之處。小篆作刃。《說文》：「刃，刀堅也。象刀有刃之形。」卜辭中作地名，如「丁卯卜𡧊貞王往于刃不冓雨」（前四·五一·二）。

甲

前四·五一

㓞，甲文作。戴侗《六書故》：「丰即契也。又作㓞，加刀，刀所以契也。又作契，大聲。古木有書先有契，契刻竹木以為識，丰象所刻之齒。」㓞契是古今字。小篆作㓞。《說文》：

㓞　耤　耤　角　角

「㓞，巧㓞也。从刀丰聲。」

(甲) 㓞 甲一一七。

耤，甲文作[glyph]，是耕地的農具耒，象人持耒耕地之形，金文加昔作音符，為[glyph]。卜辭中有「耤臣」之稱，即為種田的農奴，銘文中亦作耕種義，如「命女作司土，管司耤田」（䡴簋）。小篆作[glyph]。《說文》「耤，帝耤千畝也。古者使民如借，故謂之耤。从耒，昔聲。」此訓非本義。耤可作耕的本字。

(甲) [glyph] 前六·十七·五　[glyph] 前六·十七·六　[glyph] 前七·十五·三　[glyph] 後下二八·十六　[glyph] 菁十一·十九

(金) [glyph] 令鼎

角，甲文作[glyph]，金文作[glyph]或[glyph]，小篆作[glyph]。《說文》「角，獸角也。象形，角與刀魚相似。」甲文角，象獸角，小篆更變為[glyph]，故「角與刀魚相似」之說，誤解於小篆之形。卜辭、銘文中角為人名，或方國名，如「丁卯卜角其有」（鐵七一·三），「伯角父作寶盉」（伯角父盉）。

衡 衡

甲

鐵六二·三

前四·三五·二

前四·三五·三

菁二·一

林二·十二·五

金

角戊父丁鼎

鄂侯鼎

伯角父盉

弔角父簋

璽

輅角

衡(鄉)□角

事角

番角

□角

漢印

高角

杜角

庚角霸印

王角之印

莊角

漢金

角王巨宧竟

衡，金文作𧢻，字象人戴獸角行路之形。小篆作衡，《說文》：「衡，牛觸，橫大木其角。从角从大，行聲。《詩》曰：設其楅衡。奧古文衡如此。」衡，轅前橫木縛軛者，後假為縱橫之橫。

金

毛公鼎

番生簋

漢印

裦衡子家丞

張衡

費衡君

衡行印

衡涂人

（漢金）解 新嘉量二
解 新承水槃

解，甲文作[glyph]，象兩手解判牛角之形。小篆作解。《說文》「解，判也。从刀判牛角。一曰：解廌，獸也。」商承祚曰：「此象兩手解牛角，小篆其殘靡。卜辭从ㄅ之字或省从ㄅ，與刀形相似，而非刀字也。卜辭从[glyph]，篆文又省从手，由手又省作ㄅ，遂與刀形相混矣。」（類編四卷）

卜辭僅一例，而字殘泐，義不明。

（甲）[glyph] 後下二・五

（漢印）解 解尊
解 解孔
解 解遂
解 解定
解 解印子賓

（漢金）解 萬歲宮高鐙
解 延壽宮高鐙
解 臨虞宮高鐙三
解 又四

觴，金文作[glyph]或[glyph]，从爵，昜聲。爵，金文作[glyph]，象有口，有柱，有足的酒杯。小篆變爵為角，成觴。《說文》「觴，觶實曰觴，虛曰觶。从角，煬省聲。[glyph]，籀文觴，从爵省。」觴實爵的一種，是酒杯。金文原从爵，下面是爵足，篆書誤為角。銘文中借為人名，如「觴仲多作醴壺」（觴仲多壺）。孫詒讓認為觴假為唐，觴仲多即唐仲多。（述林）

(金)

觴仲多壺

觴姬作䵼嫼簋

常用古文字字典卷五

竹 竹 節 節

竹，金文作竹，小篆作竹。《說文》「竹，冬生艸也。象形。下垂者，箁箬也。」段注：「云冬生者，謂竹胎生於冬且枝葉不凋也。云艸者，爾雅竹在釋艸。」

（金）竹 中山王圓壺

（漢印）竹 縣竹長印　竹 文竹門掌户　竹 竹乘成

節，金文作節，小篆作節。《說文》「節，竹約也。从竹，即聲。」段注：「約，纏束也。竹節如纏束之狀。吳都賦曰：苞筍抽節。引伸為節省、節制、節義字。又假借為符卪字。」

（金）節 陳猷釜　節 子禾子釜

（漢印）節 守節男家丞　節 趙印雖節　節 張節　節 張節私印　節 節同

（漢金）節 楊鼎　節 張氏竟　節 龍氏竟二　節 刘氏竟　節 騶氏竟

簋 簋 簠 簠

簋，金文作𣪘，實㲉字。豆即食器豆，𣪘象手持物於豆中取食之形。小篆變作簋。《說文》：「簋，黍稷方器也。从竹从皿从皀。匭古文簋，从匚飢。𠚕古文簋或从軌。朹亦古文簋。」根據字形和實物，簋應是圓的。銘文作器名，如「用乍丁公寶㲉（簋）」（令簋）。

（金）𣪘 彔簋　𣪘 毛簋　𣪘 啬簋　𣪘 事族簋　𣪘 追簋

（漢印）朹 朹壽之印　朹 朹憲　朹 朹春　朹 朹適　朹 朹長功

簠，金文作匿，从匚，古聲。小篆作簠。《說文》：「簠，黍稷圓器也。从竹从皿，甫聲。匿古文簠，从匚从夫。」按實物，簠為長方。《周禮·地官·舍人》鄭注：「方曰簠，圓曰簋。」銘文中作器名，如「季良父作宗媜媵簠」（季良父簠）。

（金）匿 鑄子簠　匿 季良父簠　匿 虢弔簠　匿 陳侯簠　匿 大府簠

（璽）匿 賡匿（簠）　[古] 簠　匿 公孫簠

箙 　箕

（漢印） 　鄭𥳑之印

箙，《說文》：「箙，弩矢箙也。从竹，服聲。《周禮》：仲秋獻矢箙。」甲文作，金文作，象矢藏于箙中，此是箙的本字，有人釋為葡。小篆作𥳑。卜辭中「一牛」（粹五三三）的，讀作副，即䮠字，是一種殺牲之祭名。

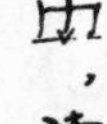

（甲） 
鐵二·四

（金） 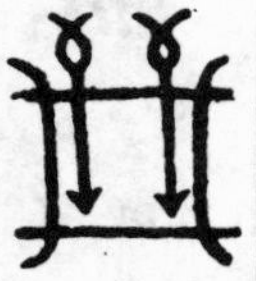
箙參父乙盉 
戉父癸甗 
父庚鼎 
父乙尊 
戈文

箕，甲文作，金文作，小篆作箕。《說文》：「箕，簸也。从竹，甘象形，下其丌也。……甘古文箕省。亦古文箕。亦古文箕。籀文箕。籀文箕。」由此可見，箕原為象形字作，甲金文與《說文》古文同。後增加丌和竹，成會意字。又假為語詞或代詞，如「貞今日不其雨」（續四·二一·六）、「其萬年孫孫子子永寶用享」（伯盂）。

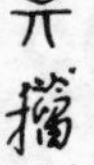

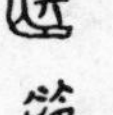

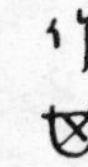

（甲） 
鐵一·二 
鐵一三五·四 
餘五·二 
後上十五·六 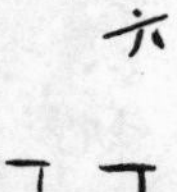
菁十·九

典

㊎ 母辛卣 沈子簋 盂鼎 仲師父鼎 毛公盤

（陶） 箕山（汗簡引尚書作笄與金文同）

（漢印） 箕 胡居 箕 定居 不其 國丞 魏其 邑丞 公其 壽王

（漢金） 其 大駝權 兩詔楕量 新嘉量 其 吾作竟二 清銅竟

典，甲文作𠕋𠬞，金文作𠕋丌，象雙手捧册放于基上。𠕋象用繩扎的竹木簡，丌或二，是薦物之具。小篆作典。《說文》「典，五帝之書也。从册在丌上，尊閣之也。莊都說典大册也。𥫩古文典，从竹。」卜辭中有「工𠕋𠬞」（殷虛七八九），工假爲貢，即「貢獻典册」。（據于省吾《駢續》）

（甲） 後上一〇·九 前二·四〇·七 河七六〇 佚九三一

㊎ 召伯簋 格伯簋 克盨 井侯簋 羽父丁觶

（璽）
顛里奠

（漢印）
成紀子奠祠令
奠虞司馬
夏架奠農
廣奠衛令
王奠私印

奠，甲文作酉，金文作奠，象置酒於基上。小篆作奠。《說文》：「奠，置祭也。从酋，酋，酒也。下其丌也。」禮有奠祭者。因以酒享祖神，故為祭也。卜辭銘文中有假為鄭，作地名的，如「𠂤在之奠」（鐵一六八三），「奠伯大嗣工召叔山父作旅簋」（召叔山父簋）。

（甲）
鐵五·四
拾十·二
後下三四·三
下三六·三
林二·七·三

（金）
弔向簋
克鐘
大作大仲簋
召弔山父簋
鄭井弔甗

（璽）
奠（鄭）口

左，甲文作𠂇，象人的左手。金文作左，小篆作左。《說文》：「左，手相左助也。从𠂇工。」本義是左手，假為左右之左和輔佐之佐，如「左右武王」（晉公𥂴），「是用左（佐）王」（號

左

工　工

季子白盤)。

(甲)　後下五·一五　粹五九七

(金)　虢季子白盤　晉公盨　東周左師壺　徐公壺　矢方彝

(璽)　左狃　左老　口口左攼　左軍丞鄒　左口後

(漢印)　左吉　左累　左戎私印　左長孫印　左朝

(漢金)　元年詔版　公主家鼎　杜鼎　元始鈁　漢善銅竟

工。甲文武丁時作石，祖庚祖甲以後作工。金文作工、工，象斧頭之形。卜辭中有的作官名，如「多工衛」(甲一一六七)。有的作地名，如「貞勿令在北工奴人」(續五·二六·九)。銘文中有的訓官，「百工」即「百官」。有的引伸作功，如「立工(功)于成周」(史獸鼎)。小篆作工。《說文》：「工，巧飾也。象人有規榘也。與巫同意。」對照甲金文許訓難通。

巨

甲

中一六一

拾一四·七

前一·四十·七

前三·六·五

後上二一·三

金

司工丁爵

矢方彝

史獸鼎

散盤

虢季子白盤

璽

平陰都司工

鄗郘都司工

都行士鉨

工

口都司工

口口司工

漢印

左工室印

工情私印

工師長孫

巧工司馬

漢金

上林鼎二

鄭㝢鼎

菑川鼎二

陽平家鐙

建平鈁

巨：金文作巨或𢀜，小篆作巨。《說文》：「巨，規巨也。从工，象手持之。榘，巨或从木矢，矢者其中正也。㔬，古文巨。」金文𢀜象人持矩。巨可爲矩之本字。銘文中作人名，如「伯矩作寶彝」（伯矩鼎）。

金

鄦侯簋

伯矩簋

矩尊

矩弔壺

伯矩卣

巫

璽

公孫矩(巨)

漢印

巨灵千万

巨韋季春

郭巨言事

趙巨君

翠印巨君

漢金

巨札鐘

巨方鈎

大吉壺

角王巨虛竟

巫，甲文作，金文亦作，甲金文皆作，象古代女巫所用道具。小篆變作巫。《說文》「巫，祝也。女能事無形以舞降神者也。象人兩褎舞形，與工同意。古者巫咸初作巫。……𢓊，古文巫。」據小篆訓「象人兩褎舞形」不確。卜辭中有的作神名，如「巫帝一犬」（甲二一六）。

甲

甲二一六

餘一五·三

拾一·一

粹一〇三六

京都三二二一

金

齊巫姜簋

漢印

巫息私印

巫信平印

巫馬尚印

巫訢私印

巫左

甘　猒

甘，中文作甘。口中一為指事符號，表口中所含食物之形。小篆作甘。《說文》：「甘，美也。从口含一，一，道也。」卜辭中作地名，如「貞王往于甘」（後上十二·五）。

（甲）甘 前一·五二·五　甘 後上十二·四　甘 上十二·五　甘 明藏一三六　甘 乙四六二七反

（璽）甘 甘皮　甘 甘口　甘 甘　甘 口甘

（漢印）甘 甘陵庖丞　甘 甘承私印　甘 常甘　甘 甘卅大利

（漢金）甘 承安宮鼎　甘 又二　甘 池陽宮行鐙

猒，金文作猒，小篆作猒。《說文》：「猒，飽也。从甘，从肰。猒，猒或从㠯。」猒字義是飽足，从犬口含肉，是會意字。後加厂作厭，借作厭惡之厭，于是再加食作饜。由此可知，猒、厭、饜三字是古今字。郭沫若曰：「猒如今人言滿足。《書·洛誥》曰萬年猒于乃德。毛公鼎：曰皇天弘猒氒德。叔夷鐘：曰余弘猒乃心。」（兩攷四十八頁·沈子𣪕）亦孳乳為厭，如：「見猒（厭）于公」（沈子簋）。

曰

㊎ 沈子簋　毛公鼎　商獻簋

曰，甲文作曰，金文作曰，小篆作曰。《說文》：「曰，詞也。从口，乙聲。亦象口气出也。」高鴻縉曰：「甲文篆文俱象聲气在口上，金文與隸楷俱象聲气在口中，均得以示曰字之意。然聲不可象，气之形不必為一，而以一表之者，假想之象也。假象非實象，故為指事而非象形。動詞，曰與後起之說，應是同音同義之古今字。《說文》：「說，說釋也。从言，兑聲。一曰談說。」今按說應以談說為本義，以其从言也。以悅懌為通段意。《論語》：「不亦說乎？」說實通以代兑，兑即後世悅字之次初字也。最初字為㕣。」（字例三篇）

㊙甲 鐵二一　餘十六．二　前一．九．七　菁九．八　林一．六．二

㊎ 古伯尊　曶鼎　散盤　陳猷釜　者汈鐘

漢 杜鼎　新成鼎　銷鼎

曹

曹，甲文作曹，金文作曹，不明初意。卜辭中作地名，如：「壬寅卜在曹貞王徙于口亡災」（前二·五）。郭沫若曰：「當是衛之曹邑《左傳閔二年》：『立戴公以廬于曹』者也。《詩》作漕，《邶風擊鼓》：『土國城漕』，又《泉水》：『思須與漕』，《衛風·載馳》：『言至于漕』，毛傳云：『衛東邑』。今河南滑縣南白馬城即其地。」（卜通）小篆作曹。《說文》：「曹，獄之兩曹也，在廷東。从棘，治事者，从曰。」

（甲）
前二·五·五
珠四一四

（金）
趙曹鼎
曹公子戈

（璽）
曹屑
曹
鄸口口
鄸[illegible]
鄸紀

（漢印）
曹丞仲承
曹印辟兵
曹係
曹巷私印
曹誼

（漢金）
曹氏量
曹 光和斛二

乃　𠄎　卣

乃，甲文作　，金文作　，小篆作　。不明初意。郭沫若認為乃是奶的初文，朱芳圃認為乃是繩的初文。《說文》：「乃，曳詞之難也。象气之出難也。……　古文乃，　籀文乃。」卜辭銘文中用作第二人稱「你」，如：「戊戌卜殼貞王曰侯虎往余不𣏟其合以乃事歸」（菁七·二）、「用壽于乃考」（大作大仲簋）。後用作副詞，相當于「於是就」，如「知彼知己，勝乃不殆。」（孫子兵法）

甲：前四·四五·二　前五·三十·三　後下·三六·三　菁三·一　菁七·一

金：乃孫作祖己鼎　𢑚壺　盂鼎　克鼎　令鼎

漢印：郝乃始　解乃　羊乃始印　趙乃始　毛乃始

漢金：大騩權　廿六年詔權　廿六年詔精量　兩詔精量　廿六年詔版

卣，甲文作　，金文作　，象置　于凵中，　難明何物，有人當作鳥的羽毛，有人當作瓠，有人當酒器，推測不一。小篆作卣，或隸為逌字。《說文》：「卣，鹵聲也。从乃，

卣　寧　寧

省，西聲。籀文卣不省，或曰卣，往也，讀若仍。」卣古文卣。」卜辭銘文中假作乃，作副詞，不作代詞，如「于庚申卣歸亡災」（甲編七六一）、「王卣命西六自毁八自曰」（㝬鼎）。

甲　明藏六三四　存二六五　甲七一六　前六．六一七　粹一四。

金　盂鼎　毛公鼎　㝬鼎　師兌簋　散盤

漢印　薛迺始

寧，甲文作，象室內桌上安放器皿，以表安定、安靜。金文加心作，小篆作。《說文》：「寧，願詞也。从丂，寍聲。」此是假借意。卜辭銘文中用作寍。《說文》：「寍，安也。从宀心在皿上，人之飲食器，所以安人。」如：「戊辰卜貞今夕師亡禍寧」（前四．三一．四）、「余不暇妄寧」（晉姜鼎）。銘文中有作人姓名的，如「寧肇諆作乙考尊毁」（寧簋）。寍寧本為同字。《說文》以寧為願詞，乃後起之義。

甲　前六．十八．二　前三．三五．四　菁十二　林一．二七．八　林二．一．十三

可　可

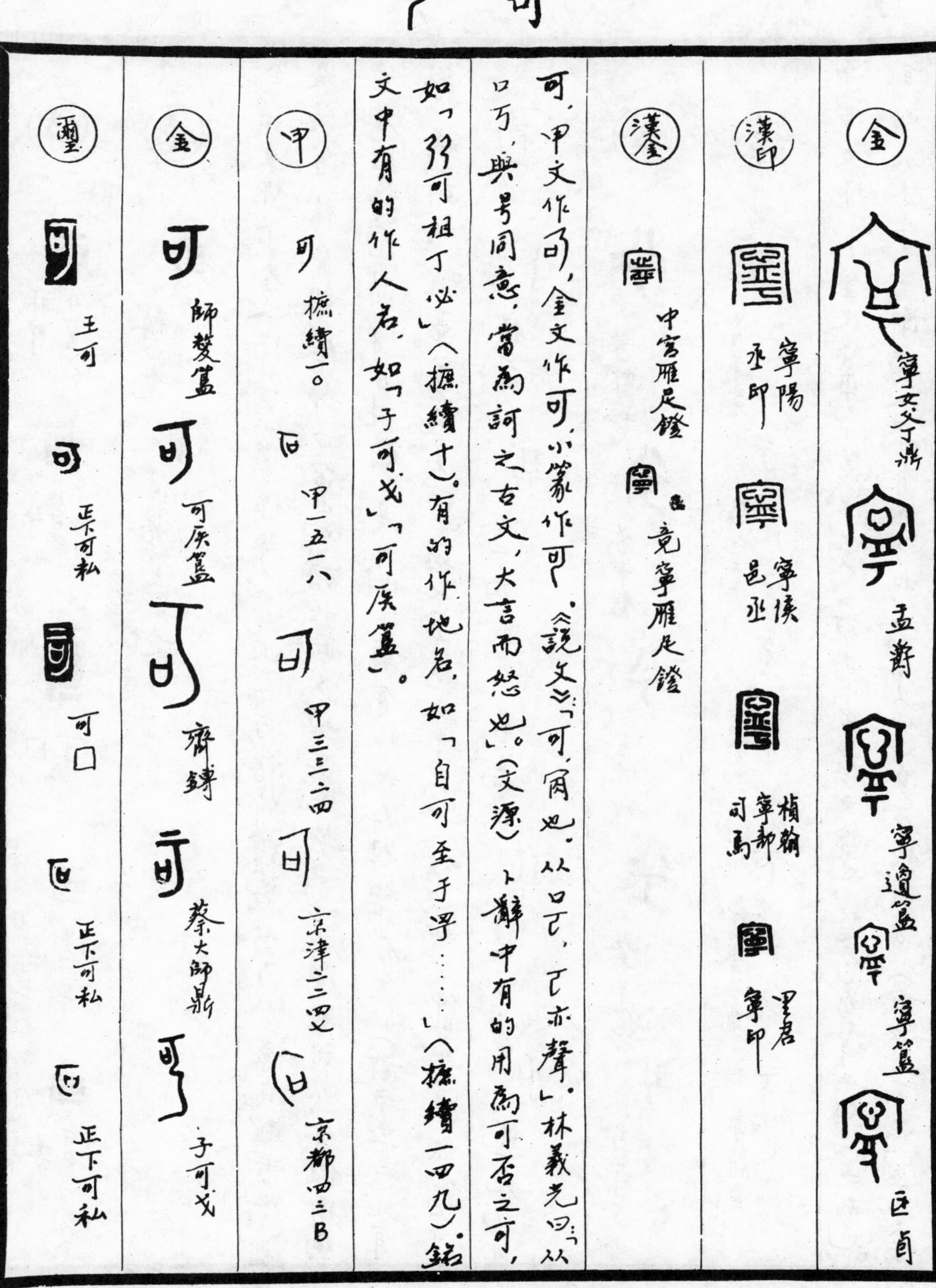
（金）[字形] 寧女父丁鼎　[字形] 盂爵　[字形] 寧遹簋　[字形] 寧簋　[字形] 臣卣

（漢印）[字形] 寧陽丞印　[字形] 寧侯邑丞　[字形] 楨翰寧部司馬　[字形] 畢君寧印

（漢金）[字形] 中宮雁足鐙　[字形] 竟寧雁足鐙

可，甲文作[字形]，金文作可，小篆作可。《說文》「可，肎也。从口丂，丂亦聲」。林義光曰：「从口丂，與哥同意，當為訶之古文，大言而怒也。」（文源）卜辭中有的用為可否之可，如「弜可祖丁必」（摭續十）。有的作地名，如「自可至于泬……」（摭續一四九）。銘文中有的作人名，如「子可戈」「可侯簋」。

（甲）[字形] 摭續一○　[字形] 甲一五一八　[字形] 甲三三二四　[字形] 京津二二四○　[字形] 京都四三B

（金）[字形] 師嫠簋　[字形] 可侯簋　[字形] 齊鎛　[字形] 蔡大師鼎　[字形] 子可戈

（璽）[字形] 王可　[字形] 正下可私　[字形] 可口　[字形] 正下可私　[字形] 正下可私

兮 乎

漢印 林印可置 牛步可之印 口可 侯步可 李可置

漢金 精白竟 米爵玄武竟

兮，甲文作𠀀，金文作兮，小篆作兮。《說文》「兮，語所稽也。从丂八，象气越亏也。」段注「兮稽疊韵，稽部曰留止也。語於此少駐也」。此與哉言之閒也相似，有假猗為兮者，如《詩》「河水清且漣猗」是也。」卜辭有作地名的，如「在兮」（前二·十一·三）。也有假作曦，訓朝，如「亯兮至昏不雨」（粹七一五）。銘文中多作人姓名，如「兮仲簋」、「兮熬壺」等。

甲 鐵五二 拾二·九 前二·十一·三 後下三·十六 林一·九·九

金 兮仲簋 兮甲盤 兮仲鐘 豐兮簋 孟卣

漢金 青羊竟 張氏竟 王氏竟 壽如金石竟 青龍竟

乎，甲文作𠂌，金文作乎，小篆作乎。《說文》「乎，語之餘也。从兮，象聲上越揚之形也」。即呼的本字。卜辭銘文中有作呼的，如「乎（呼）多臣伐𢀛方」（前四·三一·三）、「王乎（呼）

乎　于　亏

史號生册命頌」(頌壺)的乎即評，召也。許慎訓乎為「語之餘」是假借意。後人加口或言，作呼或評。

(甲) 鐵三·二　餘四·二　前一·二五·三　後下四十·十三　菁六·一

(金) 頌鼎　頌簋　克鼎　大鼎　井鼎

(漢) 銅華竟二

于，甲文作干或作㪅，金文多作㪅，小篆改作亏。《說文》：「于，於也。象气之舒亏，从丂从一。一者其气平之也。」从丂从一說，據小篆字體。作介詞，對時間、地點表「在」，對人表「對于」。如卜辭中：「癸子卜又史于十月」(乙一四七四)、「貞……于東于𡆥」(前一·四八·六)、「甲申卜王大衛于多母」(前八·四·七)。王筠《說文釋例》：「于當為吁之古文，詩皆建嗟言之。」「于嗟麟兮」傳以為嘆詞。」

(甲) 干 鐵一·四　干 拾一·十一　㪅 前八·一·五　㪅 後下四三·一　干 戩四二

平 𠀭

金
邛卣
保卣
揚鼎
散盤
格伯簋

璽
敦于絅信

漢印
謝于私印
湢于安世
湢于嬰
湢于倂
湢于子紺

漢金
新嘉量二
光和斛
文阯釜
新興辟雍竟
佳銅竟

平，金文作平，小篆作𠀭。《說文》「平，語平舒也。从亏从八。八，分也。爰禮說。」𠀭古文平如此。」平與乎兩字，金文小篆相近似，平字从兮上加一橫，表示气之平舒。

金
鸁羌鐘
拍敦蓋
十年陳戾午錞
鄀公鼎
平阿右戈

璽
狄平
長平
平陰
襄平右丞
平匋宗正

漢印
西平令印
冷平
平壽
平匡
平過

旨

漢金

陽平家鐙

延平元年洗

中平三年洗

初平五年洗

雒陽市平器

旨，甲文作[glyph]，金文作[glyph]，小篆作[glyph]。《說文》：「旨，美也。从甘，匕聲。……[glyph]古文旨。」甲金文多从口，很少有从甘者，匕有人認為是尸，有人認為是舌字[glyph]上部Y的變形，也有把匕當有柄之勺，以勺注口，說法不一。卜辭中有作地名的，如「丙子卜今日吳旨方夆」（後下·二四·十三）。

甲

鐵一九一·四

前四·三五·七

前四·三六·二

後下一·四

下二四·十三

金

匽侯旨鼎

匽侯鼎

國差𦉜

伯旅魚父簠

史季良父壺

璽

旨盧瘦

旨口

喜

喜，甲文作[glyph]，金文作[glyph]，小篆作喜。《說文》：「喜，樂也。从壴从口。……𡔷，古文喜，从欠，與歡同。」壴是鼓的本字，口是盛鼓之器。喜是置鼓于口中。因是古樂器，故訓樂也。卜

喜　壴　豈

辭中作人名、地名、祭名，如「貞亏喜……」（人四〇四）、「戊子卜王在夕喜卜」（粹一二二）
「喜餗……」（鐵一八二·三）。

甲

鐵四八·四　前一·一·三　前五·十八·二　後下二·四　戩四五·七

金

大豐簋　史喜鼎　芳仲鐘　王孫鐘　郾王喜矛

璽

樂喜　鄭喜　王喜　肖喜　樂喜

漢印

李喜　張喜　臣喜　李印常喜　高印喜

漢金

袁氏竟二　王氏竟二

壴，甲文作𡔷，即鼓的象形。屮是鼓上裝飾物，口是鼓，𠃊是鼓下的虡。故壴是鼓的本字。金文作𡔷𡔷，小篆作壴。《說文》：「壴，陳樂，立而上見也。从屮从豆。」卜辭中有作人名，如「貞壴其亏來」（林一·九·七）。有作地名，如「……王步于壴」（合三〇九）。銘文借爲動詞鼓，如「永保壴（鼓）之」（王孫鐘）。

彭　彭

甲

鐵二五八·三

拾八·十七

前四·四五·一

林一·九·七

鐵二五·十二

金

王孫鐘

璽

壴

彭，甲文作𡔷彡或壴彡，金文作壴彡，小篆作彭。《說文》「彭，鼓聲也。从壴，彡聲。」段注改彡聲為从彡，作會意字。李孝定云：「彭之音讀即象伐鼓之聲。从壴即鼓之初文，彡卜辭或作三為鼓聲之標幟。」（甲骨文集釋）卜辭銘文中有作人名的，如「乙卯卜彭貞今夕亡禍」（甲編一一五八）、「彭姬作壺尊」（彭姬壺）。

甲

前四·七·三

前五·三四·一

後上九·五

林一·十六·三

鐵四三·一

金

揚鼎

彭女鼎

彭史尊

魚伯彭卣

彭姬壺

漢印

彭澤令印

彭城丞印

彭城丞印

王彭

彭慶之印

嘉　鼓

漢金

嘉　元延乘輿鼎

嘉　永始三年乘輿鼎

嘉　名銅竟

嘉，金文作嘉。小篆作嘉。《說文》「嘉，美也。从壴，加聲」。段注：「从壴从屮又，屮象飾，又象其手擊之也」。金文中嘉，壴上作屮與小篆作屮一樣，皆為飾。銘文「用樂嘉賓父兄大夫朋友」（嘉賓鐘）之嘉訓从《說文》。

金

嘉　虢季子白盤

嘉　陳侯作嘉姬簋

嘉　右走馬嘉壺

嘉　王孫鐘

嘉　鄀公鈙鐘

漢印

嘉　任嘉

嘉　王嘉

嘉　梁嘉

嘉　任嘉成

嘉　竺嘉

漢金

嘉　新量斗

嘉　陽嘉二年朱提洗

嘉　上林鼎四

漢金

嘉　新嘉量

嘉

嘉　中尚方看八鐘

鼓，甲文作鼓，金文作鼓，小篆作鼓。《說文》「鼓，郭也。春分之音，萬物郭皮甲而出，故謂之鼓。从壴支，象其手擊之也」。《周禮》六鼓：靁鼓八面，靈鼓六面，路鼓四面，鼖鼓、鼛鼓、晉

鼓　豆　豆

鼓皆兩面……鼓，籀文鼓从古。」甲文鼓字象手持枹擊鼓，卜辭中鼓似為擊鼓之祭名，如「貞其酒彡勿鼓十月」（前五·一·二）。

（甲）鐵三八·三　餘十·二　前四·一·四　後下·廿·五　下二八·三

（金）辭文　鼓韋辭　克鼎　師嫠簋　齊侯壺

豆，甲文作豆，金文作豆，小篆作豆。《說文》：「豆，古食肉器也。从口，象形。……8古文豆。」豆為食器，口或○為其體，其中一為指事符號，表豆中所盛食物，下凵為骹。卜辭中作地名，如「甲子卜叀豆田于之龠」（甲編一六一三）。銘文中作食器名，如「周生作尊豆」（周生豆）。

（甲）甲一六一三　乙七九七八反　後一·六·四

（金）宰甫簋　豆閉簋　周生豆　大師虘豆　散盤

（漢印）豆長公

豋　豋

豐　豐

豋，甲文作[glyph]或[glyph]，金文作[glyph]，小篆作[glyph]。《說文》：「豋，豆屬，从豆𠬞聲。」《甲骨文編·春五》：「卜辭及金文豋字皆从米。知小篆从米乃米形之譌。豋、烝聲近，卜辭用此為烝。春秋繁露曰烝者以十月進初稻也。此作以豆盛米，兩手奉而進之形。說文釋為豆屬非其朔矣。」卜辭中有的作地名，如「……貞今日王步于豋亡災」（前二十六·四）。有的作祭名，如「甲辰卜貞王賓豋ㄇ亡尤」（前四·二十·四）。

(甲)

[glyph] 鐵二三十一

[glyph] 前一·十五·六

[glyph] 前四·二十·三

[glyph] 前四·二十·五

[glyph] 林一·八·三

(金)

[glyph] 盂鼎

[glyph] 盂鼎

[glyph] 大師虘豆

[glyph] 段簋

豐，甲文作[glyph]，金文作[glyph]，小篆作豐。《說文》：「豐，豆之豐滿者也。从豆，象形。一曰，鄉飲酒有豐侯者。……[glyph]古文豐。」古文豐、豊同字。甲金篆三體字形近同。上部是一物器中盛有玉形，下面是豆形。《說文》：「豊，行禮之器也。从豆，象形。」故豐是盛有貴重物品的禮器。卜辭、銘文中有的作地名，如「癸未卜王在豐貞亡禍……」（後上十九）、「同公在豐」（宅簋）。亦作人名，如「壬寅帚豐示二屯岳」（續五一·七）。

虘

甲：後下八·三　鐵二三八·四　前五·五·四　後上十·九　菁五·一

金：長由盉　仲虘父作醴鬲　大虘簋　小臣虘　虘簋

匋璽：虘　虘歐

漢印：尹虘私印　李虘　田虘

漢印：新虘丞印　勒虘私印　虘長之印

漢金：元延乘輿鼎　嘉至搖鐘　建平鐘

虘，甲文作虘，金文作虘，小篆作虘。《說文》：「虘，虎不柔不信也。从虍，且聲。」段注：「剛暴矯詐」。卜辭中作方國名，如「伐及虘方」（鄴三下·四三·四）。銘文中作器者姓名，如「虘作寶鐘」（虘鐘）。

虎 虎

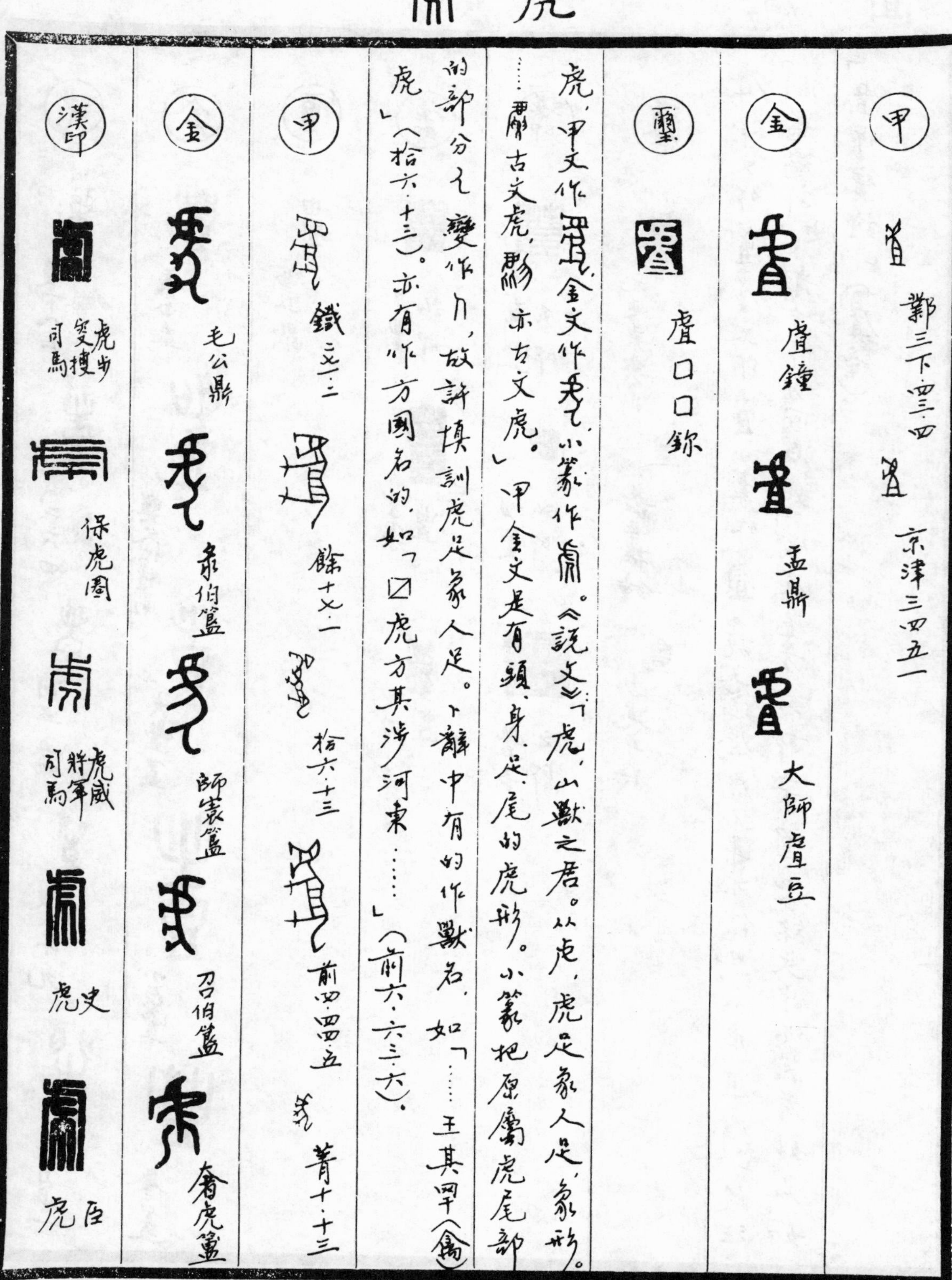

甲 鄴三下.四三.四 京津三四五一

金 虘鐘 盂鼎 大師虘豆

璽 虘口口鉨

虎，甲文作，金文作，小篆作。《說文》「虎，山獸之君。从虍，虎足象人足，象形。……古文虎，亦古文虎。」甲金文是有頭、身、足、尾的虎形。小篆把原屬虎尾部的部分之變作儿，故許慎訓虎足象人足。卜辭中有的作獸名，如「……王其罕（禽）虎」（拾六.十三）。亦有作方國名的，如「囗虎方其涉河東……」（前六.六三.六）。

甲 鐵二七.三 餘十七.一 拾六.十三 前四.四四.五 菁十.十三

金 毛公鼎 彔伯簋 師寰簋 召伯簋 禽虎簋

漢印 虎步妟搜司馬 保虎圖 虎威將軍司馬 史虎 臣虎

虢　皿

漢金　元初二年鈚　角王巨虛竟　袁氏竟　龍氏竟　青羊竟

虢，金文作［ ］，小篆作［ ］。《說文》「虢，虎所攫畫明文也。从虎寽聲」林義光曰「虢爲虎攫，無他證，當爲鞹之古文，去毛皮也。……从虎寽象手有所持以去其毛。凡从鞹諸彝器以虢爲之。」（文源）

銘文中作人名，如「虢叔作旅盨」（虢叔盨）。

金　頌鼎　虢季子白盤　頌壺　虢弔盨　彔伯簋

漢印　虢丞之印　虢縣馬丞印

皿，甲文作［ ］，金文从金，作［ ］，小篆作［ ］。《說文》「皿，飯食之用器也。象形。與豆同意。」高鴻縉曰：「皿爲飲食之器，豆爲食肉之器，其下皆有嚴趾。惟豆有蓋，皿有耳不同。皿本專器之名，故有形可象，後通爲凡器之稱。」（字例）

甲　前五·三·七　戩四一·八　甲一四七三　乙八六六二　燕七九八

盂 盂 盛 盛

（金）

釪 廿七年皿

盂，甲文作 [glyph] 或作 [glyph]，金文作 [glyph]，小篆作 [glyph]。《說文》「盂，飯器也。从皿，亏聲。」甲金文于作于不作亏。卜辭中盂作方國名，如「……王來征盂方……」（後上一八．七）。銘文中多作器名，如「伯文父作旅盂」（伯公父盂）。

（甲）

[glyph] 拾六．二

[glyph] 前一．四四．七

[glyph] 前五．五．六

[glyph] 林二．二五．六

[glyph] 戩十一．七

（金）

[glyph] 伯盂

[glyph] 盂鼎

[glyph] 盂爵

[glyph] 盂卣

[glyph] 匽侯盂

（漢印）

[glyph] 盂年

盛，甲文作 [glyph]，金文作 [glyph]，小篆作 [glyph]。《說文》「盛，黍稷在器中以祀者也。从皿，成聲。」甲金文从成从皿。李孝定曰：「竊疑盛之朔誼為滿，與益同誼，此殆象水外溢之形。盛為形聲，益則為會意。」（甲骨文集釋）銘文「用盛稻粱」（曾伯簠）中作裝載義。

盧

（甲）後二·二四·三

（金）弔家父匡　曾伯簠　史季良父壺　史免匡　盧季壺

（璽）盧囗　盧固

（漢印）盧熾　里附成　盧謝　盧勉之印

（漢金）大騩權　句邑權　兩詔楕量　元年詔版

盧，甲文作，从皿，虍聲，亦作。郭沫若釋盧，與金文趙曹鼎盧字同。金文作，小篆作。說文：「盧，飯器也。从皿，𠧪聲。籀文盧。」卜辭中作方國名，如「……貞王伐盧……」（拾四·一七）。銘文中作器名，如「王子嬰次之庚（燎）盧（鑪）」（嬰次盧）。

（甲）拾四·十八　粹一〇九　甲一六二六　林二·二二·五　佚九三五

益

金 嬰次盧

璽 旨盧瘦

漢印 盧平丞印 盧上丞印 雒盧徒丞印 漢盧水仟長 趙盧

漢金 虎氏鼎 熏盧 菑川大子家虎

益，甲文作，金文作，小篆作。《說文》：「益，饒也。从水皿，皿益之意也。」甲文益象皿中之水滿而外溢，可作溢的本字。引申為增益。銘文中多作人名，如「益公為楚氏龢鐘」（益公鐘）。

甲 鐵二三·四 拾八·三 前四·五·七 後下四一·十一 林二·二六·十

金 益公鐘 芹伯簋 休盤 畢鮮簋 盠方彝

盡

盥

璽

孫九益

漢印

益長之印

蘇益壽

益臣

楊益壽

益光

漢金

日益壽金符鉤

大上富貴竟

湅治銅竟

湅冶竟

延年益壽竟

盡，甲文作，小篆作。《說文》：「盡，器中空也。从皿，㶳聲。」羅振玉曰：「从又持木从皿，象滌器形。食盡器斯滌矣，故有終盡之意。《說文解字》云『从皿，㶳聲』殆不然矣。」（增考）滌器為本義，器空，終盡是引伸義。卜辭中有作人名的，如「盡伐」（前一·四四·七），「令盡」（拾十三·十三）。

甲

前一·四四·六

前一·四四·七

前一·四五·二

後下十三·十

下十三·十一

漢金

大騩權

廿六年詔權

廿六年詔廿斤權

兩詔橢量

元年詔版

盥，甲文作，金文作，小篆作。《說文》：「盥，澡手也。从臼水臨皿。《春秋傳》曰：『奉匜沃盥。』」字象在皿水中洗手形。銘文中亦可訓澡手，如「牟叔作季妃盥盤」（牟叔匜）。

盟

（甲）

拾十三·十三

拾十三·十四

前六·四二·一

前二·六一·八

後下四一·十

（金）

齊侯盂

季甲匜

蔡侯缶

㕣 去

去，甲文作㕣，金文作大，小篆作㚎。《說文》：「去，人相違也。从大，𠙴聲。」甲金文从大口，商承祚曰：「此即說文訓𠙴盧飯器之𠙴之本字，其或體作笅筶尚存古義，飯器宜溫，故𠙴以象器大其蓋也。」（佚考）　李孝定曰：「商氏謂㕣為笅，本字說有可商，字或从大，分明大字非象器蓋形也。卜辭去字亦多用為人相違之義，為形聲字。辭云『貞王其去』（藏九五·三）……或用為地名『丁卯卜在去貞𠭰告』……」（甲骨文集釋）　李說可從。大，大也。是正面人形，古文字中作器蓋形的有合、會等字中的亼，作A，與大有明顯區別。㕣中𠙴似原始人所居之穴，㕣表示人離開居穴。

（甲）

鐵七·四

拾十·五

前一·四七·七

後上十二·十

林一·十·九

（金）

鄦去魯鼎

血 [篆]

⿱血丂 [篆] [篆]

（璽）石去□ [篆] 長去痏 [篆] 宋去疾鉨 [篆] 陳去疾信鉨 [篆] 長去疾

（漢印）[篆] 范去懦 [篆] 除凶去央 [篆] 臣去病 [篆] 胡毋去 [篆] 司馬去疾

（漢金）[篆] 大騩權 [篆] 兩詔橢量 [篆] 元年詔版 [篆] 青蓋竟 [篆] 泰言之始竟

血，甲文作[甲文]，金文衈字偏旁作[金文]，小篆作[篆]。《說文》「血，祭所薦牲血也。从皿，一象血形。」段注：「肉部曰：『膋，血祭肉也。』爨部曰：『釁，血祭也。』郊特牲曰：『毛血告幽全之物也。』注：『幽謂血也。』毛詩：『血以告殺，膋以升臭。』此皆血祭之事。」卜辭：「……貞酒祊于血室亡尤」（藏五十・一）血室是血祭之室。

（甲）[甲文] 鐵五十・一 [甲文] 前六・十三・三 [甲文] 前四・三三・二 [甲文] 後上二・二十 [甲文] 下十八・十一

⿱血丂，甲文作[甲文]，小篆作[篆]。《說文》「⿱血丂，定息也。从血，甹省聲。讀若亭。」羅振玉曰：「此从皿不从血，卜辭寍訓安，與許君訓⿱血丂為定息義同，是許君以此為安寍而以寍為願詞。今卜辭曰：『今月鬼⿱皿丂』是⿱皿丂與寍字義同，當為一字，其訓願詞者殆由安義引申之也。」（增考）

丹　　主　主

甲　拾二·十三　前四·十八·四　前五·十八·四　後上十五·十一　下四二·四

主，甲文作　或　，小篆作　。《說文》「主，鐙中火主也。从　象形，从丶，丶亦聲。」段注：「《釋器》瓦豆謂之登，郭曰即膏鐙。《說文》金部之鐙錠二字也。其形如豆，今之鐙盞是也。上為盌盛膏而𦱤火是為主。其形甚微而明照一室。引伸假借為君主、賓主之主。」商承祚釋　曰：「此从木，蓋象燔木為火，殆即主字。」(類編) 卜辭中作地名，如「……卜穷……　在　」(前六·四三·五)。

甲　前二·二一·三　前四·四八·四

漢印　主爵都尉　東園主章　主父宮印　張穉主　主父會印

漢金　衛少主鐘　主　萬歲宮高鐙　十六年鍪　嚴氏造作洗　洗　蜀郡嚴氏富昌

丹，甲文作　，金文作　，小篆作　，三體近同。《說文》「丹，巴越之赤石也。象采丹井，一象丹形。……　古文丹，　亦古文丹。」卜辭中作地名，如「己卯卜王在丹」(京三六四九)。

丹 青 青

銘文「易貝十朋又丹一柝」（庚贏卣）陳夢家認爲：「此處所賜之丹，有可能作爲婦女所用之脂粉」（金選）

甲　乙三三八七　乙六四五一　京津三〇五〇　京津三六四九

金　庚贏卣

璽　王丹　孫丹米

漢印　丹陽右尉　丹陽太守章　臣丹　吳丹私印　龔丹支

漢金　佳銅竟　新有善銅竟　善同竟　名銅竟　龍氏竟三

青，金文作，小篆作。《說文》「青，東方色也。木生火，从生丹，丹青之信，言象然。……古文青」，徐灝曰：「丹沙石青之類，凡產於石者皆謂之丹。大荒西極有白丹、青丹。張衡《東京賦》：黑丹石緇，是也。蓋丹爲總名。故青从丹，生聲。其本義爲石之青者，引申之凡物之青色，皆曰青矣。」（徐箋）

靜

金

吳尊

璽

㳿青（長沙楚帛書青字作𡉚與璽文同）

青中

衛青

青中

□□信鉩

漢印

范青印

射青私印

李右青

宿長青

竇青

漢金

青羊畢少郎葆調

青羊竟

袁氏竟

青盖竟

至氏竟

靜，金文作𩇧，小篆作靜。《說文》「靜，審也。从青，爭聲。」段注：「《上林賦》靚糚張揖注曰：謂粉白黛黑也。按靚者靜字之假借，采色詳審得其宜謂之靜。《考工記》言畫繢之事是也。分布五色，疏密有章，則雖絢爛之極而無淟涊不鮮，是曰靜。人心審度得宜一言一事必求理義之必然，則雖繁勞之極而無紛亂，亦曰靜。引伸假借之義也。安靜本字當以立部之竫。」銘文中有的作人名，如「王易（錫）靜弓」、「靜拜頡首」（靜卣）。

金

毛公鼎

克鼎

靜簋

免盤

秦公簋

井 井　刑 𠛬

漢印　孟靜

井，甲文作井，金文作井或井，小篆作井。《說文》「井，八家為一井，象構韓形。•，罋之象也。古者伯益初作井。」甲文作井，中無點。象井上木闌。卜辭中有作人名，如「婦井」（甲二九一三），井用為姘，亦作方國名，如「癸卯卜賓貞井方于唐宗彘」（後一．一八．五）。銘文中用作邢，如「用從井（邢）侯征事」（麥盉）。亦用作刑，如「女（汝）母（毋）敢弗帥用先王作明井（刑）」（毛公鼎）。

甲　井 鐵二〇三．一　井 拾三．十一　井 後上十八．五　井 下二四．五　井 林一．十八．二

金　井 乙亥鼎　井 麥盉　井 克鼎　井 散盤　井 弔男父匜

漢印　井桓之印　井將　井係　井親之印　井閔之印

刑，金文作荆，小篆作𠛬。《說文》「刑，罰辠也。从井从刀。《易》曰井者法也」。井亦聲。」楊樹達曰：「井與刑罰義不相關，故許君引易井法為說，義出牽附，非正義也。考甲文死字作𣦵，象人卧棺中之形。荆字左旁蓋本作井，以形似遂誤作井字，實非井字也。刑罰字無可象，故以棺形表死刑。从刀則示刀鋸之刑。」（小學．釋刑）　其說可從，但内字當

皀　即

為囚字，象人關牢中，甲文死作。

(金)

散盤

子禾子釜

(璽)

刑

刑口

刑謹

刑章

(漢印)

刑章之印

刑印始光

刑紀之印

刑福

刑昌之印

皀，甲文作或，字象豆器中盛有食物。小篆作。《說文》「皀，穀之馨香也。象嘉穀在裹中之形。匕所以扱之。或說皀，一粒也。……讀若香。」小篆皀中的匕，顯然是甲文中腳凵變化而來，故「匕所以扱之」不確。

(甲)

甲八七八

存下七六四

前五·四八·二

粹九一七

京津四一四四

即，甲文作，金文作，小篆作。《說文》「即，即食也。从皀卪聲。」甲文象人坐對一盛有食物的食器之形。是會意字，从皀从人。卜辭中多作貞人名，如「庚辰卜即貞

即　既

王賓兄庚亡尤」（後上七八）。亦訓就，如銘文中常有的「即立」（頌鼎），可訓「就位」。

甲

[glyph] 鐵三八·三　[glyph] 拾三·四　[glyph] 拾十一·八　[glyph] 後上二七·十三　[glyph] 下四一·三

金

[glyph] 伊簋　[glyph] 元年師兌簋　[glyph] 克鼎　[glyph] 兮甲盤　[glyph] 散盤

漢印

[glyph] 即丘丞印　[glyph] 即墨丞印　[glyph] 即墨長印　[glyph] 即綸印　[glyph] 即相君

漢金

[glyph] 新嘉量　[glyph] 又二

既，甲文作[glyph]，金文作[glyph]，小篆作[glyph]。《說文》：「既，小食也」。从皀，旡聲。《論語》曰：不使勝食既」。李孝定云：「契文象人食已顧左右而將去之也」（甲骨文集釋）此亦會意字，本義當爲已吃盡，如：《春秋·桓公三年》：「日有食之，既」。指日全蝕，引申之爲盡義。卜辭「既伐大啟」（前七·二四·二）可訓已。銘文中多有「在二月既望」（保卣）。殷周以陰曆每月十五、十六日至二十二、二十三日爲既望。

鬯

甲　鐵一六一　鐵一七八四　前七十八二　前七二四二　後下八十七

金　邲卣　保卣　頌壺　散盤　大鼎

漢印　既原

鬯，甲文作鬯，金文作鬯，小篆作鬯。《說文》「鬯，以秬釀鬱艸，芬芳攸服，以降神也。从凵，凵器也。中象米。匕，所以扱之。《易》曰：不喪匕鬯。」馬叙倫曰「鬯為醞釀之釀本字。从皀从米，會意。其聲即得於皀，皀即說文之簋。變譌為皀也」（刻詞）張日昇曰：「許說字形其誤與皀同。皀為食器之形。鬯亦盛秬鬯之器。从凵匕之說非。魏建功謂鬯从缶，說有未安。許書謂中象米，實則∴象器實，不必為米也。」（金文詁林）卜辭中有以鬯祭祖宗，如「貞𢦏鬯于祖乙」（前一九七）。

甲　鐵一五七三　餘二一　前一九七　後下七十一　林二十二十四

金　矢方彝　矢尊　師兌簋　叔卣　𩐄侯鼎

爵

食

爵，甲文作，金文作或，小篆作。《說文》「爵，禮器也。象爵之形，中有鬯酒又持之也。所以飲器象爵者，取其鳴節節足足也。」古文爵，象形。甲文爵象古飲酒器。其器，兩柱，三足，有流，有鋬。并仿雀之形，為器形。《博古圖》：「爵之字通於雀，前若噣，後若尾，兩柱為耳，足脩而銳，若戈形。」卜辭中有作人名、地名的，如「乙丑卜貞帚爵夕子囗」（乙八八九八）、「囗卜在爵囗」（續三·三一·六）。銘文中作酒器名，如「錫女鼎一爵一」（史獸鼎）。

甲：鐵八九三　鐵二四·三　拾十二·十二　前五·五二　後下七·八

金：爵爵　文癸卣　縣妃簋　史獸鼎

漢印：主爵都尉　主爵都尉章　董達爵　辟爵

漢金：成山宮渠斗　長安下領宮高鐙　米爵玄武竟　名銅竟　尚方竟九

食，甲文作，金文作，小篆作。《說文》「食，一米也。从皀，亼聲。或說亼皀也。」

林義光曰：「按古作（吳王姬鼎）从A（倒口）在皀上。皀薦孰物器也。象食之形，變作

食　饔

食（仲義君簋）或作𩚏（食㲋戈）。文：「即皀字，象人面。」（文源）𩚏象口食器中食物，口下小點可作垂涎。卜辭中「畫大食」（甲一六六〇）、「丙辰小食」（乙四七八八）董彥堂曰：「大食小食其時間在大采之後小采之前，蓋一日兩餐之時也。……早餐曰朝食曰饔曰早食曰食時，即卜辭中之大食，晚餐曰餔曰飧曰夕食，即卜辭中之小食。」（殷曆譜上編）

（甲）
鐵二三九·一
前六·三五·二
後下二八·七
林一·五·十
前五·四八·二

（金）
敹共簋
仲義君簋

（漢印）
食欣
齊食官丞
食其
臣食其印
食印明友

（漢金）
樂未央壺
長貴富竟
上大山竟
食　尚方竟二
清銅竟

饔食，甲文作𩚏，《甲骨文編》釋作𩛩：「唐蘭釋𩚏以為即饔食之本字，說文饔飧之重文𩚏當即此𩛩字所衍伐。卜辭諸𩛩字則讀皆如𩚏，蓋供給之義。」（甲骨文編五·二三）

饔

乂頁）如「勿饔人乎伐羌」（乙四五九八）。金文作𩞄，小篆作饔。《說文》：「饔，孰食也，从食，雝聲。」段注：「已孰可食者也。」《小雅》毛傳曰：孰食曰饔。《周禮》注曰：饔割亨煎和之稱。

（甲）

乙一二六

乙四二〇二

鐵二五八·一

前六·三四二

珠一一八六

（金）

邵王鼎

饔遣父鼎

養　養

養，甲文作𢽍，金文作𢽍，小篆作養。《說文》：「養，供養也。从食，羊聲。𢽍古文養。」甲金文之養，象手執鞭杖趕驅羊，意如牧字。卜辭中有作人名、地名的，如「癸口令𢽍𢽎」（餘二二）、「貞往于𢽍」（珠·九〇二）。亦可作牧，如「貞乎王𢽍羊」（小屯乙編二六二六）。「供養」是引伸義。

（甲）

粹一五八九

（金）

𢽍父盨

父丁盨

父乙觶

𢽍父戈

饗　合

饗，甲文作，金文作，皆不从食，借卿為饗，字象兩人圍着盛有食品的食器相對而食之形。小篆加食作饗。《說文》：「饗，鄉人飲酒也。从食从鄉，鄉亦聲。」銘文「王饗酒」（宰甫簋）。

甲：拾六·八

金：宰甫簋

合，甲文作合，金文作合，小篆作合，三體相同。《說文》：「合，合口也。从亼从口。」林義光曰：「口象物形，倒之為亼。合象二物相合形。」（文源）高鴻縉曰：「字从口亼聲，乃對答之答之本字，凡對答必須用口，故合字从口亼（字倒）。」朱芳圃曰：「字象器蓋相合之形，會、倉二字皆从此作。」（釋叢）卜辭中作地名，如「在合卜」（河七〇二）。

甲：前七·三六·一　菁七·一　甲二五五五　佚八一七　金六七〇

金：召伯簋二　陳侯因資錞

漢印：脩合　縣宰印　唐合　私印　昆合　騶合　合與　小青

今　今　舍

（漢金）
今 上林鼎二
今 陶陵鼎
今 雍棫陽鼎
今 第七平陽鼎
今 永平平合

今，甲文作A，金文作A，小篆作今。《說文》：「今，是時也。从亼从乛，乛古文及。」甲金文从亼一，小篆从亼乛，乛即一之變化而來。段注：「今者對古之偁，古不一其時，今亦不一其時也。云是時者，如言目前，則目前爲今，目前已上皆古。」卜辭銘文亦作此意，常言：「今春」「今日」「今秋」等，與現代漢語同。

（甲）
今 鐵十三·一
今 拾七·二
今 前一·十二·四
今 後下五·三
今 菁八·一

（金）
今 矢方彝
今 盂鼎
今 諫簋
今 卯簋
今 毛公鼎

（漢印）
今 公孫今印
今 長今私印
今 楊今
今 今日利行

（漢金）
今 雲陽鼎
今 兩詔橢量
今 頻鐘
今 代大夫人家壺
今 建昭雁足鐙

舍，金文作舍，小篆作舍。《說文》：「舍，市居曰舍。从亼屮，象屋也。口象築也。」高鴻縉曰：「按茅舍字即所謂市居或臨時外居也。古原作舍或舍，是會意字。謂屮木之亼（屋字）也，

舍

另字非此字也」。此字乃施舍發布之意也」。从口，令聲。許君摹其文下着口，絕非此字之形。

矢令彝「舍三事令」，「舍四方令」。毛公鼎「父厝舍令」。令即命，舍命即傳命，布命也」。《詩·羔裘》「舍命不渝」，即布命臣下不變其舊也」。此皆用施舍之舍之本意。其字从口自明，而此本意後世亡之，或通假以代苐令（苐舍）。故許君誤釋曰市居。」（字例）

金

矢方彝

矢尊

令鼎

毛公鼎

散盤

璽

陳舍

鄆舍

漢印

夏侯臣舍

郝舍

王舍

執舍之

西門舍

漢金

陽泉熏鑪

東舍行鐙

會

會，甲文作㑹，郭沫若釋會《甲骨文編卷五》釋作會。金文會作會，小篆作會。《說文》：「會，合也。从亼，从曾省。曾，益也」……「給古文會如此。」羅振玉曰：「鑰即會字，器蓋謂之會。其文象器蓋上下相合。趙亥鼎作會……以从A象蓋，下从田象器，以从金為之，故旁壞金。」（丁戊稿）《儀禮·士喪禮》：「敨啟會」。鄭注：「會蓋也」。會本義為器蓋，會訓合，訓

倉　倉

遇，皆引申義。銘文中有的用作「膾」，如「自乍（作）會（膾）鼎」（趙亥鼎）。亦用作「鄶」，

如「會（鄶）始乍朕鬲」（鄶始鬲）。

甲　粹四六六

金　𨱷兒鐘　趙亥鼎　鄶始鬲　沇兒鐘　犀氏會

璽　會八圣鉨　會　馬是會　張長會

漢印　會睦　男家丞　會柱私印　會忠之印　會宜年　會樂成

漢金　新鄣兵符　龍氏竟三　日有憙竟

倉，甲文作[glyph]，金文作[glyph]，小篆作倉。《說文》：「倉，穀藏也。蒼黃取而藏之，故謂之倉。从倉省，口象倉形。……[glyph]奇字倉。」朱芳圃曰：「倉即[glyph]之本字。《說文》匚部：『[glyph]，古器也，从匚，倉聲。』曰象器形，上下象器蓋相合，字之結構與會相同。」（釋叢）故倉本為古容器名，引申為倉庫之義。銘文：「𠭯倉父乍寶𥂴」（𠭯倉父𥂴）中作人名，「倉倉悤悤」（𠭯鐘）即「鎗鎗鍃

鎗鎗一。

甲

通別二一〇·七

金

弔倉父盨

𣪘鐘

璽

公孫倉

武倉

漢印

共倉

署倉印

諸倉

泰倉

徐倉

漢金

陽周倉鼎

倉

光和斛二

倉

陳倉成山匜

倉

角王巨虛竟

倉

泰言之紀竟二

入

入 甲文作入，金文作人，小篆亦作入。《說文》：「入，內也。象从上俱下也。」林義光曰：「按從上俱下無入義。象銳端之形，形銳乃可入物也。」（文源） 高鴻縉曰：「……銳形不拘何物。故為通象，是以入為指事字，動詞。後世（殷代已然）段借入字為數目六，乃加八（八古分字）為意符（言物分乃可入也）作介，以還出入之源。及後人（殷代已然）用字，又借介

内

爲六(6)。於是∧介兩形，俱爲出入之入，又同時俱爲6，久而嫌其無別也。周人乃專以入爲出入之入，以介爲爲數目字6，自此分化爲二字。秦時有从字，說文載之，殆出入之入之複體，或即本於籀文也。後世無傳。」（字例）

甲
鐵四四·四
拾·四·十五
後上二·十五
林一·十四·十二
戩九·十一

金
古伯尊
盂鼎
休盤
毛公鼎
頌鼎

漢印
出入大利
入日
出入利
日入千万
出入大吉

漢金
日入八千鐘
日入大萬鐘
日入千金壺
日入千萬殘銓
尚方竟四

内，甲文作內，金文作內，小篆作內。《說文》「内，入也。从冂，自外而入也。」卜辭中作貞人名，如「辛亥卜内貞王子攸」（殷契一四五）。張日昇曰：「金文从宀从入，疑爲休盤『益

内

公右走馬休入門」之入門本字，而𠱭壺曰「井公内右𠱭」即用其本義。引申為外内之内，又孳乳為出納之納。」（金文詁林）

（甲）内 鐵一三三　内 前一·三九·四　内 乙四六三六　内 掇二·三五〇　燕二五三

（金）井侯簋　諫簋　毛公鼎　荀公鼎　利鼎

（璽）内　口内師鉩　内　長内　長内

（漢印）少内　内史之印　真定内史章　内常之印　成内

（漢金）永始高鐙　壽成室鼎　光和斛　桂宮行鐙　陽泉熏鑪

缶

缶，甲文作 ，金文作 或 ，小篆作缶。《說文》：「缶，瓦器，所以盛酒漿。秦人鼓之以節歌。象形。」高田忠周曰：「象形者謂凵，亦凵字之象也。午或作个，亦大字之象，用以象器有蓋。壺字上形作大，亦與此同意。」（古籀篇）按凵象器形。个不是蓋，蓋中一豎不可能長如此。金文變作↑或午，即午字。此為缶字聲符。卜辭中缶為方國名，如「王

匋

敦缶愛又」（中二六一）。銘文中有作人名，如「王易（錫）小臣缶湡責五年」（缶鼎）。亦有作器名的，如「蔡侯䵼之盥缶」（蔡侯缶）。

甲　甲二二·四　乙七七五二反　前三·三三·四　後一·九·七　粹一一七五

金　缶鼎　俑缶簋　蔡侯缶　欒書缶

漢印　李缶

漢金　乘輿缶

匋，金文作，小篆作。《說文》：「匋，瓦器也。从缶，包省聲。」林義光云：「匋包不同音，古作（㝬父盤）从人，持缶。」（文源）銘文中有的作人名，如「能匋錫貝于氒𠨘公矢𩰫五朋」（能匋尊）。亦段借為寶，如「子孫永匋（寶）用」（邛君壺）。

金　能匋尊　㝬簋　楚伯簋　㝬父盤　邛君壺

矢

陶

平匋宗正

匋口

匋同

肖匋𣪘

匋都鉨

矢，甲文作或，金文作或，小篆作。《說文》：「矢，弓弩矢也。从入，象鏑栝羽之形。古者夷牟初作矢。」羅振玉曰：「象鏑幹栝之形，《說文解字》云：从入，乃誤以鏑形為入字矣。」（增考）卜辭中有的作地名，如「牛涉于東矢」（存下一六一）。亦作陳列意，如「貞小母矢奚」（前一·三·四）。于省吾按爾雅釋詁「矢，陳也。」把「矢奚」訓為陳列奚奴以祭。（駢三）銘文除作人名，如「矢伯」外，多作其本義弓箭，如「王錫同金車弓矢」（同卣）。

甲

鐵二六八·一

前四·五一·三

前五·七·五

後上十七·四

林一·七·七

金

矢伯卣

同卣

散盤

趞曹鼎

[革亘]侯鼎

璽

肖矢

鄗矢

司馬矢

庚矢

高矢

漢印

馬矢況

馬矢何

馬矢款

馬矢悏印

射 䠶

射，甲文作[glyph]，金文作[glyph]或[glyph]，小篆作䠶。《說文》：「射，弓弩發於身而中於遠也。从矢从身，䠶篆文䠶从寸，寸，法度也，亦手也」。羅振玉曰：「卜辭中諸字皆為張弓注矢形，或左向或右向。許書从身乃由弓形譌，又誤橫矢為立矢，其从寸則从又之譌也。古金文及石鼓文並與此同。」（增考）卜辭云「三百射」（乙二八〇三），謂軍中的三百射手。銘文中有作動詞射箭，如「王射于射盧」（趞曹鼎）。

甲：[glyph] 鐵七八·一　[glyph] 拾六·三　[glyph] 前三·三二·六　[glyph] 菁七·二　[glyph] 戩九·二

金：[glyph] 射女盤　[glyph] 射戟　[glyph] 雍伯原鼎　[glyph] 趞簋　[glyph] 鬲攸比鼎

漢印：[glyph] 左甲僕射　[glyph] 射青私印　[glyph] 射堅　[glyph] 射時　[glyph] 劉射之印

漢金：[glyph] 新無射律管　[glyph] 徐揚釓

矦

矦，甲文作[glyph]，金文作[glyph]，小篆作[glyph]，小篆變作矦。《說文》：「矦，春饗所射矦也。从人，从厂，象張布矢在其下。天子射熊虎豹，服猛也；諸矦射熊豕虎；大夫射麋，麋，惑也；士射鹿豕，為田

侯

除害也。其祝曰：毋若不寧侯，不朝于王所，故伉而射汝也。」侯古文侯。」甲金文侯不从人，是小篆增譌。楊樹達曰：「尋龜甲作侯，與古文同，蓋象射侯張布著矢之形。蓋草昧之世，禽獸逼人，又他族之人來相侵犯，其時以弓矢為武器，一群之中，如有強力善射之士能保衛其群者，則眾必欣戴之以為雄長。古人質樸，能其事者即以其事或物名之，其人能發矢中侯，故謂之侯也。」（積微）卜辭銘文中多作爵名，如「亞侯」「冒侯」「㣇侯」「齊侯」等。此古爵位名為五等爵的第二等，直至清代仍沿用。亦引申作國君的通稱，如「謹爾侯度」（詩．大雅．抑）。鄭箋：侯，君也。

（甲）
鐵四六·三　拾二·十八　前二·二·六　菁七·二　戩四四·十

（金）
作且乙簋　侯医簋　匽尊　乙侯鐘　齊鎛

（璽）
侯口　侯口　侯卩　侯湯　侯迷

（漢印）
曲成侯尉　關內侯印　夏侯拾　侯長公　侯廣

高

漢金　廿六年詔十六斤權　祭是鼎　范陽侯壺　侯家器　青龍竟

高，甲文作［］，金文作［］，小篆作高。《說文》：「高，崇也，象臺觀高之形。从冂口，與倉舍同意。」孔廣居曰：「高象樓臺層疊形，𠆢象上屋，冂象下屋，口象上下層之戶牖也。」（說文疑疑）卜辭中作地名，如「癸亥卜河其即宗于高」（甲編七一七）。銘文中多作人名，如「高作父乙彝」（高觶）。因樓臺而引申為崇高，高大之義。

甲　前一·三三·三　前一·三四·五　後上·三·六　上·三·七　戩十七·四

金　克簋　高觶　丮高卣　弔高父匜　高密戈

璽　高息　高飽　高興　高口　高口車

漢印　高柳塞尉　陶高　齊高私印　高鮪之印信　高堂翁叔

漢金　步高宮高鐙　天梁宮高鐙　高官竟　青蓋竟　許氏竟

亳　[篆]　央　[篆]

亳，甲文作[甲骨文]，金文作[金文]，小篆作[篆]。《說文》：「亳，京兆杜陵亭也。从高省，乇聲。」段注：「六國表湯起于亳。徐廣曰：京兆杜縣有亳亭。錢氏大昕史記考異曰殷本紀湯始居亳。皇甫謐曰：梁國穀熟為南亳，湯所都也。」卜辭中亦作地名，如「正人方在亳」（金五八四）。

甲

[甲骨文] 前二·二·四　[甲骨文] 後上·六·四　[甲骨文] 上九·十九　[甲骨文] 粹二〇　[甲骨文] 佚九二八

金

[金文] 亳父乙鼎　[金文] 乙亳觚　[金文] 亳鼎

央，甲文作[甲骨文]，金文作[金文]，小篆作[篆]。《說文》：「央，中央也。从大在冂之內。大，人也。央旁同意。一曰久也。」高鴻縉曰：「按字倚大（人）畫其肩擔物形。由物形冂（象扁擔及其所擔之物）生意。擔物必在扁擔之中央，故託以寄中央之意。狀詞。如詩，夜未央，言夜尚未至半中也。後亦用為名詞，謂中點。央旁兩字均就物形託寄狀詞，故許曰央旁同意。」（字例）　卜辭中作人名，如「貞酒……央卯于父乙」（續二·七·五）、

甲

[甲骨文] 菁三·一　[甲骨文] 珠八三八

𩫏 𩫏

金 虢季子白盤

漢印 未央廄丞　李印未央　上官未央　靳未央　未央

漢金 蜀氏洗　樂未央壺　富貴安樂竟　央　延年益壽竟　典　佳銅竟

𩫏，甲文作𩫏，或作𩫏，象城郭之兩重亭或四重亭兩兩相對之形。故𩫏是城郭之郭之本字。金文作𩫏，小篆作𩫏。《說文》：「𩫏，度也，民所度居也。从回，象城𩫏之重，兩亭相對也」。或但从口。「墉，城垣也。从土，庸聲。𩫏古文墉」。卜辭中有時作商代紀時名，如「𩫏兮日啟」（甲一四五）。「𩫏兮」猶言晨曦，即天剛明時。亦有作國族之名，如「癸丑卜旁貞𩫏𣎆降从陟」（前五．三十．六）。古郭庸通用，銘文中有用作鄘，如「錫鄘伯𩫏貝十朋」（鄘伯𩫏簋）。

甲 前二．二一．四　前四．十．七　後下二五．八　下三四．五　戩四十．十四

京 京

金

毛公鼎

召伯簋

師鼎

柏敦蓋

井侯簋

漢印

辜朱

辜壽

辜柱私印

漢金

亭京鈎

京，甲文作、，金文作，小篆作。《說文》：「京，人所為絕高丘也。从高省，丨象高形。」字象重屋之形，當與高同義，亦有高大之義。卜辭銘文中多作地名，如「貞勿令犬祉田于京」（金五六九），「王在莽京」（靜簋）。瞿潤緡曰：「卜辭之京，即左隱元年之京，在今河南滎陽縣東二十里。」（卜釋）

甲

鐵十四·四

前二·四三·六

後上五·五

下二十·十六

戩十一

金

矢方彝

夻父乙簋

靜卣

臣辰盉

匽尊

璽

京市

亯 亯

亯，甲文作亯，金文作亯，小篆作亯。《說文》：「亯，獻也。从高省，曰，象進孰物形。《孝經》曰：祭則鬼亯之。……亯，篆文亯。」吳大澂曰：「亯，古亯字，象宗廟之形。」（古籀補）卜辭銘文作祭享之意，如「辛丑弗亯」（藏一一三·一）、「子子孫孫永寶用亯」（伊簋）。卜辭亦作地名，如「乙卯卜散貞今日王勿往于亯」（後上十二·九）。

漢印：京兆尹史石揚　京州韓鼎　京頃　京寬　京當

漢金：享京鈎　京兆官弩鐖

甲：鐵一一三·一　鐵一五二·三　前四·二一·四　後上十二·九　下十七·九

金：簋文　令簋　伯盂　鄀公鼎　仲辛父簋

璽：高

漢印：亭長

𦎫　𦎫　厚　厚

（漢金）

𦎫　新嘉量

𦎫　又二

𦎫，甲文作[glyph]，金文作[glyph]，小篆作𦎫。《說文》：「𦎫，孰也。从亯从羊，讀若純。一曰鬻也。𦎫篆文𦎫。」段注：「今俗云純熟，當作此字，純醇行而𦎫廢矣。」卜辭銘文中有用作祀享，如「甲辰卜王貞于戊申𦎫」（前三·二四·二）。有的作地名，如「在𦎫」（前二·十五·二）。有的讀為敦，訓作伐，如「丁卯卜殻貞王𦎫缶于蜀」（明二三三〇）。「女及戎大𦎫戟」（不𡢁簋）。

（甲）

[glyph]　鐵五七·二

[glyph]　拾四·十二

[glyph]　前一·四八·二

[glyph]　後上九·七

[glyph]　戩一·九

（金）

[glyph]　敳𦎫觶

[glyph]　禹鼎

[glyph]　㝬鐘

[glyph]　齊侯敦

[glyph]　十年陳侯午錞

厚，金文作[glyph]，小篆作[glyph]。《說文》：「厚，山陵之厚也。从㫗从厂。垕古文厚从后土。」金文厚字無一从后土。段注：「㫗各本作厚，今正。山陵之厚，故其字从厂。今字凡㫗薄字皆作此。」銘文中有作姓的，如「魯大嗣徒厚氏之作善𠤳」（厚氏𠤳）。

（金）

[glyph]　魯伯盤

[glyph]　趞鼎

[glyph]　井人鐘

[glyph]　厚氏𠤳

[glyph]　命瓜君厚子壺

畐 畗 良

漢印 厚睦 任之印 厚丘 長印 厚翁 叔印 厚光

漢金 厚 丞不敗杯 上廣車飾

畐，甲文作𠷎，金文作𠷎，小篆作畗。《說文》：「畗，滿也。从高省，象高厚之形。」字象長頸圓腹的酒瓶。「象高厚之形」不確。卜辭銘文中用爲福，如「弜畐右」（京四三四）、「降余魯多畐亡疆」（士父鐘）。

甲 前四·二三·八 甲三〇七〇 誠一九三 師友二·二〇三 粹二四五

金 畐父辛爵 士父鐘

漢金 畗 吉作竟

良，甲文作[illegible]，金文作[illegible]，小篆作[illegible]。《說文》：「良，善也。从畗省，亾聲。」[illegible]古文良，[illegible]亦古文良，[illegible]亦古文良。」其本意難明，釋訓不一。唐蘭曰：「良古本作[illegible]或作[illegible]，[illegible]

良

即亘形，所以盛食物而作‖者殆以象食物之香氣也。……亘象熟食之香氣，其音當讀若香，而今作良音者，香良音近而轉，猶鄉之與曩也。其之香者食之良，引申之為良食之稱，更引申之為良善之通義，及引申義掩其本義而冊形後變為㫐㫐等形。」（文字記）高鴻縉曰：「茲細玩甲文，殆象風箱留實之器。穀之輕惡者，隨風吹去；其重而良好者，墜入此器，折轉而存留。故託以寄良好之意。」（字例）卜辭中有的作人名，如「貞帚良其子」（乙二五一〇）。有的作地名，如「丙辰卜貞王其步于良亡災」（前二·二一·三）。

（甲）

前二·二一·三

林一·十八·十

乙三三三四

師友二·四

（金）

季良父盉

季良父簠

禹比盨

㝬子甗

尹氏匡

（璽）

公孫生良

良生右

良口

雝良

（漢印）

呂良

蘇良

王良私印

胡良

吳良私印

㐭 啚

（漢金）

㐭 大良造鞅方量　㐭 大良造鞅戟　㐭 五鳳尉斗　㐭 秦氏竟

㐭，甲文作𠭘，小篆作㐭。《說文》：「㐭，穀所振入也。宗廟粢盛，蒼黃㐭而取之，故謂之㐭。从入回，象屋形，中有戶牖。……廩，㐭或从广稟」。陳夢家曰：「㐭作𠭘，象露天的穀堆之形，今天的北方農人在麥場上作一圓形的低土台，上堆麥稈麥殼，頂上作一亭蓋形，塗以泥土，謂之『花盤子』，與此相似」（綜述）。卜辭中㐭用作鄙，如「在南㐭」（續五·一五·九）。

（甲）

甲五七四　粹九一四　前四·二一·六　燕二九二　師友一·一七〇

（漢印）

廩丘丞印　廩丘長印　梁廩私印　廩犧令印

啚，甲文作啚或啚，金文作啚，小篆作啚。《說文》：「啚，嗇也。从口从㐭。㐭，受也」。「啚古文啚如此」。實此與㐭同意，皆為藏穀之堆。卜辭銘文中用作鄙，如「東啚」（菁二·一）、「與鄙之民人都啚」（齊鎛）。

（甲）

鐵六八·四　鐵二五一·三　前七·二一·四　菁一·一　菁二·一

嗇

㊎ 康侯啚簋　雍伯啚鼎　齊鎛

嗇，甲文作，金文作，小篆作。《說文》：「嗇，愛濇也。从来从㐭。来者㐭而藏之，故田夫謂之嗇夫。」商承祚曰：「甲骨文作，金文師簑簋『卿穡事』，字作，来禾乃黍麥，故任意書之。从㐭者，藏之倉㐭。从田者，未在田可斂也。」金文牆即說文訓斂之穡，所从出，从爿示㐭之有垣，後段為牆垣字，不知嗇穡牆一字而異形也。（古攷）卜辭中有的作人名，如「小臣牆」（粹一一六一），亦讀為色，如「彤三嗇云」（燕二）即三色云。

㊥ 鐵二四二·二　餘十六·一　拾十二·二　前一·二九·七　後下七·二

㊎ 沈子簋

璽 㕍肩嗇夫　郁余子嗇夫　余子嗇夫　郁余子嗇夫　公嗇夫

漢印 五嗇嗇　倉嗇夫張坳印

來

（漢金）龍淵宮鼎　建昭行鐙　竟寧雁足鐙　陽泉熏鑪　二年酒鋗

來，甲文作朩，金文作來，小篆作來。《說文》：「來，周所受瑞麥來麰。一來二縫，象芒朿之形。天所來也，故爲行來之來。《詩》曰：詒我來麰。」羅振玉曰：「卜辭中諸來字皆象形，其穗或垂或否者，麥之莖強，與禾不同，或省作朩作朩。而皆段借爲往來字。」（增考）卜辭中作來往之來，如「帚好……其來」（京一九八五）。有的作地名，如「……今日不雨在來」（甲二四二）。作將來之義，如「……貞來乙亥不雨」（前七·二七·二）。

（甲）鐵四·二　拾五·四　後下三六·三　菁五·一　戩四八·四

（金）般甗　艅尊　康侯簋　單伯鐘　散盤

（漢印）來無　來臨之印　蘇南來　來安　來順私印

（漢金）大良造鞅方量

麥　麦　复　复

麥，甲文作𣏟，金文作麥，小篆作麥。《說文》：「麥，芒穀，秋種厚薶，故謂之麥。麥，金也。金王而生，火王而死。从來，有穗者也，从夊。」李孝定曰：「來麥當是一字，羅說是也。夊本象倒止形，於此但象麥根。以來叚為行來字，故更製繁體之麥以為來麰之本字。」（甲骨文集釋）卜辭中有作本義麥子的，如「翌乙未亡其告麥」（前四·四〇·六）。有作地名的，如「戊申卜行貞王其田于麥」（後上一五·二）。

甲

前二·十三

前四·四十·四

前四·四十·六

前四·四十·七

戩十·八

金

麥盉

麥鼎

仲𢽴父盤

漢

新量斗

复，甲文作，金文作，小篆作复。《說文》：「复，行故道也。从夊，畐省聲。」甲文上象器具形，下夂即夊，有行義。行故道，即來往之義。此字从夊，畐聲。卜辭銘文中用作復，复復古今字。如「來复」（乙二四七〇）、「其邑复悠言二邑與歸歸从」（高比邍）。

夏

甲 鐵一四五·二 前五·十三·六 前七·三·二 後下三二·六 林一·三九·十四

金 鬲比盨

夏，金文作，小篆作。《說文》：「夏，中國之人也。从夊从頁从臼。臼，兩手。夊，兩足也。」古文夏。」字似有首手足的人形，春夏秋冬之夏為假借義。《爾雅·釋詁》：「夏，大也。」《方言》：「秦晉之間，凡物壯大謂之嘏或曰夏。」由此夏可通作廈，如「曾不知夏之為丘兮」（楚辭·哀郢）。

金 秦公簋

璽 夏□都司徒 夏□ 夏闌 夏后□ 夏侯癸

漢印 陽夏右尉 夏彊 夏侯捨 夏勝 夏遂私印

漢金 夏 上林鼎

夒　舞　𦏶　韋

夒，甲文作□，小篆作□。《說文》：「夒，貪獸也。一曰母猴，似人，从頁，巳止夊，其手足。」甲文象猴形。王國維以為殷人先祖帝嚳之名，如卜辭云：「貞𡧊于夒」（前六・十八・一）

甲　拾十三・三　前六・十八・一　前七・五・二　後上二二・四　青十・十二

舞，甲文作□，金文作□，小篆作𦏶。《說文》：「舞，樂也。用足相背，从舛，無聲。翌，古文舞，从羽亡。」甲文□，象人兩手執物而舞之形，小篆增舛，以突出足之蹈。無即舞字，舞後起字。後世假為有無之無。卜辭云：「貞翌丁卯叀舞㞢雨」（乙七二三三）此為舞雩之事。

甲　甲二八五八　鐵一二〇・三　前七・三五・二　京津四四六　粹一三一五

金　余義鐘

漢印　舞陽丞印　舞陰之印　舞巽

韋，甲文作□，金文作□，小篆作韋。《說文》：「韋，相背也。从舛，囗聲。獸皮之韋，可以束枉戾相韋背，故借以為皮韋。」商承祚云：「□象兩人相背行，又象兩足有揆隔，乃違之本字也」。後借為皮韋字，而出違代韋，本義廢矣。」（古攷）卜辭中作人名，如「……中子……貞韋歸」（陳一二八）。

甲

鐵一六九·三　前五·三八·六　前五·四七·一　後上一·十四　下十八·三

金

黃韋俞父盤　韋鼎

漢印

韋臨之印　韋良私印　韋威私印　韋尊　韋同之印

漢金

韋　相邦呂不韋戟

弟

弟，甲文作　，金文作　，小篆作　。《說文》：「弟，韋束之次弟也。从古字之象。……　古文弟，从古文韋省，丿聲。」甲金文不从韋，本義難明，眾說不一。商承祚曰：「　實梯之初字也。卜象木桊，以繩繞之可登而升，故引申為次弟，後為兄弟字所專有，乃另出第為次弟。」（古攷）吳其昌曰：「以形體言之，弟字明為叔字之淆變。叔作　，弟作　，同象有矰繳纏繞于幹藁之形，但弟字猶去繳端鏃鏑之形耳。」（武大文哲季刊六卷）朱芳圃曰：「弟象繩索束弋之形，繩之束弋，展轉圍繞，勢如螺旋，而次第

乘

之義生焉。（釋叢）銘文中多作兄弟之弟，如「兄弟諸子婚媾無不喜」（眉弔多父盤）。

甲　乙八七二二　乙八八一八　燕一二八　庫四五三　庫一五〇六

金　沈子簋　㝨簋　牧師父簋　應公鼎　殳季良父壺

璽　穌子弟　鄭弟　侯弟畜　長弟畜

漢印　孝弟祭尊之印　郭男弟　張弟孺　劉弟吾　侯弟孺

漢金　宜弟兄竟

乘，甲文作，金文作，小篆作。《說文》：「乘，覆也。从入桀。桀，黠也。軍法曰乘。古文乘从几。」甲金文从木大，象人爬在樹上，故有登上爬上之意，如《詩·七月》「亟其乘屋。」从本義乘木，引申為乘舟、車、馬、座等。

甲

鐵二四五·二

前五·二五·三

後下十七·二

林一·三四·十四

戩四一·四

金

虢季子白盤

公貿鼎

[illegible]鐘

格伯簋

匽公匜

璽

乘馬章　匽公匜乘字作籀文省木

乘馬𩰫

公乘高

高乘

漢印

千乘均監

吳乘

千乘丞印

其乘

高乘之印

漢金

永始乘輿鼎

永始三年乘輿鼎

元延乘輿鼎

南陵鐘

乘輿缶

常用古文字字典卷六

木

木，甲文作木，金文作木，小篆作木。《說文》「木，冒也，冒地而生，東方之行。从屮，下象其根。」字象樹木之形，上象枝，下如根。卜辭中有的作人名，如「丙午卜㱿木丁一宰」（前四・十六・三）。有的作方國之名，如「貞癸未王令木方止」（甲六〇〇）。亦作地名，如「在白木卜」（坊間二・一六一）。

甲：前二・十五・二　後上十三・八　戩四五・二　甲二五二〇　乙四三〇九

金：父丁爵　父辛爵　父丙簋　𠭯鼎　散盤

璽：口木之鉩　左桁稟木　右桁正木　左桁正木

漢印：木工司馬　木結山

亲

亲，甲文新字之亲旁作亲，金文作亲，小篆作亲。《說文》「亲，果實如小栗，从木，辛聲。《春秋傳》曰：女摯不過亲栗。」亲古文榛字，經書中「亲栗」作「榛栗」。銘文「中伯

莘

作莘姬縱人朕壺」（中伯壺），此莘即《詩》「纘女維莘」之「莘」。毛傳：「莘，太似國也」。

金
莘 中伯壺
莘 中伯簋

漢印
莘 莘青央
莘 莘歙印信

漢金
桒 龍氏竟三

杜 杜

杜，甲文作 ，金文作杜，小篆作杜。《說文》：「杜，甘棠也。从木，土聲」。《爾雅·釋木》註：「杜，今之杜梨」。銘文「王才（在）杜宏（居）」（師虎簋），「杜」作國邑之名。

甲
七卩六七

金
杜 師虎簋
杜 杜伯盨
杜 杜伯鬲
杜 格伯簋

璽
杜春信鉢
杜口
杜冂
杜䍙
杜口

柳　杞

漢印

杜祿之印

成杜

杜辟兵

杜緩

杜臨私印

漢金

杜陽鼎

杜鼎

又二

杜宣鼎

橐泉宮鼎蓋

柳，甲文作𣏟，金文作柳，小篆作桺。《說文》「柳，小楊也。从木，丣聲。丣古文酉。」卜辭銘文中作人名，如「柳往來」（續三·三一·六）、「柳拜稽首」（柳鼎）。

甲

簠游一〇九

金

柳鼎

散盤

漢印

高柳塞尉

魯柳

柳成

張柳私印

柳廣

杞，甲文作𣏟，金文作杞，小篆作杞。《說文》「杞，枸杞也。从木，己聲。」卜辭銘文中用作國名，如「在杞」（前二·八·文）、「杞伯每川乍鼄嫀（曹）寶鼎」（杞伯鼎）。

甲

前二·八·七

後上十三·一

後下三七·五

榮　某

㊎ 杞婦卣　杞伯簋　杞伯鼎　杞伯壺　屯鼎

漢印 杞丘偏　杞人常憙　杞王杞

榮，金文作（）小篆作（）。《說文》：「榮，桐木也。从木熒省聲。一曰屋梠之兩頭起者為榮。」朱芳圃曰：「按上揭奇字，方濬益釋為榮（綴遺），楊樹達謂實當釋烖，釋褮者得其近似耳。（積微）其說是也。惟字之形義，兩家皆無說明。余謂（）象兩苣交錯形，載籍假榮為之。《釋名·釋言語》：榮，猶熒也。熒熒，照明貌也，是其義也。」引伸為明顯。《呂氏春秋·振亂》篇：且辱者也而榮。高注：榮，光明也。又務大篇，其名無不榮者。高注：榮，顯也。……」（釋叢）銘文中作國名，如「榮伯鑄鬲于𣏟」（榮伯鬲）。

㊎ 井侯簋　盂鼎　同簋　卯簋　己侯簋

漢印 榮廚　榮賀　榮為私印　榮賢私印　夾榮

某，金文作某，小篆作（）。《說文》：「某，酸果也。从木从甘，闕。𣚾古文某从口。」某即梅的古字。張日昇曰：「竊疑某从木甘聲，與枏為一字。甘冄古音並在談部。《說文》云：『枏，

某　本　本　朱

梅也。从木，冄聲。」又曰「梅，枏也。可食。从木，每聲。楳或从某。」《釋木》曰：「梅，枏也。」……枏梅同實異名，其後以梅音讀某，改入之部，而枏則仍在談部。及某段作某事某物，乃更从木作楳，實則某、枏、梅、楳一也。」（金文詁林）　銘文中有用作謀的，如「周公某（謀）禽祝」（禽簋）。

（金）　某　禽簋　　某　諫簋

本，金文作本，小篆作本。《說文》：「本，木下曰本。从木，一在其下。本古文。」本是樹的象形，一在其下，此一或•是指事符號，表其根處，為根本之本。

（金）　本　本鼎

（漢印）　本　尹本之印　　本　馮本私印

（漢金）　本　綏和鋗　　本　尹纏有盤

朱，甲文作朱，金文作朱，小篆作朱。《說文》：「朱，赤心木，松柏屬。从木，一在其中。」段注：「朱本木名，引伸假借為純赤之字。糸部曰絑，純赤也，是其本字也。」朱為木名，當為株

朱　末　末

的本字，借為赤色，後才生株字。卜辭中有作地名，如「田朱」（朱一二一）。銘文中借作色名，如「赤市朱黄」（頌鼎）。

甲　後上十二·八　珠一二一

金　毛公鼎　頌壺　師兌簋　吳方彝　師酉簋

璽　朱方　朱口　朱子私鉨　口朱　稽朱

漢印　朱係　朱臺　朱印萬歲　朱冬可印　朱慎

漢金　光和斛　新有善銅竟　名銅竟　滎陽鼎　頻鼎蓋

末，金文作，小篆作。《說文》：「末，木上曰末。从木，一在其上。」一，指事符號，表樹木梢枝，在木上。引申為盡頭、最後之意，如春末、末日。

金　蔡侯鐘　末距悍

果　果　枚　枚

果，甲文作果，金文作果，小篆作果。《說文》「果，木實也。从木，象果形在木之上。」引伸為終結之意。銘文中用作人名，如「果作旅簋」（果簋）。

甲　前四·四一·五　前七·二六·四　後下·三·十五　下·二六·五　林一·二三·十六

金　果簋　蔡公子果戈

璽　肖果　文果　洎果

漢印　果成魏　果鮑　得果　菓輔私印　菓印意之

枚，甲文作枚，金文作枚，小篆作枚。《說文》「枚，榦也，可為杖。从木从攴。《詩》曰：『施于條枚。』」《爾雅》「枚，條也。」郭沫若曰：「辭云：『癸巳卜貞枚舟。』枚舟蓋猶言汎舟或操舟，以片段玫為之，蓋殷語如是」（粹考）。銘文用作人名，如「枚家作父戊寶尊彝」（枚家卣）。亦作量詞，如「商鬲一枚。」

甲　粹一〇六〇

格 築

金

父辛簋

父丙卣

父乙鼎

枚家卣

漢金

長安鋗

東海宮司空槃

信都食官行鐙

格，甲文用各爲格，作，金文作，小篆作。《說文》：「格，木長皃。从木，各聲。」段注：「木長皃者，格之本義。引伸之，長必有所至，故《釋詁》曰：格，至也。」銘文「王格大室」（頌鼎）即訓「至」。

甲

甲二五六

金

頌鼎

格伯簋

格伯簋

格伯作晉姬簋

格氏矛

漢印

格不敬

格農

格金私印

築，金文作，小篆作。《說文》：「築，擣也。从木，筑聲。古文。」段注：「手部曰：擣，築也。是也。築者直舂之器。鄭注《周禮》引司馬法云：輦一斧一斤一鑿一梩一鉏。周輦加二版二築。《正義》曰：築者，築杵也。」今簡化作筑。築是搗土之杵，如《史記》「項王伐齊，身負板築，以為士卒先。」亦引申為建土木工事，如「築城」。

槃　槃　樂　樂

㊎ 槃　子禾子釜

槃，甲文作凡，金文作般，或盤，小篆作槃。《說文》：「槃，承槃也。从木，般聲。鎜，古文从金，盤，籀文从皿。」段注：「承槃者，承水器也。」王國維曰：「凡疑盤字，从口與从皿同意，古出字作㞢，亦作㞢，良字作㫗，亦作㫗，知口凵皿皆象盛物之器也。」（戩考）銘文中多作器名，如「用盤歙酉（酒）」（沇兒鐘）、「虢季子白作寶盤」（虢季子白盤）。

㊙甲 凡　戩四五一

㊎ 般　兮甲盤
盤　虢季子白盤
盤　中子化盤
盤　蔡侯盤
鎜　伯侯父盤

漢金 般　陽泉熏鑪
槃　新承水槃
槃　東海宮司空槃
槃　筑陽家小立鍂
槃　尚浴府行燭槃

樂，甲文作樂，金文作樂，小篆作樂。《說文》：「樂，五聲八音總名。象鼓鞞。木，虡也。」羅振玉曰：「从絲附木上，琴瑟之象也。或增白以象調弦之器。」（增考）周谷城曰：「玩的小鼓用繩繫起來，縣在架上，曰樂。」（古史零證）故樂當為樂器，「五聲八音總名」之訓為引申義。卜辭中亦作地名，如「丙午卜在商貞今日步于樂亡災」（續三·二八·五）。銘文中

采 采

用其本義，如「用樂好賓」（虘鐘）。

（甲）
前五·一·三
後上十·四
後上十·五
菁九·三

（金）
樂鼎
邾公釛鐘
邾公華鐘
齊侯壺
虘鐘

（璽）
樂絽
樂喜
樂亡忘
樂喜
樂

（漢印）
樂陵
樂之印
長樂
長樂
長樂

（漢金）
趙常樂鈁
富貴安樂竟
大上富貴竟
樂仲洗
長貴富竟

采，甲文作　或　，金文作　，小篆作采。《說文》：「采，捋取也。从木从爪。」羅振玉曰：「象取果於木之形。故从爪果，或省果从木。取果為采，引申而為樵采及凡采擇字。」（增考）卜辭云：「大采雨自北」（乙一六）采為紀時名，董作賓曰：「大采略當于朝，小采略當于暮也。」（殷曆譜上編）

析

甲

鐵二四三·一

前四·四五·四

前五·三六·一

前七·四十二

金

趞尊

趞卣

漢印

采勝

采田

采勇私印

漢金

采 尚方竟十一

析，甲文作㭊，金文作析，小篆作析，《說文》：「析，破木也。一曰折也。从木从斤。」甲文象用斤伐木之形。卜辭中有作東方之專名，如「東方曰析風曰劦」（掇二·一五八）。

甲

乙一一八二

河七二

掇二·一五八

金四七二

京都三二四〇

金

格伯簋

鄦𥎦簋

璽

析臣

析瘨

葉 枼 休 休

（漢印）

析丞之印

野析

公穎析

枼，金文作枼，小篆作枼。《說文》：「枼，槅也。枼，薄也。从木，世聲」。郭沫若曰：「當是枼，葉之初文也。象木之枝頭着葉」。（卜通）訓薄，由葉引申。銘文用作世，如「永枼毋止」（柏敦蓋）。

（金）

齊鎛

柏敦蓋

王孫鐘

𪆂羌鐘

欒書缶

（璽）

鄭枼

休，甲文作休，金文作休，小篆作休。《說文》：「休，息止也。从人依木。庥，休或从广」。甲金文休正象人靠樹休息之形。引申為「美」、「好」、「善」。如銘文「對揚天子丕顯休命」（師酉簋）。

（甲）

前五·二六·二

前五·二六·三

後上十二·八

林一·二三

林二·五·四

（金）

𩋞侯鼎

大保簋

毛公鼎

令鼎

李受尊

（璽）

童休

梁休

馬口休

長休

東 東

漢印

休 漢休著胡佰長

休 休尹

東，甲文作㚔，金文作㚔，小篆作東。《說文》：「東，動也。从木。官溥說，从日在木中。」高鴻縉曰：「按東近人徐中舒、丁山均以為橐之初文，是也。埤倉，有底曰囊，無底曰橐。字原象兩端無底，以繩束之之形。後世借為東西之東，久段不歸，乃另造橐字。許氏引官溥說从日在木中，不可據。日在木中，晨固可謂東，晚則必將西也」。東西南北方向之名皆是借字。」（字例）卜辭銘文中作東西之東。如「王固曰其自東出來」（丙三〇）、「隹王伐東尸（夷）」（疐鼎）。

甲

鐵二九·三

拾十一·十八

前三·二四·六

菁一·一

戩二六·二

金

效卣

明公簋

克鐘

散盤

師寰簋

璽

東武城攻師鉨

東方口

東昜口澤王口鉨

上東門鉨

東郕藏口

漢印

東牟丞印

東鄉

東郡守丞

東郭光印

魏東

林　林　無

（漢金）　河東鼎　博邑家鼎　馮久鈪　東舍行鐙　龍氏竟

林，甲文作[ ]，金文作[ ]，小篆作[ ]。《說文》：「林，平土有叢木曰林。从二木。」林隻从二木，不見平土之義。二木含多義，故《廣雅·釋詁》：「林，眾也。」此為引申義。卜辭中作地名或方國名，如「乙未卜在林口王步亡災」（前二·八·一）、「……貞王甾林方亡災」（前二·十六·三）。

（甲）　前六·八·一　前二·十六·三　粹七六六　明三七六　京都二三〇八

（金）　卓林父簋　同簋　楊公鼎　林卣　湯弔盤

（漢印）　橫野大將軍莫府卒史張林印　林虒左尉　楊林

（漢金）　酈偏鼎　上林鼎　又三　林　永始乘輿鼎　上林量

無，甲文作[ ]，金文作[ ]，小篆作[ ]。《說文》：「無，豐也。从林奭。或說規模字。从大、丗，數之積也；林者，木之多也。丗與庶同意。《商書》曰：庶艸繁無。」甲文象人兩手持物

無 楚 楚

兆舞之形，即舞之初文。卜辭中亦作舞義，如「貞翌丁卯奏舞㞢雨」（乙七二三三）。銘文中假作無有之無，如「其萬年無疆」（虢父公鼎）。

（甲）
鐵一二十三
拾七・十六
拾十一・十五
前六・二一・一
前七・三二・二

（金）
井侯簋
虢父公鼎
毛公鼎
陳子匜
鄦惠鼎

（漢印）
來無
賈無恙
無婁昌印
萬歲無極
上官無且

（漢金）
大衛無極鼎
新無射律管
與天無極竟
鍚氏竟
龍氏竟三

楚，甲文作𣚨，金文作𣚨，小篆作楚。《說文》：「楚，叢木，一名荊也。从林，疋聲。」甲金文从林足。卜辭中作地名，如「……岳于楚」（粹七三），銘文「婁小大楚賦」（毛公鼎）。孫詒讓認為「楚」與「胥」通，「楚賦」即「胥賦」。《尚書大傳》語「越惟有胥賦小大多政」可作旁證。

（甲）
粹一三一五
粹一五四七
粹八四二
粹七三

森　森　才

㊎

令簋

毛公鼎

才盤

益公鐘

楚公鐘

㊙璽

王楚人

漢印

楚巷丞

趙楚之印

楚長子

楚期

楚光之印

漢金

楚鐘

森，甲文作，小篆作。《說文》：「森，多木皃。从林从木，讀若曾參之參。」段注：「按篇韵皆云森，長木皃。疑篇韵所據為長。从林从木，正謂有木出乎林之上也。」此會意字，从三木，表多木，故稱：「森林」。

㊙甲

後下三·二

金四七二

才，甲文作，金文作，小篆作才。《說文》「才，艸木之初也。从丨上貫一，將生枝葉。一，地也。」李孝定曰：「絜文才字變體頗多，然以作為正，象在地下初出地上之形。」

才

許云艸木之初謂象艸木之初生也」。（甲骨文集釋）卜辭銘文中均假作在，如「……卜中（在）曹……」（後上五．二）「王才（在）宗周令盂」（盂鼎）。

甲　鐵五．四　餘十二．三　前一．九．七　菁三．一　戩四五．十二

金　父戊爵　旂鼎　宰甾簋　頌鼎　才興父鼎

璽　才邇　口在

漢金　新郪兵符　陽陵兵符　雝鼎

叒

叒，甲文作……，金文作……，小篆作叒。《說文》：「叒，日初出東方湯谷，所登榑桑。叒，木也。象形。……𠭥，籀文。」甲文叒，象人跽坐，雙手理髮之形。金文有的加口，作……，隸變作若，與从艸右之若混為一體。《爾雅．釋言》：「若，順也」。銘文中多有「若曰」，似「允諾」之義。

甲　甲二〇五　乙七四五　佚九二七　粹六八六

桑 𣜩　之 㞢

金

亞若匜

我鼎

克鼎

趞鼎

申鼎

桑，甲文作𣏟，小篆作𣜩，《說文》：「桑，蠶所食葉木　从叒木。」羅振玉曰：「象桑形，許書作𣜩，从叒殆由𣏟而譌。漢人印章桑姓皆篆作𣏟。今隸桑或作桒，尚存古文遺意。」（增考）卜辭中有的作地名，如「……在桑貞……」（林二·二〇·九）。

甲

前一·六·六

前四·四一·四

後上一·十一

漢印

山桑侯相

桑育私印

張桑印

桑印山跗

桑吳人

之，甲文作㞢，金文作㞢，小篆作㞢。《說文》：「之，出也。象艸過屮，枝莖益大，有所之。一者，地也。」羅振玉曰：「卜辭从止从一，人所之也。」爾雅釋詁曰：之，往也。」當為㞢之初誼。（增考）卜辭中有的用為又，如「俘人十㞢（又）六人」（菁六）。有的用作有，如「允㞢（有）來嬉」（菁一）。亦用作侑，如「貞㞢（侑）于且丁」（前十）。亦用作是，如「于㞢（是）夕又大雨」（後編十八·十三）。

㞢 㞢

甲：鐵十六·二　拾一·十　前一·五·三　後下五·三　菁五·一

金：毛公鼎　散盤　陳子匜　取膚匜　畬志鼎

璽：行府之鉨　□畬之鉨　□府之鉨　雚之鉨　南門之鉨

漢印：桓長之印　王博之印　夏奉之印　萬滿之　魏賢印之

漢金：廿六年詔權　旬邑權　元年詔版　兄日之明竟　青羊竟

㞢，甲文作㞢，金文作㞢，小篆作㞢。《說文》：「㞢，艸木妄生也。从之在土上。讀若皇。」羅振玉曰：「卜辭从止从土，知㞢為往來之本字。許訓㞢為艸木妄生而別以往為往來字非也。」（增考）甲文當从止从王，㞢是王非土。卜辭中用作往來之往，如「貞王㞢（往）于田」（乙四五三八）。

甲：鐵十三　前二·十九·七　後上·九·八　林一·三九·十三　戩九·十五

帀 帀

金

陳逆簋

璽

口單坐車

口坐

口坐

圚坐

楢坐

帀，甲文作不，金文作丆，小篆作帀。《說文》：「帀，周也。从反之而帀也。……周盛說」段注：「反之謂倒之也。凡物順屰往復則周徧矣」。高鴻縉曰：「枝之，往也。茲倒之，不前往則必周帀。帀為副詞」。（字例）

銘文有的用作師，如「大帀（師）鐘伯侵自作石沱」（鐘伯鼎）

甲

後下三十八

甲七五二

鄴三下四三二

掇一·四三六

掇二·二八

金

師寰簋

鐘伯鼎

蔡大師鼎

國差𦉜

畲忎鼎

璽

帀昭

口右攻師

口內師鉨

口曹師鉨

口昜曹師鉨

漢金

新嘉量

又二

師 師

師：卜辭用𠂤為師，作𠂤。如「丁亥卜貞今夕𠂤(師)亡禍寧」(前五·十八·三)。金文作𠂤或師。小篆作師。《說文》：「師，二千五百人為師。从帀从𠂤。𠂤四帀，眾意也。𢀳古文師。」于省吾曰：「甲骨文和西周金文師旅之師均作𠂤，而西周金文職官之名則多作師。从西周金文中可以看到，金文中地名之稱某𠂤者，𠂤的上一字為原有地名，𠂤字則由于時常為師旅駐紮而得名，如矢令簋稱『王于伐楚白在炎』。後來因為炎為師旅駐紮而得名，如召尊稱之為炎𠂤。……典籍中的京師(契文、金文均作𠂤)，舊訓京為大，固無不可。但訓師為眾，以為眾人之所居，殊有未當。其實，京𠂤之𠂤，由于𠂤旅的拱衛而得名。」(考古六四年第三期略論西周金文中的六𠂤和八𠂤及其屯田制)

甲

鐵四三

金

盂鼎

毛公鼎

散盤

師望鼎

大簋

璽

師

東武城攻師鉨

右攻師鉨

漢印

師譚私印

江師成印

右師赤

過師

馬師龔印

出

漢金

上林量

扶侯鐘

吾作竟二

吾作佳竟

出，甲文作㞢，金文作㞢，小篆作㞢。《說文》：「出，進也。象艸木益滋，上出達也。」孫詒讓曰：「金文毛公鼎作㞢，石鼓文作㞢，皆从止。龜甲文則作㞢，中亦从止。明古出字取足行出入之義，不象艸木上出形。蓋亦秦篆之變易，而許君沿襲也。」（名原） 李孝定曰：「以内字作冂觀之，凵冂疑為坎陷之象，古人有穴居者，故从止从凵，而以止之向背別出入也。」（甲骨文集釋） 卜辭銘文皆作出入之出，如「出入日歲三牛」（粹一七），「出入尊命于外」（毛公鼎）。

甲

鐵十·三

前二·十八·五

後上二九·八

菁一·二

林一·七·二

金

毛公鼎

宅簋

頌壺

克鼎

拍敦蓋

璽

出内大吉

漢印

公孫出客

利出

出入長利

大出入幸

利出入

索

（漢金）

新有善銅竟

漢善銅竟

善銅竟

名銅竟

龍氏竟三

索，甲文作或，金文作，小篆作。《說文》：「索，艸有莖葉，可作繩索。从米糸。杜林說米亦朱木字。」于省吾曰：「按許說非是，索本象繩索形，其上端或上下端歧出者象東端之餘。金文索諆角索从索作，象左右手持索形。栔文左右手在下，與在側一也。」（駢三）卜辭中爲祭名，如「丙午卜貞索于大甲于夾于口三牢」（續一.一〇.五）。

（甲）

續一.十五

明義士墨本

（金）

索角

（璽）

公孫索

（漢印）

索尼

索長年

楊中索

索宮印信

南

南，甲文作，金文作，小篆作。《說文》：「南，艸木至南方，有枝任也。从米，羊聲。古文。」郭沫若曰：「由字之形象而言，余以爲殆鐘鎛之類之樂器。」（甲研）唐蘭曰：「余謂

南

南本即𡉉，𡉉者瓦製之樂器也。何以言之。𡉉之動詞為㱿，象以殳擊𡉉，而㱿之孳乳字為㲉，猶声之動詞為殸，而殸之孳乳字為磬也。磬為石器，㲉為瓦器，故以石缶為形也」。（文字記）

卜辭中有的借作方向之名，如「南室」（鐵二六六·二），有的用作祭牲之名，如「㞢（侑）于且辛八南……」（通一五九）。

（甲）
鐵八八·三
拾二·二
後上五·一
菁八·一
林二·十七·十三

（金）
盂鼎
𤞷馭簋
臾尊
柳鼎
散盤

（璽）
南門之鉨
堵南閔

（漢印）
南鄉右尉
南成之印
南郭族印
公南彊
南錯之

（漢金）
南陵鐘
南皮侯家鐘
南中君鋗
汝南郡鼎
項伯鐘

生

生甲文作㞢，金文作生，小篆作生。《說文》：「生，進也。象艸木生，出土上。」高鴻縉曰：「按字原象屮（古艸字）生地上。地有山川陵谷，概以一表之者，表其通象也」。屮為文字，一為地

生

丰

之道象，故㞢為指事字，動詞。周人於屮下復加一點，旋又變為一橫，於是下一橫變為土字，仍是屮出土上，土即地也，故為生長之生。（字例）銘文中有的用作姓，如「其隹哉者戾（諸侯）百生（姓）」（兮甲盤）。

（甲）
生 甲二〇〇
生 乙七二八九反
生 拾一·一〇
生 戩三三·一〇
生 粹一·一三

（金）
生 王生女觥
生 穆公鼎
生 武生鼎
生 𢑚生簋
生 臣辰盉

（璽）
生 又生
生 生鉨
生 生
生 㳅生口
生 陽生

（漢印）
生 莒生
生 魚丘生印
生 大日生
生 陳生印
生 李生

（漢金）
生 龍蛇碑兵鈎
生 長生宜子竟
生 生如山石竟
生 許氏竟
生 袁氏竟三

丰，甲文作丰，金文作丰，小篆作丰。《說文》：「丰，艸盛丰丰也。从生，上下達也。」高鴻縉曰：「枝字倚屮（古艸）畫其枝葉丰茂之形。由物形ㄩ生意，托枝葉丰茂之形，以寄丰茂

華 𠌶

之意。歎詞。秦漢通假豐，以代之，久而成習，而丰字廢。於是秦漢以還，人只稱豐茂矣。」（字例）卜辭中有用作方國名，如「二丰方」（後一·二一·六），亦作人名，如「宰丰」（佚四二六）。銘文中用作封，為人名，如「康侯丰（封）作寶尊」（康侯丰鼎）。

（甲）前二·二〇·六　甲二九〇二　明藏六·三三　佚四二六　乙八六八八

（金）康侯丰鼎

（璽）丰　丰

華，金文作𠌶，小篆作𠌶。《說文》：「𠌶，艸木華也。从𠂹，亏聲……𦾔，𠌶或从艸从夸。」高鴻縉曰：「按字原象形。甲骨文用為祭名。秦人或加艸為意符，遂有華字。及後華借用為光華意，秦漢人乃另造荂。荂見方言，六朝人又另造花字，日久而華字為借意所專。荂字少用，花字遂獨行。」（字例）

（金）命簋　邾公華鐘　克鼎　華季盨　華母壺

束

（璽）

王華　肖華　口華　武州華　貞華

（漢印）

華印安世　勳華　華印救　尊華　大華

（漢金）

安陵鼎蓋　酈偏鼎　華　杜氏竟　銅華竟　湅治竟

束，甲文作束，金文作束，小篆作束。《說文》：「束，縛也。从口木。」張日昇曰：「金文作束及束。前者象束橐兩耑之形，後者象橫衺交縛之形。與東字形近，東象橐形，東束同源義別。」（金文詁林）卜辭中有的作人名，如「……其令束途……」（林二·二五·六）銘文中作量詞，如「弓一矢束。」

（甲）

後下三五·九　林二·二五·六　甲二三八九　乙一一二二　京津二六七九

（金）

不嬰簋　大簋　蔔簋　鹵鼎　敾簋

（漢印）

時束

刺　剌　團　團　回

刺，甲文作𠛱，金文作剌或刺，小篆作𠛱。《說文》：「刺，戾也。从束从刀。刀者，剌之也。」林義光曰：「从刀刈禾，○束之，與利同字。」（文源）朱芳圃曰：「字从革（金文霸字偏旁作从之革可證），从刀，會意，謂用刀分解皮革也。當為剝之本字。」（釋叢）張日昇曰：「余意革東之臼臼，並𦥑之變，象兩手之形。於革則為理皮，於東則為扶禾，刀即利所从之勿，田器也。禾倒則兩手扶植，起土重栽，故剌有乖戾不正之意，段借為烈，同音相段也。」（金文詁林）銘文正借為烈，如「不顯且（祖）剌（烈）考」（單伯鐘）。

（甲）甲六二四　甲一七七九　坊間一·七一

（金）剌卣　剌鼎　柳鼎　克鐘　秦公簋

團，金文作團，小篆作團。《說文》：「團，圜也。从口，專聲。」《詩·野有蔓草》：「零露團兮」，團指露珠圓圓的狀態。故團、圜是同義字。銘文云：「用作團宮旅彝」（召卣）。

（金）召卣二　敏子鼎

回，甲文作回，金文作回，小篆作回。《說文》：「回，轉也。从口，中象回轉形。回古文。」商承祚曰：「此當是雲之借字。雲之古文作𠃬，象雲气之回轉，因取其意。遂反之而用為回也。」

回　　　　圖

(古攷)高鴻縉曰：「此象淵水回旋之形，故託以寄回旋之意。動詞。後引申為回歸久而成習，而淵水回旋乃造洄字以還其原。」(字例)

(甲) 甲三三三九

(金) 田回父丁爵

(漢印) 蘼回　薛回之印

(漢金) 回 尚方竟　回 泰山竟

圖，金文作，小篆作。《說文》：「圖，畫計難也。从口从啚。啚，難意也。」楊樹達曰：「余依形求義，圖當訓地圖。从口者，許君於同下云，口象國邑，是也。國邑今言城市。从啚者，余往歲撰釋圖篇，定啚為鄙之初字。……地圖者，圖之初義也，實義也。圖謀畫計，圖之引申義，虛義也。凡造字之始，其義必實，引申之則漸即於虛。」(小學

(金) 子𠦪圖卣　矢簋　散盤　無叀鼎

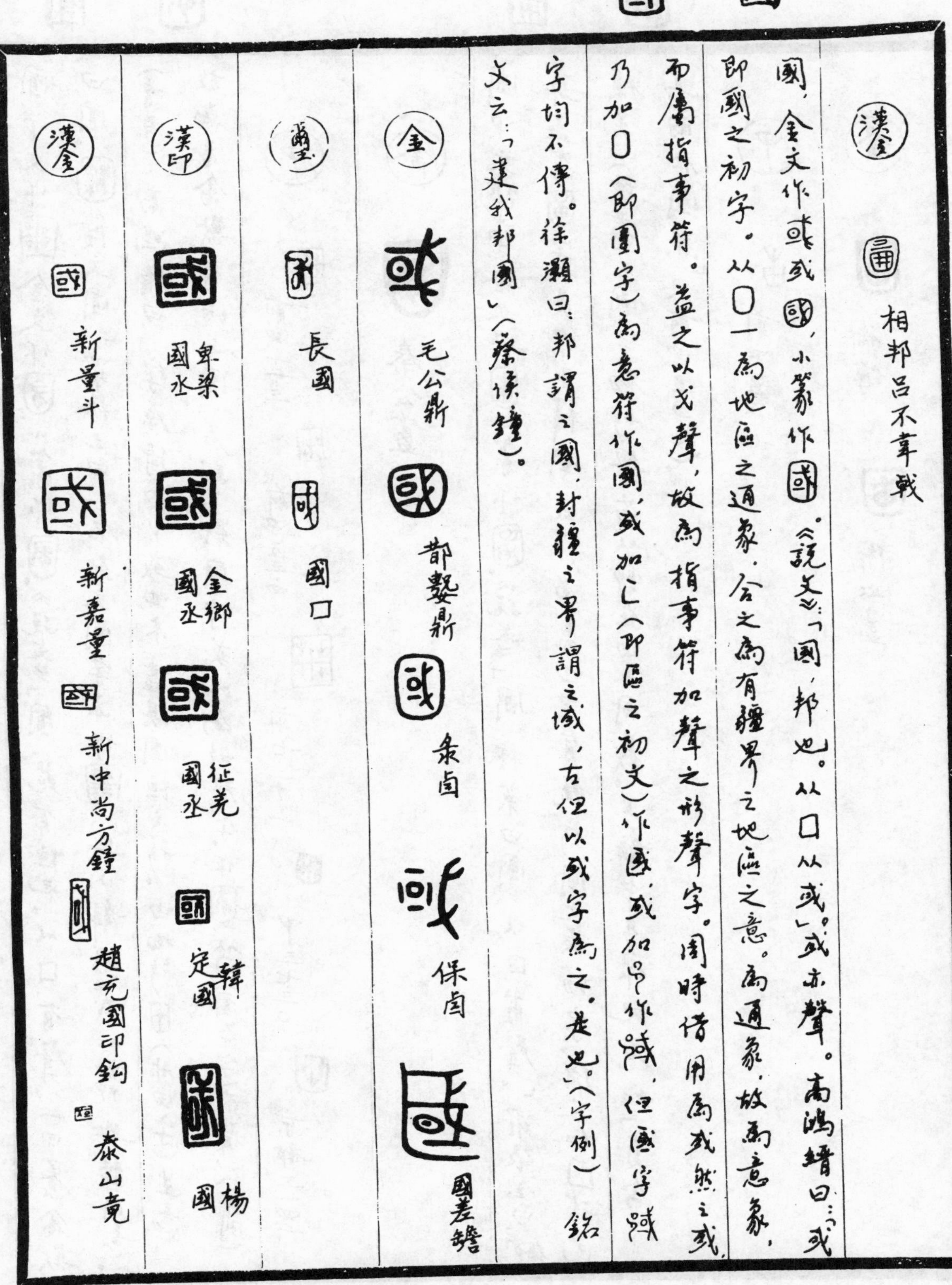
漢金　相邦呂不韋戟

國，金文作或、國，小篆作國。《說文》：「國，邦也。从口从或」。或亦聲。高鴻縉曰：「或即國之初字。从口一為地區之通象。合之為有疆界之地區之意。為通象，故為意象，而屬指事符。益之以戈聲，故為指事符加聲之形聲字。周時借用為或然之或，乃加口（即圍字）為意符作國，或加匚（即區之初文）作匿，或加邑作䧙，但國字䧙字均不傳。徐灝曰：邦謂之國，封疆之界謂之域，古但以或字為之。是也。」（字例）銘文云：「建我邦國」（蔡侯鐘）。

金　毛公鼎　咢斃鼎　彔卣　保卣　國差罎

璽　長國　國口

漢印　卑梁國丞　金鄉國丞　征羌國丞　韓定國　楊國

漢金　新量斗　新嘉量　新中尚方鍾　趙充國印鉤　泰山竟

囿 [glyph]

囿，甲文作[glyph]，金文作[glyph]，小篆作[glyph]。《說文》：「囿，苑有垣也。从囗，有聲。一曰養禽獸曰囿。[glyph]籀文囿。」羅振玉曰：「石鼓文囿字亦作[glyph]，與卜辭同，或从艸艸，與森同意。」（增考）高鴻縉曰：「字原倚囗中或四中或四木，畫其園垣之形。由物形田（非田字）生意，故為畜禽獸有垣之囿，名詞。戰國時或改為形聲字，作[glyph]，从囗（圍本字）有聲。」（字例）

甲

[glyph] 前四·十二·三

[glyph] 前四·五三·四

[glyph] 前七·二十·一

[glyph] 甲二七三〇

[glyph] 京都三一四六

金

[glyph] 秦公簋

圃 [glyph]

圃，甲文作[glyph]，金文作[glyph]，小篆作[glyph]。《說文》：「圃，種菜曰圃。从囗，甫聲。」羅振玉曰：「御尊蓋有[glyph]字，吳中丞釋圃。此作[glyph]，象田中有蔬，乃圃之最初字。後又加囗形，已複矣。」（增考）圃字初形與苗从艸在田上同義。卜辭中多作地名，如「貞今……其雨在圃魚」（前四·五五·七）。

甲

[glyph] 前四·五五·七

金

[glyph] 御尊

[glyph] 御止簋

因

（漢印）禁圃左丞

因，甲文作因，金文作因，小篆作因。《說文》：「因，就也。从口大。」高鴻縉曰：「因即茵之初文象形。後因借為原因，因為之因，形亦變為口大。於是乃加石省聲作䓢，後䓢復變為席，从巾石聲。又變作席。因與席之形意遂相遠矣。後世更於因上加艸，以示艸製，作茵。因旁加革以示革製作鞇，倍益於席上加艸以示艸製作蓆，加竹以示竹製作䈅，更孳乳不可究詰矣。」（字例）按因可作席的初文，大為席文。但原因之因，本有其字，甲文作因，因从大从口很清楚，絕非从囗从大象席形。因象一人就臥于席上，故引申為就。

（甲）因 前五・三八・三　因 後下四三・三　因 存二二八　因 無想二四一　因 佚五七七

（金）因 陳侯因脊錞

（漢印）因 杜因印封　因 呂因諸　因 翁中因

困 [困]

圂 [圂] [圂]

困，甲文作困困，小篆作困。《說文》：「困，故廬也。从木在口中。朱古文困。」李孝定曰：「困者梱之古文也。木部：『梱，門橛也。从木，困聲。』困既从木，梱又从木，纒複無理，此蓋後出字。古字止作困，从口者象門之四旁，上為楣，下為閾，左右為根也。其中之木即所謂橛也。《曲禮》曰：『外言不入於梱，內言不出於梱。』鄭注曰：『梱，門限也。』梱有限止義，故古文从木从止，會意。《廣雅釋室》曰：『橛機闑朱也。』是即以朱為門梱字。然則困梱之為一字可知矣。凡困極困窮之義皆从限止義一而引申之。其後引申義行而本義反為所改，乃更製从木之梱，又或从木作闑。」（甲骨文集釋）卜辭中有的作地名，如「奴牛于朱（困）」（前一．五二．四）。

(甲) 困 粹六一

圂，甲文作圂，金文作圂，小篆作圂。《說文》：「圂，廁也。从口象豕在口中也。會意。」羅振玉曰：「从豕在口中乃豕笠也。或一豕或二豕者，笠中固不限豕數也。其从口者上有庇覆，今人養豕或僅圍以短垣，口象之。或有庇覆口象之，一其闌，所以防豕逸出者。」（增考）卜辭中有的作本義豕圂，如「作圂于專」（乙八一二）。有的作地名，如「于圂」（佚六九三）。

(甲) 圂 拾十二．三　圂 前四．十六．七　圂 前四．十六．八　圂 後下二．十五

員

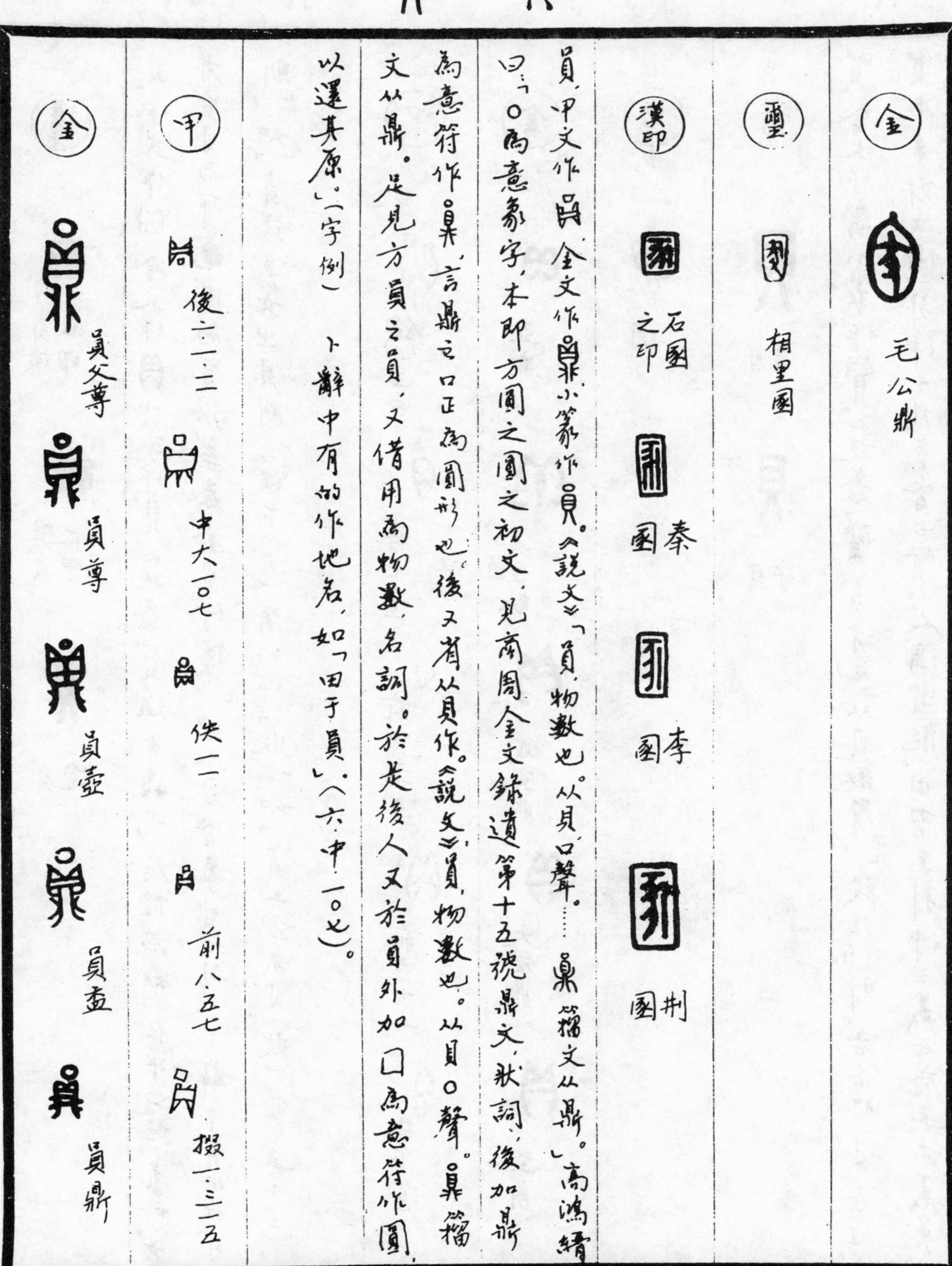

金　毛公鼎

璽　相里圓

漢印　石圓之印　秦圓　李圓　荆圓

員，甲文作，金文作，小篆作員。《說文》「員，物數也。从貝，口聲。……，籀文从鼎。」高鴻縉曰：「○為意象字，本即方圓之圓之初文。見商周金文錄遺第十五號鼎文，狀詞，後加鼎為意符作，言鼎之口正圓形也。後又省从貝作。《說文》：員，物數也。从貝○聲。籀文从鼎。是見方員之員，又借用為物數名詞。於是後人又於員外加口為意符作圓，以還其原。」（字例）

卜辭中有的作地名，如「田于員」。（六中一〇七）

甲　後二·一·二　中大一〇七　佚一一　前八·五七　掇一·三一五

金　員父尊　員尊　員壺　員盉　員鼎

貝

貝

賢

漢印 員 員談私印　員 樊員之印　員 建員

貝，甲文作　，金文作　，小篆作貝。《說文》：「貝，海介蟲也。居陸名猋，在水曰蜬。象形。古者貨貝而寶龜，周而有泉，至秦廢貝行錢。」甲金文皆象貝之形。卜辭中有的作「貝朋」，如「貞錫多女㞢貝朋」（後下八·五）。有的作「敗」，如「貞土方不貝（敗）」（前五·十·三）。

甲　鐵一·四·四　拾七·十一　前四·三十·二　前五·十·三　後下八·五

金　亞盉　貝隹觚　戊寅鼎　夭君鼎　坒角

璽　貝

漢印　貝多　貝守

賢，金文作　，小篆作賢。《說文》：「賢，多才也。从貝，臤聲。」段注：「財，各本作才，今正。賢本多財之偁，引伸之凡多皆曰賢。人偁賢能，因習其引伸之義而廢其本義矣。」

賢　貣　貸

《小雅》「大夫不均，我從事獨賢」，傳曰：「賢，勞也。」謂事多而勞也。故孟子說之曰：「我獨賢勞」。戴先生曰：「按壺某賢於某若干，純賢多也。」銘文中作人名，如「晦（賄）賢百晦（畝）鬻（粮）」（賢簋）。

金
賢簋
賢簋

璽
鄦賢

漢印
魏印賢之
瞿賢
□右賢
徐賢
馬右賢

漢金
元康雁足鐙
臨虞宮高鐙
延壽宮高鐙
五鳳尉斗
陽泉熏廬

貣，甲文作貣，金文作貣，小篆作貣。《說文》：「貣，從人求物也。从貝，弋聲。」段注：「代弋同聲，古無去入之別，求人施人古無貣貸之分，由貣字或作貸，因分其義，又分其聲。」《說文》：「貸，施也。」可以說貣貸原同字，後一義反轉，貣用于「求人借物」，貸用于「施人與物」。

賞

甲 後二·二二·十一

金 蔡侯鐘　鄂大府斧　鄂大府斧

璽 富貳立　宋貳　事貳　周貳

賞，甲文假商爲賞，作[illegible]，金文除假商外，亦作[illegible]。小篆作賞。《說文》「賞，賜有功也。从貝，尚聲。」銘文中用爲償，償，還也。如「賞（償）㫚禾十秭」（㫚鼎）。

金 鷹羌鐘　㫚鼎　中山王方壺

璽 賞囗

漢印 李賞　田賞　陵賞　游賞私印

漢金 竟寧雁足鐙　成山宮渠斗

贏　貯

贏，金文作[金文字形]，小篆作[小篆字形]。《說文》：「贏，有餘賈利也。从貝，𣎆聲。」段注：「俗語謂𣎆贏者，輸之對。」贏者當云從貝𣎆，𣎆者，多肉之獸也，故以會意。」劉節曰：「《說文》第四篇肉部𣎆字解云：『或曰獸名，象形。』今就[金文字形]字之形構觀之，實象一海介類動物，故从貝。」（攷存釋𣎆贏）銘文假借為嬴，作人名，如「庚嬴對揚王休」（庚嬴卣）。

（金）

[字形] 庚嬴卣

（漢印）

[字形] 贏獲私印

[字形] 贏但

[字形] 禽贏

[字形] 楊贏

[字形] 贏苑

貯，甲文作[甲文字形]，金文作[金文字形]，小篆作[小篆字形]。《說文》：「貯，積也。从貝，宁聲。」羅振玉曰：「象內貝于宁中形，或貝在宁下，與許書作貯貝在宁旁意同。又宁貯古為一字。《說文》宁訓辨積物，貯訓積。初亦非有二誼也。」（增考）高鴻縉曰：「宁原象貯物之器，故託以寄貯藏之意，動詞。謂貯藏必以箱櫥也，後加貝旁以示其貯貝也。其後貯行而宁廢，今字只於偏旁中見之。」（字例）

（甲）

[字形] 鐵二七二·一

[字形] 拾九·十六

[字形] 前四·二·三

[字形] 前六·四九·八

[字形] 後下十八·八

賓

㊎ [字形] 爵文　[字形] 頌簋　[字形] 頌壺　[字形] 兮甲盤　[字形] 昆疕王鐘

賓，甲文作[字形]或[字形]，金文作[字形]，小篆作賓。《說文》：「賓，所敬也。从貝，𡧍聲。」王國維曰「[字形]上从屋，下从人从止，象人至屋下，其義為賓。各客二字从夊，意亦如此。金文及小篆易从止為从貝者，乃後起之字。古者賓客至必有物以贈之，其贈之之事謂之賓，故其字从貝，其義即禮經之儐字也。」（觀堂集林卷一）卜辭中除作貞人名外，還用作儐，如「王其賓父丁」（後下七·二）。銘文中多作「賓客」，如「用饗賓客」（鄦王鼎）。

㊥ [字形] 鐵二·四　[字形] 拾十二·四　[字形] 後上二十二　[字形] 林一·三·十　[字形] 戩十九·六

㊎ [字形] 䧹鐘　[字形] 保卣　[字形] 盂鼎　[字形] 睘卣　[字形] 守簋

㊒璽 [字形] 賓口　[字形] 賓

㊒漢印 [字形] 賓徒丞印　[字形] 許長賓　[字形] 於丘賓印　[字形] 曾子賓　[字形] 賓樂

貿　貿　責　責

貿，金文作（字形），小篆作（字形）。《說文》：「貿，易財也。从貝，卯聲。」銘文中作人名，如「公貿用□休□鱻」（公貿鼎）。

金
（字形）公貿鼎

漢印
（字形）樂貿
（字形）貿孺卿
（字形）貿充國印
（字形）貿兄
（字形）閔貿

責，甲文作（字形），金文作（字形），小篆作（字形）。《說文》：「責，求也。从貝，朿聲。」王筠曰：「謂索求負家償物也。」（句讀）段注：「引申為誅責、責任。《周禮·小宰》聽稱責以傅別，稱責即今之舉債。古無債字，俗作債，則聲形皆異矣。」古文中作債的，如《戰國策·齊策》：「誰習計會，能為文收責於薛者乎？」卜辭中有的作地名，如「丙午卜克責」（甲編二三四二）。銘文用作貯積之義，如「嘉遺我易鹵責千兩」（晉姜鼎）。

甲
（字形）乙三九
（字形）乙一〇五
（字形）乙一二四
（字形）乙一五四五
（字形）乙八八九五

金
（字形）旂作父戊鼎
（字形）缶鼎
（字形）兮甲盤
（字形）秦公簋

買

買，甲文作，金文作，小篆作。《說文》：「買，市也。从网貝。孟子曰：登壟斷而网市利。」段注：「市者，買物之所，因之買物亦言市。《論語》：沽酒市脯。」商承祚曰：「象以网取貝之形。」（佚考）卜辭銘文中多作人名，如「用易叔買自作𢀜段」（買簋）。

甲：佚四六二　甲二七六　乙五三二九　乙八七三八　粹一五五二

金：買車卣　買車觚　買王卣　吳買鼎　買簋

璽：王買　令狐買　肖買　庚買　鄭買

漢印：湻于買　翟印買臣　楊買之印　犂買　張買

漢金：鼎胡宮行鐙　君作明竟　熹平三年竟

賣

賣，金文作，小篆作。《說文》：「賣，衙也。从貝，𡍬聲。𡍬古文睦，讀若育。」賣字不見經傳，而用價、鬻、粥三字。賣後隶定作賣。入貨物為買，出貨物為賣，如《說文》：販，

賣　朋　𠷎　邑

買賤賣貴者。」銘文用作「贖」，如「我既賣（贖）女五夫」（曶鼎）。

金　[glyph]　曶鼎

朋，甲文作[glyph]，金文作[glyph]。《說文》：「𠷎，古文鳳。象形。鳳飛羣鳥從以萬數，故以為朋黨字。」《說文》以朋為鳳之古文，誤。鳳，甲文作[glyph]，象鳳之形。而朋字作[glyph]，象二系貝之形。故甲金文編皆收朋於貝部。高鴻縉曰：「[glyph]，貝之二系也。一系五貝，二系十貝，為一[glyph]。此象形字。五而以三表之。三謂多也。王國維曰：余意古制貝玉皆五枚為一系，合二系為一玨若一朋。故非者，乃系貝單位之名，字本秦以後失傳，乃通段朋以代之。」（字例）

甲　[glyph] 甲七七七　[glyph] 乙六七三六　[glyph] 前一·三〇·五　[glyph] 前五·一〇·五　[glyph] 鄴三下四五四

金　[glyph] 中作且癸鼎　[glyph] 斆尊　[glyph] 敀弔簋　[glyph] 掤刲尊　[glyph] 戍甬鼎（一朋合文）

邑，甲文作[glyph]，金文作[glyph]，小篆作[glyph]。《說文》：「邑，國也。从口，先王之制，尊卑有大小，从卩。」

羅振玉曰：「凡許書所謂卩字，考之卜辭及古金文皆作[glyph]，象人跽形。邑為人所居，

邑

故从口从人，猶㐭爲倉廩所在，故从口从㐭。（增考）卜辭中作國邑之義，如「天邑商」（甲二四一六）。

（甲）鐵七七四　前六十三二　後上十八二　菁一二　戩三二九

（金）爵文　康侯簋　散盤　齊侯壺　齊鎛

（璽）陳賓立事歲安邑□釜　□城君邑　夫□俞□　易□邑□□盟之鉨

（漢印）呂成邑丞　漢叜邑丞　李邑私印　渠邑

（漢金）旬邑權　博邑家鼎　衛少主鐘　鄯邑家鈁　闟邑家壺

邦　𨛜

邦，甲文作𡉚，金文作𨛜，小篆作𨛜。《說文》「邦，國也。从邑，丰聲。𡉚，古文。」王國維曰：「古封邦一字。《說文》邦之古文作𡉚，从之田，與封字从㞢从土均不合六書之恉，㞢蓋丰之譌。殷虛卜辭云：『貞勿求年于𡉚土』（前四十七）𡉚字从丰田，即邦字。邦土即邦社，（古社土同字，詩冢土即冢社）亦即祭法之國社。漢人諱邦，乃云國社矣。籀文社字从土丰聲，

都

與𤰔之从田邦之从邑同意，本係一字。毛公鼎邦作𡉚，从土又从邑。」（古籀疏証）

甲

前四·十七·三

青九·十三

乙六九七八

簠歲二四

簠歲一八

金

盂鼎

弔向簋

伯邦父壺

齊鎛

散盤

璽

□邦

事邦

新邦官鉨

□邦果鉨

臧孫邦

漢印

邦尉之印

邦侯

漢金

相邦呂不韋戟

相邦呂不韋戟

都，金文作𨛜，小篆作𨛜。《說文》：「都，有先君之舊宗廟曰都。从邑，者聲。《周禮》距國五百里為都。」段注：「《左傳》曰，凡邑有宗廟先君之主曰都，無曰邑。《周禮·大司徒》注曰：都鄙者，王子弟公卿大夫采地，其界曰都，鄙所居也。」銘文中即有都鄙之稱，如「𥃩（与）𨛜之民人都啚（鄙）」（齊鎛）。

鄙 𨛫

金 㝬鐘　齊鎛　仲都戈　新都戈

璽 杍西都　都　都　都行士鉨　畢口都口鉨

漢印 浙江都水　都船丞印　都市　霍都　紀都

漢金 中陽器　平都主家鐘　信都食官行鐙

鄙，甲文作啚，金文作啚。甲金文皆不从邑，用啚為鄙，小篆作𨛫。《說文》：「鄙，五酇為鄙。从邑，啚聲。」段注：「見遂人，五百家也。……《周禮》都鄙距國五百里，在王畿之邊，故鄙可釋為邊。又引申為輕薄之偁，而鄙夫字古作啚。顏目云：俗儒啚夫，翫其所習，可鄙也。今則鄙行而啚廢矣。」

甲 啚 鐵六八·四

金 啚 齊鎛

鄲 鄲 鄧 鄧

（漢印）

任鄲私印

鄲，金文作 ，小篆作鄲。《說文》：「鄲，邯鄲縣。从邑，單聲。」銘文中亦為地名，如「鄲孝子以庚寅之日」（鄲孝子鼎）。

（金）

鄲孝子鼎

（璽）

鄲瘽

（漢印）

邯鄲丞印

邯鄲恩印

邯鄲堅石

邯鄲去病

鄲長之印

鄧，金文作 ，不从邑，小篆作 。《說文》：「鄧，曼姓之國，今屬南陽。从邑，登聲。」段注：「《左傳》楚武王夫人曰鄧曼，則知鄧國曼姓也。」銘文作國名，如「故也夫人詒（始）乍（作）（鄧）公」（鄧公簋）。

（金）

鄧公簋

郢

璽

鄧矢

登囗

登土

漢印

鄧印長壽

鄧鵝

鄧焉

鄧齊

王鄧印信

漢金

鄧中孺洗

郢，金文作𨛜，小篆作郢。《說文》：「郢，故楚都，在南郡江陵北十里。从邑，呈聲。」段注：「今湖北宜昌府歸州州東七里丹陽城是。至文王熊貲始都郢。」銘文中亦作國名，如「郢侯戈」。

金

囗郢鐸

郢侯戈

璽

郢𢧢迵數

郢巡

宋郢

郢囗

漢印

王郢之印

郢人

張郢

侯郢

郢相私印

鄉 𨛜

鄉，甲文鄉卿為一字，作𨛜，并借為饗。字象兩人圍着盛有食品的食器相對而食之形。小篆作𨛜。《說文》「鄉，國離邑，民所封鄉也，嗇夫別治。封圻之內六鄉，六鄉治之。从𨙨，皀聲。」

（甲）

前一·三六·三

（漢印）

金鄉國丞

南鄉

齊鄉

北鄉之印

鄉仁之印

（漢金）

西鄉鼎

西鄉鈁

常用古文字字典卷七

日

日，甲骨文作⊡、⊖，金文作⊖，小篆作日。《說文》：「日，實也。太陽之精不虧。从口一，象形。……⊖，古文象形。」羅振玉曰：「說文日古文作⊖，案日體正圓，卜辭中諸形或為多角形，或正方者，非日象。如此由刀筆能為方不能為圓故也。」（增考）字中一點或一橫者，表明其為實體，並非空心圓圈，同時區別於甲骨文之丁字作口。

甲：鐵七·二　拾七·十五　後上·十七·二　菁二·一　戩十三·十

金：日癸簋　餘尊　曶鼎　史頌簋　吉日壬午劍

璽：日庚都萃車馬　□日日心　□日日心　日君中司寇

漢印：日南尉丞　日貴　廿八日騎舍印　大吉日　日利

漢金：光和七年洗　陳彤鐘　項伯鐘　精白竟　日有憙竟

時 𣅡

時，甲文作旹，金文作旹，小篆作𣅡。《說文》：「時，四時也。从日，寺聲。旹，古文時，从之日。」此「四時」指春夏秋冬四季。段注：「之聲也。小篆从寺，寺亦之聲。」李孝定曰：「之日亦為會意，之亦聲耳。《釋詁》曰：『時，是也。』卜辭恒言『之日』，猶是日，亦即時之本義也」……又疑急言之則為時，緩言之則為之日，未審是否也。三體石經時古文作旹，與許書古文同，石鼓文與篆文同。」（甲骨文集釋）

甲

旹 前四·五·七

旹 前六·二四·七

旹 前六·四三·六

旹 後下·二四·三

旹 林二·三十·二

金

旹 中山王方壺

璽

旹 得時

漢印

時 馮遷時

時 時充

時 郭望時

時 孫當時

時 郭當時

漢金

時 元康雁足鐙

時 雒陽武庫鐘

時 蔡氏竟

時 龍氏竟二

時 翁氏竟

晉

晉，甲文作，金文作，小篆作。說文云「晉，進也。日出而萬物進。从日从臸。《易》曰明出地上晉。」林義光曰：「象兩矢集於口形，與至同意。……訓進者同音假借。」（文源）楊樹達：「晉者，𠷎之古文也。……晉字格伯𣪘作，象兩矢插入器中之形。魏三體石經作，下器形雖小變，二矢插器之象則同。龜甲文（鐵雲藏龜拾遺十三葉一版）及晉邦盨作，器中加點，字形類日，可窺見字體遷變，許君誤謂从日之因。然上从二矢，仍與格伯𣪘、石經無異也。」（金石釋晉）銘文中作國名，如「晉公之車」（晉公車𡙇）。

甲

拾十三·一

金

格伯作晉姬簋

晉公盦

厲羌鐘

晉公車𡙇

璽

晉

晉

晉

漢印

晉昌令印

臨晉丞印

晉盧水率善佰長

晉陽令印

晉季

漢金

晉欒鼎

晉陽器

晉壽升

晵　晵　昃　𣅙

晵，甲文作晵，小篆作晵。《說文》：「晵，雨而晝姓也。从日，啟省聲。」商承祚曰：「此或从日作昹，或从月作𣍝。」王靜安先生謂「晵字。」董彥堂先生謂晵霽聲韻之轉，霽晴又雙聲之轉。案：启為開启之本字，从寸启戶為初意，或增口作啓，或省又作启。羅師叔言謂自名以許門注者以又启之，是（類編二·六）。其後借以為雨而晝姓之霽。觀其上从日作晵，晵象晝姓启戶見日。从月作𣍝，象夜姓戶戶見月，亦可以知其遭變之迹矣。（佚考）卜辭中可訓「晴」，如「不晵其雨」（續四·二三·九）。

（甲）

前六·九·二　戩三六·六　粹六四七　甲四·三七　明二九〇

昃，甲文作[glyph]，金文作[glyph]，小篆作𣅙。《說文》：「𣅙，日在西方時側也。从日，仄聲。《易》曰：日𣅙之離。」董彥堂曰：「卜辭昃字从日从[glyph]為會意字，大為大人立正面之象，[glyph]或[glyph]則象人影之側斜，日昃則人影側也。說文作𣅙，易會意為形聲矣。卜辭昃為紀時專字，約當今下午二三時頃也。殷人當猶知此昃字之意為日照人影之側斜，因而定一日之時間，則立表以觀日影之長短，因而正一歲之節候，亦可以觸類旁通者矣。」（殷曆譜·下編）卜辭為紀時之名，如「昃亦雨。」（乙三二）《周禮·大司徒》注曰：

（甲）

鐵百十二　前四·八·七　前四·九·一　前七·四三·二　菁四·一

昏　昱

金 𡙁 滕灰箙戟　𡙁 采昃　𡙁 長昃　𡙁 帀昃　𡙁 鄉昃

璽 昏，甲文作𣅀，金文借聞為昏，作𦖞，小篆作昏。《說文》：「昏，日冥也。从日，氐省。氐者下也。一曰：民聲。」段注：「一曰：民聲。四字蓋淺人所增，非許本書。」卜辭作紀時之字，即「日冥」、「日暮」之時，如「𣅀至昏不雨」（粹七一五）。郭沫若認為昏假為曦，𣅀字為形，明日，辭義為「明日早晨至晚不雨」。

甲 𣅀 粹七一五　𣅀 粹七一七　𣅀 京津四四五〇　𣅀 寧滬一·七〇　𣅀 佚二九二

金 𦖞 毛公鼎

漢金 昏 東昏家行鐙

昱，甲文作明，金文作𡙁，小篆作昱。《說文》：「昱，明日也。从日，立聲。」林潔明曰：「經典作翌。甲骨文明日字段羽字為之，作𦐂（藏三一）𦐂（拾三·四）或作𦐂（前二·二·六）。从立，羽

昱　昔　㫺

聲。又或从日羽聲，作明。（前六．五三．二）唐蘭釋𦒱為羽字，至確。金文明日字亦假羽字為之，如卣、盂鼎字作𪱮，則从日翊聲。後世誤以為立聲，故作从日立聲之昱，以為明日專字也。」（金文詁林）

（甲）
甲六·三八　乙一〇〇　前七·五·三　掇一·四一五　燕四五

（金）
盂鼎　宰椃角　作册擊卣　卯卣二

（漢印）
殷昱印信

昔，甲文作㫺，金文作㫺，小篆作㫺。《說文》：「昔，乾肉也。从殘肉，日以晞之，與俎同意。𦠆籀文从肉。」葉玉森曰：「㫺（昔）籀文乃腊字。古必先有昔，乃孳乳為腊。契文昔作㫺𦠆。≋乃象洪水，即古巛字。从日，古人殆不忘洪水之巛，故製昔字取誼於洪水之日。」（說契）昔之本意常為「古往」之義，腊之本義乃「乾肉」。卜辭銘文中除人名外多作「往昔」之義。作人名，如「史昔其作旅鼎」（史昔鼎）。作往昔，如「昔乃且（祖）亦既令乃父死嗣葊人」（卯簋）。

昆

甲

前四·二七·三

後上六·三

後下五·三

菁六·二

金

克鼎

卯簋

師嫠簋

善鼎

史昔鼎

漢印

皆青之印

昔強

昆，金文作昆，小篆作昆。《說文》：「昆，同也。从日从比。」徐鍇曰：「日日比之，是同也。」段注：「从日者，明之義也；亦同之義也。从比者，同之義。」林義光曰：「☉象渾沌之形，非日字。今字以混為之。古有昆(昆疕鐘)疑即昆字，☉象混合形。」(文源) 銘文為作器者名，如「昆疕王貯乍龢鐘」(昆疕王鐘)。

金

昆疕王鐘

璽

昆

漢印

昆合

劉昆私印

昆昌私印

劉昆私印

昶

旦

（漢金）

昆 尚方竟四

昌 龍氏竟三

昶，金文作[glyph]，小篆作昶。《說文》：「昶，日長也。从日永，會意。」高鴻縉曰：「日本太陽，用為時日之日，是為假借。永本泳字，用為長永之永，亦是假借。故日永會晝長之意。順成，外命狀詞，應入日部。昶字見說文新附補錄，非晚出。」（字例） 銘文用作國邑，如「昶白（伯）乍（作）寶鼎」（昶伯鼎）。

（金）

[glyph] 昶伯匜

[glyph] 昶盤

[glyph] 昶伯鼎

[glyph] 昶伯鱳鼎

[glyph] 昶仲鬲

旦，甲文作[glyph]，金文作[glyph]，小篆作旦。《說文》：「旦，明也。从日見一上。一，地也。」高鴻縉曰：「旦字作[glyph]者，沿商文本形作昌也。昌从日丁聲。丁旦今猶雙聲。小篆始變作旦。後人習之，反覺昌難解耳。」（頌器考釋） 容庚云：「旦象日初出未離于土也。」（金文編） 卜辭中作晨義，如「旦不雨」（粹七〇〇）。

（甲）

[glyph] 甲一八五

[glyph] 甲一四九四

[glyph] 粹七〇〇

[glyph] 京津四〇四八

[glyph] 佚四六八

（金）

[glyph] 頌鼎

[glyph] 休盤

[glyph] 克鼎

[glyph] 望簋

[glyph] 師晨鼎

朝 𦩍

璽

王旦

率口旦

漢印

馬旦印

臣旦

朝，金文作𣉻，小篆作𦩍。《說文》：「朝，旦也。从倝，舟聲。」林潔明曰：「按金文字作𣉻，不从倝，亦不从舟。字不从倝，無旦之意，不从舟作，則無从舟之聲。許說非也。甲骨文有𠦝（庫一〇二五）𠦝（後下三·八）从日在草中，从月，諸家或釋爲朝，或釋爲萌。按釋朝是也。（詳唐蘭說，見甲骨文集釋第一頁205—207）字象日已出茻中而月猶未沒，是朝夕之本字會意。其後月譌爲舟，古文从月之字多譌爲舟，許氏據以爲說，遂變爲形聲字。至金文朝，𣉻則爲潮汐之本字，从𡿨或从水，从川與从水同意，朝有聲，爲小篆作潮所本。（金文詁林）銘文多作朝夕之朝，如「其朝夕用高于文考」（事族簋）。

金

盂鼎

矢尊

克盨

事族簋

史話簋

璽

韓城朝

㫃　㫃　旂

漢印

朝 朝那左尉

朝 東朝陽侯

朝 朝鮮右尉

朝 朝竺

朝 朝

漢金

朝 朝陽少君鐘

㫃，甲文作𠂉，金文作𠂉，小篆作㫃。《說文》：「㫃，旌旗之游，㫃蹇之皃。从屮曲而下，垂㫃相出入也。讀若偃。古人名㫃，字子游。……㫃古文㫃字，象旌旗之游及㫃之形。」羅振玉曰：「卜辭作𠂉，與古金文同。屮象杠與首之飾，乀象游形。」（增考）𠂉實爲旗之初文，象形字。

甲

前五·五·七

後上二三·二

前五·六·一

甲九四四

粹四

金

爵文

休盤

璽

口戠口口㫃

旂，甲文作𣃦，金文作旂，小篆作旂。《說文》：「旂，旗有衆鈴，以令衆也。从㫃斤聲。」按𠂉是旗的初文，金文中加斤作聲符，其意與㫃同。唐蘭曰：「𣃦，王國維釋曰旂，已近是。」按此

旂 游 游

字从㫃斲聲，舊以為从旂从單，誤。」（導論）銘文中有的作「旗」意，如「朱旂二鈴」（毛公鼎）。有的作人名，如「旂用作父戊寶尊彝」（旂作父戊鼎）。有的叚為祈，如「用旂（祈）眉壽黃耇吉康」（師𡨦父鼎）。

（甲）

佚九五二

存下五二三

粹一〇

戩四七・九

（金）

旂作父戊鼎

盂鼎

旂鼎

師𡨦父鼎

休盤

（璽）

旂牢

旂紹

旂縣

旂紹

旂瘍

（漢印）

楊旂言事

旂臣

孫旂

游，甲文作[甲文]，金文作[金文]，小篆作游。《說文》：「游，旌旗之流也。从㫃，汓聲。𨒪，古文游。」商承祚曰：「甲骨文無从水之游，有斿，作[甲文][甲文][甲文]，金文魚匕作[金文]，象子執旗。此从辵，故玉篇收入辵部，謂為遊之古文，與游同，而說文無遊，據之當補入。」竊謂斿、遊、游當分訓：旌旗之游應作斿，俗作旒。遊為遨遊之專字。游則水流皃。今以游為旗流者，借字也。」（古攷）

旋 旋

甲 [glyph] 鐵一三二·二 [glyph] 前二·二六·六 [glyph] 前二·三九·二 [glyph] 後上十三·十三 [glyph] 後下十四·一

金 [glyph] 簋文 [glyph] 觚文 [glyph] 長日戊鼎 [glyph] 仲游父鼎 [glyph] 蔡侯盤

璽 [glyph] 石遊 [glyph] 口遊 [glyph] 肙遊 [glyph] 莘遊

漢印 [glyph] 游部將軍章 [glyph] 游敞 [glyph] 游慶私印 [glyph] 中游 [glyph] 徐游成印

漢金 浡 泰山竟 浡 尚方竟二 浡 又十一

旋，甲文作[glyph]，金文作[glyph]，小篆作旋。《說文》：「旋，周旋，旌旗之指摩也。从㫃从疋。疋，足也。」甲金文从㫃从止，止、疋、足同義。段注：「手部摩下曰：旌旗所以指摩者也。旗有所鄉，必運轉其杠，是曰周旋，引伸為凡運轉之偁。」卜辭中亦作回還之義，如「囚卜王亦旋征」（佚六九七）。

甲 [glyph] 拾十二·十七 [glyph] 後上二八·三 [glyph] 後下二十·十六 [glyph] 後下二六·二 [glyph] 後下三五·五

𣄼 旅

㊎ 召卣 麥盉

旅，甲文作𣃦，金文作𣃦，小篆作𣄼。《說文》：「旅，軍之五百人為旅，从㫃从从。从，俱也。𠭖，古文旅。」林潔明曰：「按字在金文或从車作𨍭，或从辵作𨖇。容庚云：旅象衆人於㫃下形，是也。余意旅之本義當為軍旅，許氏不誤。軍必有旂，故字从㫃，軍必集衆人而成，故字从从，从衆人也。許云俱也，非是。甲骨文旅字皆作𣃦，其後有車戰，故字又从車。又軍旅之事必以行，故又从辵。旅之為軍旅也，故有陳義。行軍之際必有盟誓、祭祀，故引申之而有祭義。旅彝其初當為軍旅祭祀盟誓之器，其後則引申為陳祭宗廟之器也。金文中旅字用法，亦有用其本義軍旅者，如亘侯鼎旅五旅是，又知旅亦為當時軍旅之編制之一種，許說五百人為一旅當有所本，亘侯鼎旅五旅可證。其用為魯衛之魯，書文侯之命盧弓盧矢之盧，矢毀、亘侯鼎，則音之假借也。」（金文詁林）

㊙甲 鐵九十二 前四.三一.七 後下四三.九 林一.七.八 戩二.九

㊎ 父辛卣 矢簋 陳公子甗 作旅尊 弢簋

族

璽　鄃旅　爲城旅　韓旅　旅陲鉨

漢印　旅克之

族，甲文作，金文作，小篆作。《說文》：「族，矢鋒也。束之族族也。从㫃从矢。」㫃所以標衆，衆矢之所集。丁山曰：「字从㫃从矢，矢所以殺敵，㫃所以標衆，其本義應是軍旅的組織。清人八旗的制度，當是族字从㫃正解。唐書突厥傳紀其沙缽羅咥利失可汗分其國為十部，號為十設，每設賜以一箭，故稱十箭，箭者矢也。族字从矢，當又與部落稱箭的涵義相同，有是八旗十箭的故事印證，我認為族字的來源不僅是自家族演來，還是氏族社會軍旅組織的遺蹟」。「卜辭又有族氏連稱者，氏蓋是部族的徽號，族則是軍旅的組織，其區別可能如莫尔甘古代社會所謂一為聯合部族，一為胞族。」（甲骨文所見氏族及其制度）

甲　鐵九三·一　前五·八·一　前七·三八·二　後下·二六·十六　菁十一·七

金　毛公鼎　明公簋　師酉簋　番生簋　事族簋

晶 晶 星 曐

璽

族

公族阜

漢印

族賽私印

南郡族印

晶，甲文作晶或品，小篆作晶。《說文》：「晶，精光也，从三日。」朱駿聲曰：「晶字不从三日，乃象星三兩相聚之形，或曰晶即古星字，亦通論也。」（通訓定聲）卜辭用作星，如「大晶」（佚五〇六）。

甲

晶 佚五〇六

品 後二·九·一

品 甲六七五

漢印

張晶

曐，即星，甲文作㞷，金文作曐，小篆作曐。《說文》：「曐，萬物之精，上為列星。从晶，生聲。一曰象形，从口，古口復注中，故與日同。㞷古文星，星曐或省。」林潔明曰：「晶本象星三兩相聚之形，亦以寄星光晶瑩之意。蓋星為實物，有形可象，而星光之為物也虛，非託于星無所見意，故晶實一字而含列星與星光兩個不同之意義。一虛一實以表語言

曑 參

中兩不同之概念，其後另加生聲以為分別，遂判為二字。」（金文詁林）

㊥ 乙一八七七 拾四六 前七．二六．三 簠雜一二〇 金四〇七

㊎ 麓伯星父簋

㊣ 星沿

漢印 星舜之印 星有之印 星林私印

參，金文作曑，小篆作曑。《說文》：「參，商星也。从晶，㐱聲。曑或省。」朱芳圃曰：「曑，象參宿三星在人頭上，光芒下射之形，或省人，義同。」（釋叢）

㊎ 莆參父乙盉 毛公鼎 召伯簋 𢿢鐘 克鼎

㊣ 長參 口參 孫參 長參 肖參

月

（漢印）

参川尉印

李参

張参

李参

程参私印

（漢金）

上大山竟二

月，甲文作，金文作，小篆作。《說文》：「月，闕也。太陰之精，象形。」葉玉森曰：「月之初文必為，象新月。因日作正方長方或多角形，乃亦變作，後又沿日注小直之譌變為等形，篆文作，更由蛻化者也。」（說契）林潔明曰：「字象缺月之形，蓋月之相，以缺月為常也。甲骨金文月與夕並同字。」（金文詁林）月，本義為日月之月，假借為年月之月。

（甲）

鐵九九二

餘十五·三

前一·三九·三

菁一·一

戩十二·十四

（金）

旂鼎

㚸卣

散盤

夆弔匜

趞卣

（璽）

事月

霸 期

（漢金）長安鋗　永平平合　月 項伯鍾　清銅竟　月 佳銅竟

霸，金文作䨣，小篆作霸。《說文》：「霸，月始生霸然也。承大月二日，承小月三日。从月，䨣聲。《周書》曰：哉生霸。𩇯，古文霸。」銘文中亦用作「月」。常云「生霸」「死霸」者，曆法之名。王國維曰：「古者蓋分一月之日爲四分。一曰初吉，謂自一日至七八日也。二曰既生霸，謂自八九日以降至十四五日也。三曰既望，謂十五六日以後至二十二三日。四曰既死霸，謂自二十三日以後至于晦也。」（觀堂集林·生霸死霸考）

（金）令簋　㫚鼎　師遽簋　大簋　大鼎

（漢印）霸陵園丞　孔霸　梁霸私印　常霸私印　周霸之印

（漢金）竟寧雁足鐙　王霸印鉤

期，金文作𣅔，小篆作期。《說文》：「期，會也。从月，其聲。𣅔，古文从日丌。」金文或作𣅔，其⊙即日也。日、月皆可表時，故小篆改从月。銘文云：「其眉壽無期」（褱鼎）。

期　有

期

㊎ 沇兒鐘　寡兒鼎　夆弔匜　齊侯敦　吳王光鑑

㊞璽 □期　肴期

㊞漢印 謝倚期　信期期　聶過期　房中期　期楚

㊞漢金 期 君有行竟

有

有，甲文作㞢或作又，金文作[glyph]，小篆作[glyph]。《說文》：「有，不宜有也。《春秋傳》曰日月有食之。从月，又聲。」甲骨文用又為有，如「㞢[glyph]」（甲二八四），即「有田」之合文。《甲骨文編》：「㞢，此字不知偏旁所从，以文義覈之，確與有無之有同義，今系於有字之後。」胡小石曰：「㞢與說文㞢形近。卜辭用㞢之例，或以為又，如『俘人十㞢六人』（菁六），即俘人十又六人也；或以為有，如『允㞢來艱』（菁六），即允有來艱也；或以為告之省，如『貞㞢于祖丁』（菁十二·四）即告于祖丁也。」（說文古文考）楊樹達曰：「余謂有無之有與尋獲、取諸字義皆相類，故造文之意亦大同。尋字甲金文皆从又持貝，許君云从見者，誤也。獲字甲金文作隻，从又持隹，取字从又持耳，古文小篆無異形，以三文證有字，以手持肉，其為有無之

明

有甚明，非脩食本字也。（積微．虢仲盨跋）

甲：粹一三　戰三三．三　菁五．一　粹一八七　佚三八三背

金：盂鼎　井侯簋　毛公鼎　散盤　召伯簋

璽：又口　王有大吉　金有　有上下口生　宜有君士

漢印：有秩獄史　富納　臣冬有　唐將有　日有憙　有潄

漢金：兩詔楕量　新嘉量　陽泉熏盧　長貴富竟　至氏竟

明，甲文作　或　，金文作　，小篆作明。《說文》：「明，照也。从月从囧。……明，古文从日。」明，或作朙，从古至今兩者並存。明以日月會意天明之時。朙，象月照窗牖之形。

甲：乙三二〇〇　前四．一〇．四　甲三〇七九　乙六一五〇　乙六六六四

囧

金

矢方彝

矢尊

仲明父簋

毛公鼎

秦公簋

璽

明上

明

明上

明上

明上

漢印

葭明長印

後椅明義司馬

䛐明

魯明

巨神李明

漢金

大䰠權

廿六年詔精量

大常明行鐙

昭明竟

朱氏竟 明

囧，甲文作◎，金文作◎，小篆作◎。《說文》：「囧，窗牖麗廔闓明也。象形。……讀若獷，賈侍中說，讀與明同。」字象窗牖中有交叉之形。卜辭中作地名，如「乙未貞王米叀父丁……于囧」（後上二五·七）。

甲

拾十四·十二

後上二五·七

後下十·九

後下二三·五

戩三七·三

金

戈父辛鼎

ㄇㄥˊ 盟　ㄒㄧ 夕

（漢印）𥁰　蔡圂

盟，甲文作𥁰，金文作𥁰或盟，小篆作𥁰。《說文》：「𥁰，《周禮》曰：國有疑則𥁰，諸侯再相與會十二歲一𥁰。北面詔天之司慎司命。𥁰殺牲歃血，朱盤玉敦，以立牛耳。从囧，皿聲。盟，篆文从明。盟，古文从明。」段注：「《曲禮》曰：莅牲曰盟。是也。《玉府職》曰：若合諸侯，則共珠槃玉敦。鄭云：合諸侯者必割牛耳取其血歃之以盟，朱盤以盛牛耳，尸盟者執之……」故𥁰、盟、盟為一字，古約盟時所用器物，引申作動詞盟誓等義。

（甲）

甲二三六三

後二·三〇·一七

後二·三九·一七

粹七九

存一四九四

（金）

井侯簋

盟弘卣

魯侯爵

師望鼎

蔡侯盤

夕，甲文作D、D，與月同形；金文作D，小篆作夕。《說文》：「夕，莫也。从月半見。」夕本即月字，因春時能見月，故許訓夕為莫也。卜辭銘文中夕多訓暮，如「今夕」（甲一一二〇）、「其朝夕用享于文考」（事族簋）。亦作祭名，如「𠦪年于冎夕羊米小宰卯一牛」（佚一五三）。

夜 夜 外

甲

鐵五四

餘二

拾十八

菁二二

戩七二

金

毛公鼎

盂鼎

事族簋

史䛮簋

曆鼎

漢印

夕陽侯長

漢匈奴惡適姑夕且渠

郭夕印

陰將夕

夜，金文作夜，小篆作夜。《說文》：「夜，舍也。天下休舍也。从夕，亦省聲。」段注：「休舍猶休息也。舍，止也。夜與夕渾言不別，析言則殊。《小雅》：莫肎夙夜，莫肎朝夕，朝夕猶夙夜也。」

金

師𩛥簋

夜君鼎

師寰簋

克鼎

𩋈侯鼎

璽

夜眂

夜閒

漢印

夜印

夜丞之印

趙夜私印

李夜

龐夜

外，《甲骨文編》曰：「甲骨文不从夕。」「外丙」外字作卜。金文作外，小篆作外。《說文》：「外，遠也。卜尚平旦，今夕卜，於事外矣。外古文。」羅振玉曰：「孟子及史記均作外丙。尚書序云

外　　夙　　㑬

「成湯沒大甲元年，卜不言有外丙仲壬，太史公采世本有之。今卜丙之名，屢見於卜辭，則孟子與史公爲得實矣。」（增考）

甲
前一·五·三
前一·九·一

金
静簋
毛公鼎
南彊鉦
子禾子釜
外卒鐸

璽
外閒
外司口鈢

漢印
外里祭尊
外黃令印
外營百長
胡外成
傅外印

漢金
新嘉量
外黃鼎
精白竟

夙，甲文作　，金文作　，小篆作　。《說文》：「夙，早敬也。从丮持事，雖夕不休，早敬者也。㑛古文夙，从人囟。㑬亦古文夙，从人西。」胡小石曰：「象人執事于月下，侵月而起，故其誼爲早。」（說文古文考）《甲骨文編》收㑬作夙，曰：「㑬从人从西與說文㑬字古文同。象人宿于席上。」按㑬當作宿字。卜辭銘文中訓早，如「其用夙夕將鼎鬲」（䨠鼎）。

多 多

甲　前六·十五·五　後下·二·三　戩·二四·六　乙·五二·五　後下·二·四

金　毛公鼎　伯康簋　克鼎　伯中父簋　師酉簋

漢　夙夜。　間田宰

多，甲文作　，金文作　，小篆作　。《說文》「多，重也。从重夕。夕者相繹也。故為多。重夕為多，重日為疊。……𠈉古文多。」林義光曰：「重夕非多義，ㅁ象物形，衰之為夕，與多形同意別，多象物之多，與品同意。」（文源）甲骨文夕作D，象月缺形，而多作　，無圓弧之月形，卜辭中常云「多父」、「多伯」、「多尹」等，銘文云「降余魯多福無疆」（士父鐘），其意皆訓眾多。

甲　鐵八十二　前一·四五·六　後上·二二·五　林一·十七·十八　戩·二五·十三

金　召尊　父辛卣　秦公簋　麥鼎　伯多壺

圅

璽

口多

漢印

呂閑多

向多

趙多

肔多

趙多私印

漢金

君有行竟

張氏竟

刘氏竟

龍氏竟二

鳳皇竟

圅，甲文作(glyph)，金文作(glyph)，小篆作圅。《說文》：「圅，舌也。舌體弓弓，从弓，弓亦聲。肣，俗圅从肉今。」王國維曰：「(glyph)象倒矢在函中，小篆圅字其訛變也。此假為陷字。」（觀堂毛公鼎考釋）卜辭中作地名，如「田圅」（粹一五六四）。銘文中有的假為陷字，如「弗以我車圅（陷）于艱（艱）」（不嬰簋）。

甲

前二·三二·二

後下二三·五

後下二三·六

林二·十八·十三

戩四六·十四

金

圅皇父匜

圅皇父簋

圅交仲簠

毛公鼎

不嬰簋

璽

圅

甬 卣

(漢印)

圉 甬谷東丞

徐肸

甬，金文作甬，小篆作甬。《說文》：「甬，艸木華甬甬然也。从马，用聲。」楊樹達曰：「甬者，鐘之象形初文也。上象鐘懸，下象鐘體，中二橫畫象鐘帶。」(積微) 銘文多有「金甬」即金鏞，亦即銅鐘也。

(金)

卣 毛公鼎

卣 吳方彝

卣 師兌簋

卣 彔伯簋

卣，甲文作[illegible]或[illegible]，金文作[illegible]，小篆作卣。《說文》：「卣，艸木實垂卣卣然。象形。……讀若調。𠧪𠧪籀文三卣為卣。」高鴻縉曰：「按此盛酒之器，有提梁，象形。其加皿者，加意符耳。或於字下加）者，王靜安以為皿之省，是也。《爾雅》卣，中尊也。是其本意。」(字例) 銘文中作器物之量詞，如「易(錫)女(汝)鬯一卣」(盂鼎)。

(甲)

乙七八三五

鐵一九三·四

後下三九·十三

戩二五·九

戩二五·十

(金)

盂鼎

呂壺

齊

齊，甲文作𠫓，金文作𠫓，小篆作齊。《說文》：「齊，禾麥吐穗上平也。象形。」高鴻縉曰：「按字原象禾麥吐穗上平之形。三之者，就其多而言，故託以寄齊平之意。狀詞。周人加二爲意符，以至少必有二物方可比齊也。秦以後各體俱沿此形。」（字例） 卜辭中作地名，如「癸丑王卜貞旬亡禍□在齊餗」（後上十五．十二）。古籍中訓整、敬等義，亦假作國名。

（甲） 前二十五．三　前二十五．四　前七．十四．一　後上十五．十二　林二．二六．十六

（金） 齊卣　齊侯壺　齊巫姜簋　齊陳曼簠　伯姜齋鬲

（璽） 陽齊　齊稟　公孫齊　王齊

（漢印） 齊內史印　齊丘平　齊調　王齊印　齊壺

（漢金） 大良造鞅方量　光和斛二

朿

朿，甲文作朿，金文作朿，小篆作朿。《說文》：「朿，木芒也。象形。……讀若刺。」高鴻縉曰：「按此有刺之木也。字倚木畫刺形，由文木生意。名詞。有刺之木，如棗棘之類。」（字例） 卜辭

中有的作地名，如「在朿」（續五·四·四）。有的作用牲之法，如「朿豕」（乙八七一○）。

甲
朿 林二·十八·十三
朿 乙八六九七
朿 乙八八四
朿 乙八八一四
朿 粹九七六

金
朿 朿卣
朿 朿卣

篆
朿 朿

鼎 鼎

鼎，甲文作𣇸，金文作𣇸，小篆作鼎。《說文》「鼎，三足兩耳，和五味之寶器也。昔禹收九牧之金，鑄鼎荊山之下，入山林川澤，螭魅蝄蜽，莫能逢之，以協承天休。《易》卦，巽木於下者為鼎。象析木以炊也。籀文以鼎為貞字。凡鼎之屬皆从鼎」。于省吾曰：「按許說非是。契文鼎字作𣇸𣇸，金文鼎字多作𣇸，上象鼎之左右耳，中象鼎腹，下象兩足，圜鼎本三足，自前視之祇見其二足，然其二足，多作𣇸形。其左右四出之斜畫，果何象乎？曰此本象鼎之扁足也」。（古雜·釋鼎）卜辭假鼎為貞，如「辛酉鼎（貞）王往因之史」（佚九八八）。

克

甲	
	鐵六五·四
	前五·三·四
	後上六·四
	戩四七·四
	戩四七·八

金	
	父己尊
	鼎文
	卓林父簋
	[illegible]伯辪鼎
	毛公鼎

璽	
	□□鼎□

篆	
	鄘偏鼎
	雍棫陽鼎
	衛鼎
	㪤車宮鼎二
	灝成鼎

克，甲文作𠂤，金文作𠂤，小篆作𠅱。《說文》：「克，肩也。象屋下刻木之形。……𠅱古文克，𠅱亦古文克。」商承祚曰：「按甲骨文作𠂤𠂤，金文同。甲骨文又作𢦏，金文散盤作𢦏，象人戴胄持兵，知𠆢為胄形者。金文㝩戾鼎，㦸戈𢦏胄作𠙵；豦𣪘甲胄干戈作𠙵，上皆从𠙵，象兜鍪，以是知之。第二文下从𣲖，象介甲形，介，甲骨文作𠂇，戴胄、服甲，戰欲其克也，故克之訓為勝，引申為能，為肩。石經克之篆文作𠅱，則小篆从尸，乃尸之誤矣。又注謂象屋下刻木之形，乃下录部录字之錯簡，石經古文作𠅱。」（古攷）卜辭有的作人名，如「貞子克𡴆」（拾十五·五）。或訓能，如「弜歸克卿（饗）王事」（甲編四二七）。

彔

甲
鐵十二
拾十五．五
前二．二七．三
前六．二十三
菁十一．十六

金
井侯簋
大保簋
辛伯鼎
令鼎
公克錞

漢印
李克得
李克

鏊
廣漢郡書刀三

彔，甲文作𢑚，金文作𢑚，小篆作彔。《說文》「彔，刻木彔彔也。象形。」馬叙倫曰：「倫按：《說文》作彔刻木彔彔也，不獨非本義，亦非許慎本訓也。楊桓謂彔者汲水而上之具也。沈兼士曰：金文作𢑚，𠁣象桔槔之形，○象汲水之具，八為外溢之水，當即淥之本字。倫謂此淥之初文。從水，彔聲。彔為轆轤之轆初文，象形。彔與互為同用異形之物，今失彔字。」

（刻詞．彔敨） 卜辭中有的作人名，如「中彔卜」（甲二五六二）。有的作地名，如「王田于麥彔」（佚四二七）。

甲
前六．一．八
前七．三．二
後下十三．十四
菁五．一
佚六五八

禾

金：大保簋　彔卣　散盤　師晨鼎　頌鼎

漢印：彔火之印

漢金：吾作竟

禾，甲文作⿰，金文作⿰，小篆作⿰。《說文》：「禾，嘉穀也。二月始生，八月而熟，得時之中，故謂之禾。禾，木也，木王而生，金王而死。从木从𠂹省，𠂹象其穗。」羅振玉曰：「上象穗與葉，下象莖與根。許君云从木从𠂹省，誤以象形為會意矣。」（增考）卜辭中禾年二字通用，「受禾」即「受年」。卜辭銘文中多作本意，如「錫禾」（畐卣六七）、「賞畐禾十秭」（畐鼎）

甲：拾二·九　前三·二九·三　後上亩·九　後下六·十六　戩二六·四

金：卣文　曶鼎　禾鼎　禾簋　邾公釸鐘

璽：悊禾敬明　宜禾　宜禾　禾　禾

穆 稻 稻

漢印

[seal] 禾成 見平威 侯道

[seal] 木禾丞印

[seal] 陳多禾

漢金

[seal] 禾新量斗

[seal] 禾右鐵權

穆，金文作[seal]，小篆作穆。《說文》：「穆，禾也。从禾，㣎聲。」按金文象禾穀成熟之實向下垂落之形。銘文中多作人名，如「穆王鄉醴」（長由盉）。

金

[seal] 適簋

[seal] 作冊䰧卣

[seal] 克鼎

[seal] 虢弔鐘

[seal] 秦公簋

漢印

[seal] 陰穆私印

[seal] 張穆印信

[seal] 秦穆印信

稻，金文作[seal]，小篆作稻。《說文》：「稻，稌也。从禾，舀聲。」林義光曰：「稻為象形字，則舀即稻省，稻象禾入臼中爪取之，故舂畢挹出亦謂之稻。《詩》「或舂或舀」（民生），毛本以揄為之。」（文源） 銘文中作谷物之名，如「用盛稻粱」（曾伯簠）。

金

[seal] 曾伯簠

[seal] 陳公子甗

[seal] 弔家父匡

[seal] 史免匡

穅（康）穅

穅，甲文不从禾，作康，金文作康，小篆作穅。《說文》「穅，穀皮也。从禾从米，庚聲。康穅或省。」郭沫若曰：「康字小篆作康，从米云穅之省，穅曰『穀之皮』，然古文康字不从米，卜辭之康祖丁或康丁作康若康，金文亦同，如蔡伯𥬆父敦之『康龢屯右』作康……既不从米，意亦絕無穅義。……余意此康字必以和樂為其本義，故殷周帝王即以其字為名號，穅乃後起字，益从禾康聲。古人同音通用，不必康即是穅也。大凡和樂字，古多借樂器以為表示，如『和』本小笙，『樂』本絃樂之象，又如『喜』字从壴（古鼓字象形）……然則康字蓋从庚，庚亦聲也。庚下之點撇蓋猶彭之作彭若彭，言之作言若言也。」（甲研釋庚字）李孝定曰：「契文之本義當為和樂，其說確不可易。樂器多中空，故引伸之，有空虛之義，其音又與古語穀皮之穅相同，古或有假康為穅者矣，至穀皮字仍當以穅為本字，康為借字。其篆體並不當从米，从米者乃庚下小點八之形譌。」（甲骨文集釋）卜辭中作人名，如「康丁」（前一·三七·二）。

（甲）

前一·十·三

前一·十二·四

後上三·九

後上二十·五

後上二五·十三

（金）

矢方彝

毛公鼎

蔡侯盤

君壺令瓜

年

璽 高康 口康 肖康 事康 鄞康

漢印 康陵園令 康武男家丞 潤沐伯康 夏康私印 康中己

漢金 康泉銷 永始高鐙 昭台宮扁 晉右尚方釜 河東鼎

年，甲文作[seal form]，金文作[seal form]，小篆作[seal form]。《說文》：「年，穀孰也。从禾，千聲。《春秋傳》曰大有年」。按年甲金文从人負禾，不从千，卜辭中用作穀熟豐登之義，如「東土受年」（粹九〇八）。因穀物多一年一熟，故銘文中借作年月之年，如「其萬年寶用」（兔盤）。

甲 鐵二四三 拾十三 後上一二 後下六十四 戩七十五

金 甬皇父簋 弔宇簋 姞氏簋 頌鼎 邾公釛鐘

璽 莖年

秦　穌　穌

漢印

燕印安年　皇萬年　隗年　靳延年印　袁延年

漢金

南陵鍾　新嘉量二　山陽邸鐙　晉右尚方釜　涑治銅竟

穌，金文作[glyph]，小篆作穌。《說文》：「穌，杷取禾若也。从禾，魚聲。」高鴻縉曰：「穌此即說文訓桂荏之本字，从木，魚聲。小篆譌木為禾，故有穌字。至於蘇字乃取艸之義，从艸，穌聲，另字也。今本說文有誤，當正。此處穌為國名，妃姓。王静安曰，古文穌字作穌，从木。觀穌衛妃鼎，穌甫人匜，其女皆己姓。鄭語云己姓蘇、顧、温、董，則穌之為蘇信矣。小篆譌木為禾，說文乃釋為杷取禾若，未免望文生訓矣，今按王說是也。」（頌器考釋）在銘文中作國名，如「穌公子癸父甲簋」（穌公簋）。

金

穌公簋　史頌簋　穌治妊鼎　穌甫人匜　滕矦盨

璽

穌凫　穌延

秦，甲文作[glyph]，金文作[glyph]，小篆作[glyph]。《說文》：「秦，伯益之後所封國，地宜禾。从禾，舂省。一曰秦禾名。䅘，籀文秦从秝。」秦象持杵舂禾之形。卜辭銘文中假為地名或國名，如「秦公簋」。

秦　兼

甲　後下三七·八　後下三九·二　戩三七·七　戩四四·八

金　史秦鬲　鄦子簠　秦公簋　厲𪀩羌鐘　洹秦簋

璽　秦垩　秦口　秦　秦告　事秦

漢印　秦譚　秦廣昌　秦延年　秦曼私印　秦穆印信

漢金　宜陽鼎

兼，金文作□，小篆作□。《說文》：「兼，并也。从又持秝。兼持二禾，秉持一禾」。由一手持二禾引申為同做兩事，或同有兩物，如「兼聽則明」（資治通鑒）。亦引申為兼并、一起、同時等。

金　𨙙王子鐘

漢印　李兼　郅兼之印　兼遺　兼弟印

黍

秦

大騩

廿六年詔權

廿六年詔廿斤權

兩詔精量

廿六年詔精量

黍，甲文作……，金文作……，小篆作……。《說文》：「黍，禾屬而黏者也，以大暑而種，故謂之黍。从禾，雨省聲。孔子曰：黍可為酒，禾入水也。」羅振玉曰：「黍為散穗，與稻不同，故作……之狀以象之。」（增考）林潔明曰：「亦从水作……若……，正从禾入水。金文字亦从水从禾，會意，許說第二義是也。从雨蓋从水之譌變。余意黍字初本為象形，殷人尚酒，始創以黍釀酒，故字又改為从黍入水，至金文則又簡化為从禾入水。」（金文詁林）銘文中作禾屬之名，如「黍粱遯夢」（仲虘父盤）。

甲

鐵七二·三

餘十一·三

前三·三九·五

後上三一·十

戩五二

金

仲虘父盤

璽

黍口都司徒

黍口都左司馬

漢金

新量斗

米 米 春 舂

米，甲文作𠁿，小篆作米。《說文》：「米，粟實也。象禾實之形。」羅振玉曰：「象米粒瑣碎縱橫之狀，古金文从米之字皆如此作。許書作米，形稍失矣。」（增考）卜辭中作祭名，如「壬米于以且乙」（粹二二五）。

（甲）𠁿 鐵七二·三　𠁿 拾四·十六　米 前四·四一·三　𠁿 後上二五·九　𠁿 後下二三·五

（漢印）米 米粟　祭尊

舂，甲文作𦦔，金文作𦥑，小篆作舂。《說文》：「舂，擣粟也。从廾持杵臨臼上。午，杵省也。古者雝父初作舂。」甲骨文正如人用兩手持杵在臼中擣粟之形，小點〻似溢出之米。卜辭中亦作擣粟之義，如「辛酉貞犾舂戠禾」（後下三十·十三）。

（甲）𦦔 鄴三下四三·六　𦦔 鄴三下四六·七　𦦔 京津四二六五

（金）𦥑 伯舂盉

漢印 □ 舂陵之印

臽，甲文作□，金文作□，小篆作□。《說文》：「臽，小阱也。从人在臼上。」字象人陷入阱。于省吾曰：「□象人跪于坎中，即臽字。其作□，□者坎在側，與在下一也。猶佃之作㽇，亦作□。其坎較淺者陷人，非如陷獸之深也。藏五九・三有□字，隸定應作舂，象陷人于坎，而用杵舂之。藏一〇一・三丞字作□，象兩手拯人於坎中。金文父戊觚有□字象人陷于坎中，與□自係同字，均為陷之初文。」（駢三）卜辭中亦作陷人之義，如「甲辰至伐臽人」（後下十六・十一）。

甲 □ 續二・一六・四

金 □ 㝬鐘

耑，甲文作□，金文作□，小篆作□。《說文》：「耑，物初生之題也。上象生形，下象其根也。」羅振玉曰：「卜辭耑字增□象水形，水可養植物者也。从屮，象植物初茁漸生歧葉之狀形，似止字而稍異。」（增考）高鴻縉曰：「徐灝曰，自其顛言之，則為末；自其初生而言，則為本。故訓為末，亦訓為本。《廣雅》曰：『耑，末也。』《鄭注禮器》曰：『端，本也。』引申為凡始之稱。柢草木初生之題，原作耑，加一為地之通象，故耑為指事字，名詞。引申之亦為兩耑之耑。後世通叚端以代之，端行既久，而耑字少用，其實端之本意為端正，从立，耑聲，與耑別」。（字例）卜辭中有的作地名，如「侯其戈耑」（掇二·四六三）。

(甲) □ 前四·四·七 □ 前四·四二·一 □ 前四·四二·三 □ 後下七·三 □ 甲一一三

(金) □ 義楚耑 □ 郐王耑 □ 郐王義楚耑

瓜 □

瓜，金文作□，小篆作□。《說文》：「瓜，㼌也。象形。」金文□，□象瓜藤，而□即瓜形。銘文中借用作孤，如「命瓜（孤）君嗣子乍𨱑（鑄）尊壺」（命孤君壺）。

(金) □ 命瓜君壺

(漢印) □ 南郭瓜印

宀

宀，甲文作介，金文从宀之偏旁作介，小篆作宀。《說文》：「宀，交覆深屋也，象形。」甲文介正象房屋有頂墻之形。卜辭中亦用作房屋之義，如「作宀于北」（乙五〇六一）。

宀 家 家

甲

乙五〇六一

乙五八四九

乙八八一二

存八一二

京津四三四

家，甲文作，金文作，小篆作。《說文》：「家，居也。从宀，豭省聲。古文家。」商承祚曰：「家與訓豕廁之圂為一字，故家毛公鼎一作。先民畋豕廁為家者，因豕生殖蕃衍，人未有不欲大其族，故取蕃殖之意，而家以名也。家既用為人家字，乃以从口之圂而別為豕之居矣。」（古攷）家在西周金文中為貴族的宗族組織，如「我邦我家」（毛公鼎）。古時夫婦互稱亦為家。

甲

拾一·七

拾十四·十

前一·三十·七

前四·十五·四

前七·三八·一

金

家戈父庚卣

枚家卣

巨尊

伯家父作孟姜簋

毛公鼎

璽

□□家鉩

家

漢印

睢陵家丞

池陽家丞

康武男家丞

家林信印

家翁仲

宅

室

漢金

衛少主鐘　陽平家鐙　曲成家行鐙　侯家器　銅華竟

宅，甲文作，金文作，小篆作。《說文》：「宅，所託也。从宀，乇聲。古文宅，亦古文宅。」段注：「依《御覽》補字」。託者，寄也。人部，亦曰：侂，寄也。引申之凡物所安皆曰宅。」宅託疊韻。《釋名》曰：宅，擇也。擇，揀吉處而營之。」卜辭云：「東今二月宅東寢（前四·十五·二），即云「宅於東寢」。宅作居住義。後世借爲方向，背向之向。

甲

前一·三十五　前四·十四·七　前四·十五·二　菁七·二　林二·一·五

金

宅簋　公父宅匜　秦公簋　晉公盦

室，甲文作，金文作，小篆作。《說文》：「室，實也。从宀，从至。至，所止也。」《爾雅·釋宮》曰：「宮謂之室，室謂之宮」，卜辭中作宮中房室之名稱，如「東室」（乙四六九九），「大室」（粹一二五二）等，銘文中亦有「大室」、「宗室」之稱。

甲

鐵五十·二　前一·三六·三　前四·二七·八　林二·一·一　戩二六·三

宣

金

君夫簋

免卣

趞曹鼎

伯睘卣

曾姬無卹壺

璽

長平君俎室鉨

相室

相室

專室之鉨

戠室之鉨

漢印

織室令印

黃室私官右丞

居室丞印

右工室印

室孫勳

漢金

壽成室鼎

宣，甲文作㝀，金文作㝀，小篆作㝀。《說文》：「宣，天子宣室也。从宀，亘聲。」高鴻縉曰：「按此宣揚之宣之本字。从雲气在天下，舒卷自如之象。亘雲气之形。一，天之通象。……宣字从冂亘聲，乃通光透气之室也。……通光透气之室不獨天子可有也。宣而通光透气，故取宣揚宣達之宣爲聲。通光透气之宣，故引申而有明也，通也諸義。」（字例）卜辭中有的作方國之名，如「弜宣方叀」（後一·二四·七）。亦作宮室之名，如「丁巳卜于南宣占」（掇一·四五九）。

甲

後上二四·七

戩四九·九

掇一·四五九

向 向

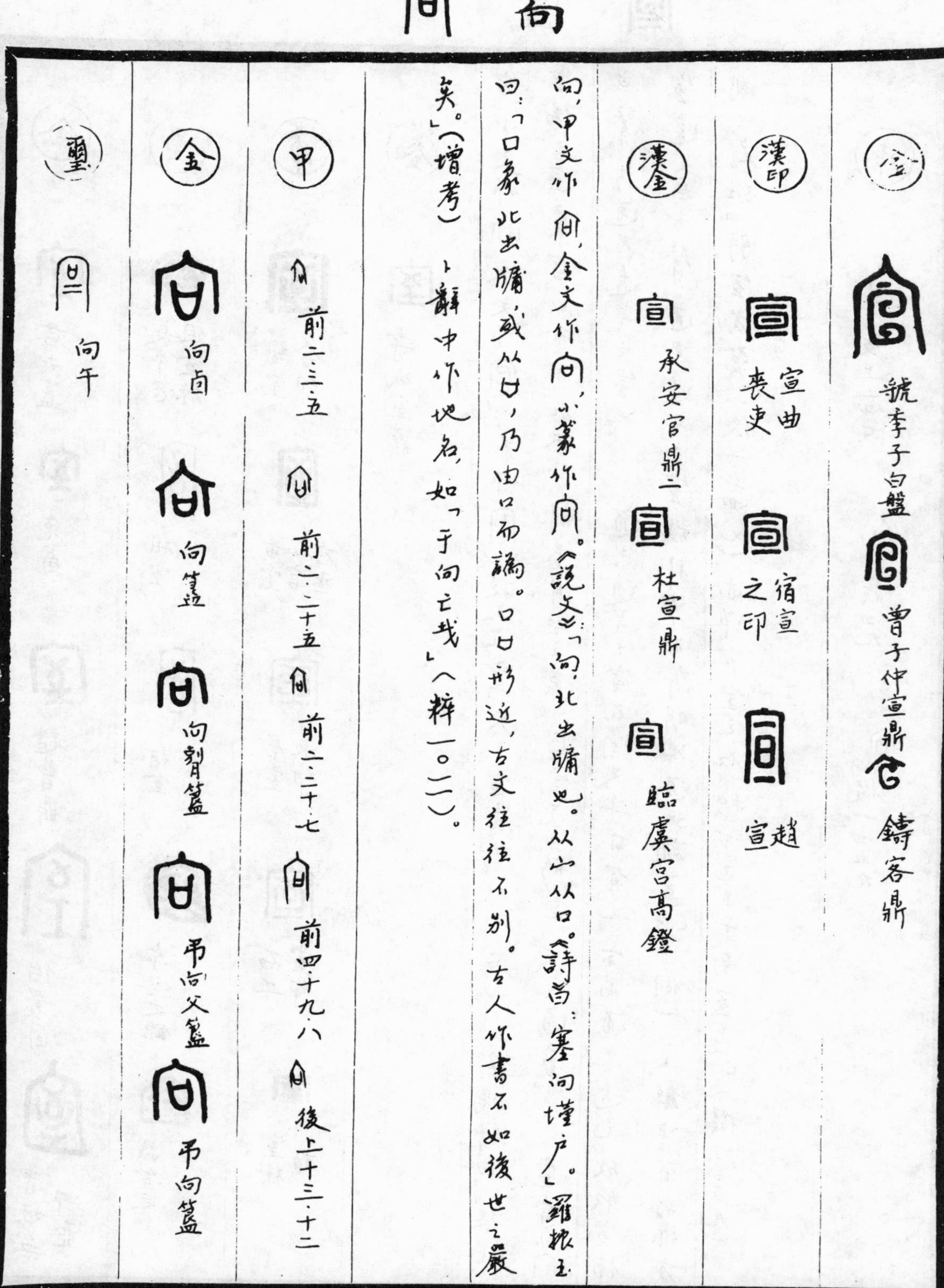

金　虢季子白盤　曾子仲宣鼎　鑄客鼎

漢印　宣曲喪吏　宿宣之印　趙宣

漢金　承安宮鼎二　杜宣鼎　臨虞宮高鐙

向，甲文作𠆿、㐭，金文作向，小篆作向。《說文》：「向，北出牖也。从宀从口。《詩》曰：『塞向墐戶。』」羅振玉曰：「口象北出牖，或从日，乃由口而譌。口日形近，古文往往不別。古人作書不如後世之嚴矣。」（增考）卜辭中作地名，如「于向亡𢦏」（粹一〇二）。

甲　前二·三·五　前二·二十五　前二·二十七　前四·十九·八　後上十三·十二

金　向卣　向簋　向䣙簋　弔向父簋　弔向簋

璽　向午

寍

(漢印)

向鳳私印　向成之印　向多　王向私印

寍，甲文作[ ]，金文作[ ]，小篆作[ ]。《說文》：「寍，安也。从宀，心在皿上。人之飲食器，所以安人。」甲文用寧為寍，作[ ]，象室內桌上安放器皿，以表安定。金文、小篆改作心在皿上，實寍即寧字，可參閱五卷寧字。

(甲)

京津五三五五

甲二七二

(金)

毛公鼎

國差𦉜

蔡侯鐘

(漢印)

永壽康寧

定

定，甲文作[ ]，金文作[ ]，小篆作[ ]。《說文》：「定，安也。从宀，从正。」在卜辭中作地名，如「癸丑卜在定貞王旬亡畎」（佚九九二）。銘文中有的作人名，如「伯定作寶彝」（伯定盃）。古籍中作安定、平定，如《詩．節南山》：「亂靡有定」。亦作規定，如《書．堯典》：「以閏月定四時成歲」。亦作留、止，如《書．洛誥》：「公定，予往已」。

安

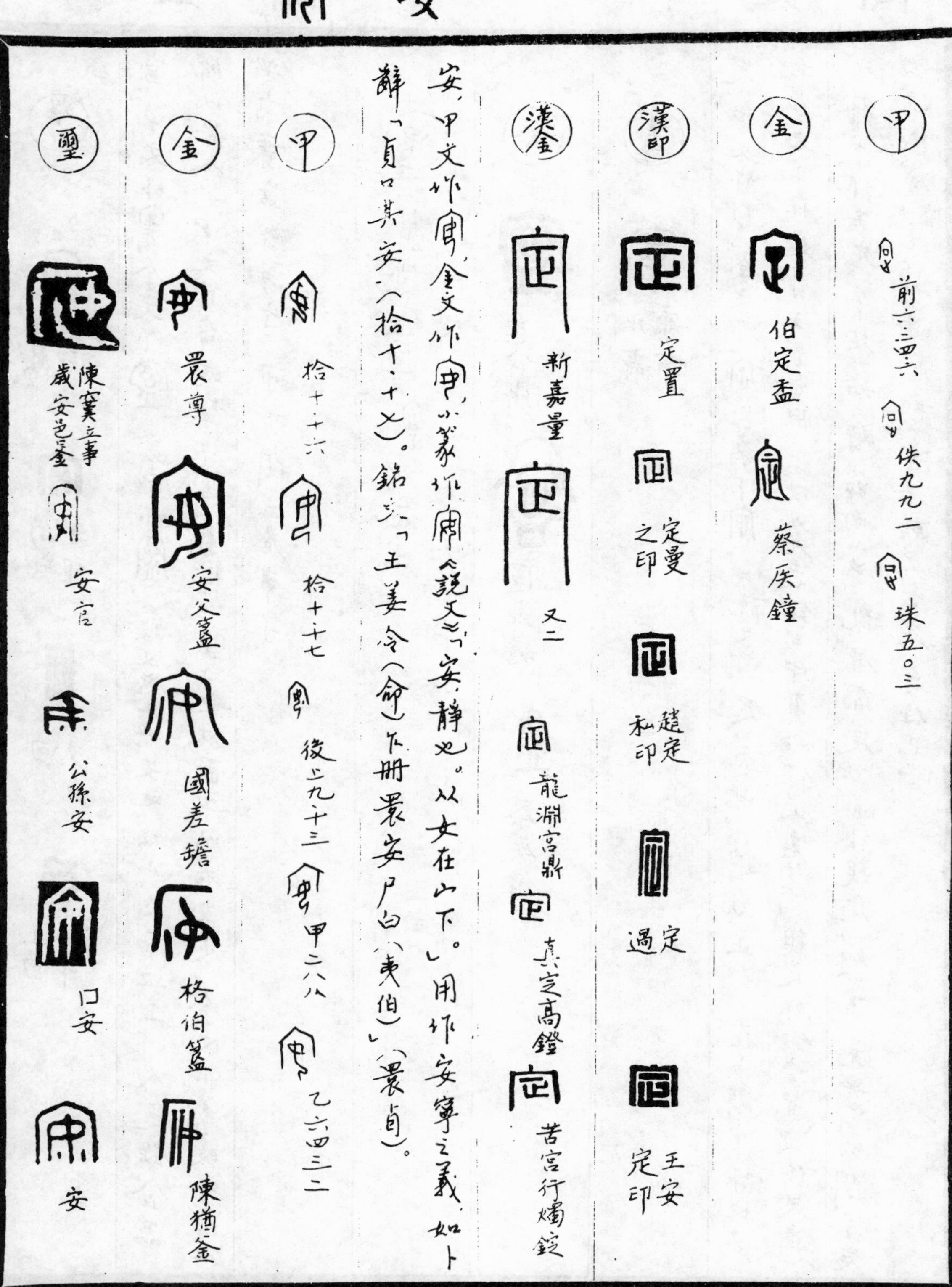

甲
前六.三四.六
佚九九二
珠五〇三
金
伯定盉
蔡侯鐘
漢印
定置
定曼之印
趙定私印
定過
王安定印
漢金
新嘉量
又二
龍淵宮鼎
真定高鐙
苦宮行燭錠
安，甲文作，金文作，小篆作《說文》：「安，靜也。从女在宀下。」用作安寧之義，如卜辭「貞□其安」(拾十.十之)。銘文「王姜令(命)乍册睘安尸白(夷伯)」(睘卣)。
甲
拾十.十六
拾十.十七
後上九.十三
甲二八八
乙六四三二
金
睘尊
安父簋
國差罎
格伯簋
陳猶釜
璽
陳窶立事歲安邑亳釜
安官
公孫安
口安
安

寴　富

漢印

郍安

雁安

杉安

吳安

俱安

漢金

兩詔橢量

陽泉熏爐

富貴安樂竟

泰言之紀竟

光和斛

寴，金文作寴、寴，小篆作寴。《說文》：「寴，至也。从宀，親聲。」高田忠周曰：「依許氏解，寴、親殆為同字。蓋寴為親屬正字。親屬者，在一家內以相親近，故字从宀；親為親愛正字，故字从見。」銘意以為自親字。（古籀篇）銘文作「親自」義，如「寴（親）令史懋」（史懋壺）。

金

克鐘

史懋壺

咢矦鼎

農卣

富，金文作富、富，小篆作富。《說文》：「富，備也。一曰厚也。从宀，畐聲。」富象室內藏有酒器之形，以表富家備物之足。古富福義同，《禮記·祭統》：「福者，備也。備者，百順之名也。」《釋名》：「福，富也。」《禮記·郊特牲》：「富者，福也。」

金

上官登

富奠劍

實

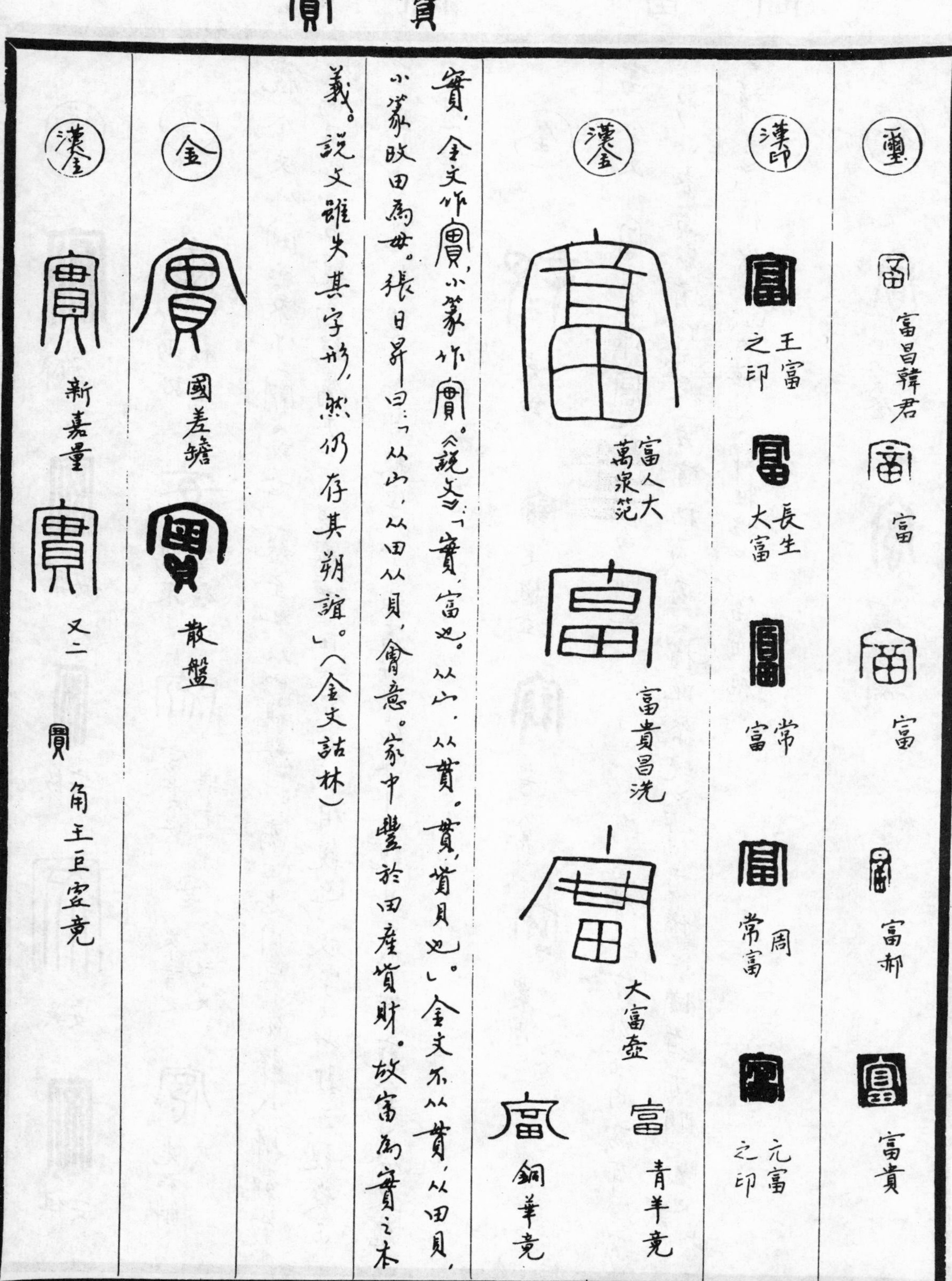

璽
富昌韓君
富
富
富郝
富貴
漢印
王富之印
長生大富
常富
周常富
元富之印
漢金
富人大萬泉范
富貴昌洗
大富壺
青羊竟
銅華竟
實，金文作實，小篆作實。《說文》：「實，富也。从宀、从貫。貫，貨貝也。」金文不从貫，从田貝，小篆改田為毋。張日昇曰：「从宀，从田从貝，會意。家中豐於田產貨財，故富為實之本義。說文雖失其字形，然仍存其朔誼。」（金文詁林）
金
國差𦉜
散盤
漢金
新嘉量
又二
角王巨虛竟

寶

宰

寶，甲文作，金文作，小篆作。《說文》「寶，珍也。从宀从玉从貝，缶聲。古文寶省貝。」羅振玉釋曰：「貝與玉在宀內，寶之誼已明。古金文及篆文增缶，此省。」（增考）卜辭中作人名，如「婦寶」（甲三三三〇）。銘文訓珍，如「其萬年子子孫孫永寶用」（史頌匜）。

甲

前六·三一·三

後下十八·三

甲三三三〇

粹一四八九

存下六三

金

我鼎

旂鼎

旂父鼎

散簋

姑㽙母鼎

漢印

季寶

王寶之印

彊印郎寶

師寶

杜寶

宰，甲文作，金文作，小篆作。《說文》「宰，辠人在屋下執事者。从宀从辛。辛，辠也。」宰，卜辭中有的作官名，如「王賜宰丰寢小䣄況在五月……」（佚四二六）。有的作地名，如「在宰」（粹一一九六）。銘文中多作官名，如「齊大宰歸父……」（歸父盤）。

甲

乙八六八八

佚四二六

佚五一八背

鄴三下三九八

掇一·一三一

守

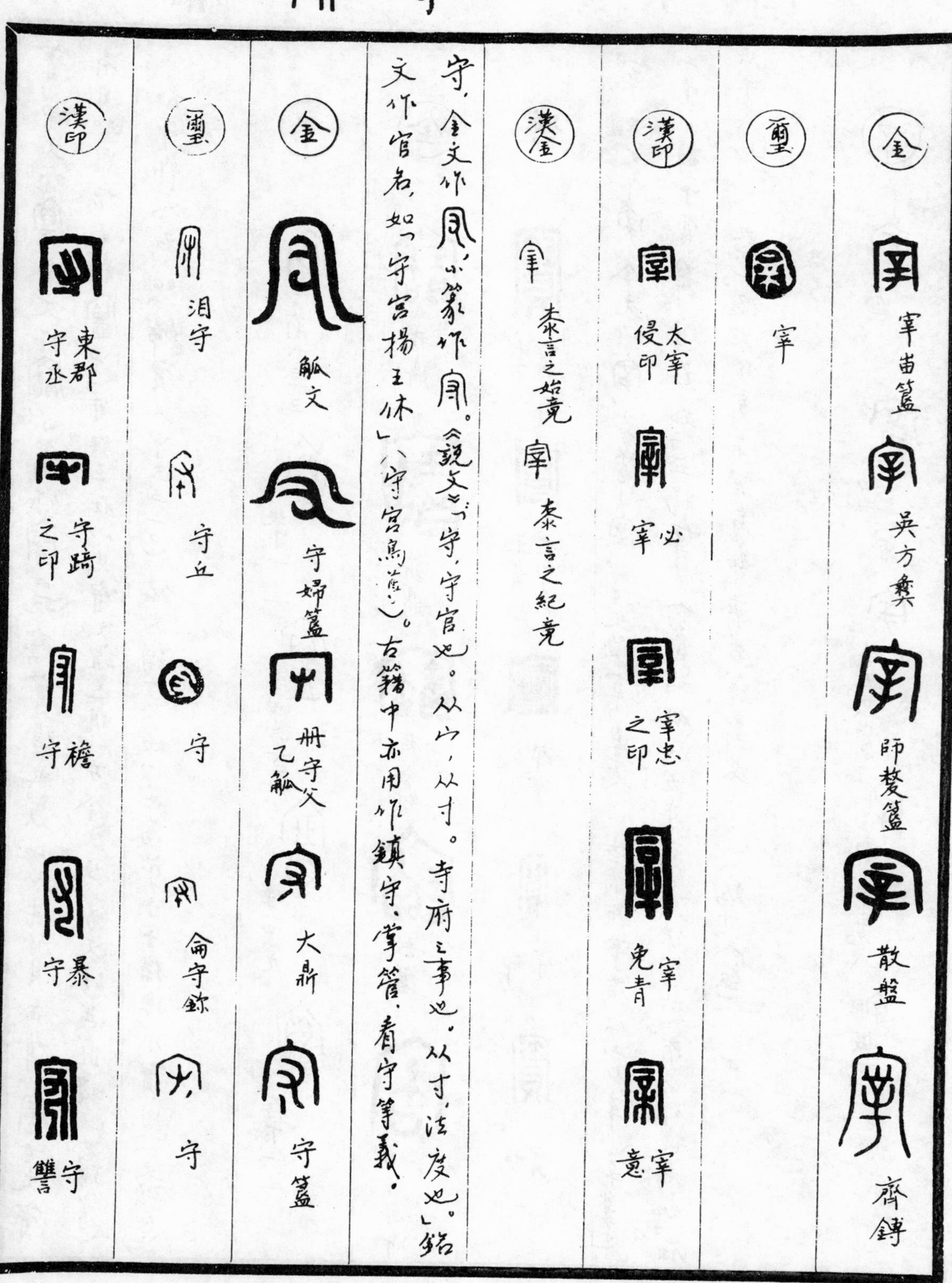
金
宰甾簋
吳方彝
師嫠簋
散盤
齊鎛
璽
宰
漢印
太宰侵印
必宰
宰忠之印
宰免青
宰意
漢金
桼言之始竟
桼言之紀竟
守，金文作㝉，小篆作㝉。《說文》：「守，守官也。从宀，从寸。寺府之事也。从寸，法度也。」銘文作官名，如「守宮揚王休」、「守宮鳥蔽」。古籍中亦用作鎮守、掌管、看守等義。
金
觚文
守婦簋
冊守父乙觚
大鼎
守簋
璽
汨守
守丘
守
侖守鉩
守
漢印
東郡守丞
守蹢之印
檜守
暴守
守讐

寵　宜

漢金　壽成室鼎　元延乘輿鼎　竟寧雁足鐙　元始鈁　陽泉熏盧

寵，甲文作，金文作，小篆作。《說文》：「寵，尊居也。从宀，龍聲。」銘文引申為寵榮，如「用天子寵」（沇其鐘）。

甲　乙一四〇五　粹一二一四

金　沇其鐘

璽　寵公

漢印　尊寵里附城　榮寵印信

宜，甲文作，金文作，小篆作。《說文》：「宜，所安也。从宀之下一之上。多省聲。古文宜，亦古文宜。」宜甲金文象置肉于且上之形，即俎字也，小篆之夕實金文中夕（肉）之譌變。容庚曰：「儀禮鄉飲酒禮：『賓辭以俎』，注：『俎者肴之貴者。』詩：『女曰雞鳴：與子宜之。』傳：『宜，肴也。』又爾雅釋言李注：『宜，飲酒之肴也。』俎宜同訓肴

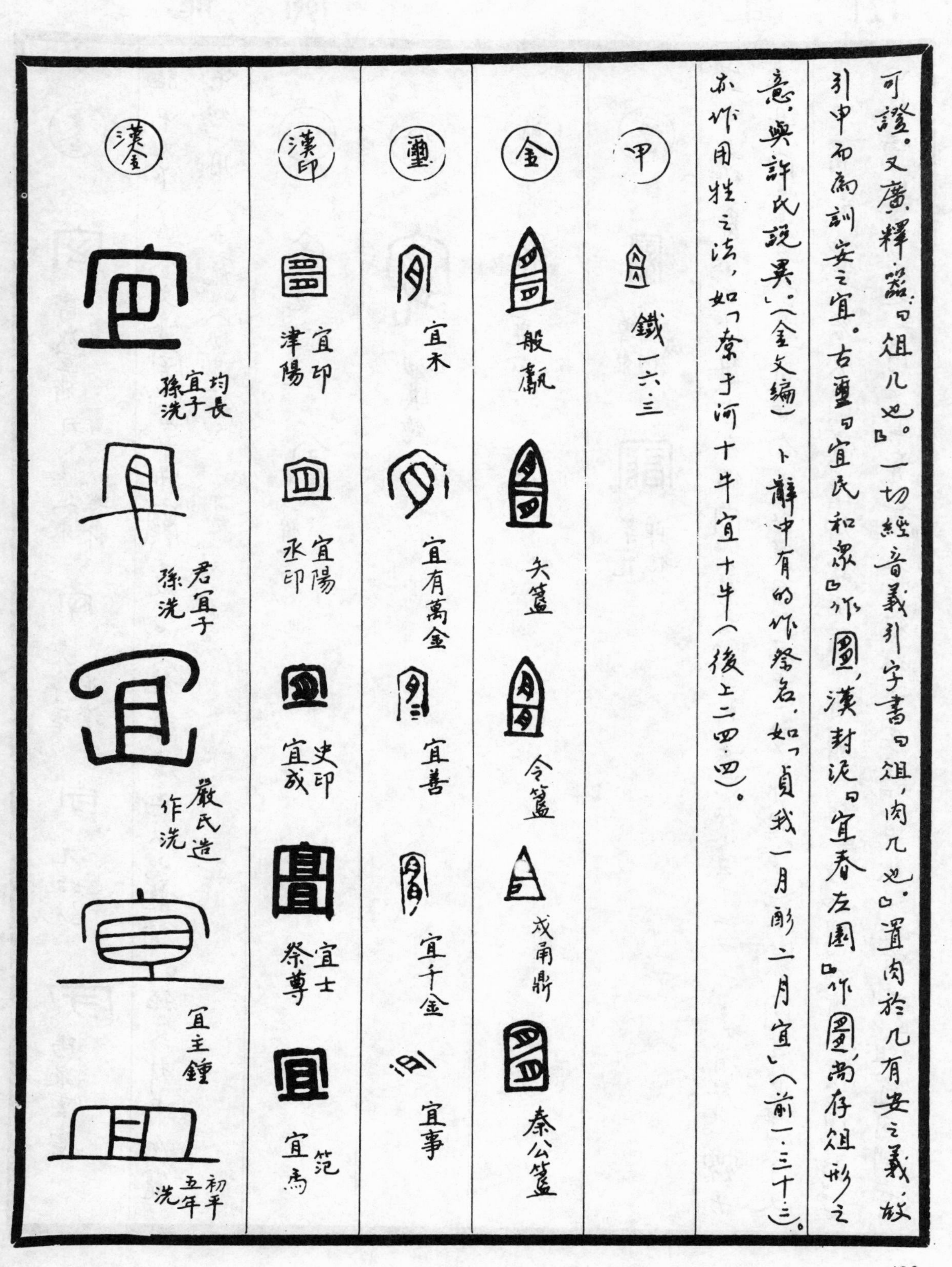
可證。又廣釋器「俎几也」。一切經音義引字書「俎，肉几也」。置肉於几有安之義，故引申而為訓安之宜。古璽「宜民和眾」作圖，漢封泥「宜春左園」作圖，尚存俎形之意，與許氏說異」。（金文編）卜辭中有的作祭名，如「貞我一月彡二月宜」（前一·三十三）。亦作用牲之法，如「奈于河十牛宜十牛」（後上二四·四）。

宿　宿

宿，甲文作　，金文作　，小篆作　。《說文》：「宿，止也。从宀，佰聲。佰，古文夙。」金甲文字象人卧在室内席上之形。夙，甲金文作　，與此異。卜辭中多作止宿意，如「王囚宿亡𡆥」（甲九二·一）。

（甲）

佰　鐵二九·四

佰　後下一·三

後下二·四

宿　京津四三六

宿　寧滬一·四七八

（金）

宿父尊

（漢印）

宿軻之印

宿宣之印

宿哉

宿長青

寢　寢

寢，甲文作　，金文作　，小篆作　。《說文》：「寢，卧也。从宀，侵聲。寑，籒文寢省。」唐蘭曰：「籒文寑字當是從𠬶聲。甲骨金文俱作　，則從帚聲，帚古讀如侵也。」（文字記）卜辭中作人居之室，如「宅新寢」（前一·三十·五）。亦作人名，如「子寑亡𡆥」（後二·二九·四）。

（甲）

前一·三十五

前六·三十三

後下三·十三

後下九·四

戩五·十三

宾　　寡

㊎　小臣系卣　寑爵　乙未鼎　寑敖簋　鄧鬲

宾，甲文作𠕁，金文作𠕁，小篆作宾。說文：「宾，冥合也。从宀丏聲。讀若周書若藥不眄眩。」甲文賓字作𠕁或𠕁，與金文𠕁同，可知宾賓為古今字。容庚曰：「高景成曰：古卩、人、元、兀四字互通。象室下來人，賓客之義。說文从丏聲，非。孳乳為賓。」（金文編）銘文用為賓，如「用樂我嘉宾（賓）」（邾公釛鐘）。

㊙甲　福一五　鐵二三八·一

㊎　乃孫作且乙鼎　匕宾鼎　卯卣　虘鐘　虘編鐘

寡，金文作寡，小篆作寡。說文：「寡，少也。从宀从頒。頒，分賦也，故為少。」金文从頁不从頒。林義光曰：「本義為鰥寡之寡，象人在屋下，顛沛見於顏面之形。」（文源）銘文中有的作鰥寡之寡，如「乃敢鰥寡」（毛公鼎）亦作多少之寡，如「多寡不訏」（㚤氏壺）。古人謙稱「寡人」。

㊎　毛公鼎　父辛卣　寡子卣　㚤氏壺

客 寒 害

客，金文作，小篆作。《說文》：「客，寄也。从宀，各聲。」王筠曰：「偶寄于是，非久居也」（句讀）銘文作寄住之義，如「王客于般宮」（利鼎）。亦借作賓客之客，如「以御賓客」（中鼎）。

金

利鼎　曾伯陭壺　干氏叔子盤　申鼎　仲義父鼎

璽

羣臬客鉨　右□客鉨　□□客鉨　王客

漢印

畜客　翟客　趙勝客　公孫出客　朱衛客印

寒，金文作，小篆作。《說文》：「寒，凍也。从人在宀下，以茻薦覆之，下有仌。」仌者，冰也。銘文中有的訓為冷，如「易女田于寒山」（克鼎）。有的作人名，如「寒姒鼎」。

金

克鼎　寒姒鼎

漢印

寒邑私印　寒永之印　寒順私印　寒棲印　寒咸之印

害，金文作，小篆作。《說文》：「害，傷也。从宀从口，宀口，言从家起也。丰聲。」段注：「人部曰：傷，創也。刀部曰：創，傷也。詩書多假害為曷。故周南毛傳曰：害，何也。俗本改為：曷，何

害　宋　宋

也」。銘文中有的亦通作曷，如「邦害(將)害(曷)吉」(毛公鼎)。有的讀爲介，訓大，如「受害福」(𤔲弔多父盤)。

(金) 師害簋　害弔簋　伯家父簋　毛公鼎　𤔲弔多父盤

(漢印) 綦印不害　隋毋害印　桓毋害　徐印不害

宋，甲文作𡧊，金文作宋，小篆作宋。《說文》：「宋，居也。从宀从木。讀若送。」宋，古國名。杜預《春秋釋地》云：「宋、商、商丘三名一地。」王國維曰：「至微子之封，國號未改，且處之商丘，又復其先世之地，故國謂之宋，亦謂之商。」(觀堂集林)在卜辭銘文中亦作國名，如「令允以宋家」(甲二〇七)，「宋公差之所造不易族戈」(不易戈)。

(甲) 京都一二〇九　京都三一三　甲二〇七　佚一〇六　明一〇一七

(金) 趙亥鼎　北子宋盤　不易戈　宋公欒戈

(璽) 宋去疾鉩　宋口　宋波　宋郢　宋口

宗 宗

漢印

宋忠私印

宋殷

臣宋子林

漢金

永元雁足鐙

宗，甲文作（），金文作（），小篆作（）。《說文》：「宗，尊祖廟也。从宀从示。」示即祭祖神之祭台，宀即宗廟。卜辭銘文中亦訓祖廟，如「祖丁宗」（佚四一九），「用作宗室寶障彝」（過伯簋）。

甲

拾一・十

前一・四五・五

後上・二七・十五

林一・十二・三

戩二四・十二

金

盂鼎

乃孫作且乙鼎

過伯簋

克鼎

曾姬無卹壺

漢印

宗疾

宗昌

宗口

宗戲

平匋宗正

漢印

董宗之印

李宗

漢金

元延鈁

杜陵東園壺

宮

宮，甲文作宮或宮，金文作宮，小篆作宮。《說文》「宮，室也。从宀，躳省聲。」羅振玉曰：「从吕从口，象有數室之狀。从吕象此室達于彼室之狀，皆象形也。說文解字謂从躳省聲，誤以象形為形聲矣。謂躳从宮省則可耳。」（增考） 卜辭中有的作地名，如「王其田于宮……」（甲五八三）。亦作宮室之名，如「天邑商公宮」（菁一〇·二）。

(甲) 前二·三·七 前四·十五·三 後上三十·八 菁十二 戩十一·九

(金) 召尊 克鐘 大鼎 散盤 柳鼎

(璽) 宮寓 怪守 其毋宮 □宮抲行 北宮皮𠂤

(漢印) 雒陽宮丞 尚宮南浴 北宮晏印 貴宮

(漢金) 承安宮鼎 卻宮盉 竟寧雁足鐙 中私府鐘 奉山宮行鐙

吕

吕，甲文作吕，金文作吕，小篆作吕。《說文》「吕，脊骨也。象形。昔太嶽為禹心吕之臣，故封吕侯。……膂，篆文吕，从肉，旅聲。」按吕義難明，羅振玉謂象有數室之狀，吳其昌謂金

呂

竈 竈

膂之訂。有的謂冰之初文。众說不一。甲金文中無連筆，小篆才有連筆，故許訓為脊骨。卜辭銘文中作地名，如「呂不其受年」(乙一九八〇)，「壬各于呂」(貉子卣)。

(甲) 呂 林一·五八 呂 乙一九八〇 呂 乙三三四反 呂 京津一〇二九 呂 陳一六。

(金) 呂 貉子卣 呂 呂鼎 呂 呂王鬲 呂 呂王壺 郘 郘大弔斧

(璽) 呂 呂璋 呂 呂口 呂 呂瘦 呂 呂口 郘 郘肩

(漢印) 呂 呂襄私印 呂 呂弘之印 呂 呂氏之印 呂 呂如 呂 呂襄

(漢金) 呂 呂不韋戟 呂 大呂鐘

竈，金文作[glyph]，小篆作[glyph]。《說文》「竈，炊竈也。从穴鼀省聲。[glyph]竈或不省。」王筠曰：「釋名：竈，造也。創造食物也。漢書五行志有鄗竈，鄗者大也」(句讀)。銘文有的就用為「造」，如「竈(造)周(佑)三(四)方」(秦公簋)。

㝱 疒

金

郘鐘

秦公簋

璽

竈

漢印

程竈

孟竈

張竈

漢金

臨虞宮高鐙

㝱，甲文作[glyph]，小篆作[glyph]。《說文》：「㝱，寐而覺者也。从宀，从疒，夢聲。《周禮》曰：以日月星辰占六㝱之吉凶。一曰正㝱，二曰噩㝱，三曰思㝱，四曰寤㝱，五曰喜㝱，六曰懼㝱。」甲文从爿，从夢，象人依牀而睡，為㝱之初文。卜辭用作夢，如「王[glyph]（夢）婦好不佳[illegible]」（鐵一一三·四）。

甲

甲六九〇

後一·六·四

簠粹六五

前五·四四

菁五·二

疒，甲文作[glyph]，小篆作疒。《說文》：「疒，倚也。人有疾病，象倚著之形。」甲文从人倚爿，當為病的初文，後加聲符作疾病兩形聲字。卜辭中作病意，如「婦好不祉[glyph]（病）」（後二·一一·八）。

疾

（甲）甲一三四　甲一八一　前五·四四·二　粹一二六八　佚五六五

疾，甲文作𤕫，金文作疾，小篆作𤵸。《說文》：「疾，病也。从疒，矢聲。𤶅，古文疾。𤻮，籀文疾。」商承祚曰：「疾古訓速，最速者莫如矢，故从人旁矢。矢着人斯為疾患，故引申而訓患。其去大着疒，殆為後起之字，於初形已失矣。古鉨與篆文同，古匋文作𤵸，與此近。」（古攷）卜辭用作兵傷之疾，如：「……日疾三日……」（後下三·二）。

（甲）後下三五·三　乙二九　乙三三五　乙六四　乙三八三

（金）毛公鼎　上官鼎

（璽）王疾　𤶅口疾　王疾　西方疾　𥂴口疾

（漢印）王疾之印　陳疾　疾閭成印　胥印去疾　馬疾

（漢金）大騩權　旬邑權　兩詔橢量　元年詔版

同

冑

同，甲文作，金文作，小篆作同。《說文》：「同，合會也。从冃从口。」甲金文从凡从口。楊樹達曰：「說文凡訓最括，引申有皆字之義，此與口字義會，且與咸、僉、皆諸文組織相似，其形是也。二篇上口部云：咸，皆也，悉也。从口从戌，戌，悉也。凡口為同，猶亼口為合也。又云：僉，皆也。从亼，从吅，从从。楬吅从二口，从从二人。凡口為同，猶二人二口合為僉也。」（小學釋同）

（甲） 後下十二　菁十二　甲三九一六　金五三　京都三〇一六

（金） 沈子簋　宅簋　矢尊　同姜鬲　散盤

（璽） 匋同　同心　五同　長同　王同

（漢印） 吳同私印　韋同之印　杜同　陳同之印　司馬同

（漢金） 新嘉量　光和斛　同　龍氏竟三　漢善同竟　同　善同竟

冑，金文作，小篆作冑。《說文》：「冑，兜鍪也。从冃，由聲。」高鴻縉曰：「楬由非古今之古，乃冑之頂形也。故冑字倚冃，畫冑頂形，由文冃生意，故為冑冑之冑，名詞。篆文由

冑　兩　兩　网　网

冃變為月，意無別。」（字例）

（金）豦簋　[illegible]侯鼎　盂鼎

兩，金文作㒳，小篆作兩。《說文》：「兩，再也。从冂，闕。《易》曰：參天兩地。」丁山曰：「兩象二錢比併，兩、㒳或从一。」（闕義）　高鴻縉曰：「輕重單位之名乃借意，非本意也。兩當為兩物之通象，故以入指事，狀詞。」（字例）

（金）[illegible]簋　宅簋　守簋　萬簋　大簋

（漢金）上林鼎二　壽成室鼎　頻鐘　長安鈁　史侯家染杯

网，甲文作网或䍐，金文作网，小篆作网。《說文》：「网，庖犧所結繩以漁。从冂，下象网交文。……罔，网或从亡。䍏，网或从糸。𦉪古文网。𦊆籀文网。」卜辭网作网獵動物之義，如「貞乎多𡚬网鹿于𣓯」（乙五三二九）。

羅

甲

前六三八二

後下八十二

甲三一一三

乙三九四七反

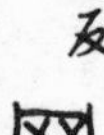

庫六五三

金

戈网觚

伯罴卣

𪚥卣

仲网父簋

漢印

公罢彊

羅，甲文作，小篆作。《說文》：「羅，以絲罟鳥也。从网从維。古者芒氏初作羅。」按甲文正象网中有隹。或以网捕鳥之形。卜辭中作方國名，如「旨弗其伐㞢蠱羅」（乙四五○二）。

甲

乙四五○二

乙四八四二

乙五三九五

璽

王羅

事羅

司馬斬羅

漢印

羅侯司馬

張羅

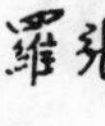

張羅

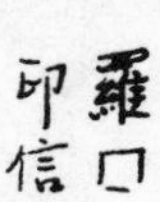

羅□印信

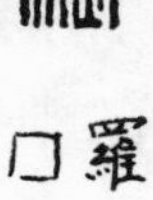

羅□

巾

巾，甲文作巾，金文作巾，小篆作巾。《說文》：「巾，佩巾也。从冂，丨象糸也。」甲金篆同形，象佩巾下垂之形。銘文中作賜物，如「易（錫）女（汝）乃且（祖）巾」（元年師兌簋）。

巾　帥　帥　帚

甲

巾 前七·五三

巾 京津一四二五

金

巾 元年師兌簋

巾 㫚鼎

漢金

巾 巾斧

帥，金文作帥，小篆作帥。《說文》「帥，佩巾也。从巾𠂤。帨，帥或从兌，又音稅。」高鴻縉曰「字意原為拭用之巾，故倚ヨヨ（兩手）畫丨（巾之垂）形，由物形丨生意，故為拭巾。名詞。甲文前七·二一·四片曰：翌丙戌帥，用為動詞，蓋即拭也。周人加巾為意符作帥，小篆譌變从𠂤，其意遂不可說。帥，後人通借以代率，故有帥師、將帥等意。拭巾之意，後人又造帨字，以還其原。女子常佩帨，所以備拭帨。亦原為名詞而可用為動詞，禮經有帨手字，注帨，拭也。」（字例）

金

帥 史頌簋

帥 虢弔鐘

帥 井人鐘

帥 毛公鼎

帥 師虎簋

帚，甲文作帚，金文作帚，小篆作帚。《說文》「帚，糞也。从又持巾埽冂內。古者少康初作箕帚秫酒。少康，杜康也。葬長垣。」按甲文多作帚象長柔植物之形，亦作帚，金文

布

同之，象扎長葉植物爲帚之形，並非从又持巾。卜辭中用爲婦，作人名，如「帚(婦)好」(甲六六八)。

(甲)

鐵二六四　前三三八　後下十八三　林一三四　戩七十七

(金)

女帚卣　女帚方彝　天黿帚槙鼎　㚤父乙尊　比簋

布，金文作，小篆作。《說文》：「布，枲織也。从巾，父聲。」段注：「古者無今之木綿布，但有麻布及葛布而已。引申之凡散之曰布，取義於可卷舒也。外府注曰：布，泉也。其藏曰泉，其行曰布。泉者，今之錢也。衛風：『抱布貿絲』。傳曰：『布，幣也』。箋云：幣者所以貿買物也。此幣爲凡貨之偁，布帛金錢皆是也。」

(金)

睘卣　睘尊　守宮盤

(漢印)

謝布　布昌私印　柏布宣印　藺布　王布信印

(漢金)

毋二泉范

帛 帛

白 白

帛，甲文作帛，金文作帛，小篆作帛。《說文》：「帛，繒也。从巾，白聲。」金文中多作帛，即帕字。亦作𧶠，从貝帛聲，訓錢幣之帛，如：「獻𧶠」（𠦪伯簋）。卜辭中作地名，如「癸酉卜在帛貞王步……」（前二·十二·四）。

甲　帛　前二·十二·四

金　帛　大簋　帛　召伯簋二　帛　舍父鼎　帛　者減鐘　𧶠　𠦪伯簋

璽　帛　帛生居　帛　高帛

漢印　帛　帛武

白，甲文作白，金文作白，小篆作白。《說文》：「白，西方色也。陰用事，物色白，从入合二，二陰數……白，古文白。」本義難明。朱芳圃曰：「此字初文作白，中口象火盞，外○象光環，有作白義當訓明。」（釋叢）朱駿聲曰：「字當从日，丨指事，訓太陽之明也。」（通訓定聲）郭沫若曰：「余謂此實拇指之象形。」（金文餘釋）卜辭中有借作黑白之白的，如「白豕」

㡀 敝

(摭續六四)亦通作百，「叀白人」(鐵四三·一)即「叀百人」。亦借為伯，如「兕白(伯)」(後二·四·二)。

甲

鐵四三·一

拾一·十

前三·二·二

後下四·九

菁十·八

金

盂鼎

伯鼎

矢簋

大鼎

虢季子白盤

璽

王白

漢印

白水左尉

白水弋丞

白毋智印

張寰白箋

白鱗

漢金

袖珍奇鉤

角王巨虛竟

龍氏竟

精白竟

泰言之紀竟二

敝，甲文作𣁋，小篆作𣁋。《說文》：「敝，帗也。一曰敗衣。从攴从㡀，㡀亦聲。」甲文象手持物敗毀衣巾之形，⋯為破敗之碎片也。卜辭中作地名，如「王其剮敝䒹」(拾六·二)。敝䒹同為地名。

甲

[古文字] 拾六·十一 [古文字] 後上十·二 [古文字] 林二·二四·三 [古文字] 簠游一二三 [古文字] 存下八二

漢印

[古文字] 張敝

漢金

敝 尚方竟五 敝 又六

常用古文字字典卷八

人 [篆文] 保

人，甲文作⺈，金文作ㄋ，小篆作⺈。《說文》：「人，天地之性最貴者也。此籀文，象臂脛之形。」

甲金文字象側立之人形。

甲　鐵二五八·二　前七·三一·三　菁二·二　佚下三十·十　戩十一·十二

金　令簋　盂鼎　克鼎　兮甲盤　毛公鼎

璽　聖人　石人

漢印　桑吳人　虞區人　廖人私印　尹印外人　公孫涂人

漢金　銷鼎　美人大王竟　銅華竟　日有熹竟　龍氏竟二

保，甲文作　，金文作　或　，小篆作保。《說文》：「保，養也。从人从𤓽省。𤓽，古文孚。𠈃古文保。𠑹古文保不省。」唐蘭曰：「抱者褁於前，保者負於背。故　字象人反手負

保

子於背也。保字孳乳為緥，是為兒衣，襁緥者古亦以負於背（今日人猶如此），則呆即保字無疑……呆字書之不便，因省而為伓，更省則為伓……伓即呆之省，金文作保，多一飾筆耳。更進作保，則飾兩筆矣。……負子於背謂之保，引申之則負之者為保，更引申之，則有保養之義，然則保本象負子於背之義，許君誤以為形聲，遂取養也之義當之耳。」（文字記） 銘文多作「保用」之「保」，如「子子孫孫永保用之」（子仲匜）。

（甲） 伓 鐵十五·三　伓 拾九·五　伓 前一·三十·七　伓 庫一五九三　呆 文編八·三

（金） 保 父丁簋　保 保卣　保 司寇良父簋　保 曾大保盆　保 滁鼎

（漢印） 保 漢保塞近羣邑長　保 漢保塞烏桓率衆長　保 保虎圈　保 建明德子千億保萬年治無極

（漢金） 保 永元尉斗　保 青羊竟　保 龍氏竟二　保 青蓋竟　保 三羊竟

企

企 甲文作企，小篆作企。《說文》：「企，舉踵也。从人，止聲。企 古文企从足。」甲文象側立之人，突出其足趾，以强調其欲行走之意，故為會意字，非形聲字。引申之得「企望」

伯 伯

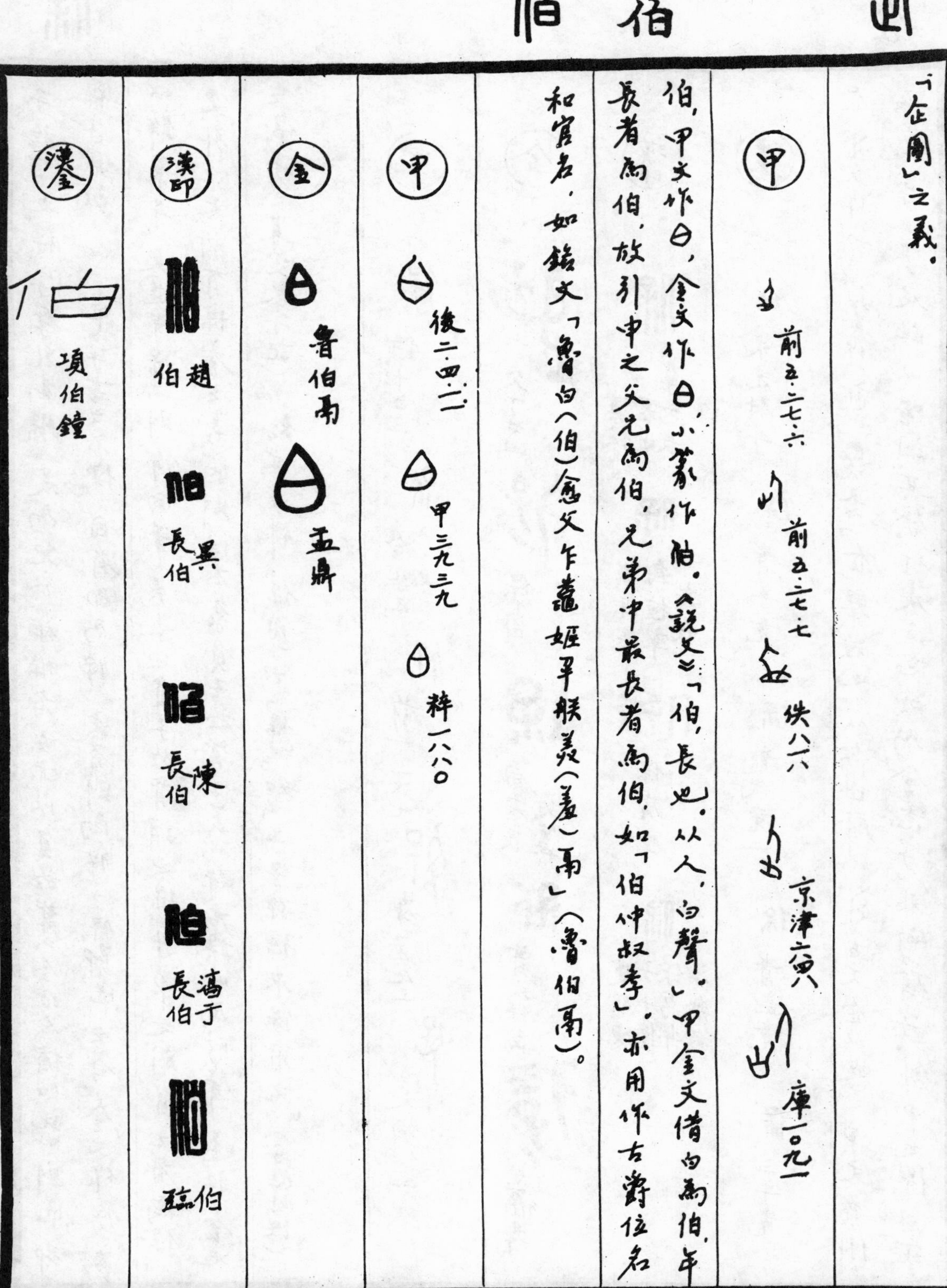

「企圖」之義。

甲 前五·二七·六 前五·二七·七 佚八六 京津六〇八 庫一〇九一

伯，甲文作白，金文作白，小篆作伯。《說文》「伯，長也。从人，白聲。」甲金文借白為伯，年長者為伯，故引申之父兄為伯，兄弟中最長者為伯，如「伯仲叔季」。亦用作古爵位名和官名，如銘文「魯白（伯）愈父作鼄姬仁朕羞（羞）鬲」（魯伯鬲）。

甲 後二·四·二 甲三九三九 粹一八八〇

金 魯伯鬲 五鼎

漢印 趙伯 異長伯 陳長伯 漓于長伯 瑞伯

漢金 項伯鐘

伊 𠈌

倗 𠍵

伊，甲文作㑊，金文作㑊，小篆作𠈌。《說文》：「伊，殷聖人阿衡，尹治天下者。从人从尹。𠈌古文伊从古文死。」段注：「殷聖人之上當有伊尹二字，傳寫奪之。阿衡見《商頌》毛傳曰：阿衡，伊尹也。」卜辭有「伊尹」（甲五四六），尹爲官名，伊爲人名。

（甲）

㑊 前五·四十一　㑊 後上二二　㑊 後下三八·六　㑊 菁十一·十八　㑊 戩九二

（金）

㑊 史懋壺　㑊 伊簋　㑊 伊生簋

（漢印）

伊宮私印　伊憙之印　伊長孫　伊壽王

倗，甲文作𠚤，金文作𠍵，小篆作𠍵。《說文》：「倗，輔也。从人，朋聲。讀若陪位。」倗爲朋友之朋專字。羅振玉曰：「貝五爲朋，故友倗字从之。後世友朋字皆借朋貝字爲之，廢專字而不用。幸許君尚存之於說文解字中，存古之功可謂偉矣。古金文中友倗字多與卜辭合。」（增考）小篆借鳳爲朋，故與甲金文不同形。卜辭中有的作官名，如「射倗衛」（續三·四七·一）。銘文多爲倗友之倗，如「及我倗友」（王孫鐘）。

依　　　　何　何

甲

前四．三十．二

甲三．四．二

續三．四七．二

燕六五六

金

異串壺

倜尊

趙曹鼎

叔妣簋

杜伯盨

何，金文作㒰或何，小篆作何。《說文》：「何，儋也。从人，可聲。」按金文象人負檐之形。《玉篇》：「何，克負也。」此本義，另訓誰，為假借義。

金

何尊

何　十六年戟

璽

口何

何復

善何

漢印

徐何

張何

張何印

趙毋何

度何傷

漢金

何文鐘

何　尚方竟四

依，甲文作㑇，小篆作依。《說文》：「依，倚也。从人，衣聲。」甲文从人在衣中，象人穿衣之形。《說文》訓倚，其引申義。

偁 偁 作

(甲)

前六·三四·一

前六·三四·二

前七·二·三

續一·五二·六

燕二四

(漢印)

馬依私印

尹依私印

(篆)

光和斛二

偁，甲文作𠂹，金文作㑼，小篆作偁。《說文》：「偁，揚也。从人，爯聲」。甲金文字象人用手提舉物（似魚）形。《爾雅·釋言》：「偁，舉也」。古籍用稱為之，故偁為「稱揚」、「稱謂」之本字。

(甲)

前七·三七·二

後下·三十·八

乙六三九九

菁三·二

甲二七五二

(金)

父己爵

父癸爵

父甲爵

或者鼎

偁缶簋

作，甲文作乍，金文作乍，皆不从人，小篆作作。《說文》：「作，起也。从人从乍」。古籍中訓「為也」、「始也」、「生也」等義。卜辭中有叚為「則」，如「我其已賓乍帝降若……」（前五·三八·二）。

侵　㑴

甲　鐵八一·三

金　頌鼎　姞氏簋　仲鑠盨　欒書缶

漢印　作令唐印　作畟私印　作未央　作瓚印信　樂右作

漢金　永興二年洗　初平五年洗　嚴氏作洗　建安四年洗　扶侯鍾

侵，甲文作𠬪或𢼄，金文作㑴，小篆作㑴。《說文》：「侵，漸進也。从人又持帚，若埽之進。又，手也。」甲文從曼，幔爲侵，字象手持帚，或持帚埽牛之形。卜辭中作侵奪之侵，如「土方埽（侵）我田十人」（菁六·一）。亦作方國名，如「㑴方」（拾五·一二）。

甲　前五·三三·一　後下八·十八　戩三九·十一　菁二　拾五·一二

償 償　　任 任

金

鐘伯侵鼎

漢印

王不侵印

不侵之印

趙不侵印

孫不侵印

王孫侵印

償，金文作賞，小篆作償。《說文》：「償，還也。从人，賞聲。」金文以賞為償。銘文作償還和抵償之義，如「賞(償)曶禾十秭」(曶鼎)。古籍中亦作酬報之義，如「以百金償之」(史記·蘇秦列傳)。

金

曶鼎

漢印

朱償

任，甲文作仜，金文作狂，小篆作任。《說文》：「任，符也。从人，壬聲。」卜辭銘文中作人名，如「田亞任」(粹一五四五B)，「作任氏从殷」(任氏簋)。古籍中作任用、職位、責任、信任、担荷等意。亦通妊，作懷孕意。

㑴 使

甲

仼 甲八八九

乙四六六七

續四·二六·四

粹一五四五B

後一·六·九

金

任氏簋

璽

任利

任口

王生任

漢印

永睦任之印

任印蓋都

任疆

任款

任讓印信

漢金

成山宮渠斗

任壺

使，甲文作[glyph]，金文作叓，小篆作㑴。《說文》「使，伶也。从人，吏聲。」甲金文皆不从人，以吏（事）爲使。如曶鼎銘云「吏（使）乎吕告曶」使本意爲使者，引申作派遣、命令、行使等意。

甲

甲六八

仔　　伐

㊎ 晉鼎

漢印 使馬　魯常使印　王使胡傷

漢金 大騩權　旬邑權　兩詔橢量　元年詔版　使 陽泉熏盧

仔，甲文作，金文作，小篆作。《說文》：「仔，克也。从人，子聲。」林潔明曰：「按仔與保實為一字，唐蘭說詳保字條下。癸爵尤象負子之形。」（金文詁林）卜辭中用作子，如「乙卯卜㱿貞壬父乙婦好生仔」（珠五二四）。

㊙甲 珠五二四　甲九三六　鐵一五二　後二·三一·三　京津一一一七

㊎ 癸爵　且辛父庚鼎

伐，甲文作，金文作，小篆作。《說文》：「伐，擊也。从人持戈。一曰：敗也。」甲金文象戈擊人頸之形。卜辭中引申作「征伐」義，如「伐土方」（卜二三三）。亦作殺人之祭，如「伐十

伐　俘

人卯三宰……」（前一·一八·四）。

甲　鐵二〇九三　餘四二　後上十八·三　林一·六·十五　戩六·十三

金　康矦簋　令簋　明公簋　彔卣　㝬鐘

漢印　王伐

俘，甲文作，金文作，小篆作。《說文》「俘，軍所獲也，从人，孚聲。《春秋傳》曰：以為俘聝。」孚象以手捕人之形，甲文增彳，以示於路上逮捕人。卜辭作征伐中俘獲人之義，如「昔甲辰方征于𢀛俘人十又五人……」（菁六·一）。

甲　菁六·一　甲二〇四九　簠征四一　存七二

金　師寰簋

弔 [字形]

弔，甲文作[字形]，金文作[字形]，小篆作[字形]。《說文》云：「弔，問終也。古之葬者，厚衣之以薪，从人持弓，會敺禽。」王筠曰：「吳越春秋：古者人民樸質，死則裹以白茅，投于中野。孝子不忍見父母為禽獸所食，故作彈以守之。」（句讀）容庚曰：「弔，善也。引申而為有喪而問其善否曰弔。說文作[字形]形，體少譌。魏三字石經：君奭不弔。古文作[字形]，篆文作[字形]，尚不誤。後叚拾也之叔，為伯弔之弔，又孳乳淑俶，以為弔善之弔。說文亦解弔為問終，乃弔之本義廢而人莫知弔之為[字形]矣。」（金文編）卜辭銘文中有作人名的，如「貞弔弗其[字形]冃出[字形]」（前六·二一·二），「弔作寶[字形]彝」（弔尊）。

甲

[字形] 甲一八七〇　[字形] 後二·三·二　[字形] 阿六一〇　[字形] 無想三八　[字形] 京津一二九一

金

[字形] 弔父丁簋　[字形] 弔尊　[字形] 弔鼎　[字形] 吳王姬鼎　[字形] 毛弔盤

璽

[字形] 弔口

免

免，金文作[字形]，象人戴冕之形。小篆作免。容庚曰：「免，从冂从人。據魏三字石經免古文作[字形]，篆文作[字形]知之。說文奪去，補附于此。段玉裁新入兔部，非是。」（金文編）

𠤕　真　眞

高鴻縉曰：「免自借用為脫免字，久而不返，乃又加冃（帽之次初文）為意符，作冕。《說文》：『冕，大夫以上冠也。邃延垂瑬紞纊。从冃，免聲。古者，黃帝初作冕。絻，冕或从絲作。』知字由免加冃，在許氏以前也。」（字例）

（金）

免簋　免盤　免卣　免尊　史免匡

𠤕，甲文作　，小篆作𠤕。《說文》：「𠤕，未定也。从匕，吴聲。吴，古文矢字。」甲文字象一人扶杖行於岐路，側首疑思之形。卜辭中作貞人名，如「……𠤕貞𠤕來」（金三八五）。

（甲）

前五·二四·二　前六·二二·二　前七·十九·二　後下·二五·二　戩二七·二

真，金文作　，小篆作眞。《說文》：「真，僊人變形而登天也。从匕，从目，从乚；八，所以乘載也。　古文真。」唐蘭曰：「余謂真字本作　，當是从貝，匕聲。匕非變化之匕，實殄字古文之𠃊也。真在真部，殄在諄部，真諄音相近。詩小宛：哀我填寡。毛傳：填，盡也。陳奐、胡承珙等均謂填讀為殄，是其倒也。變化之匕，古殆無此字。倒人為𠃊，與倒大為屰同，𠃊與匕左右相反，實一字也。」（懷鉛隨錄·釋真）　真即珍之初文，真金文从貝或鼎，皆有寶意。《說文》：「珍，寶也。从玉，㐱聲。」真，从貝，匕聲，而玉、貝意通㐱、匕音近同，故真即珍之初文，真後訓「誠」「實」等意，再造珍字。

金
伯真甗
季真鬲

漢印
九真太守
真羊
真固
真宏私印
馮真賢

漢金
新嘉量
壽成室鼎
真定高鐙三
至氏竟
三羊竟二

化 化

化，甲文作𠤎，金文作匕，小篆作化。《說文》：「化，教行也。从匕从人，匕亦聲。」甲文字象兩人相倒背之形。卜辭中作方國名，如「貞乎化……」（乙四〇五一）。

甲
存二二一五
乙二五〇三

金
齊壺
中子化盤

漢印
化光
唐化
王化之印

从 𠔁 從 𨑯

从，甲文作𠔁，金文作𠔁，小篆作𠔁。《說文》「从，相聽也。从二人。」字象二人相從之形。从、從古今字。卜辭中有的作隨从之義，如「貞王令婦好从侯告伐人」（乙二九四八）。有的借作順，如「从雨」（前三·二〇·四）。

（甲）𠔁 鐵七三·三　𠔁 拾七·十六　𠔁 後上三〇·九　𠔁 菁十九　𠔁 戩三八·一

（金）𠔁 从鼎　𠔁 宰椃角　𠔁 任氏从簋　𠔁 作从簋　𠔁 天作从尊

（漢印）𠔁 呂从印　𠔁 公孫从印

從，甲文作𢓊，金文作𨑯，小篆作𨑯。《說文》「從，隨行也。从辵、从，从亦聲。」古文字中从、從通用，是古今字。加辵強調行走之義。銘文中有的作隨從義，如「𢓊伯從王伐反荊」（𢓊伯簋）。亦有作人名的，如「伯姜錫從貝卅朋」（從鼎）。

（甲）𢓊 京津一三七二

幷 并

金

遽從角
貞簋
兮甲盤
從鼎
散盤

璽

肖從
從志
敢從
長從
王從

漢印

張印從容
秦毋從印
曹從
利從
單從

漢金

十六年鍪
內者行鐙

并，甲文作▢，小篆作▢。《說文》「并，相從也。从从，幵聲。一曰：从持二為并。」甲文象二人相并之形。卜辭中作地名，如「田并亡𢦏」（甲七七四）。

甲

前四·四七·五
後下三四·三
下三六·三
戩三三·十三
珠九一四

璽

并口
并口

漢印

并官武

比 □　　　　北

（漢金）

□ 廿六年詔廿斤權

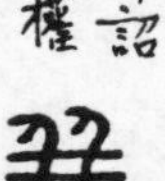

□ 壽成室鼎

□ 雍棫陽鼎

□ 平恩侯鼎

□ 奉山宮行鐙

比，甲文作□，金文作□，小篆作□。《說文》：「比，密也。二人為从，反从為比。」段注：「其本義為相親密也，餘義俌也，及也，次也，校也，例也，類也，頻也，擇善而从之也，阿黨也，皆其所引申。」甲文比从同字，皆作二相从之人，正反無別。如□可當為从，然亦為比，用作妣，如「庚申𡿺于比（妣）庚宰」（京都一八二三）。

（甲）

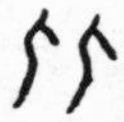

□ 京都一八二三

□ 京津一三六六

（金）

□ 比簋

□ 比甗

□ 諶鼎

□ 鬲比盨

□ 鬲攸比鼎

（漢印）

□ 田比干

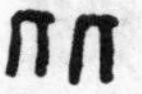

□ 韓比彊

□ 王比駕

□ 江印比干

（漢金）

□ 山陽邸鐙

北，甲文作□，金文作□，小篆作□。《說文》：「北，菲也。从二人相背。」高鴻縉曰：「按此乃違背之背，動詞。□為順從，□為相嚮，□為違背，皆取象於人。自後世借□為南北之北，通假肩背之背以爲違背，而肩背之背，說文解釋甚明，「背，脊也。从肉，北聲。」與違背意別。」（字例）銘文多作南北之北，如「北鄉（嚮）」（克鼎）。

甲：拾十一·十八　前五·四二　菁二·二　林一·二一·二　戩二六·四

金：休盤　同簋　克鼎　邶伯卣　邶伯鼎

璽：北孚口口　北宮皮𠂤

漢印：北地牧師騎丞　北宮晏印　北門賜

漢金：北　徐揚釠

丘，甲文作〔甲文〕，金文作〔金文〕，小篆作〔小篆〕。《說文》：「丘，土之高也，非人所爲也，从北从一。一，地也，人居在丘南，故从北。中邦之居，在昆侖東南。一曰，四方高中央下爲丘，象形。……〔古文〕古文从土。」按甲文不从北从一，象二山峯之形，是小山也。金文變作〔金文〕，小篆更誤爲〔小篆〕。

卜辭中作方國名，如「勿于丘商」（乙四五一八）。

眾 ⿱罒㐺

甲：鐵二〇二·四　前一·二四·三　前五·九·二　前六·三五·五　後下二五·十三

金：商丘弔簠　子禾子釜　𨷯丘戈

璽：閭丘湯　閭丘背　口丘　口丘口口　丘

漢印：牧丘家丞　即丘丞印　留安丘印　梁丘相如　閭丘少孺

漢金：廢丘鼎蓋　灋丘鼎

眾，甲文作⿱日㐺，金文作⿱目㐺，小篆作⿱罒㐺。《說文》：「眾，多也。从㐺目，眾意。」甲文作日下三人，表多人。金文改作目下三人，小篆更改作四（目之橫）下三人。卜辭中眾人可參加祭祀、啓田、折伐，看來是身份比奴隸稍高一點的勞動群眾，如「王大令眾人曰啓田」（續二·二八·五）。

甲：鐵二三三·一　前二·十八·二　前七·三十·二　後下三八·九　林一·二十·七

壬　𡈼　朢

（金）師旂鼎　師寰簋　㽙鼎

（璽）得衆　卒口衆　宜士和衆

（漢印）衆鄉國丞　呂合衆印　徐衆　田衆　紀衆

（漢金）大良造鞅方量　元始鈁　衆　龍蛇辟兵鉤　眔　吾作竟三

壬，甲文作𡈼，小篆作𡈼。《說文》：「𡈼，善也。从人士。士，事也。一曰，象物出地挺生也。」李孝定曰：「字从人立地上，與立意同。一象正面，一象側面為異耳。下一地也。地土意近，故或又从土。人在土上𡈼然而立，義挺勁拔，故引申之得有善也之誼也。許云从士，土之誤也。」（甲骨文集釋）

卜辭中作人名，如「貞令𡈼」（金六五六）。

（甲）前六.五五.七　後下六.二　下三八.二　林四.十三　林二.十九.十七

朢，甲文作𦣠，金文作𦣠，小篆作朢。《說文》：「朢，月滿也。與日相望，似朝君。从月从臣从𡈼。𡈼，朝廷也。𦣠古文朢省。」甲金文象一人登高引頸舉目遠望之形。小篆加月。

朢　監　𥃫

則有遠望天上之月之義。本義當為遠望之朢。卜辭中「朢乘」（甲三一三二）連文，作人名，銘文中作歷法之名，如「在二月既朢」（保卣）。

（甲）
鐵三九四
前五·五三
後下十八·十
林一·三四·十四
戩十二·八

（金）
保卣
臣辰盉
㫚鼎
師朢壺
盠駒

（璽）
王朢
朢

（漢印）
臣朢之
杜朢
毛朢
朢平宰之印
賓朢之印

監，甲文作[glyph]，金文作𥃫，小篆作監。《說文》：「監，臨下也。从臥，䘓省聲。𥃫，古文監，从言」。唐蘭云：「余謂監字本象一人立於盆側，有自監其容之意，後世變為𥃫，又變為𥃫。其實非从卧从皿也」。其本義當為「視也」，（爾雅·釋詁云）後引為「臨視也」，又為「覽觀也」。（並說文）引申之為所監鑒之器之名，金製則為鑑，盛水則為濫。至說文「臨下」之義則又視義之引申矣。（「凡監於水者必俛視」）（文字記）卜辭中作地名，如「于監夾」（佚·九三三）。

臨

甲

寧滬一·五〇〇

摭續一九〇

佚九三二

金

頌鼎

頌簋

善鼎

史臨簋

攻吳王鑑

漢印

溫水都監

千乘均監

大官監丞

耐監

監毋何

漢金

橐泉宮行鐙

元初二年釭

建武泉范

大監千萬鍾

臨，金文作臨，小篆作臨。《說文》：「臨，監臨也。从臥，品聲。」象人从高俯視下物之形。《爾雅·釋詁》：「臨，視也。」此爲本義。引申爲上對下之稱，如「臨問」。

金

盂鼎

毛公鼎

弔臨父簋

漢印

臨菑

李臨

旁臨

陳臨私印

臨吉印

漢金

大良造鞅方量

臨菑鼎

櫟鼎

臨虞宮高鐙

林光宮行鐙

身

身，甲文作，金文作，小篆作。《說文》：「身，船也。象人之身，从人，厂聲。」按甲金文身字，象一個人突出大肚子，表有身之形。古文字表正常人身形，字很多，如、、等大，皆無大肚子狀。人有大肚子狀是婦女懷孕時所見，故身之本義當為婦女懷孕。卜辭中身亦作孕意，如「丙申卜殼貞，婦好身，……」（乙六六九一）。《詩．大雅》：「大任有身，生此文王。」《註》：「身，重也。」《箋》云：「重謂懷孕也。」身後引申作「身體」、自稱代詞「我」等義，為區別之，乃造「孕」字。孕甲金文無从查見，是後起字。《甲骨文編》收為孕，不確。、當為同義，不必因筆畫的簡繁而別其為二字。

（甲）佚五八六　燕六○二

（金）麻伯簋　弔向簋　士父鐘　邾公華鐘　盝駒尊

（璽）韓身　口身　周身　修身　中身

（漢印）身相印　宜身長久　身稽私印　身昌私印

殷 𣪘 衣

（漢金）身 龍蛇辟兵鉤 𠂤 朱爵玄武竟

殷，甲文作 [glyph]，金文作 [glyph]，小篆作 [glyph]。《說文》：「殷，作樂之盛稱殷。从𠂣从殳。《易》曰：殷薦之上帝。」于省吾曰：「古文殷字象人內腑有疾病，用按摩器以治之……說文謂『作樂之盛稱殷』，應改爲『疾病之盛稱殷』。典籍中既往訓殷爲盛爲衆，又往往訓殷爲痛爲憂，則均由疾病旺盛之義引申而來。總之，甲骨文殷字从身从殳，象人患腹疾用按摩器以治療之。它和作樂舞干戚之形毫不相涉。說文又不知古文之不分反正，而別𠂣於身，其沿譌襲謬，由來已久。」（釋林）

（甲）[glyph] 乙二七六

（金）[glyph] 盂鼎　[glyph] 保卣　[glyph] 小臣謎簋　[glyph] 仲殷父鼎　[glyph] 臣辰盉

（漢印）[glyph] 田殷　[glyph] 殷柳　[glyph] 李殷　[glyph] 殷則　[glyph] 公孫殷

衣，甲文作 [glyph]，金文作 [glyph]，小篆作 [glyph]。《說文》：「衣，依也。上曰衣，下曰裳。象覆二人之形。」林義光曰：「按衣一覆之下不得有二人。制字之始蓋作 [glyph]，象領襟袖之形，變作 [glyph]，

衣　卒　卒

又作衣」(文源) 卜辭銘文中通作殷，有的作地名，如「……貞王田衣逐亡巛」(前二十一·五)。有的作祭名，如「貞王衣賓翌日」(丙三五)、「衣祀于王丕顯考文王」(大豐簋)。

(甲) 衣 鐵十二·二　衣 前一·十六·四　衣 後上二十·五　衣 林二·二五·十一　衣 戩二六·三

(金) 衣 盂鼎　衣 晉壺　衣 免簋二　衣 頌鼎　衣 敔簋

(漢印) 衣 青衣道令　衣 衣福之印　衣 衣平之印　衣 衣莫　衣 廟衣府印

(漢金) 衣 犛車宮鼎　衣 永元尉斗　衣 銅華竟　衣 銅華竟四　衣 杜氏竟

卒，甲文作卒，金文作卒，小篆作卒。《說文》：「卒，隸人給事者衣為卒。卒，衣有題識者。」高鴻縉曰：「卒字本意為衣有題識者，此項有題識之衣，常為隸役所着，故因以名隸役曰卒。乃卒之段借意也。衣卒之卒，以乂表題識之假象，故卒為指事字，名詞。後人以其常借為隸卒、士卒等意，乃又造褚字。說文褚，卒也。从衣，者聲。」

(字例) 卜辭中有的作地名，如「……步于卒」(乙八二一)。

[glyph] 裘

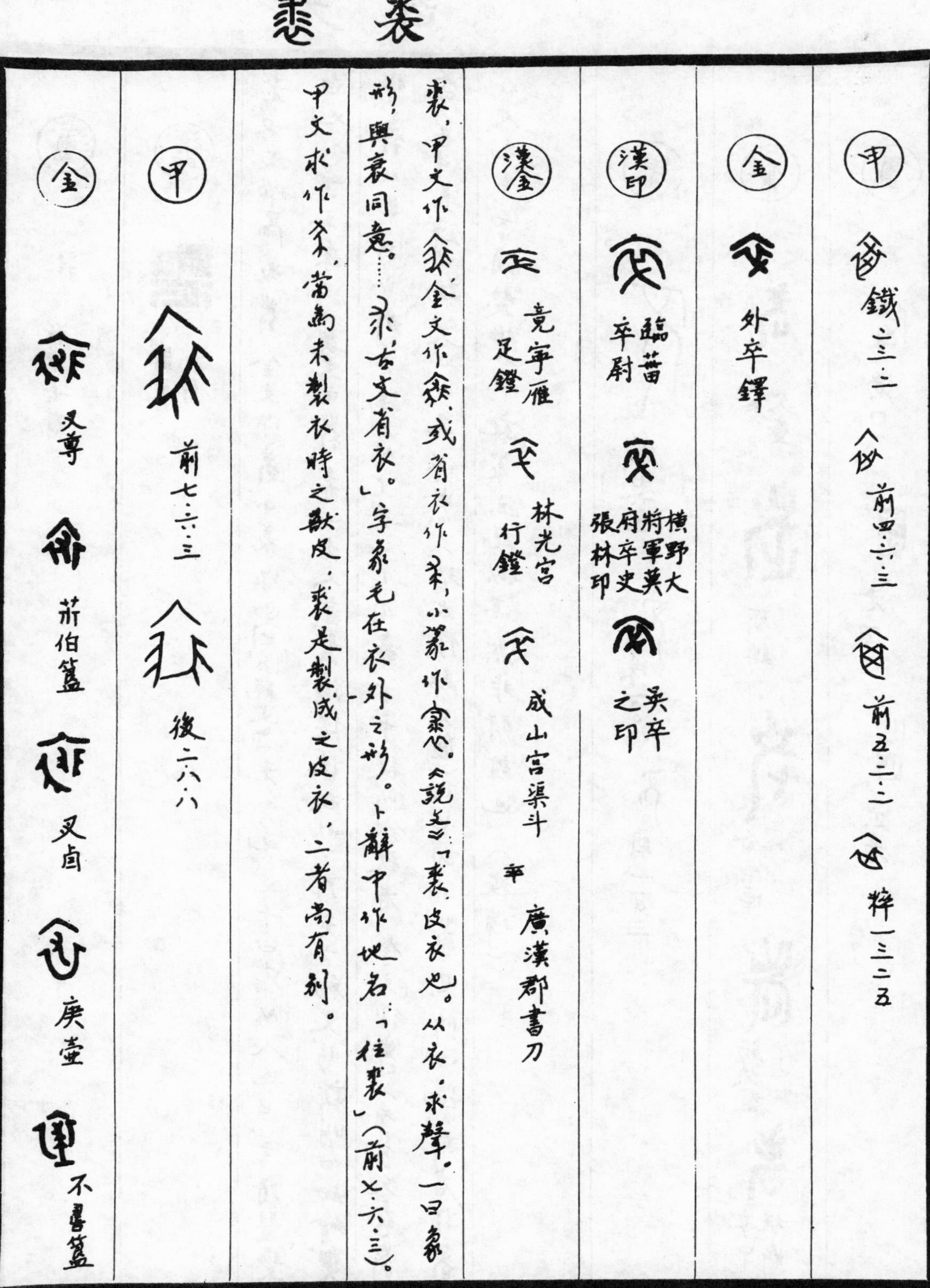

甲　[glyph] 鐵二三·二　[glyph] 前四·六·三　[glyph] 前五·二·二　[glyph] 粹一三二五

金　[glyph] 外卒鐸

漢印　[glyph] 臨菑卒尉　[glyph] 橫野大將軍莫府卒史張林印　[glyph] 奚卒之印

漢金　[glyph] 竟寧雁足鐙　[glyph] 林光宮行鐙　[glyph] 成山宮渠斗　卒　廣漢郡書刀

裘，甲文作[glyph]，金文作[glyph]，或省衣作[glyph]，小篆作[glyph]。《說文》：「裘，皮衣也。从衣，求聲。一曰象形，與衰同意。……[glyph]，古文省衣。」字象毛在衣外之形。卜辭中作地名：「往裘」（前七·六·三）。甲文求作[glyph]，當為未製衣時之獸皮，裘是製成之皮衣，二者尚有別。

甲　[glyph] 前七·六·三　[glyph] 後二·八·八

金　[glyph] 次尊　[glyph] 芇伯簋　[glyph] 次卣　[glyph] 庚壺　[glyph] 不𡢁簋

老

（璽）[X] 忻求去痏

（漢印）[X] 鄧蔑私印

老，甲文作[X]，或[X]，金文作[X]，小篆作[X]。《說文》：「老，考也。七十曰老，从人毛匕。言須髮變白也。」葉玉森曰：「契文之[X]象一老人戴髮傴僂扶杖形，乃老之初文，形誼明白如繪，變作[X]，从[X]乃[X]形之譌，从[X]與从[X]同象古干梃以代杖者。」金文作[X]（季良父壺）[X]（齊子仲姜鎛）譌變从止，又作[X]（齊太僕歸父盤）从匕，即小篆匕所由譌。許君謂[X]从人毛匕，言須髮變白，就篆立說似塙，然非朔誼也。」（校譚）

（甲）[X] 鐵七六三　[X] 珠一〇八　[X] 明一二〇三

（金）[X] 殳季良父壺　[X] 齊鎛　[X] 夆弔匜　[X] 歸父盤　[X] 辛中姬鼎

（璽）[X] 老口　[X] 老口　[X] 左老

壽

漢印：萬歲單三老　安久單敬老　千歲裹老　老千秋　賓印扶老

漢金：尚方竟二　尚方竟七　尚方竟八　袁氏竟三　日有熹竟

壽，金文作　，小篆作　。《說文》：「壽，久也，从老省，𠷎聲。」壽與老同義，《詩．閟宮》「三壽為朋」《傳》：「壽，考也，考即老也，老者年長，訓長久其引申義也。」壽古籍中還訓為年和命，銘文常云：「眉壽無疆」。

金：沈子簋　沃伯寺簋　卪生簋　師鄂父鼎　毛公旅鼎

璽：善壽　□□壽　肖壽　善壽　福壽

漢印：李壽之印　王印壽王　爰壽　趙壽私印　益壽

漢金：新嘉量二　壽成室鼎　晉壽升　徐揚釓　大上富貴竟

考 [篆] [篆] 孝

考，甲文作[甲文]，金文作[金文]，小篆作[篆]。《說文》：「考，老也。从老省，丂聲。」甲文考老難別，皆象老人扶杖之形。故許氏互訓。卜辭中有的作地名，如「在考」(乙八八九六)。古者稱在世之父曰考，如《爾雅．釋親》「父曰考，母曰妣」，《蒼頡篇》「考妣延年」。然多作父死后之稱，如《禮記．曲禮下》「生曰父，曰母，曰妻；死曰考，曰妣，曰嬪」。

(甲) [甲文] 前七．三五．三　[甲文] 後二．三五．二　[甲文] 前四．四六．一　[甲文] 後二．三五．五　[甲文] 乙八八九六

(金) [金文] 晉鼎　[金文] 頌鼎　[金文] 弔角父簋　[金文] 康侯簋　[金文] [illegible]簋

(漢) [漢] 萬年縣官斗　[漢] 槖泉宮行鐙　[漢] 中宮雁足鐙　[漢] 臨虞宮高鐙二　[漢] 建武泉范

孝，甲文作[甲文]，金文作[金文]，小篆作[篆]。《說文》：「孝，善事父母者。从老省，从子，子承老也」。張日昇曰：「竊疑象老人扶子形，父子為相對之詞，字既从子，不从父，意亦是。且孝之本誼，恐非限於父母，諸父諸祖，亦應善事，故从戴髮傴僂老人而不必从父也」。參扶族中老者，此孝之朔誼。考孝並就老人行動不便，須持杖參扶之會意字，兩字義雖不同，古音甚近，古籍金文並有通假之例」。(金文詁林) 卜辭中作地名，如「孝畐」(金四七六)。

毛

甲　金四七六

金　曶鼎　陳肪簋　伯孝𦒍盨　虘鐘　散盤

璽　孝口

漢印　孝景園令　孝子單祭尊　蘇孝印　鄭孝昌　尹孝之印

漢金　孝武廟鼎　元延乘輿鼎二　永始高鐙　孝文廟甗鍑　許氏竟

毛，金文作，小篆作。《說文》：「毛，眉髮之屬，及獸毛也。象形。」高鴻縉曰：「按此不象毛形，毛不得分叉。考髮首上毛也，古字原作（借變作髟，後又加聲符犮乃作髮）象人頭上毛長形。耂字古應作，象人頭上毛短形。頭上長毛曰髮，短毛曰耂。短毛之耂，說文謂从人上象禾粟之形，形誤而說為也。年古作，从禾，人聲。變作（年）从禾，千聲。千聲與人聲同。耂字不應與禾人（年）字混，故耂字原為人短髮之形。老字古作，應从耂匕會意，不从人、毛、匕。……今此字从（耂）而省人，故只有毛耳。是為省文會意，非象形。」（字例）

尸

銘文中借作人姓，如「毛公鼎」。

金　毛公旅鼎　召伯毛鬲　毛畀簋　毛公鼎　毛弔盤

璽　毛生奇

漢印　毛鄭之印　毛積　毛富之印　毛鳳私印　毛喜

尸，甲文作[glyph]，金文作[glyph]，小篆作尸。說文：「尸，陳也。象臥之形。」字象人屈腿而坐之形，無臥之象。卜辭銘文中與夷通用，如「侯告伐尸(夷)方」(粹一一八九)「王征南尸(夷)」(無㠱簋)。古籍中也借作屍，如「寢不尸(屍)」(論語)。

甲　鐵一八六三　前七三〇三　粹五一九　乙四〇五　京都二三四五

金　尸作父乙卣　睘卣　盂鼎　㝬鐘　魚鼎匕

尾 𡳐　舟 𦨃

漢印 [glyph] 漢匈奴惡適尸逐王

尾，甲文作[glyph]，象人身後系有尾飾之形。小篆作[glyph]。《說文》：「尾，微也。从到毛在尸後。古人或飾系尾，西南夷亦然。」

甲 [glyph] 乙四二九三

璽 [glyph] 尾生

漢印 [glyph] 尾生小青　[glyph] 尾生僕

舟，甲文作[glyph]，金文作[glyph]，小篆作[glyph]。《說文》：「舟，船也。古者共鼓貨狄，刳木為舟，剡木為楫，以濟不通。象形。」按字象船形，秦後加聲符品作船，舟船當為一字。

甲 [glyph] 前六·六六·二　[glyph] 前七·二·三　[glyph] 林二·十·八　[glyph] 林二·十·九　[glyph] 戩四·七

金 [glyph] 舟父丁卣　[glyph] 舟父壬尊　[glyph] 伯旂舟觶　[glyph] 洹秦簋　[glyph] 舟簋

朕　　䑽　　般

朕 ㄖ 舟中

朕，甲文作𦨙，金文作𦨙，小篆作朕。《說文》：「朕，我也。闕」葉玉森曰：「朕與𦨙古訓同，𦨙塗隙也。𦨙象兩手奉火𦨙舟之縫，此為初誼，後舟縫亦曰朕（見戴東原考工記函人注）。猶凡隙亦曰𦨙也（見左桓八年傳）」（說契）按𦨙不象奉火，可訓奉器𦨙舟之形。後多借作第一人稱代詞，如「用作朕皇考龔叔」（頌簋）。朕與朕為異體字。

甲 𦨙 鐵一七四·三　𦨙 前四·三六·七　𦨙 後上二十·九　𦨙 菁十一·十七　𦨙 林一·七·六

金 𦨙 井侯簋　𦨙 毛公鼎　𦨙 吉日壬午劍　𦨙 仲辛父簋　𦨙 曩伯匜

般，甲文作𦨙，金文作𦨙或𦨙，小篆作般。《說文》：「般，辟也。象舟之旋。从舟，从殳。殳，所以旋也。䑽古文般，从支。」郭沫若曰：「此般庚作𦨙，𦨙乃凡字，槃之初文也。象形。前片作𦨙，即後來之般字，字當作𦨙，譌變而為从舟从殳。而槃槃字乃益之以木作槃，或益之以皿作盤。金文伯侯父盤字作鎜，則从金，均緐文也。」（卜通）卜辭中作方國名，如「……」（佚三三）。銘文中多用為盤，如「史頌乍般（盤）」（史頌盤）。

䑬 服

甲

鐵五四

拾十二·三

前一·四八·四

後下三·十五

林二·八·九

金

般甗

利鼎

兮甲盤

史頌盤

仲叡父盤

漢印

般陽丞印

左右洺般

般成

般翁山

般嘉

篆

泰官鼎

元康雁足鐙

陽泉熏盧

服，甲文作𠬝，金文作𦨶，小篆作䑬。《說文》：「服，用也。一曰：車右騑，所以舟旋。从舟，𠬝聲。䑬，古文服从人。」林潔明曰：「按字从舟無義，許說亦甚牽強。金文字或从凡，凡，盤之象形字。（郭沫若說）余意服字本義當為服事，字从凡、𠬝，𠬝亦聲，蓋象人奉盤服事之象。《詩·大雅·蕩》曰：『曾在是服。』傳：『服，服政事也。』引申而服事天子之邦國亦曰服。《尚書》曰：『惟亞惟服』是也。又以音同意近，用為居𠬝之𠬝。《書·武成》曰：『而萬姓悅服。』《易·繫辭》曰：『服牛乘馬』等皆是。」（金文詁林）

甲

林一·二四·五

方 方

㊎ [字形] 盂鼎 [字形] 井侯簋 [字形] 服尊 [字形] 毛公鼎 [字形] 克鼎

漢印 [字形] 張服 [字形] 梁服 [字形] 服誼 [字形] 服師定國 [字形] 服印

漢金 [字形] 見日之光竟二 [字形] 張氏竟二 [字形] 銅華竟 [字形] 杜氏竟 [字形] 君有行竟

方，甲文作[字形]，金文作[字形]，小篆作[字形]。《說文》：「方，併船也。象兩舟省總頭形。……汸，方或从水。」徐中舒曰：「方當訓為一番土謂之坺之坺，初無方圓之意。（古匚即方員字）方之象耒，上短橫（如耑生教等）象柄首橫木，下長橫即足所蹈履處，旁兩短畫或即飾文，小篆力作[字形]，即其遺形。古者秉耒而耕，刺土曰推，起土曰方，方或借作發撥等字為之。」（集刊第二本：耒耜考）卜辭銘文中作方國之名，如「貞于大甲告苦方出」（後上廿九），「唯王來征夷方」（般尊）。亦多借作方向之方，如「于丁卯彫南方」（鄴三下三八·四）。古籍中亦用作方圓之方，正直之方，將要之方。亦作祭名，如《詩·小雅·甫田》：「以社以方。」毛傳：「迎四方氣于郊也。」

㊥ [字形] 拾四·三 [字形] 後上十六·十二 [字形] 菁一·二 [字形] 林一·六·十五 [字形] 戩十二·十二

兀

（金）
盂鼎
兮甲盤
毛公鼎
虢季子白盤
彔伯簋

（璽）
東方□□
東方賁
東方生□
東方疠
朱方

（漢印）
傅方
公孫方印
馬印萬方
方吳
長孫方居

（漢金）
方氏鼎蓋
駘蕩宮壺
□方辟兵鈎
元初二年鈚
尚方故治器

兀，甲文作丌，金文作丌，小篆作兀。《說文》：「兀，高而上平也。从一在人上。讀若敻。」林義光曰：「按从从人而上平，非高之義，兀蓋與元同字，首也。从人，一記其首處，與天同意。兀讀若敻（寒韻），敻古與元同音（奐，從敻得聲，奐聲之奐與元聲之睆同字）音兀（微韻）之雙聲次對轉也。兀元同字，故髡，說文从兀，或體从元，軏，說文作䡇。」（文源）卜辭作人名，如「婦兀」（甲三三七二）。

（甲）
甲三三七二
乙五二九〇
乙五六二七反
存下五五五
鐵四五·一

兒

金

兀作父戊卣

王孫鐘

兒，甲文作[甲骨字形]，金文作[金文字形]，小篆作[小篆字形]。《說文》：「兒，孺子也。从儿。象小兒頭囟未合。」許說可从。王筠曰：「小徐作孩子也。孺，乳子也。孩，小兒笑也。三蒼：女曰嬰，男曰兒。」（句讀）

卜辭中作方國名，如「兒人」（前七、一六、二）。

甲

前七·六·三

前七·四十三

前八·七·三

後下四十一

粹六七

金

者兒觶

小臣兒卣

居簋

沇兒鐘

易兒鼎

璽

兒

漢印

兒尊之印

兒寬之印

田兒之印

田阜

楊少兒

允

允，甲文作[甲骨字形]，金文作[金文字形]，小篆作[小篆字形]。《說文》：「允，信也。从儿，㠯聲。」羅振玉曰：「卜辭允字象人回顧形，殆言行相顧之意。」（增考） 高鴻縉曰：「按倚人畫其點首允許之形，由點首之形生意，故托以寄允許之意，動詞。後人每借用果然意，副詞。說文以為从儿，㠯聲，與古形不合。」（字例）金文从女與从人意同。卜辭似作果然義，如「癸卯卜征雨允雨」（掇二·一四九）。

允

（甲）鐵十三·三　拾五·十四　前三·三一·三　菁一·一　林一·三·六

（金）不嬰簋　中山王方壺

（璽印）郭印 允社

兑　兌

兑，甲文作兑，金文作兑，小篆作兑。說文：「兑，說也。从儿，㕣聲。」高鴻縉曰：「按㕣，即悅之本字。人悅則口兩旁有紋理（相命家稱為法令），倚口畫其兩旁紋理形。故託以寄喜悅之意，動詞。後加人於其下作兌，言人喜悅則其口如此也。後㕣漸失其本意，只為鉛、船、沿等字之音符。兌易卦有之，皆用喜悅本意，周人或段說字以代之。說文無悅字，徐鉉等新附有之。由今日言之，知㕣、兌、悅乃一字之累加，非有二義也。」（字例）郭沫若曰：「辭云：『戊申卜馬其先，王兌从大吉』此辭疑其卜以馬為殉，言馬其樂从先王

兄

手地下也。兌讀為悅」（粹考）

甲：後下九・十二　甲二〇七　庫一七四　京都七八二　佚四三七

金：師兄簋　元年師兄簋　[illegible]兄簋

漢印：吳兄平　口宮兄根　匡兄根

漢金：陽泉熏盧

兄，甲文作㞷，金文作㞷，小篆作兄。《說文》：「兄，長也。从儿从口。」高鴻縉曰：「按此乃祝字之初文，从人从口，會意。其作㞷者，乃从𠃌（古跪字）从口會意。均並列，名詞。祝官先述人求福之祝辭，次述神降福之嘏辭，為長於言辭之人也。後借用為兄長之兄，乃加示旁為意符作祝。」（字例）卜辭兄正用為祝，當為祭名，如「祝于父甲」（甲八〇一）。亦用作「兄弟」之兄，如「兄丁」（鐵五四・三）。

競

甲

[glyph] 鐵四十·四　[glyph] 拾二·十五　[glyph] 前一·三四　[glyph] 後上·三·七　[glyph] 林一·二三·八

金

[glyph] 剌卣　[glyph] 蔡姞簋　[glyph] 齊鎛　[glyph] 令簋　[glyph] 師鼎

璽

[glyph] 枉兄

漢印

[glyph] 司馬長兄　[glyph] 王長兄　[glyph] 朱兄　[glyph] 鍾兄　[glyph] 呂長兄

漢金

[glyph] 宜弟兄竟

競，甲文作[glyph]，金文作[glyph]，小篆作[glyph]。《說文》：「競，競也。从二兄。二兄，競意。从丰聲。讀若矜。一曰競，敬也。」林義光曰：「競無二兄相競之義，丰亦非聲，[glyph]二人首戴物形，[glyph]即古字，重物之象，戴重物於首，故常戒惕。《詩》曰：『戰戰兢兢』，傳曰：『兢兢戒也』。」

（文源）

甲

[glyph] 後二·十七·十一　[glyph] 庫一八四三　[glyph] 金七三九

㊎　南比盨

先，甲文作　，金文作　，小篆作　。《說文》：「先，前進也。从儿从之。」楊樹達曰：「按古㞢與止為一文，龜甲文先字多从止，金文毛公鼎及僕兒鐘亦然。止為人足，先从儿（古人字）从止而義為前進，猶見从人目而義為視，企从人止而義為舉踵，鳴从鳥口而義為鳥鳴，吠从犬口而義為犬吠也。」（小學）引申為先後之義，如銘文中常有之「先祖」、「先王」。

㊙甲　鐵二八·一　拾六·五　前一·四八·三　甲二·六·八　戩四·十七

㊎　壺文　盂鼎　令鼎　毛公鼎　虢季子白盤

璽　厲先

漢印　滈于先印　苛先印信　張女先

見，甲文作　，金文作　，小篆作　。《說文》：「見，視也。从儿从目。」商承祚曰：「卜辭見字作　，望字作　。目平視為見，目舉視為望，決不相混。」（福考）林義光曰：「象人目

見

然張目形。」（文源）銘文中有的作人名，如「見作觀」（見觀）。一般作動詞會見，如「揚見使于彭」（揚鼎）。

㊙甲

鐵一五九·二　前一·三九·二　菁十九　林二·七·九　戩三·五·三

㊙金

見觀　沈子簋　匽侯鼎　揚鼎　猷鐘

㊙漢印

未成見年臧侯道　王見　高見

㊙漢金

見日之光竟一　大上富貴竟　君有行竟　湅石華下竟　尚方竟四

視　視

視，甲文作𥃩，小篆作視。《說文》：「視，瞻也。从見示。眎古文視，眡亦古文視。」陳邦懷曰：「此古文視字也。《說文解字》視之古文作眎，卜辭之𥃩即視之古文，从示在目上，猶卜辭及古金文相字作𥃩，《說文解字》𥃩字或作眚也。」（小箋）卜辭中作地名，如「在視」（前二·七·二）。

㊙甲

𥃩　前二·七·二

吹 歌

（漢印）視 黃視　視 徒師視　眎 眎臣

吹，甲文作𠵃，金文作吹，小篆作吹。《說文》：「吹，出气也。从欠从口。」字象人張口出气之形。銘文中作人名，如「虞嗣寇白吹作寶壺」（虞司寇壺）。

（甲）𠵃 後下二十·十四

（金）吹 吹方鼎　吹 虞司寇壺　吹 虞司寇壺

歌，金文作訶，小篆作歌。《說文》：「歌，詠也。从欠，哥聲。謌，歌或从言。」按古文字从言，从欠之字義近同，金文訶字與《說文》从言之謌同。銘文作歌舞之歌，如「歙飲訶（歌）遷（舞）」（余義鐘）。

（金）訶 余義鐘

（璽）訶 盍訶

次　歙

次，甲文作　，金文作　，小篆作　。《說文》：「次，不前不精也。从欠，二聲。　古文次。」李孝定曰：「契文與篆文形近，惟不似从二，蓋象人口气出之形。」（甲骨文集釋） 銘文中作人名，如「史次鼎」。古籍中作副貳之義，如《論語．季氏篇》：「孔子曰：生而知之者，上也；學而知之者，次也；困而學之，又其次也；民斯為下矣。」

甲　後二．四二．六

金　嬰次盧　史次鼎

漢印　純有次　秦毋次仲　宋次．私印　趙次公印　胡次之印

漢金　新嘉量二　常樂衛士飯幘　晉壽升　次 永元雁足鐙

歙，甲文作　，金文作　，小篆作　。《說文》：「歙，歠也。从欠，酓聲。　古文歙，从今水。　古文歙，从今食。」 董彥堂曰：「酓即歙字，第一期作　象人俯首吐舌捧尊就飲之形，歙其本字，酓其省變也。」（殷曆譜．下卷） 歙本為動詞，如銘文「歙飤訶舞」（余義鐘）。而銘文中多作器名，如「歙盂」、「歙鼎」、「歙壺」等。

甲 青四一 甲二〇五 乙二四八二 乙三三八五 佚六四八

金 異中壺 沇兒鐘 余義鐘 魯元匜 辛伯鼎

璽 長飲 郮飲 飲 飲

漢印 湯官飲監 □□

漢金 泰山竟 从飠 上大山竟二 衣氏竟三 从水 尚方竟二

常用古文字字典卷九

頁　頁　頌　頌

頁，甲文作　，金文作　，小篆作　。《說文》「頁，頭也。从百从儿。古文䭫首如此。」甲文頁象人跪地而突出其有眼、有髮之頭形。李孝定曰：「古文頁、百、首當為一字，頁象頭及身，百但象頭，首象頭及其上髮，小異耳。」（甲骨文集釋）

甲

乙八七八〇

乙八八一五

乙八八四八

珠三二〇

坊間二·一九八

金

卯簋

頌，金文作　，小篆作頌。《說文》「頌，皃也。从頁，公聲。額，籀文。」高田忠周曰：「頌者今用容皃之本字，作容者為叚借。實當額之省文，頌之作額猶松或作案也。」（古籀篇）

銘文多用為人名，如「頌簋」「頌壺」。

金

頌鼎

頌簋

頌壺

史頌盤

史頌匜

碩　[seal script 碩]　顯　[seal script 顯]

漢印

孫頌私印

張頌私印

碩，金文作[碩]，小篆作[碩]。《說文》：「碩，頭大也。从頁，石聲。」段注：「引申為凡大之偁。釋詁、毛傳皆曰：碩，大也。簡兮傳曰：碩，人大德也。」銘文中作人名，如「新宮叔碩父監姬作寶鼎」（弔碩父鼎）。

金

弔碩父甗

弔碩父鼎

漢印

宋碩

劉碩名印

劉碩

顯，金文作[顯]，小篆作[顯]。《說文》：「顯，頭明飾也。从頁，㬎聲。」林義光曰：「顯訓頭明飾，無所考。說文㬎衆微杪也，从日中視絲。古文以為顯字，日中視絲，正顯明之象。顯，明也」（廣雅·釋詁四）象人而在日下視絲之形，絲本難視，持向日下視之乃明也。」（文源）銘文中常有「不顯」二字，與《詩·文王》「有周不顯」同義，不通丕，大也，甚也。顯，光耀，明顯。

金

盂鼎

史獸鼎

彔伯簋

大鼎

㝬鐘

面 首

漢印

公孫顯印

秦顯

應顯

毛顯私印

留顯信印

漢金

王氏竟

龍氏竟二

面，甲文作[glyph]，小篆作[glyph]。《說文》：「面，顏前也。从百，象人面形。」甲文面中為目，當人眼；外圍象面部之輪廓，兩者會意人之面。卜辭中作方國名，如「伐面」（後下·十五·五）。

甲

甲四一五

甲二三七五

漢金

朱爵玄武竟

首，甲文作[glyph]，金文作[glyph]，小篆作[glyph]。《說文》：「首，百同，古文百也。巛象髮，謂之鬊，鬊即巛也。」甲文字象人頭有眼、口、髮，面之形。卜辭中作地名，如「王途首」（乙七八二八）。銘文作其本意（人頭），如「大拜稽首」（大鼎）。

甲

乙三四〇一

乙六四一九

乙七八二八

前六·七·一

後二·七·二

縣 縣 𩠐 䭫

㊎

X 沇子簋

X 井侯簋

X 吳方彝

X 㽙壺

X 令鼎

漢印

X 黃青首

X 呂犀首印

漢金

X 大騩權

X 旬邑權

X 廿六年詔權

X 廿六年詔十六斤權

X 兩詔橢量

䭫，金文作X，小篆作𩠐。《說文》：「䭫，下首也。从首，旨聲。」段注：「孟䭫首者，拱手至地，頭亦至於地也。」經典通作稽，如《禮記·射義》：「再拜，稽首。」銘文常有「拜䭫首」之句。

㊎

X 令簋

X 井侯簋

X 大鼎

X 頌簋

X 令鼎

縣，金文作X，小篆作縣。《說文》：「縣，繫也。从系持県。」金文从木，从系繫人首，象樹上用繩縣掛人頭之形。引申作懸掛之義，如銘文云：「大鐘既縣」（郘鐘）。

㊎

X 縣妃簋

X 郘鐘

漢印

X 犨縣徒丞印

X 脩合縣宰印

X 梃縣左執姦

X 閬縣諸印

X 燕縣

須　文

須，金文作[glyph]，小篆作[glyph]。《說文》：「須，面毛也。从頁从彡。」金文字象人面有鬚形。銘文中多用作盨，作器名，如「周雒作旅須（盨）」（周雒盨）。後借作必須之須，乃造鬚字。

漢金
[glyph] 萬年縣官斗
[glyph] 無初二年釚

金
[glyph] 須𢿌生鼎
[glyph] 周雒盨
[glyph] 日百弔盨
[glyph] 譔李盨
[glyph] 立盨

漢印
[glyph] 張須
[glyph] 時翁須
[glyph] 竇君須

文，甲文作[glyph]，金文作[glyph]，小篆作[glyph]。《說文》：「文，錯畫也，象交文。」朱芳圃曰：「文即文身之文，象人正立形，胸前之ノ、ㄨ、ㄩ、ㄖ、ㄝ即刻畫之文飾也。《禮記‧王制》：東方曰夷，被髮文身，有不火食者矣。孔疏：文身者，謂以丹青文飾其身。」（釋叢）卜辭中作殷先王之名號，如「文武丁」（甲三九四○）。後引申作花紋、文彩、文字、文章等意。

甲
[glyph] 鐵一‧十八‧四
[glyph] 鐵四‧三八‧二
[glyph] 後上十九‧七
[glyph] 後下十四‧十三
[glyph] 京津二八三七

金
[glyph] 旂鼎
[glyph] 君夫簋

保卣
[glyph] 同簋
[glyph] 毛公鼎

后 后

璽

王文正

口上之文

右選文口信鉨

昜文口鉨

文安都司徒

漢印

上文私印

楊文印

文福

魏子文

王文

漢金

文 青羊竟

文 龍氏竟三

文 吾作竟

文 湅治銅竟

文 湅治竟

后，卜辭中用毓為后，作㛸（母生子形），金文作后，小篆作后。《說文》：「后，繼體君也。象人之形，施令以告四方，故厂之。从一口，發號者，君后也。」典籍中君主及其妻皆可稱后，如《書·說命中》：「樹后王君公。」孔穎達疏：「后王，謂天子也；君公，謂諸侯也。」《禮記·曲禮下》：「天子之妃曰后。」亦假借作前後之後。

甲

前二·二四·八

簠游一五

粹二九四

前一·三〇·五

後上二〇·二

金

吳王光鑑

璽

夏后𥁊

夏后口

后 后開邦

司

漢印

后 后彝之印

后 后良之印

后 后可哉

后 朔寧王大后璽

后 皇后之璽

漢金

后 王后中宮鼎

司，甲文作𠃌，金文作司或𤔲，小篆作司。《說文》：「司，臣司事於外者。从反后。」卜辭中有「司癸」「司母」等，為先妣之名。亦讀為祠或祀，即商之稱年，如「王廿司」（前二·十四·三）。銘文中多用作官治之名，如「司寇」（大梁鼎）、「司土」（免簋）。亦用作嗣，如「司（嗣）余小子弗（忽）」（毛公鼎）。還作玉器之量詞，如「用璧玉一𤔲」（齊侯壺）。

甲

前二·十四·三

前四·二七·八

前四·二八·一

後下四二·七

菁二·一

金

毛公鼎

㝬鐘

康侯簋

散盤

兮甲盤

璽

□埜都司徒

司馬之鉨

司馬

司馬□鉨

司馬譓

漢印

騎司馬印

司馬安

司鳩建

司國族家

司馬同

令

（漢金）永平平合　光和斛　又二　成山宮渠斗　司馬鈞及文

令，甲文作〔古文〕，金文作〔古文〕，小篆作〔古文〕。《說文》：「令，發號也。从亼卩。」林義光曰：「按卩即人字，从口在人上，古作〔古文〕（盂鼎），作〔古文〕（太保彝）象口發號，人跽伏以聽也。」（文源）銘文中令用為命，如「唯王令（命）明公遣三族」（明公簋）。

（甲）鐵六二·三　餘七·三　後上十七·二　林一·三·十二　戩二五·十三

（金）邲卣　父辛卣　保卣　克鐘　卯簋

（璽）令狐佗　令狐買

（漢印）遂久令印　令其遏　令其安漢　令遂成　令鍾私印

（漢金）壽成室鼎　光和斛二　萬歲宮高鐙　竟寧雁足鐙　三羊竟三

印

印，甲文作，金文作，小篆作。《說文》：「印，執政所持信也，从爪从卩。」「，按也，从反印。，俗从手。」羅振玉曰：「卜辭字从爪从人跽形，象以手抑人而使之跽，其誼如許書之抑，其字形則如許書之印。」（增考）李孝定曰：「至執政所持信，古但曰璽，蓋至漢始稱印。周禮璽節注曰：『今之印章』是也。璽稱印者，蓋用璽時必按抑之，其文始顯，遂即以動詞之印為名詞矣。」（甲骨文集釋）銘文云：「克狄淮夷印燮繁邑」（曾伯簠）。羅振玉曰：「抑亦訓安，訓治，印燮猶言安和矣。」（增考）

甲：前四·四六·三　後下九·八　林一·二四·一　乙一一二　佚六三七

金：毛公鼎　曾伯簠

璽：工師之印

漢印：校尉之印　軍曲候丞印　脩故亭印　君孺私印　隨庶印

卯

卯，甲文作，小篆作。《說文》：「卯，事之制也，从卩㔾。」羅振玉曰：「卜辭字从二人相向，鄉字从此，亦从，知即矣。此為嚮背之嚮字，卯象二人相嚮，猶北象二人

相背，許君謂事之制者非也」。（增考）

卿

甲 乙二二七七 餘二·二

卿，甲文作𩛥，金文作𩛥，小篆作卿，《說文》：「卿，章也。六卿：天官冢宰，地官司徒，春官宗伯，夏官司馬，秋官司寇，冬官司空。从卯，皀聲。」字象二人向食之形，當爲饗之本字，饗食爲本義。卜辭銘文中有作其本義的，如「其多生卿（饗）」（甲三八〇），「其萬年用卿（饗）賓」（欽簋）。用作官名「卿事」的，如「卿史」（前四·二一·七），「受卿事寮」（矢方彝）。有用作「方向」之「向」的，如「王其𢼄休于西方東卿（嚮）」（粹一二五二），「北卿（嚮）」（克鼎）。

甲 拾六·八 前一·三五·三 前四·二一·五 後上五·五 林一·二四·八

金 宰甶簋 仲爯簋 伯康簋 毛公鼎 趙曹鼎

璽 長卿 吾丘卿

辟

漢印：李中卿、卿明之印、陳印来卿、紀中卿印、周中卿

漢金：大良造鞅方量、西鄉鼎、見日之光竟二、位至三公竟、君宜高官竟

辟，甲文作□或不从口，作□，與庠字之形同。金文作□，小篆作辟。《說文》：「辟，法也。从卩从辛，節制其辠也。从口，用法者也」。甲文多作□，象刀刑跽地之人。卜辭中有「多辟臣」（粹一二八○）為臣名。古籍中辟字用義較廣，可訓國君，如《爾雅·釋詁》：「辟，君也」。可訓开辟，打開之義，如「辟田野」（荀子·王制），「寢門辟矣」（左傳·宣公二年），還通僻、擗、譬、避、霹、劈、躄等字。

甲：甲一○四六、佚六二、前四·一五·七、戩三七·一二、乙六七六七

金：盂鼎、召卣、師望鼎、毛公鼎、子禾子釜

漢印：王印毋辟、趙辟非、辟功伯印、趙毋辟、削辟

匀　旬　旬　荀

（漢金）碑 龍蛇碑兵鈞 [glyph] 口方碑兵鈞 [glyph] 徐光去央鈴范 [glyph] 青羊竟 [glyph] 龍氏竟三

匀，金文作[glyph]，小篆作[glyph]。《說文》：「匀，少也。从勹二。」朱駿聲云：「凡物分則少，二猶分也。」叚借為均《一切經音義十五》引《說文》：「匀，調匀也。」《廣韻》：「匀，偏也，齊也。」（通訓定聲）銘文中一作人名，如「匀乍寶彝」（匀簋），一用為鈞，如「錫金一匀（鈞）」（[illegible]鼎）。

（金）[glyph] 匀簋 [glyph] [illegible]鼎

（璽）[glyph] 湯匀 [glyph] 鄭匀 [glyph] 中匀莆 [glyph] 鄰匀

旬，甲文用[glyph]為旬，作[glyph]，金文作[glyph]，小篆作[glyph]。《說文》：「旬，徧也。十日為旬。从勹日。」甲文[glyph]難定何物，董彥堂謂：「象周匝循環之形，故从十干一周為一旬。」（安陽發掘報卜辭中所見之殷曆）唐蘭謂：「[glyph]當是龍類。」（天壤文釋）卜辭中可訓十日，如「癸酉卜行貞旬亡囚在二月」（粹一四三九）。

（甲）[glyph] 鐵一七七四 [glyph] 拾八．十六 [glyph] 前一．七．二 [glyph] 菁一．一 [glyph] 戩二九．七

茍　　　　敬

金　王孫鐘

漢　旬邑權

茍，甲文作，金文作、，小篆作茍。《說文》：「茍，自急敕也。从羊省，从包省，从口。口猶慎言也。从羊，與義、善、美同意。……𦍌，古文羊不省。」甲金文作，似羌省。朱芳圃曰：「字从羌从口，會意。羌為牧羊人，口示吆喝，今之謂牧人警敕羊群。許君訓自急敕，引伸之義也。」（釋叢）　卜辭似作地名，如「來雨于茍」（甲八九一）。銘文中用為敬，如「今余隹令女盂𦅫焚芍（敬）雝德巠」（盂鼎）。

甲　甲二五八一　前八·七·二　後二·三二·六　師友一·一三七　乙七二八三

金　盂鼎　大保簋　師虎簋　楚季茍盤

敬，金文作，小篆作。《說文》：「敬，肅也。从攴茍。」朱芳圃曰：「棣敬从茍，从攴，會意。謂牧羊人手持卜以警敕羊群，一作攴，从口从攴省形也。」（釋叢）　銘文訓敬肅，不

敬

鬼 鬼

怠慢之義，如「敬夙夜勿灋（廢）朕令」（師酉簋）。後引申為尊敬。

金

師酉簋

秦公簋

克鼎

吳王光鑑

毛公鼎

璽

敬事

敬事

敬

敬信

敬

漢印

敬口 里口

周敬私印

宛敬之印

格不敬

敬侯

漢金

敬武主家銚

鬼，甲文作𤰇，金文作𤰇，小篆作鬼。《說文》：「鬼，人所歸為鬼。从人，象鬼頭。鬼陰氣賊害，从厶。……䰟古文从示。」甲金文不从厶，从人从甶，象人戴有奇異之面具。許訓當為後起意。卜辭銘文中有的作方國名，如「鬼方昜囚」（甲三三四三）、「伐鬼方」（盂鼎）。亦作人名，如「貞亞多鬼夢亡疒」（前四・一八・三）、「鬼作父丙寶壺」（鬼壺）。

甲

拾四・十

前四・十八・二

後下三・十七

菁五・一

林一・二二・十八

畏 畏

金

鬼壺

陳肪簋

盂鼎

梁伯戈

璽

恢亡戲（鬼）

鄭亡戲（鬼）

漢印

天帝殺鬼之印

畏，甲文作畏，金文作畏畏，小篆作畏。《說文》「畏，惡也。从甶虎省，鬼頭而虎爪，可畏也。畏古文省。」甲金文象鬼執杖之形。羅振玉曰：「古金文作畏畏（盂鼎）从畏及手形，或省手形，从卜（當是攴省）。此則从鬼手持卜，鬼而持攴，可畏孰甚。」（增考）卜辭中作人名，如「畏其出子」（乙六六六九）。盂鼎「畏天畏」，其後之畏用作威。

甲

鐵一四六三

餘一二

乙六六六九

乙七三一八

金

盂鼎

毛公鼎

王孫鐘

沇兒鐘

漢印

三畏私印

賈畏

趙毋畏

段毋畏印

禺

禺，金文作　，小篆作　。《說文》：「禺，母猴屬，頭似鬼。从甶从禸。」高鴻縉曰：「甶爲人兒之象形文。甶，則似人兒非人兒，故曰鬼頭。禺从此形者，謂其頭似人非人也。禸，周初以來，恆以表蟲或獸之足與尾之形，非文字。禺字合兩形成文，意謂頭似人非人，而有足有尾之獸也。全象其形，長尾之猴也。」（字例）

（金）

禺邗王壺

（漢印）

禺官印

漢匈奴栗借温禺鞮

（漢金）

禺氏洗

山

山，金文作　，小篆作　。《說文》：「山，宣也。宣气散，生萬物。有石而高，象形。」字象三峯之形。銘文有的作山名，如「易女田于塞山」（克鼎）。有的作人名，如「山御作父乙尊彝」（山御簋）。

嵒　府

（金）

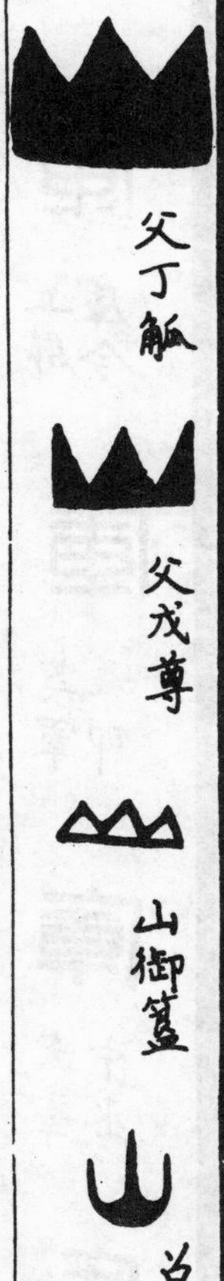

父丁觚

父戊尊

山御簋

呂弔山父簋

且庚觚

（璽）

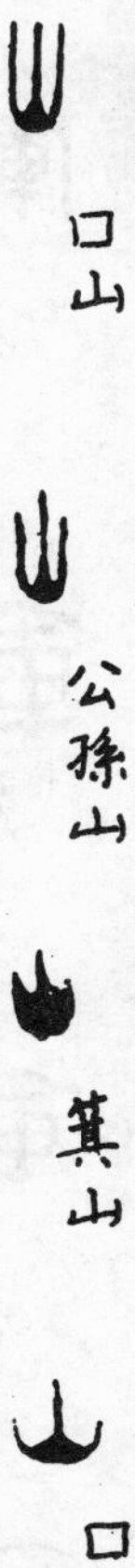

口山

公孫山

萁山

口口山金貞鉨

（漢印）

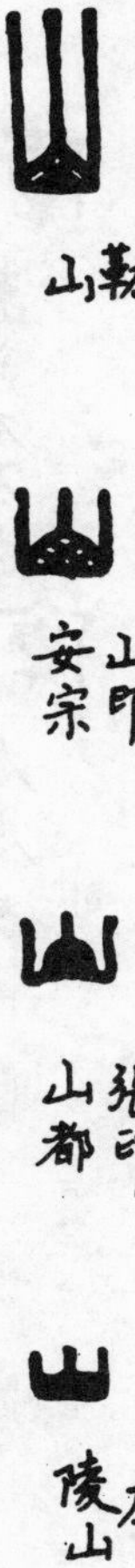

勒山

山印安宗

張印山都

左陵山

曾山

（漢金）

盩厔鼎

成山宮渠斗

山陽邸鐙

上華山竟

至氏竟

嵒，甲文作，小篆作嵒。《說文》「嵒，山巖也。从山，品。讀若吟。」卜辭中作地名，如「乞自嵒廿屯」（曾藏一八）。

（甲）

前七·七·二

粹一四九三

簠地三〇

曾藏一八

京津三〇五

府，金文作，小篆作㡯。《說文》「府，文書藏也。从广，付聲。」金文从貝，作㢊，張政烺釋府，謂即府庫之府。由此可見，府最初不僅藏文書，亦藏珍寶貨貝之類。後引申作官府，為百官所居之處。銘文作府庫之府，如「大府之簋」（大府簋）。

庫 庫

金

大府盞

鑄客鼎

少府小器

璽

口府

口府之鉨

汈行府之鉨

大府(府)

行府之鉨

漢印

徒府

馬府

帑府

犏畜府

漢金

壽成室鼎

桂宮行鐙

五鳳尉斗

中私府鍾

項伯鍾

庫，金文作庫，小篆作庫。《說文》：「庫，兵車藏也。从車在广下。」庫為藏兵器之所，引申之凡貯物之舍曰庫。銘文用作「兵庫」，如「右庫」（右庫戈）。

金

朝訶右庫戈

右庫戈

璽

庫

庫

庫

右庫

漢印

上郡庫令

粟軍庫印

武庫中丞

右關軍庫長

漢金

庫　汝陰侯鼎

庫　雒陽武庫鍾

庫　雍庫鑰

庫　上黨武庫戈

廄，金文作[glyph]，小篆作廄。《說文》：「廄，馬舍也。从广，𣪘聲。《周禮》曰：馬有二百十四匹為廄，廄有僕夫。[glyph]古文从九。」高田忠周曰：「釋名釋宮室，廄，勼也，勼聚也，牛馬之所聚也。後世借譌作廄」。（古籀篇）　金文以爲簋字，如「邵王之諻之薦廄（簋）」（邵王簋）。《論語·鄉黨》「廄焚，子退朝，曰：『傷人乎？』不問馬。」此廄，馬棚也。

金

[glyph]　邵王簋

漢印

廏　未央廏丞

廏　左馬將廏

廏　廏印

廏　梁廏丞印

廏　菑川廏丞

廣，金文作廣，小篆作廣。《說文》：「廣，殿之大屋也。从广，黄聲。」段注：「《倉頡篇》：殿，大堂也。《廣雅》曰：堂堭，合殿也。殿謂堂無四壁。《漢書·胡建傳》注：無四壁曰堂皇。」是也。覆乎上者曰屋，無四壁而上有大覆蓋，其所通者宏遠矣，是曰廣。引申之為凡大之偁。銘文中多作廣大、廣泛之義，如「亦唯噩侯馭方率南淮夷東夷廣伐南國東國」（禹鼎）。亦作人名，如「廣乍叔彭父寶設」（廣簋）。

龐　龐　庶

金

廣父己簋　不嬰簋　廣簋　禹鼎　士父鐘

漢印

王廣之印　廣典衛令　王廣　孟廣　孫廣得印

漢金

二年酒鋗　駘蕩宮壺　上廣車飾　魏廣六尺帳構銅　熹平三年竟

龐，甲文作[字]，小篆作[字]。《說文》：「龐，高屋也。从广，龍聲。」卜辭中多作地名，如「庚辰卜爭貞黍于龐」（續五·二四·五）。後借作人姓。王符曰：「顏注急就篇，龐者高屋之名，龐氏之先，皆產殷富，好爲室屋，鄉黨榮慕，謂之龐家，遂以立氏。」（句讀）

甲

鐵十二·三　前四·三五·五　前五·十二·三　前七·三十四　後上九·三

漢印

龐寬　龐長私印　龐遂信印　龐夜　龐翁伯

庶，金文作[字]或[字]，小篆作[字]。《說文》：「庶，屋下眾也。从广炗。炗古文光字。」周谷城曰：「庶字金文裏很不少，其形式……一一分析，可得三件東西。一、厂相當於小屋子。二、口

庶

相當於煮東西的鍋子。三、火相當於鍋下所燒的火。合起來看，應該是廚房或雜屋或如上海人所謂灶披間之類。就形式而言，固然可以得到這樣的解釋。就音與義而言，也可以得到與此相符的解釋。庶通煮，周禮秋官庶氏，注，庶讀如藥煑。單就這一例看，庶與煮實含有相同的聲音與相同的意義。……庶字的基本意義為雜屋為灶披間，為燒飯或住傭人的地方，稍稍引伸，有三個較為明顯的意義。一曰卑賤，常用來形容最下層社會份子。古代所謂庶民，大概就是賤民或奴隸之類，其住居規定在雜屋裏，不在正屋裏。……二曰旁出，常用以形容非正妻所生之子，所謂庶子是也。……三曰眇小，即俗所謂差不多的意思。詩抑，庶無大悔。禮記檀弓，其庶幾乎。庶字都是差不多的意思，差不多即所差無幾，即是幾微之差，即渺小不必十分介意的差。眇小的意思，也與卑賤旁出一樣，是很流行的。」（古史零證）

（金）

矢簋　盂鼎　毛公鼎　伯庶父簋　伯庶父盨

（璽）

庶口侳

（漢印）

庶勝　張庶臯　庶步安印　張庶睪　庶樂則宰印

廟

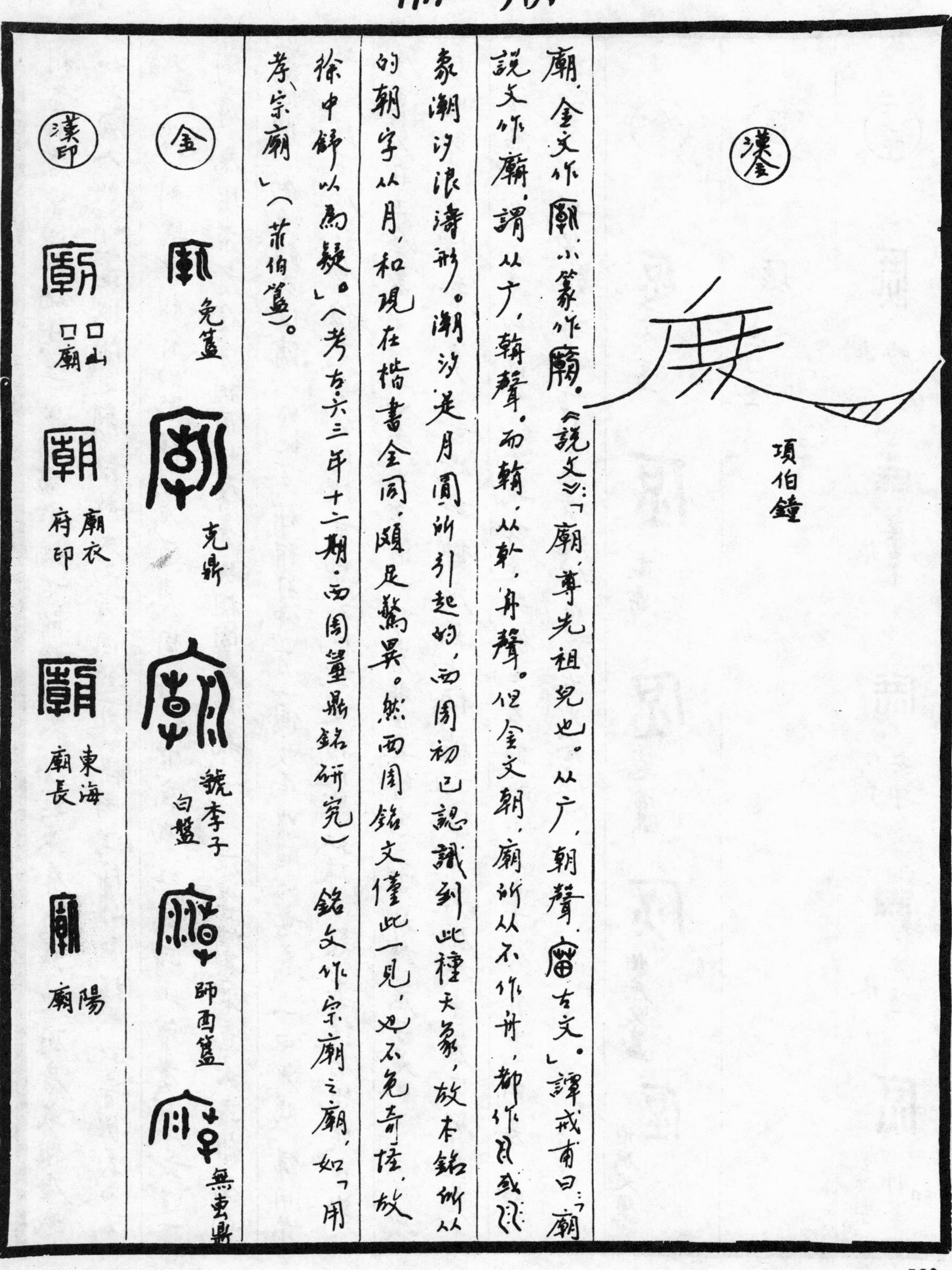

漢金

項伯鐘

廟，金文作[古字形]，小篆作廟。《說文》：「廟，尊先祖皃也。从广，朝聲。庿古文。」譚戒甫曰：「廟說文作廟，謂从广，朝聲。而朝，从倝，舟聲。但金文朝，廟所从不作舟，都作月或[古字形]，象潮汐浪濤形。潮汐是月圓所引起的，西周初已認識到此種天象，故本銘所从的朝字从月，和現在楷書全同，頗足驚異。然西周銘文僅此一見，也不免奇怪，故徐中舒以為疑。」（考古六三年十二期·西周墻鼎銘研究）銘文作宗廟之廟，如「用孝、宗廟」（芮伯簋）。

金

免簋

克鼎

虢季子白盤

師酉簋

無叀鼎

漢印

口山口廟

廟衣府印

東海廟長

陽廟

厲 厲 厂

(漢) 廟 孝武廟鼎　廟 長沙鈁　廟 孝文廟甗鍑　廟 雍鼎

厂，甲文作𠂆，金文作厂或𠩺，小篆作厂。《說文》：「厂，山石之厓巖人可居，象形。𠩺，籀文，从干。」高鴻縉曰：「厂字本象石岸之形，周秦間或加干為聲符作𠩺，後又或於𠩺加山為意符作岸，故厂、𠩺與岸實為一字。」(字例) 銘文作地名，如「王在𠩺」(眔卣)。

(甲) 乙三二一三　掇一·三八五　明藏四三九　鐵一四二·一　京都三一一三

(金) 厂 散盤　𠩺 趞尊　𠩺 趞卣　𠩺 眔卣

厲，金文作厲，小篆作厲。《說文》：「厲，旱石也。从厂，蠆省聲。」高鴻縉曰：「按今本說文作旱石也。茲依唐寫本文選集注引說文厲磨石也。改正。又唐寫本玉篇引作厲，磨石也。磨與厲同音通段，是原作磨石無疑。厲應从石省，石應从厂(岸)，故摘出列入轉注。又萬，後人加虫作蠆，故厲亦作厲。又厲既从石省訓磨石，後人復加石旁作礪。說文石部新附礪，礦也，从石厲聲，蓋已忘其為累加之字矣。是厲、厲、礪本一字之異形也。」(字例) 銘文有假用作萬，如「其厲(萬)年永用」(散伯簋)。厲亦作古國名。

㊎ 散伯簋 子仲匜

㊉漢印 高厲 厲廣之印

庢，金文作㕤或宊，小篆作庢。《說文》：「庢，石聲也。从厂，立聲。」唐蘭曰：「金文裡常常說，王在某庢，庢就是尚書．召誥裡太保乃以庶殷攻位于洛汭的位，就是臨時蓋的行室。師虎簋說，王才杜庢，各于太室。桼簋說，王在雍庢，旦王各廟。可見在庢裡也還是有廟和太室的。」（考報第二九冊：西周銅器斷代中的康宮問題）

㊎ 農卣 舀鼎 長甶盉 師虎簋 揚簋

厭，金文作𤌚，不从厂，小篆作厭。《說文》：「厭，笮也。从厂，猒聲。一曰：合也。」高鴻縉曰：「按字義取石笮，動詞。故从石肙，猒聲。經傳多通以代猒足（或饜足）。故又加土為意符作壓，合也之訓，應為猒足之引申。」（字例）

㊎ 毛公鼎

石

漢印

厭次丞印

厭荀

張厭狗

厭召

厭難都尉印

漢金

厭

龍蛇辟兵鉤

石，甲文作[甲文字形]，金文作[金文字形]，小篆作[小篆字形]。《說文》：「石，山石也。在厂之下，口象形。」字象山崖下之石塊。卜辭中有的作方國之名，如「癸巳卜石亡禍」（乙·四六七八）。銘文中有的作人名，如「鄭子石作鼎」（鄭子石鼎）。亦作鼎之別名，稱「石沱」，如「大師鐘伯侵自作石沱」（鐘伯鼎）。

甲

鐵一〇四·三

鐵一三七·二

林一·二五·十二

京津二四六三

明二三六八

金

己侯貉子簋

鄭子石鼎

鐘伯鼎

璽

石口

石遊

石臾

石䀴

石口

漢印

石洛侯印

田破石孚

石來

石立之印

石毋

磬 長

漢金 南陵鐘 一石鐘 二年酒銷 乘輿缶 永和二年鈗

磬，甲文作[古文字]，小篆作[古文字]。《說文》：「磬，樂石也。从石殸，象縣虡之形。殳，擊之也。古者母句氏作磬。[古文字]，籀文磬省。[古文字]，古文磬从巠。」羅振玉曰：「卜辭諸字从屮象虡飾，𠃊象磬，又持𠂆所以擊之，形意已具，其从石者乃後人所加，重複甚矣。」（增考）卜辭中作地名，如「王田磬不遘雨」（前二·四三·五）。

甲 餘十二·一 前二·四三·六 前四·十·五 前七·四三·一 戩十二·一

長，甲文作[古文字]，金文作[古文字]，小篆作[古文字]。《說文》：「長，久遠也。从兀从匕。兀者，高遠意也。久則變化。亡聲。𠩺者，倒亡也。」[古文字]，古文長。[古文字]，亦古文長。」按字象人有長髮之形，引申為長久之義，如「入長城」（驫羌鐘）。

甲 後上十九·六 林二·二六·七

金 寡長鼎 長日戊鼎 長由盉 長湯匜 廿年距悍

肆 𨽻

勿

璽

長口　長章　長文　長車　長休

漢印

長隗　利長　校長　利長　光長

漢金

萬斛量　蜀大吉利洗　長楊五年鼎　新嘉量二　陽泉熏爐

肆，金文作𨽻不从長，或作𨽻，小篆作𨽻。《說文》：「肆，極陳也。从長，隶聲。𨽻或从髟。」肆訓陳列，如「或肆之筵」（詩．行葦）。訓極、盡，如「其風肆好」（詩．崧高）。銘文中作鐘鼓之量詞，如「鼓鐘一肆」（齊侯壺）、「大鐘八聿（肆）」（郘鐘）。後世多用為「任意」「放縱」之義，由「極、盡」引申而來。

金

郘鐘　齊侯壺

漢印

趙肆　王肆　竹肆　張肆　田肆私印

勿，甲文作⺈，金文作勿，小篆作勿。《說文》：「勿，州里所建旗，象其柄，有三游，雜帛幅半異，所以趣民，故遽稱勿勿。……㫚勿或从㫃。」甲金文字「象以耒翻土，土粒著于刀上。」

昜 昜

土色黧黑，故勿訓雜色。」（甲骨文編）卜辭有以勿通作物，如「勿牛」即「物牛」（甲八〇三）。甲骨文多「字形不可識，卜辭用為否定辭，其義有近于勿，今坿列于勿字下。」（甲骨文編）如「勿往」（甲二〇二三）銘文亦作否定詞，如「勿灋（廢）朕命」（師酉簋）。

甲　鐵一·四　拾一·六　前一·十二·四　菁十一·二　林一·一·十二

金　盂鼎　召伯簋　克鼎　𩋉矦鼎　毛公鼎

璽　勿正關鉩

漢印　王勿之印　段勿始　勿半非有

昜，甲文作早，金文作早或昜，小篆作昜。《說文》：「昜，開也。从日一勿。一曰飛揚。一曰長也。一曰彊者眾皃。」朱駿聲云：「按此即古暘，為侌昜字。侌者，見雲不見日也。昜者，雲開而見日也。从日，一者雲也，蔽翳之象；勿者旗也，展開之象。或曰从旦亦通，經傳皆以山南水北之陽為之。」（通訓定聲）甲文不从勿，从日在丁上，似日上昇之形。卜辭中有作

冉 冄

作地名，如「貞在昜牧獲羌」（遺七五八）。銘文中有的作人名，如「昜用作寶旅鼎」（昜鼎）。有的用作揚，如「對揚王休」（敔簋）。

㊙甲
前四·三·四
前七·十四·二
後下十九·五
佚五〇九
存四九六

金
昜鼎
宅簋
昜弔盨
不昜戈
嘉子昜伯簠

璽
吁昜口鉨
東昜口澤王口鉨
口昜譖師鉨
昜口
臧昜

漢印
亢昜博印
亢昜少孺
昜翁子印
亢昜嬰印
亢昜參印

冄，甲文作冄，金文作冄，小篆作冄。《說文》：「冄，毛冄冄也。象形。」王筠曰：「釋名：在頰耳旁曰髯，隨口動搖，冄冄然也」（句讀）。高鴻縉曰：「按冄為象形字，髯為累加字，二者實一，名詞。」至段氏曰：「冄冄者，柔弱下垂之兒，則聲字詞之意矣」（字例）。卜辭銘文中作人名，如「令冄」（佚七三六）、「冄作父癸寶鼎」（冄鼎）。

甲
拾一·九
前二·三七·七
前八·十四·二
後下九四
後下二四·十

而 𦓐

金 南彊鉦 庚壺 師寰簋 冉鼎

而，金文作𦓐，小篆作𦓐。《說文》：「而，頰毛也。象毛之形。《周禮》曰：作其鱗之而。」字本義為兩頰下垂之毛，即「鬍鬚鬢」。後借作虛字中連詞，或借為第二人稱代詞，乃再造「鬚」「耏」等字，表其本義。

金 子禾子釜

漢印 不而長印

漢金 旬邑權 兩詔橢量 新嘉量 精白竟 湅治竟

豕 豕

豕，甲文作𢑚，金文作𢑚，小篆作豕。《說文》：「豕，彘也。竭其尾，故謂之豕。象毛足而後有尾，讀與豨同。……𢑚古文。」甲金文象有頭、身、足、尾之豬形。卜辭云「貞𡳿豕于父甲」（前一・二四・三），謂用豕祭父甲。

彘

甲　鐵八六·三　拾五·十四　前四·二七四　林一·七·十六　戩九·五

金　肄簋　函皇父簋　頌鼎

璽　二　牛豕襄

漢印　周彘

彘，甲文作□，小篆作□。《說文》：「彘，豕也。後蹏廢，謂之彘。从彑，矢聲。从二匕，彘足與鹿足同。」羅振玉曰：「从豕身著矢，乃彘字也。彘殆野豕，非射不可得。」（增考）甲文从矢从豕，會意字。卜辭有的作姓名，如「白彘」（寧滬二·三七）。有的作人名，如「乎彘先在束」（乙六〇二一）。

甲　鐵二〇·三　前四·五〇·一　後上十八·五　菁十一·十九　戩一·九

漢印　齊瘚彘　彘臣　李彘　春彘　淮彘信印

豚 兕

豚，甲文作[ ]，金文作[ ]，小篆作[ ]。《說文》：「豚，小豕也。从彖省，象形。从又持肉，以給祠祀。……」篆文从肉豕。卜辭作姓名，如「五十豚」（前三·二三·六）。銘文作人名，如「豚卣」。

甲

拾十五·三

拾三·三·六

前三·三一·二

後上二四·八

後上二五·三

金

匡辰卣

匡辰壺

豚鼎

豚卣

漢印

豚盧妾

兕，甲文作[ ]，小篆作[ ]。《說文》：「兕，如野牛而青。象形，與禽离頭同。……[ ]古文从儿。」唐蘭曰：「以字形論之，甲骨刻辭此字當釋為兕，即說文之[ ]，可決然不疑者。《海內南經》：『兕其狀如牛，蒼黑一角。』《爾雅》：『兕似牛。』郭注云：『一角，青色，重千斤。』……蓋兕角之巨可知，然則一角之獸而其角又特大者當為兕之形，亦皎然無疑者也」（獲白兕考）。卜辭中作獸名，「獲白兕」（甲三九三九）。

甲

甲六二〇

甲六二二

前七·三四·一

寧滬二·一四五

明藏二〇五

昜 易

易，甲文作𠂤，金文作𣥎，小篆作昜。《說文》：「易，蜥易、蝘蜓、守宮也。象形。秘書說曰：日月為易，象陰陽也。一曰：从勿。」高鴻縉曰：「按此為乍晴乍陰之意，倚日畫雲掩，及光線露出之形，由物形生意，故為乍晴乍陰之意，動詞。甲文有『易日』、『不易日』、『不其易日』等語，用易如暘，近人郭氏讀易為暘。《說文》：『暘，日覆雲暫見也。』是其意也。惟易原意為乍晴乍陰，故引申為變易，交易等意。至蜥蜴即蝘蜓，為四腳蛇，生于艸也。守宮為壁虎，生牆壁間，捕食蚊蠅。二物原別，但均與易之本意無關，說解誤也。」（字例）卜辭云「易日」（甲三三六四）「易猶變也，猶今言變天」（甲骨文編）。卜辭、銘文多借作賜，如「易多母㞢貝朋」（後二·八·五），「王易（錫）貝」（門簋）。

(甲) 鐵三·二　拾四·十一　前七·四二　林一·二三·五　戩十四·五

(金) 小臣系卣　餘尊　盂鼎　頌鼎　毛公鼎

(漢印) 易陽丞印　鄭易

(漢金) 龍氏竟三

象

象，甲文作　，金文作　，小篆作　。《說文》：「象，長鼻牙，南越大獸，三年一乳，象耳牙四足之形。」羅振玉曰：「今觀篆文但見長鼻及足尾，不見耳牙之狀。卜辭亦但象長鼻，蓋象之尤異於他畜者其鼻矣。又象為南越大獸，此後世事，古代則黃河南北亦有之。為字从手牽象，則象為尋常服御之物。今殷墟遺物有鏤象牙禮器，又有象齒甚多。」（增考）卜辭中有的作獸名，如「獲象」（前三·三一·三）。有的作方國名，如：「伐象」（乙一〇〇二）。有的作人名，如：「貞：叀象令从倉侯歸」（乙七三四二）。

甲

前三·三一·三

前四·四四·二

前四·四四·三

後下五·十一

金

且辛鼎

師湯父鼎

漢

吳郡趙忠竟

朱爵玄武竟

精白竟

昭明竟

吾作竟三

常用古文字字典卷十

馬

馬，甲文作[glyph]，金文作[glyph]，小篆作[glyph]。《說文》：「馬，怒也。武也。象馬頭髦尾四足之形。……[glyph]，古文馬。[glyph]，籀文馬，與[glyph]同有髦。」高鴻縉曰：「按怒也，武也，皆音訓。代十九·11戈文有[glyph]字，原象頭、嘴、耳、目、鬣、足、身、尾之形。馬字甲文正由此簡化，後代漸有改變，周人以目代首，並省去其肚皮。小篆又略省，隸書變方，楷則於古意全失。」（字例）卜辭銘文中有的作獸名，如「馬四匹」（毛公鼎）；有的作官名，如「多馬」（師友二·一五五）、「命女作𢻱𠂤家嗣馬」（趞簋）。

（甲）鐵二·三　拾六·五　前七·五·三　菁三·一　林一·三·二十

（金）召卣二　盂鼎　毛公鼎　守簋　大司馬簠

（璽）司馬恩　日庚都萃車馬　右司馬鉨　司馬口鉨　閒司馬鉨

（漢印）左馬廄將　強弩司馬　定胡軍司馬　馬適昭　乘馬道人

廌 薦

（漢金）

萬歲宮高鐙

成山宮渠斗

司馬鈞反文

廌，甲文作[glyph]，小篆作[glyph]。《說文》：「廌，解廌，獸也。似山牛一角。古者決訟，令觸不直。象形。」唐蘭曰：「[glyph]近人有釋爲廌者，蓋謂廌當具二角，而此只一角故也。實甚誤。廌字卜辭自作[glyph]，鹿字小篆作[glyph]，亦只一角，可知此仍是鹿字。」（天壤文釋）卜辭中作獸名，如「其獲廌」（合一一六）。

（甲）

後六三三四

明藏四七二

明藏六三三

京津三八七六

薦，金文作[glyph]，小篆作[glyph]。字象廌于艸中。《說文》：「薦，獸之所食艸。从廌从艸。古者神人以廌遺黃帝。帝曰：何食何處？曰：食薦，夏處水澤，冬處松柏。」《爾雅·釋詁》：「薦，進也，陳也。」故古書借薦爲進獻，銘文亦作此意。如「華母自乍薦壺」（華母壺）。

（金）

鄭登伯鬲

弔朕簠

華母壺

邵王簋

（漢印）

薦顗

灋　[illegible]　鹿　[illegible]

灋，金文作[illegible]，小篆作[illegible]。《說文》：「灋，刑也。平之如水。从水。廌所以觸不直者去之，从去。法，今文省。佱，古文。」段注：「刑者，罰罪也。《易》曰：利用刑人，以正法也。引伸爲凡模範之偁。」銘文中多借爲廢，如「勿灋（廢）朕令（命）」（盂鼎）。

（金）
[illegible] 盂鼎
[illegible] 師酉簋
[illegible] 克鼎
[illegible] 師嫠簋
[illegible] [illegible]侯鼎

（璽）
[illegible] 胡法
[illegible] 盍法
[illegible] 王法
[illegible] 司馬法

（漢印）
[illegible] 執灋直二十二
[illegible] 灋左丞尉
[illegible] 法惟印
[illegible] 法建成

（漢金）
[illegible] 大良造鞅方量
[illegible] 廿六年詔廿斤權
[illegible] 廿六年詔精量
[illegible] 兩詔精量
[illegible] 元年詔版

鹿，甲文作[illegible]，金文作[illegible]，小篆作[illegible]。《說文》：「鹿，獸也。象頭角四足之形。鳥鹿足相似，从匕。」象形字，匕者鹿之足也。卜辭銘文作獸名，如「獲鹿四」（遺一三四）；「王錫命鹿」（命簋）。

（甲）
[illegible] 鐵四二·一
[illegible] 拾六·三
[illegible] 前二·三二·五
[illegible] 前四·四八·四
[illegible] 林二·十四·十四

麋　麋　麇

(金)
貉子卣
貉子卣
命簋
命簋

(漢印)
鉅鹿太守章
五鹿良印
鹿忠
鹿辰孟
五鹿克印

麋，甲文作[glyph]，小篆作[glyph]。《說文》：「麋，鹿屬。从鹿，米聲。」甲文是鹿的象形，[glyph]似眉，實為頭角形。小篆才加米作聲符。卜辭中作獸名，如「貞其令馬亞射麋」（甲二六九五）。

(甲)
鐵百十三
餘十二三
拾六十一
前四四三
林二十四十二

(璽)
亡麋

(漢印)
隃麋集掾田宏
隃麋侯相
麋印長生
麋小青
麋壽王

(漢金)
陶陵鼎
陶陵鼎

麇，甲文作[glyph]，金文作[glyph]，小篆[glyph]。《說文》：「麇，麞也。从鹿，囷省聲。[glyph]，籀文不省。」麇、麞、麋皆同類獸名，《說文》：「麞，麋屬也。」羅振玉曰：「今卜辭从[glyph]不从鹿，然則麇殆似鹿而無角者歟。」（增考）卜辭中作人名，如「穷貞麐告曰方……」（前七·二六·四）。

（甲）[oracle-bone form] 前四·四八　[oracle-bone form] 前七·二八·四　[oracle-bone form] 京津一三四五

（金）[bronze form] 師害簋

麗，甲文作[oracle-bone form]，金文作[bronze form]，小篆作[seal form]。《說文》：「麗，旅行也。鹿之性，見食急則必旅行。从鹿，丽聲。禮，麗皮納聘，蓋鹿皮也。丽古文，[form]籀文麗字。」林義光曰：「按麗為旅行，其說未聞。本義當為華麗，从鹿者取其毛色麗爾也。古作[bronze form]（鄦膚簠）[form]即鹿字，象鹿形，丽聲。」又曰：「古作[form]（鄦膚匜麗字偏旁），作[form]（陳丽子戈）象兩兩相附之形。方言：丽，耦也。此當為丽之本義，與麗不同字。」（文源）

（甲）[oracle-bone form] 周甲一二三

（金）[bronze form] 取膚匜　[bronze form] 師旋段

兔 逸

（漢印）

麗茲則宰印

韓子麗印

張莫麗

兔，甲文作[glyph]，小篆作[glyph]。《說文》「兔，獸名，象踞後其尾形。兔頭與㲋頭同。」羅振玉「長耳而厥尾，象兔形。」（增考）卜辭中作獸名，如「王逐兔」（前六·四九·六）。

（甲）

前四·五二·六

甲二七〇

乙九三五

乙四四四

京津二六〇八

（漢印）

玄兔太守章

董兔印

孟兔

孟兔之印

（漢金）

玄兔虎符

逸，金文作[glyph]，小篆作[glyph]。《說文》「逸，失也。从辵兔。兔謾訑善逃失也。」唐蘭：「逸本象逐兔，引申為兔之奔逸。」（天壤文釋）銘文中作「安閑逸樂」之意，如「不敢逸康」（齊陳曼簠）。

（金）

秦子矛

齊陳曼簠

齊陳曼簠

（漢印）

李逸印信

犬 犬　尨 尨

犬，甲文作[ancient form]，金文作[ancient form]，小篆作[ancient form]。《說文》：「犬，狗之有縣蹏者也。象形。孔子曰：視犬之字如畫狗也。」王國維曰：「腹瘦尾拳者為犬，腹肥尾垂者為豕。」（甲骨文集釋三〇九一頁）

（甲）

[ancient form] 鐵七六·三
[ancient form] 餘十七·二
[ancient form] 前七·一·三
[ancient form] 林二·十七·三
[ancient form] 戩四一·六

（金）

[ancient form] 員鼎
[ancient form] 子自卣

（漢印）

[ancient form] 王犬私印
[ancient form] 田犬
[ancient form] 尹犬

尨，甲文作[ancient form]，小篆作尨。《說文》：「尨，犬之多毛者。从犬从彡。《詩》曰：無使尨也吠。」羅振玉曰：「象犬腹下脩毛垂狀，當為尨字。今篆彡在背上，犬非剛鬣，若在背則彡狀不可見矣。」（增考）卜辭有的作人名，如「貞令尨……」（前四·五二·三）；有的作獸名，如「一尨」（佚九四六）。

（甲）

[ancient form] 前四·五二·三
[ancient form] 佚九四六
[ancient form] 甲一五九

（璽）

[ancient form] 王尨
[ancient form] 庚尨
[ancient form] 王尨
[ancient form] 孫尨
[ancient form] 石尨

獲 　獲

獲，甲文作□，金文作□，小篆作□。《說文》：「獲，獵所獲也。从犬，蒦聲。」甲金文用隻為獲，字从又从隹，不从犬，會意手獲捉鳥。引申為獲得之稱。獲字乃後起形聲字。卜辭作獲取之義，如「貞乎逐豕獲」（粹九四七）。

（甲）

□ 甲九〇

（金）

□ 酓忎鼎

（漢印）

獲 王獲

獲 衛獲

獲

史獲私印

獲 皮獲宗印

獲 獲

（漢金）

獲 居攝鍾

獻 　獻

獻，甲文作□，金文作□，作□。《說文》：「獻，宗廟犬名羹獻。犬肥者以獻之。从犬，鬳聲。」卜辭从犬从鬲，金文从虎、鬲、犬，或从虎、鼎、犬。商承祚曰：「以傳世古甗證之，三足之股皆作虎目，即此字之取義。複以字形言从鼎者取器之上象，从鬲者取器之下形也。（甗上為鼎下為鬲，乃合二器而成）甗即獻字本體，後寫誤作獻，乃用為進獻字，復別

狂

精甗為器名，非其朔矣。」（佚考）字本義當為器名，借為進獻之意。銘文中有的作器名，如「乍父癸寶障獻（甗）」（禹甗），有的作進獻之義，如「獻帛貝」（芇伯簋）。

甲

前八·十一·三

金

獻侯鼎

虢季子白盤

不㝨簋

子邦父甗

疐甗

璽

善獻

漢印

獻恥里附城

狂，甲文作，小篆作。《說文》：「狂，狾犬也。从犬㞷聲。古文从心。」段注：「段借之為人病之偁。」用作瘋狂，如「乃被髮詳（佯）狂而為奴」（史記）。卜辭用為往來之往，如「王狂（往）田滋日不冓雨」（甲六一五）。

甲

後一·十四·八

甲六一五

猶　𤢗　狼

璽

長狂

肖狂

王狂

事狂

閭狂

猶，甲文作𠭁，金文作𩰫，小篆作𤢗。《說文》：「猶，玃屬。从犬，酋聲。一曰：隴西謂犬子為猶。」本為獸名，卜辭中作方國名，如「戊辰卜弗𢦏猶」（存二、七三二）。後世多借作，如，同義，如《詩．召南．小星》：「寔命不猶。」作尚且義，如：「蔓草猶不可除」（左傳）。

甲

存下七三二

存下七三二

金

毛公鼎

㝬鐘

克鼎

王孫鐘

陳猶釜

璽

事猶

屋猶

矦猶

鄭猶

漢印

猶湯私印

猶鄉

邑猶長公

孫猷左尉

孫邁猷印

狼，甲文作𤞟，小篆作𤞟。《說文》：「狼，似犬，銳頭白頰，高前廣後。从犬，良聲。」

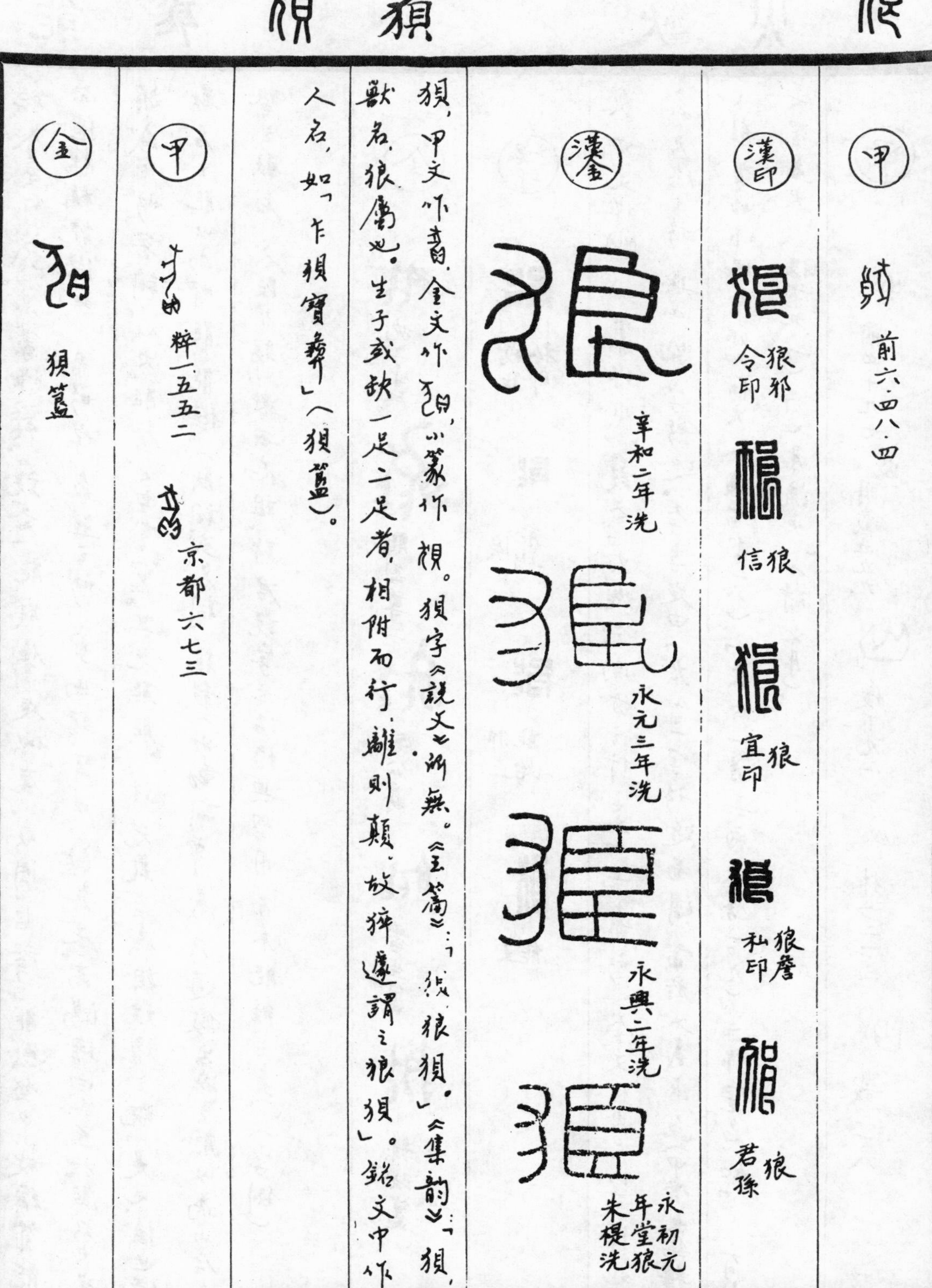

（甲）前六・四八・四

（漢印）狼邪令印　狼信　狼宜印　狼詹私印　狼君孫

（漢金）辛和二年洗　永元二年洗　永興二年洗　永初元年堂狼朱提洗

狽，甲文作𤝵，金文作𤞼，小篆作狽。狽字《說文》所無。《玉篇》：「狽，狼狽。」《集韻》：「狽，獸名，狼屬也。生子或缺一足二足者，相附而行，離則顛，故猝遽謂之狼狽」。銘文中作人名，如「乍狽寶彝」（狽簋）。

（甲）粹一五五二　京都六七三

（金）狽簋

能 𦣞 火 火

能，金文作[glyph]，小篆作[glyph]。《說文》：「能，熊屬，足似鹿。从肉，㠯聲。能獸堅中，故稱賢能，而彊壯稱能傑也。」象形字，象熊之形，[glyph]為頭、耳、口，[glyph]為足。高鴻縉曰：「至於熊，乃火光耀盛之形容詞。从火，能聲。《西山經》曰：『其光熊熊』，注：光氣炎盛相焜燿之貌，是也。後世借獸名之能以為賢能、能傑，（狀詞或名詞）能殼（助動詞）等義，乃通假火盛之熊以為山居冬蟄之獸名。久假不歸，數典忘祖。許君說字亦沿經典習用，而未能辨之矣。」（字例）

（金）

[glyph] 沈子簋

[glyph] 能匋尊

[glyph] 毛公鼎

[glyph] 番生簋

[glyph] 縣改簋

（漢印）

[glyph] 戎能私印

[glyph] 侯能始

[glyph] 邾丘能始

[glyph] 王能

火，甲文作[glyph]，小篆作火。《說文》：「火，燬也。南方之行，炎而上。象形。」金文从火之字，作[glyph]，象火焰之形，與山[glyph]字形近。李孝定曰：「火山二字形近易淆，當於文義求之。」（甲骨文集釋）卜辭有的作地名，如「在火」（後下八·一八）、「火今一月其雨」（合二〇九）。亦作星名，如「……有新大星並火」（後下九·一）、「七月流火」（詩·七月）。

（甲）

[glyph] 前四·十九·七

[glyph] 明藏五九九

[glyph] 後下九·二

[glyph] 林二·二一·三

[glyph] 戩二一·八

燎　尞　然　然

璽 火 火口

漢印 火 鐘官火丞 火 別火丞印

尞，甲文作米或𤇾，金文作𤇾，小篆作尞。《說文》：「尞，柴祭天也。从火从昚。昚古文慎字。祭天，所以慎也。」羅振玉曰：「字實从木在火上，木旁諸點象火燄上騰之狀。」（增考）甲金中作祭名，即燒柴而祭之柴也，如「貞尞于高乙……」（遺一）、「尞于宗周」（鄘伯馭簋）。

甲 米 鐵十三·四 米 拾一·三 米 前四·八·二 𤇾 後上·二四·七 𤇾 戩十一·九

金 𤇾 鄘伯馭簋

然，金文作𤑕，小篆作然。《說文》：「然，燒也。从火，肰聲。𤑕或从艸難。」容庚曰：「汗簡淮南子漢書均作難，說文或从艸難，作𤑕，非。」（金文編）然是燃之本字，通假為語詞，訓是，如「敎使之然也」（荀子勸學），還訓但是等義。

閔 閔 炆 炆

金 [seal] 者減鐘

漢印 [seal] 綦毋然　[seal] 和然　[seal] 公孫空然

漢金 [seal] 精白竟　[seal] 昭明竟

閔，甲文作閔，小篆作閔。《說文》：「閔，火皃。从火，𨳌省聲。讀若粦。」卜辭：「𤇾，賓虫小宰」（粹一九二）。郭沫若曰：「閔與大甲同例，祈祭之神名。」（粹考）

甲 閔 後下四一·十三　閔 後下四一·十三　閔 粹一九二　閔 金一八九

璽 閔 閔絡　閔 閔湯　閔 閔口　閔 閔口　閔 閔門

炆，甲文作𤇾，小篆作炆。《說文》：「炆，交木然也。从火，交聲。」葉玉森曰：「尸子曰：『湯之救旱也，素車白馬，布衣身嬰白茅，以身為牲。』是殷初祈雨，以人代犧之證。後世變而加厲，乃校罪人于火示驅魃意，本辭云曰炆奴之从，𤇾象投交脛人于火上，∴象火燄（揅契枝譚）」（前釋五卷）卜辭作焚人祈雨之祭名，如「乙卯卜今日炆，从雨」（戩四七·三）。

𤆍 焚 焦

𤆍，甲文作[glyph]，小篆作[glyph]。《說文》「𤆍，火餘也。从火，聿聲。」羅振玉曰：「此从又持一以撥火，象形，非形聲也。」（增考）卜辭僅一例，文殘義不詳。

（甲）[glyph] 拾八·三　[glyph] 前五·三三·二　[glyph] 前六·四九·六　[glyph] 後下十五·二　[glyph] 戩四七·三

（金）[glyph] 前五·三三·一

焚，甲文作[glyph]，小篆作[glyph]。《說文》「焚，燒田也。从火棥，棥亦聲。」按卜文不从棥，从林从火，象以火燒林。卜辭中為燒林草以事田獵，如「其焚禽癸卯允焚獲兕十一豕十五兔廿」（乙二〇七）。亦用作燒，如「亦焚亩三」（佚九八三）。

（甲）[glyph] 鐵八七·二　[glyph] 前一·三三·二　[glyph] 後下四·五　[glyph] 集九·二　[glyph] 後下九·三

焦，金文作[glyph]，小篆作[glyph]。《說文》「[glyph]，火所傷也。从火，雥聲。焦，或省。」金文字象火燒鳥形。小篆从三隹。如同雧（集）。引申作火傷，如：燒焦，由之又引申爲憂急如：焦慮。

烖 烖

金

郘戻簋

璽

焦冂

漢印

焦奉侍

焦嬰齊

焦印樨文

焦千金

焦細卿印

烖，甲文作中凵戈凶，小篆作烖。《說文》：「烖，天火曰烖。从火，𢦏聲。灾或从宀火；扶古文从才，災籀文从巛。」商承祚：「甲骨文有巛 㞷 中凵，从水、从戈、从火，以其義言之，水災曰巛，兵災曰𢦏，火災曰灾，後孳乳為烖（說文曰天火曰烖）。灾（烖之或體），災（烖之籀文），扶（烖之古文即由卜辭之變）菑（說文：不耕田也）甾（菑之或體）𤇫（秦繹山刻石）。」結構任意，體多誤合矣。（福考）

甲

後下八·十八

乙九五九

誠明二

璽

長宊

光

光，甲文作[illegible]，金文作[illegible]，小篆作[illegible]。《說文》：「光，明也。从火在人上，光明意也。」炗古文，灮古文。卜辭中作國族之名，如「光不其獲羌」（前二·三三·五）。引申作光榮，如「不顯其光」（詩·韓奕）。還用作光滑、裸露、完盡、光陰等意。

甲：前二·三三·五；前五·三·八；後上九·九；後下一七·三；林二·二一·五

金：䣄伯簋；矢方彝；召卣二；毛公鼎；宰甫簋

漢印：光符子家丞；臣光；鴻與光印；滕光；王印武光

漢金：延光三年洗；光和四年洗；光和七年洗；見日之光竟二；君有行竟

熙

熙，金文作[illegible]，小篆作[illegible]。《說文》：「熙，燥也。从火，巸聲。」段注：「燥者，熙之本義；又訓興，訓光者，引申之義也。」孫詒讓曰：「巸當為配字，亦即熙之省。」金素闲徐王子旃鐘：龢

熙

韹熙熙，熙作𦣞，正與此同。配為熙之聲母，故此𦣞及徐王子鐘并省熙為配。左襄二十九年傳季札曰：「廣哉，熙熙乎！」杜注：「熙熙，咊樂聲。」逸周書太子晉篇：「萬物熙熙。」孔晁注：「咊盛也。」荀子·儒效：「熙熙兮其樂人之臧也。」楊注：「咊樂之貌。」「汜汜熙熙，言其德之美而盛也。」（拾遺·孟蓋（匜）） 銘文「它它熙熙」（齊侯鎛），其義可从孫說。

金　𦣞　齊侯鎛

漢印　熙　熙弦

炎　炎

炎，甲文作炎𤆍，金文作𤆍，小篆作炎。說文：「炎，火光上也，从重火。」羅振玉曰：「卜辭中从火之字作山𡿨𡿨，古金文亦然。然亦有从火者，故知炎即炎矣。」（增考） 銘文中炎為古國名，郭沫若謂「當即春秋時郯國之故稱」（兩攷）。如：「召多用追于炎」（召尊）。

甲　炎　後上十三·五　炎　後下九·四　𤆍　粹二九〇

金　𤆍　令簋　𤆍　召尊

燮　粦　粦

燮，甲文作（甲文形），金文作（金文形），小篆作（篆形）。《說文》：「燮，大熟也。从又持炎辛，辛者物熟味也。」羅振玉曰：「此字从又持炬，从三火，象炎炎之形，殆即許書之燮字，許从辛殆炬形之譌。」（增考）燮字訓和，當與變同字，从言由辛變譌。高鴻縉曰：「燮和，猶調和，原从又（手）持棍疏火使燃之形，故曰燮理。」（字例）銘文中有的作人名，如「王令燮在市旂」（燮簋）。有的訓理，如「智燮萬邦」（晉公盞）。

甲

前五．三三．四

明一五五二

金

卣文

燮簋

曾伯簠

晉公盞

粦，金文作（金文形），小篆作（篆形）。《說文》：「粦，兵死及牛馬之血為粦。粦，鬼火也。从炎舛。」字象大（正面人）突出雙足，表其走動。金文隸作㷠，象人紀山崖之形。林義光曰：「舛象二足迹形，鬼火宵行逐人，故从夕牛。」（文源）銘文「穆公聖粦明𪐇事先王」（穆公鼎）。陳夢家曰：「『事先王』前四字，形容穆公的聖睿明𪐇。說文曰瞵，目精也。與聖皆指耳目聰明。方言十二：『𪐇，曉明也。』與明皆指明哲。」（全選二四五頁）

黑 𪐗 悤

（金）穆公鼎 穆公鼎

黑，金文作𤇾𤇾，小篆作𪐗。《說文》：「黑，火所熏之色也。从炎上出囪，囪古窗字。」金文黑，从大上有怪異之頭形，八似身上之飾物，與異字之古文近似。借作黑白之黑。

（金）鄦伯馭簋 鑄子弔黑匠簠

（璽）長黑 上官黑 厲黑 臧孫黑鉩

（漢印）呂黑 馬印大黑 李黑 結黑私印 張黑

（漢金）留里楊黑酒器

悤，金文作𢗰，小篆作悤。《說文》：「悤，多遽悤悤也。从囪从心，囪亦聲。」容庚曰：「从丨在心上，示心之多遽悤悤也。說文云从心囪，囪當是丨之變形，又云囪亦聲，乃由指事而變爲形聲矣。」（金文編）銘文中用爲蔥、總。如「赤市悤黃」（毛公鼎）。

赤

金

克鼎

毛公鼎

番生簋

㝬鐘

璽

高恩

赤，甲文作，金文作，小篆作。《說文》：「赤，南方色也。从大从火……。烾古文从炎土。」卜辭銘文中作顏色名，如「赤馬」（藏十二）、「麥錫赤金」（麥鼎）。本義為火的顏色。引申紅色。假為裸露，如「赤腳」。假為空、盡，如「赤手空拳」。

甲

鐵十三

後下十八．八

菁九五

鄴三下三六．四

摭續二九一

金

麥鼎

彔簋

元年師兌簋

頌鼎

邾公華鐘

璽

高赤

瘍赤

楇赤

貫赤

□赤

漢印

赤泉邑丞

右師赤

趙赤

大史赤印

赤駟

大

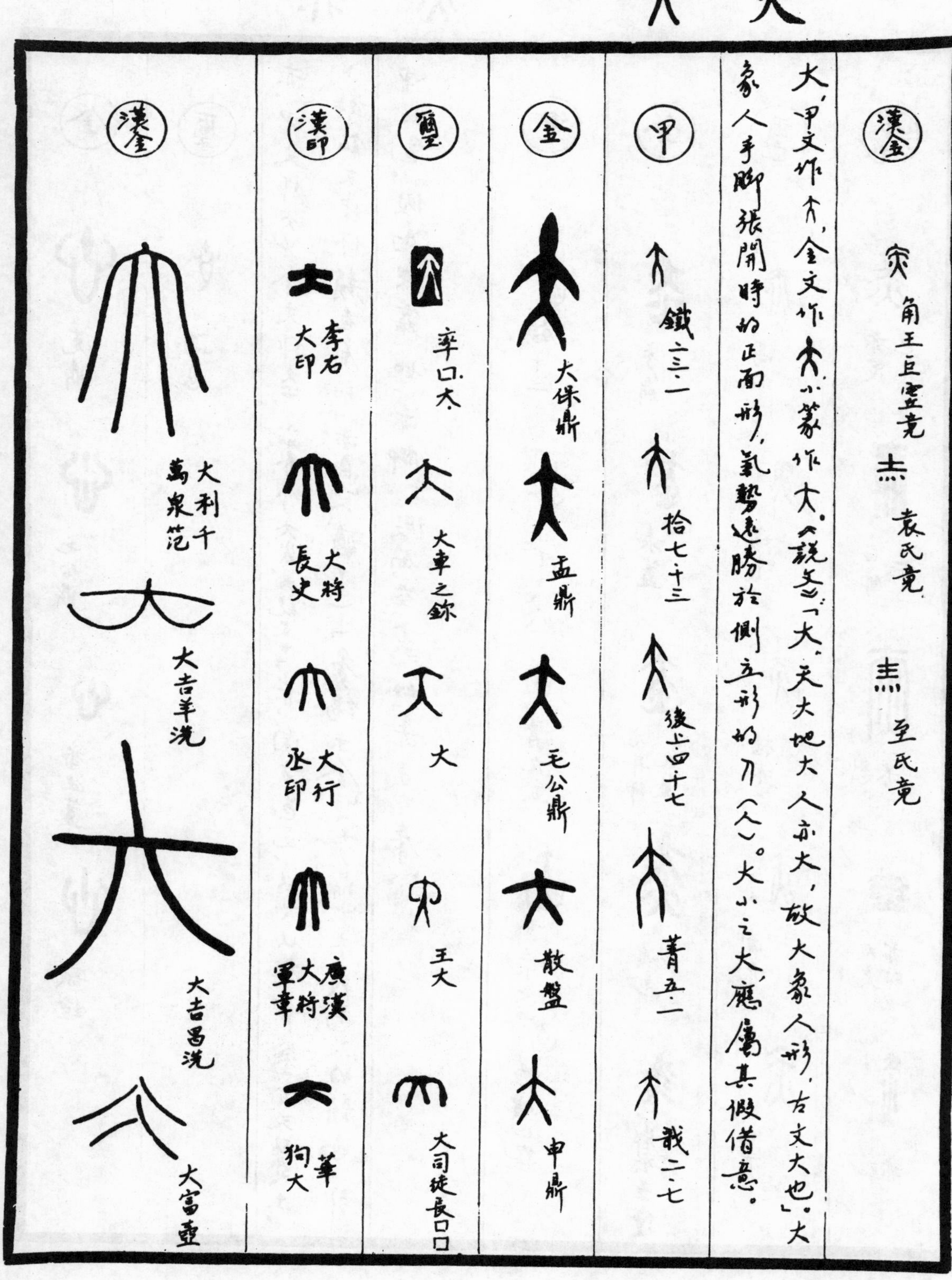
漢金
角王巨虛竟
袁氏竟
至氏竟
大，甲文作大，金文作大，小篆作大。《說文》：「大，天大地大人亦大，故大象人形，古文大也」。大象人手腳張開時的正面形，氣勢遠勝於側立形的刀(人)。大小之大，應屬其假借意。
甲
鐵二三·一
拾七·十三
後上·四十七
菁五·一
戩二·七
金
大保鼎
盂鼎
毛公鼎
散盤
申鼎
璽
辛口太
大車之鉨
大
王大
大司徒長口口
漢印
李右大印
大將長史
大行丞印
廣漢大將軍章
華狗大
漢金
大利千萬泉范
大吉羊洗
大吉昌洗
大富壺

夾　奄

夾，甲文作　，金文作　，小篆作　。《說文》：「夾，持也。从大俠二人。」王筠曰：「大，受持者也。二人，持之者也。」左僖二十六年傳：「夾輔成王。」(句讀) 卜辭中作地名，如「在夾卜」(河六六九)。

(甲)
河六六九　河六七〇　河六七一　河六七四　佚七九二

(金)
盂鼎　夾卣　夾壺蓋　禹鼎

(漢印)
夾榮

奄，金文作　，小篆作　。《說文》：「奄，覆也。大有餘也。又欠也。从大从申，申，展也。」段注：「釋言曰：荒，奄也。弇，同也；弇，蓋也。古奄、弇同用，覆蓋同義。詩皇矣傳曰：奄，大也。執競傳曰：奄，同也。鄭箋詩奄皆訓覆。許云覆也、大有餘也，二義實相因也。覆乎上者往往大乎下，故字从大。周官經謂宦者為奄，以精氣閉藏名之，覆蓋義之引申也。」高田忠周曰：「奄本義為人長大也，轉為姿容閑雅綏綽有餘裕義，又為凡大有義，故又後轉為覆也。」或云訓覆義者段借為弇亦通。(古籀篇)

夸　夸　夷

金

應公鼎

應公鼎

漢印

楊奄

夸，甲文作夶，金文作，小篆作夸。《說文》：「夸，奢也。从大，于聲。」卜辭用作方國名，如「由冊夸冊用」（粹一〇二七）。銘文多作制器人之名，如在觚、爵、戈上的單個「夸」字。古籍中有的用作大言、夸耀，如《呂氏春秋·下賢》：「富有天下而不騁夸」高誘注：「夸，說而自大也。」

甲

夶

粹一〇二七

金

爵文

戈文

戈文

漢印

郭夸

夷，甲文用尸為夷，作尸，金文作，小篆作夷。《說文》：「夷，平也。从大从弓。東方之人也。」吳其昌曰：「夷之本義為何？則小臣守𣪘夷字之形，所昭示于吾儕者明甚。乃

夷

一矢形，象有繳韋之屬，縛束之也。《說文》于「弟」字云：韋束之次弟也，韋所束者為何物乎？則矢是也。」（武大文哲季刊六卷一期・金文名象疏證）金文从大从弓，小篆譌作从大从弓。

甲

粹二八七

粹五一五

前三・二七・六

金

兮甲盤

柳鼎

鄦子鼎

璽

公孫夷

漢印

夷道長印

金國辛千夷槐佰右小長

賈夷音

王夷

夷譚

漢金

張氏竟

騶氏竟

王氏竟

劉氏竟

龍氏竟二

夾

夾，甲文作夾，金文作夾，小篆作夾，三體同形。《說文》：「亦，人之臂亦也。从大，象兩亦之形。」高鴻縉曰：「按亦即古腋字，从大（大即人），而以八指明其部位，正指其處，故為

亦　矢

指事字，名詞。後世段借為副詞，有重複之意，久而為借意所專，乃另造腋字。

(字例) 卜辭用作重累之義，如「亦雨」(簠考天象三十四)。

(甲) 亦 鐵五三　前六・十六　後下十八・一　菁一・二　戩三三・六

(金) 亦 毛公鼎　效卣　效尊　召伯簋　禹鼎

(漢印) 亦 李亦　徐亦世印

矢，甲文作夨或夨，金文作夨，小篆作夨。《說文》：「夨，傾頭也。从大，象形。」甲金文正象人傾頭之形，故有傾側之意。卜辭中有的作人名，如「貞于王夨」(乙五三一七)。銘文中作國名，如「令(命)夨告于周公宮」(夨王尊)。

(甲) 夨 前一・四五・三　前一・四八・三　前四・三三・五　後下四・十四　戩三三・三

(金) 夨 夨王鼎蓋　令簋　散盤　鼎文　夨戈

吳 吳

吳，甲文作吳，金文作吳，小篆作吳。《說文》：「吳，姓也，亦郡也。一曰：吳，大言也。从矢口。」古文如此。「从矢口」，訓「大言」，近本義；「姓、郡」之訓，當為借假意。銘文多用為國名，如「王才（在）吳」（師酉簋）。後世多用作人姓。

甲

前四·二九·四

金

師酉簋

大簋

吳方彝

䝞弔簋

伯吳盨

璽

吳昜

吳口

吳疽

吳口之鉨

吳明

漢印

吳長

吳印安定

吳遂

吳農

吳横之印

漢金

初平五年洗

建初元年鈚

吳郡趙忠竟

五鳳尉斗

吳晏印鉤

夭 喬

夭，甲文作𠂆，金文作𠂆，小篆作夭。《說文》：「夭，屈也。从大，象形。」字象人奔走時兩手擺動之形。卜辭中有的作地名，如「王往夭……」（乙七六八）。有的作人名，如「亞夭馬」（甲二八一〇）。

甲

後下四十三

甲二八一〇

乙七六八

金

亞𣪘爵

喬，金文作喬，小篆作喬。《說文》：「喬，高而曲也。从夭，从高省。」王筠曰：「釋詁：喬，高也。釋木：上句曰喬，句如羽喬，如木楸曰喬，槐棘醜喬，小枝上繚為喬。按禹貢厥木惟喬，則喬是木高之專字，故云高而曲，木有此性，它物無此性也。」（句讀）銘文中借為鐈（鼎器之名），如「鑄喬（鐈）鼎」（酓志鼎）。古籍中亦用作「橋」、「嶠」、「驕」等義。

金

邵鐘

邵鐘

酓志鼎

楚王酓肯鼎

璽

喬口

喬口

喬頊

喬詁

喬口

漢印

公孫喬

山喬印信

潘喬之印

奔 交

漢金

至氏竟

張氏竟

袁氏竟 省作高

奔，金文作𡴂，小篆作𡴂。《說文》：「奔，走也。从夭，賁省聲。與走同意，俱从夭。」林義光曰：「按奔非賁聲，古作𡴂（盂鼎）从夭與走同意，𡴂象足跡，疾走故跡多，變作𡴂（克鼎）。」（文源）

金

盂鼎

井侯簋

效卣

克鼎

戜作父母毀

交，甲文作交，金文作交，小篆作交。《說文》：「交，交脛也。从大，象交形。」字象兩足相交而立之正面人。引申爲交錯，相互，交配等義。銘文中多作人名，如「𠭯交中（仲）乍旅簋寶用」（𠭯交仲簠）。

甲

甲八〇六

存一四六一

甲九六二

簠雜一二七

掇二·六六

金

交鼎

交君簠

𠭯交仲簠

璽

王交

東郯戱交

長交

漢印

桓交

費交

交忘之印

交口之印

交仁必可

壺　　幸

(漢金)
文 交阯釜
文 龍氏竟三
文 上大山竟三

壺，甲文作壺，金文作壺，小篆作壺。《說文》：「壺，昆吾，圜器也。象形，从大象其蓋也。」李孝定曰：「契文諸字上象蓋，旁有兩耳。从㇐者，蓋象腹上環紋，下象其圈足，或象旁有提梁之形。」（甲骨文集釋）銘文中作器名，如「𦉥壺」、「醬壺」等。

(甲)
前五.五.五
乙二九二四
燕八五背
庫一〇三
庫四七五背

(金)
𨟭媯壺
首鈇壺
番匊生壺
魯侯壺
齊侯壺

(漢印)
壺循私印
齊壺
壺讓私印
壺褱印信
壺會暘

(漢金)
平陽子家壺
杜陵東園壺
關邑家壺
駘蕩宮壺

幸，甲文作幸，金文作幸，小篆作㚔。《說文》：「㚔，所以驚人也。从大从羊。一曰大聲也。……一曰：讀若瓠。一曰：俗語以盜不止為㚔，㚔讀如籋。」甲文字象手梏之形。許訓「所以驚人也」，是

幸 執

手梏以捕人，放繫人，引申義也。

甲

鐵百一二

拾九·十四

後下三六·七

林二十二·十二

戩四七·五

金

上博藏戰國十七年相邦劍

璽

王幸

漢印

閔常幸

臣幸臣

郭幸置

日幸

大幸

漢金

大幸合符鉤

大上富貴竟

執，甲文作[illegible]，金文作[illegible]，小篆作[illegible]。《說文》：「執，捕罪人也。从丮从幸，幸亦聲。」字象一人兩手被梏之形。段注：「捕者，取也。引申之爲凡持守之偁。」卜辭作捕捉義，如「執于圉」（前四·四一）。銘文作執持意，如「王令員執犬」（員鼎）。

圉　　報

圉

甲

前四·十九·七
前五·三六·四
前六·十七·四
後下四二·九
戩三四·九

金

兮甲盤
散盤
虢季子白盤
師寰簋
不嬰簋

漢印

執法直二十二
鄧睦仔則執姦
南執姦印
執席
木禾右執姦

圉，甲文作□或□，小篆作□。《說文》：「圉，囹圄，所以拘罪人。从㚔从口。一曰：圉，垂也。一曰：圉人，掌馬者」，甲文□，象拘人於囹圄之中，故囹圄是其本義，其他為引申義。

報

甲

甲二四一五
前六·六·八
鐵七六·一
前七·十九·二
林二·二十·十五

漢印

張圉私印
張圉

報，甲文作□，金文作□，小篆作□。《說文》：「報，當罪人也。从㚔从𠬝。𠬝，服罪也。」甲金文字象人用手抓雙手戴銬之人，含有判決罪人之意。後引申作報告、報復等意。銘文「丁公文報」（令簋），郭沫若曰：「報當讀為保，文報猶言福蔭也」。（兩攷）

奢　𠦪

甲

前六·二九·五

後下二三·九

京津四四一

明藏六二

金

令簋

令簋

召伯簋

召伯簋二

漢印

田印報德

異報

奢，金文作奢，小篆作奢。《說文》：「奢，張也。从大，者聲。……奓，籀文。」段注：「張者施弓弦也，引申為凡充廓之偁。侈下曰，一曰，奢也。」銘文中作人名，如「奢虎鑄其寶簋」（奢虎簋）。

甲

奢虎簋

奢虎簋

漢印

丁奢

王奢

馮奢

王奢

柏奢

𠦪，甲文作…，金文作…，小篆作𠦪。《說文》：「𠦪，疾也。从本，卉聲。」甲金文不从本，作尖豪草根之形。卜辭銘文中作祈求之祭名，如「用𠦪壽匄永命」（杜伯盨）。「𠦪年來其卯上甲三受年」（甲三五八七）。

奚 奚

甲

佚三二

拾三·三

林一·八·四

戩二三·六

明藏四五〇

金

杜伯盨

叔卣

獻侯鼎

毛公鼎

靜簋

璽

王奔

奚，甲文作，金文作，小篆作奚。說文：「奚，大腹也。从大，𦃃省聲。」高鴻縉曰：「按此奚奴之奚，象爪牽人髮而命事之形。字倚大(人)，倚爪而畫其髮辮，由文大(人)生意，故為奚奴。名詞。亦用為動詞。後世或加人旁作傒，或加女旁作嫨，意同。徐灝曰：周官：酒漿醯醢之事用奚。鄭氏曰，古者从坐男女沒入為奴，其少才知者，以為奚。今以侍史官婢，或曰奚，宦女。說文別有嫨字，女隸也。又段借之用，與何同。奚、何、胡、曷一聲之轉，其義一也。是也。」（字例）卜辭中有的作地名，如「叀奚田」（甲七八三）。

甲

前二·四二·三

戩四九·三

甲七八三

乙一二一六反

京津四五三五

金

卣文

卣文

亞中奚簋

丙申角

夫

漢印

提奚長印

奚令印

奚意之印

奚長公

肥奚傷

夫，甲文作夫，金文作夫，小篆作夫。《說文》：「夫，丈夫也。从大，一以象簪也。周制以八寸為尺十尺為丈。人長八尺，故曰丈夫。」高鴻縉曰：「按夫，成人也。童子披髮，成人束髮，故成人戴簪，字倚大（人）畫其首髮戴簪形，由文大（人）生意，故為成人意之夫。童子長五尺，故曰五尺之童，成人長一丈（周尺），故曰丈夫。偉人曰大丈夫。許言漢八寸為周一尺，人長八尺也。至妻之對曰夫，或丈夫，皆是借用。」（字例）卜辭中有的作地名，如「往夫」（乙三三三四）；有的用作大，如「夫甲」（前四．又．六）。銘文中作人的量詞，如「廠人六百又五十又九夫」（盂鼎）。

甲

鐵七七三

前四．五．四

前五．三二．一

後上十一．十六

鐵三八二

金

盂鼎

曶鼎

散盤

大簋

大鼎

璽

公壽夫

虔肩壽夫

郜余子壽夫

□夫□鉨

漢印

師尉大夫丞

杜少夫千万

高信夫

夫祖丞印

倉壽夫張場印

立

立，甲文作𠐇，金文作𠐇，小篆作𠐇。《說文》：「立，住也。从大立一之上。」甲金文象一人正面立地之形。卜辭常云：「立中」（前七·二二·二）。立，訓豎，中乃旗。銘文中用作位，如「王各大室即立（位）」（頌鼎）。

漢金：荀少夫鼎；壽成室鼎；辛酒銷；精白竟；昭明竟

甲：鐵二四四；前七·二二·二；後下·九·六；林二·十二·二；戩二六·十二

金：立伯父丁卣；史獸鼎；國差𦉜；毛公鼎；休盤

璽：富貴立；宜位；陳實立事歲安邑釜

漢印：立降右尉；立節將軍長史；任立；石立之印；字李立

漢金：廿六年詔權；廿六年詔十六斤權；廿六年詔廿斤權；廿六年詔楕量；廿六年詔版

竝　竝　　巤　巤

竝，甲文作竝，金文作竝，小篆作竝。《說文》：「竝，併也。从二立。」金文字形為兩人並立之形，並與幷（甲文作㚘，兩側面人並立之形）本是一字。卜辭中有的作人名，如「王令竝」（甲編六元）。

（甲）

竝 前四·五五·六

竝 前六·五十五

竝 後下九·二

竝 菁十二

竝 林一·二十二

（金）

竝 竝爵

竝 辛伯鼎

（漢印）

竝 同竝尉印

竝 江竝私印

竝 高竝私印

竝 趙竝印

竝 王竝之印

（漢金）

竝 五鳳尉斗

竝 杜陵東園壺

竝 綏和鴈足鐙

巤，金文作巤，小篆作巤。《說文》：「巤，毛巤也。象髮在囟上及毛髮巤巤之形。此與籀文子字同。」高鴻縉曰：「按巤乃牛羊豕馬等獸頭頸上毛。俗名曰鬃。从囟，囟象獸頭頸上毛形，非文字。用聲，用甲文巽字，巽諧巤聲，亦猶之甲文巽亦作之取立為聲也。巤後人或作鬣，作鑞。」（字例）銘文中用作臘，如「今用乍朕後男巤（臘）𨒅殹」（師寰簋）。禮記鄭注：臘謂以田獵所得禽祭也。

心

心，甲文作♡，金文作♡，小篆作心。《說文》「心，人心，土藏，在身之中。象形。博士說以為火藏。」高鴻縉曰：「按字本心肺之心，而其用恒為心思之心。心肺之心為循環系之中樞，心思之心為神經系之中樞，二者截然不同。古人不知，味為一事，後人習用，視為固然。」（字例）

（金）

師寰簋　師寰簋　鼄季鼎

（甲）

摭續三三八　甲三五一〇　前四三〇二

（金）

師望鼎　克鼎　散盤　王孫鐘　蔡侯鐘

（璽）

心　同心　同心　同心　日日心

（漢印）

同心國丞　心定里附城　彭心私印　生心

（漢鏡）

心思美人竟　精白竟　日有憙竟二　昭明竟　心思君王竟

息　息　　悳　悳

息，金文作息，小篆作息。《說文》：「息，喘也。从心从自，自亦聲。」段注：「口部曰：喘，疾息也。喘為息之疾者。析言之此云息者喘也，渾言之人之氣急曰喘，舒曰息。引伸為休息之偁，又引伸為生長之偁。引伸之義行而鼻息之義廢矣。」「自者鼻也。心氣必从鼻出，故从心自。」

金　息　中山王方壺

璽　息　坤成息　息　石息　息　事息　息　𠜏息　息　㞒息

漢印　息　新息鄉印　息　董息　息　息夫隆印　息　龍息　息　史息

漢金　息　劉氏竟　息　張氏竟　息　龍氏竟二　息　王氏竟　息　君有行竟

悳，金文作悳，小篆作悳。《說文》：「悳，外得於人，內得於己也。从直从心。悳，古文。」段注：「內得於己謂身心所自得也。外得於人謂惠澤使人得之也。俗字段德為之。德者升也。古字或段得為之。」銘文用作德，如「受屯（純）悳（德）祈無疆」（命瓜君壺）。

應　應　慎　慎　念

㊎ 命瓜君壺　陳侯因資鎛　者沪鐘

應，金文不从心，作𤸰，小篆作應。《說文》：「應，當也。从心，䧹聲。」銘文作人名，如「應公作寶尊彝」（應公鼎）。

㊎ 應公鼎

漢印　應門府印　臣應　任應　士應　應顯

慎，金文作昚，小篆作慎。《說文》：「慎，謹也。从心，真聲。昚，古文。」金文昚與說文古文昚同，故釋為慎。如「昚（慎）為之名（銘）」（邾公華鐘）。

㊎ 昚 邾公華鐘

漢印　孔慎　尹慎私印　耕慎之印　曹慎印　朱慎

念，金文作念，小篆作念。《說文》：「念，常思也。从心，今聲。」高田忠周曰：「左襄二十一年傳，夏書曰念茲在茲，詩文王，無念爾祖。蓋常思者，我心存于是時也。从今聲，即形

念

慶 慶

聲兼會意者也。」（古籀篇）

（金）

父辛卣

沈子簋

克鼎

毛公鼎

者沪鐘

（漢印）

相念

慶，甲文作[glyph]，金文作[glyph]，小篆作[glyph]。《說文》：「慶，行賀人也。从心从夂，吉禮以鹿皮為摯，故从鹿省。」甲文寫作慶。郭沫若曰：「古人以慶若麐為祥獸，故以為吉物之章表。慶為仁獸，故摯乳為慶，亦猶龍為靈物，故摯乳為寵也。」（金攷）

（甲）

前四·四七·三

存下九一五

（金）

召伯簋

戈弔慶父鬲

蔡侯鐘

秦公簋

伯其父簠

（璽）

慶遇

畋慶

韓慶

□慶

梋慶

㤅　[seal]　懋

漢印 [seal] 莊慶 [seal] 王慶 [seal] 周慶 [seal] 王慶忌 [seal] 賈慶

漢金 [seal] 慶延年印鈎

㤅，金文作[seal]，小篆作[seal]。《說文》：「㤅，惠也。从心，先聲。[seal]古文。」段注：「惠部曰：惠，仁也。仁者，親也。」許君惠㤅字作此，愛為行皃，乃自愛行而㤅廢，轉寫許書者遂盡改㤅為愛。」

金 [seal] 中山王方壺 [seal] 中山王圓壺

璽 [seal] 中愛

漢印 [seal] 肇㤅 [seal] 吳愛

懋，金文作[seal]，小篆作[seal]。《說文》：「懋，勉也。从心，楙聲。《虞書》：惟時懋哉。[seal]或省。」銘文中多作人名，如「令（命）宅事白懋父」（宅簋）。

慕 慕 恁 恁

(金) [seal] 宅簋　[seal] 召尊　[seal] 小臣謎　[seal] 師旂鼎　[seal] 免卣

(金) [seal] 禹鼎　[seal] 陳矦因資錞

(漢鏡) [seal] 精白竟

慕，金文作[seal]，小篆作[seal]。《說文》：「慕，習也。从心，莫聲。」又「慔，勉也。从心，莫聲。」按「慕」與「慔」當為一字，从心在下在左，意同。銘文作謀，如「大慕克成」（陳矦因資錞）。

恁，金文作[seal]，小篆作[seal]。《說文》：「恁，下齎也。从心，任聲。」《廣雅》：「恁，思也。」《後漢書·班固傳注》：「念也。」銘文中訓思念，如「余恁㠯（予）心」（王孫鐘）。

(金) [seal] 王孫鐘

(璽) [seal] 恁

(漢印) [seal] 國恁之印　[seal] 恁紀　[seal] 恁臧　[seal] 惠恁之印

愉 愉 忘 忘 忌

愉，金文作，小篆作愉。《說文》：「愉，薄也。从心，俞聲。《論語》曰：私覿，愉愉如也。」高田忠周曰：「愚謂心輕佻浮薄者，好貪快樂，故愉義轉為娛樂為喜悅也。君子固不見喜怒於外也。然用字之例，轉轉相變。故愉亦為凡樂之義。」（古籀篇） 銘文作人名，如「魯伯愈父匜」、「魯伯愈父鬲」。

㊎

魯伯愈父盤

魯伯愈父鬲

魯伯愈父鬲

魯伯愈父匜

忘，金文作，小篆作。《說文》：「忘，不識也。从心，从亡，亡亦聲。」从字形看：亡者，無所有也。忘者，無事記於心也。如銘文：「永世毋（毋）忘」（十年陳侯午錞）。

㊎

陳侯午錞

陳侯午錞

十年陳侯午錞

驫羌鐘

蔡侯鐘

漢印

張忘

耿忘

成忘

李忘

丁印忘生

漢鏡

願君毋相忘鈎

美人大王竟

見日之光竟

與天相壽竟

精白竟

忌，金文作，小篆作。《說文》：「忌，憎惡也。从心，己聲。」銘文有的作畏忌意，如：「余畢龏（恭）威（畏）忌」（邾公華鐘）。有的用為己，如「隹王八月丁亥，齊大宰遯父簠為忌

忌　惕　惕

(己)盟盤」(歸父盤)。《周禮·春官·小史》：「則詔王之忌諱」。鄭玄注：「先王死日為忌，名為諱。」謂使臣民知道忌日，不能作樂；知道名諱，不能稱說。

金　邾公牼鐘　邾公華鐘　歸父盤

璽　䜌亡忌　泹亡忌　樂亡忌　長亡忌　肖忌

漢印　楊印慶忌　忌翁　左忌私印　田印慶忌　王慶忌

惕，金文作[惕]，小篆作惕。《說文》：「惕，驚也。从心，易聲。」惕，敬畏、戒懼之意，如「無日不惕」(左傳·襄公二十二年)。銘文有的用作鍚，如「為趙孟庎邗王之惕(鍚)金」(禺邗王壺)。

金　蔡侯盤　蔡侯尊　禺邗王壺

常用古文字字典卷十一

水

水，甲文作(⋯)，金文作(⋯)，小篆作(⋯)。《說文》：「水，準也。北方之行。象衆水並流中有微陽之氣也。」高鴻縉曰：「按初字象流水之形。準也，為音訓。北方之行，乃戰國以後五行學說之遺，東漢緯學家宗之，非文字構造之朔也。」（字例）

甲

鐵十四·三

前二·四三

前四·十三·五

後下三·四

戩四十·十二

金

沈子簋

同簋

魚鼎匕

璽

下水匿取

鄭君水

漢印

温水都監

浙江都水

長水校尉丞

漢盧水仟長

張水

漢金

中水鼎

南陵鐘

新承水槃

河

河，甲文作 ，金文作 ，小篆作 。《說文》：「河，水。出焞煌塞外昆侖山，發源注海。从水，可聲。」甲金文中从巛作意符，从丂，从㔰（即何）為聲符。卜辭銘文中多作黃河之專名，如「王其涉河」（藏六·十）、「自洮東至于河」（同簋）。後引申為河川之河。

（甲）鐵一九六·三　前一·四八·五　林二·二〇　甲二六三三　佚三七六

（金）同簋　同簋　中山王圓壺

（璽）堵城河丞

（漢印）河間王璽　河間和長朱宕　河池侯相　河南郭騖

（漢金）博邑家鼎　成山宮渠斗　敬武主家銚　河東鼎　河陰戈

江

江，金文作 ，小篆作 。《說文》：「江，水。出蜀湔氐徼外崏山，入海。从水，工聲。」江，古為長江之專名，如《書·禹貢》：「江漢朝宗於海。」後引申作大河流的通稱，如黑龍江。

江　沱　池

江

金

江小仲鼎

工𢿐太子姑發劍

璽

江口行宦夫鉨

江悬

漢印

九江太守章

江潄

江充私印

江都相印

江迹疾

沱

沱，金文作[?]，小篆作[?]。《說文》：「沱，江別流也。出嶓山東，別為沱。从水，它聲。」今別作池。銘文中有的作水流之名，如「𦨶邘王于黃沱」（𦨶邘王壺）。亦作器名，如「鐘伯侵自作石沱」（鐘伯鼎），石沱為鼎之別名。

金

適簋

靜簋

𦨶邘王壺

曹公子沱戈

祖伯鼎

璽

矦沱

沱青

事沱

池

漢印

左池

河池侯相

李池

閻池

池豐私印

沮　涇

漢金　池陽宮行鐙

沮，甲文作，金文不从水，作且，小篆作。《說文》：「沮，水。出漢中房陵，東入江。从水且聲。」沮當水名，卜辭有的用為祖，如「……沮丁二牛」（拾一·一四）。

甲　拾一·十四　庫一六七二

金　且　白卣

漢印　任印彭沮　邢沮　高沮　王沮

涇，金文作，小篆作。《說文》：「涇，水。出安定涇陽幵頭山，東南入渭，雝州之川也。」从水，巠聲。涇，水名。金文有的不从水，但作巠。銘文中作水名，如「王親令克遹涇東至于京𠂤（屯）」（克鐘）。

金　巠　克鐘　克鐘

漾 洛

（漢印）

[seal script] 臨涇令印

[seal script] 長夷涇橋

漾，金文作[seal]，小篆作[seal]。《說文》：「漾，水。出隴西相道，東至武都爲漢。从水，羕聲。[seal]，古文从養。」漾，原水名，如「嶓冢導漾，東流爲漢」（書禹貢）。後引申作水波蕩動、泛舟、蕩漾等意。

（金）

[seal script] 曾姬無卹壺

[seal script] 曾姬無卹壺

洛，甲文作[甲文]，金文作[seal]，小篆作[seal]。《說文》：「洛，水。出左馮翊歸德北夷界中，東南入渭。从水，各聲。」洛，原當水名。卜辭中作人名，如「癸丑……洛貞王……亾猷」（合三三一）。銘文中有的作水名，如「于洛之陽」（虢季子白盤）。有的假借爲格，作至意，如「洛（格）于官」（𠨘尊）。

（甲）

[甲文] 甲三四六

[甲文] 存下九七四

（金）

[seal script] 虢季子白盤

[seal script] 𠨘尊

[seal script] 大師虘

汝　淮

漢印

石洛侯印

馮洛之印

漢金

洛

晉大康奩

汝，甲文作，小篆作。《說文》「汝水。出弘農盧氏還歸山，東入淮。从水，女聲」。汝原水名。卜辭中作人名，如「婦汝」（京津二〇〇七）。後多借作第二人稱代詞，如「汝陟帝位」（書舜典）。

甲

拾九三

甲二·二十·十三

乙七四三〇

京津二〇〇七

佚二七九

漢印

汝南尉印

汝由私印

汝平

漢金

汝陰戻鼎

汝南郡鼎

淮，甲文作，金文作，小篆作。《說文》「淮水出南陽平氏桐柏大復山，東南入海。从水，隹聲」。淮，原為水名。卜辭銘文用作地名，如「丙戌卜在淮貞王步于……亡災」（金五七四）、「王延（征）南淮尸（夷）」（翏生盨）。

灤　[glyph]　洹

甲 [glyph] 前二·十六·三 [glyph] 前二·二四·六 [glyph] 金五七四 [glyph] 前五·三六·三 [glyph] 佚九二三

金 [glyph] 彔卣 [glyph] 虢仲盨 [glyph] 散盤 [glyph] 翏生盨 [glyph] 曾伯簠

漢印 [glyph] 淮陽王璽 [glyph] 淮陽相印章 [glyph] 淮遂

灤，甲文从㶕，从樂，作[glyph]，金文作[glyph]，小篆作[glyph]。《說文》：「灤，齊魯閒水也。」从水，樂聲。《春秋傳》曰：「公會齊侯于灤。」灤，原水名。銘文借作樂，如「用灤（樂）好賓」（虘鐘）。

甲 [glyph] 前四·十三·七

金 [glyph] 虘鐘 [glyph] 中子平鐘

璽 [glyph] 余灤

洹，甲文作[glyph]，金文作[glyph]，小篆作[glyph]。《說文》：「洹，水。在晉魯閒。从水，亘聲。」洹水，在殷都（今安陽）之北。卜辭中作水名，如「貞洹弗其作茲邑凶」（鐵地四之）。銘文用作人名，如「洹子

洹　洋　洋　溉

孟姜用乞(乞)嘉命」(齊侯壺)。

(甲) 前六·三二·五　前六·六十三　後下·三·十一　林二·二三·七　掇二·四七六

(金)  洹秦簋　齊侯壺　白喜父毀

洋，甲文作，小篆作洋。《說文》：「洋，水。出齊臨朐高山，東北入鉅定。从水，羊聲。」甲文洋字象況羊于水中之形，當與況同義。卜辭中有的作貞人名，如「丁亥卜洋貞王賓歡亡尤」(續一·廿二)；有的作牲祭之名，如「洋三牢」(佚五二二)。小篆洋作水名，是後起義。

(甲) 鐵八·六·三　拾九·一　前六·二三·六　佚五二二　林二·十四·一

(漢印) 洋　駱洋

溉，金文作，小篆作溉。《說文》：「溉，水。出東海桑瀆覆甑山，東北入海。一曰灌注也。从水，既聲。」朱駿聲云：「叚借為概。《詩·泂酌》：『可以濯溉』，傳：『清也』。」(說文通訓定聲)

濄　沽　海

㊎

郘王常

濄，金文作，小篆作。《說文》：「濄，水。出趙國襄國之西山，東北入湡。从水，過聲。」濄，為水名。銘文用作地名，如「王易(錫)小臣缶濄責五年」(缶鼎)。

㊎

缶鼎

沽，金文作，小篆作。《說文》：「沽，水。出漁陽塞外，東入海。从水，古聲。」沽，為水名。銘文中用作地名，如「眉自濡涉以南至于大沽」(散氏盤)。

㊎

散盤

璽

事沽

沽

韓沽

口沽

郅沽

漢印

王之沽印

海，金文作，小篆作。《說文》：「海，天池也。以納百川者。从水，每聲。」段注：「《爾雅》：九夷、八狄、七戎、六蠻謂之四海。此引伸之義也。凡地大物博者皆得謂之海。」銘文中用其本義，如「降伐海眉」（小臣遾簋）。

金
小臣遾簋
小臣遾簋
小臣遾簋

漢印
海鹽丞印
橫海候印
杜海私印
孟海
梁海私印

漢金
東海宮司空槃
項伯鍾
光和量二
泰山竟
尚方竟十一

衍，甲文作𣲙，金文作𣲙，小篆作衍。《說文》：「衍，水朝宗于海也。从水从行。」羅振玉曰：「此从川示百川之歸海義彌顯矣，或省行作彳或又省巛作巜，或變巛作巛。古金文朝字从此。枯衍簋有𣲙，字與卜辭略同」（增考）卜辭銘文中多作人名，如「婦衍」（前八．三五），「枯衍作寶段」（枯衍簋）。

甲
前四．十二．八
前八．五．五
前八．十五．三
後下四二．五

金
衍攴簋
枯衍簋

汪　淖

璽

鄧衍

漢印

周衍

公衍敬印

崔衍之印

淖，金文作，小篆作。《說文》：「淖，水朝宗于海也。从水，朝省。」此字即潮字，容庚曰：「與朝為一字，《太平御覽》引《說文》：『淖，朝也。』《三字石經》朝古文作，汗簡釋潮。」（金文編）楊樹達曰：「卷十一灣下云：與朝為一字。按說文朝訓旦，淖訓水朝宗于海，非一字也。金文以淖為朝者，淖字从朝省聲，同聲通假耳。」（小學：二七四頁，金文編書後）銘文中用作朝，如「淖（朝）覲（問）者（諸）侯」（陳侯因資錞）。

金

鄘伯鄘簋

十年陳侯錞

陳侯因資錞

汪，金文作，小篆作。《說文》：「汪，深廣也。从水，王聲。一曰：汪，池也。」汪為水深廣貌。《淮南子·俶真訓》：「汪然平靜。」銘文借為人姓，如「汪白（伯）作寶旅彝」（汪伯卣）。

金

汪伯卣

汪伯卣

沖 沖

璽 沖 汪匋右司工

漢印 沖 汪印賢 沖 汪□成得 沖 汪闌

沖，甲文作𣳾，金文作𣳾，小篆作沖。《說文》：「沖，涌搖也。从水，中聲。讀若動。」林潔明曰：「銘文沖，段借為童。《書·盤庚》曰：肆予沖人。傳：曰沖，童，童人，沖子，童子也。《書·召誥》：曰今沖子嗣，則無遺壽耇。傳：曰童子，言成王少，嗣位治政。《書·洛誥》曰予沖子，夙夜毖祀。皆用沖為童。」（金文詁林） 以林說，沖子鼎即童子鼎。

甲 沖 後下三六·六 沖 明藏五二〇

金 沖 沖子鼎

璽 沖 沖□ 沖 沖□

漢印 沖 沖宗 沖 沖方

浮 淵

浮，金文作浮，小篆作浮。《說文》：「浮，氾也。从水，孚聲。」銘文中作人名，如「浮公之孫公父宅鑄其行它（匜）」（公父宅匜）。

金 公父宅匜

璽 肖浮

漢印 浮陽丞印　臣浮

鏡 浮 尚方竟二　浮 尚方竟十一　浮 泰山竟　浮 上大山竟二

淵，甲文作淵，金文作淵，小篆作淵。《說文》：「淵，回水也。从水，象形。左右，岸也，中，象水皃。𣶒，淵或省水，囦古文从口水。」甲文淵與囦近同，故釋爲淵。卜辭作地名，如「戊戌卜行貞王其田于淵」（後上十五·二）。

甲 後上·十五·二

滋　　沙

金　沈子簋　中山王鼎

漢印　劉淵印信　韓淵

漢金　龍淵宮鼎

滋，甲文作，小篆作。《說文》：「滋，益也。从水，茲聲。一曰：滋，水。出牛飲山白陘谷，東入呼沱。」孫海波曰：「此字商先生疑溼，竊疑當是滋字，从二水者，古文繁簡之異。」（考古四期十二葉小記）卜辭作地名，如「……王步于滋」（後上一三．六）。

甲　後下．四〇．六

漢印　李滋

沙，金文作，小篆作。《說文》：「沙，水散石也。从水从少。水少沙見。楚東有沙水。」金文，象水邊有沙粒之形。銘文中假爲綏，如「戈琱戭䎽必（柲）彤沙（綏）」（寰盤）。郭沫

沙　沚　沚　湄　湄

若曰：「戈之紅綾，古彝銘中稱彤沙。」（金攷）

金　寏盤　無叀鼎　休盤　師旋鼎

漢印　長沙相印章　沙廣之印　長沙都水　沙陽鄉　沙闌

漢金　長沙鈁

沚，甲文作㞢，小篆作沚。《說文》：「沚，小渚曰沚。从水，止聲。《詩》曰：于沼于沚。」卜辭中作人名，如「貞叀王从沚戠」（存一・六七一）。

甲　鐵十八・二　餘三・一　前五・三三・三　菁三・一　林一・六・十一

湄，甲文作㴉，小篆作湄。《說文》：「湄，水艸交為湄。从水，眉聲。」卜辭常云「湄日」（京津三八三五）。楊樹達曰：「湄日者，湄當讀彌。彌日謂終日也。」（甲文說）

甲　拾六・五　前八・七・二　後上十四・六　後上・十四・九　林一・八・十

砅

砅，甲文作，小篆作砅。《說文》：「砅，履石渡水也。从水从石。《詩》曰：『深則砅。』濿，砅或从厲。」羅振玉曰：「从水从萬，石鼓文曰：『濿有小魚』，殆即許書之砅字。砅或作濿，考勉勵之勵，粗糲之糲，蚌蠣之蠣，許書皆从萬作勱，糲，蠇。以此例之，知濿即濿矣。……濿為淺水，故有小魚。許訓履石渡水亦謂淺水矣。」（增考）卜辭中作地名，如「戊戌卜在濿，今日不征雨」（前一．十一．五）。

沈

沈，甲文作，金文作，小篆作。《說文》：「沈，陵上滈水也。从水，冘聲。一曰：濁黕也。」羅振玉曰：「此象沈牛於水中，殆即貍沈之沈字，此為本字。周禮作沈，乃借字也。」（增考）卜辭用為用牲之法，如「尞于土三小宰卯二牛沈十牛」（前一．二四．三）。

甲

前二．十一．五

前五．三．三

前五．三．四

前五．三．五

乙八〇七五

甲

鐵四二．三

前一．二四．三

後上．二三．二

後上．二三．六

後下．四三

金

沈子簋

沈子簋

溼

（漢印）沈䜌長印　沈卿　沈幼之印　沈宜之印　沈少卿

（漢金）新嘉量二

溼，甲文作𤅊，金文作𤅊，小篆作溼。《說文》：「溼，幽溼也。从水，一所以覆也。覆而有土，故溼也。㬎省聲。」葉玉森曰：「森按後編卷下第二十叶之𤅊，从水，从㬎，即㬎，表水絕流處，从止足所止也。足止水絕流處，溼隰之誼益顯。故古文溼隰為一字。」（前釋下）辭銘文中作地名，如「……王步于溼」（後上一三·六）「王在葊京溼宮」（史懋壺）。

（甲）前二·三·五　後上十三·六　後下二七·十五　京津五六七

（金）史懋壺　散盤

瀞

瀞，金文作𤀹，小篆作瀞。《說文》：「瀞，無垢薉也。从水，静聲。」吳大澂曰：「𤀹古清字。从水从静。許氏分清瀞為二字，非。齊侯鏄曰：俾旨俾瀞（清）。」（古籀補）

（金）國差𦉜

湯 [seal form] 洒 [seal form] 沫

湯，金文作[金文]，小篆作[小篆]。《說文》：「湯，熱水也。从水，昜聲。」銘文中有的作人名，如「師湯父拜𩒨首」（師湯父鼎）；有的作地名，如「𬶭邑湯」（曾伯簠）。

㊎ 師湯父鼎 曾伯簠 湯弔盤 長湯匜

㊞ 湯勻 石湯 戾湯 口湯 閔湯

漢印 湯印 潘丁 湯 𠈁 李湯之印 張湯 趙湯之印

漢金 河東鼎

洒，甲文作[甲文]，小篆作[小篆]。《說文》：「洒，滌也。从水，西聲，古文爲灑埽字。」卜辭中用作地名，如「……于洒亡災」（前二·一八·三）。

甲 前二·十·三 前六·六·七 後上十一·八 存下九八三 燕一〇九

沫，甲文作[甲文]，小篆作[小篆]。《說文》：「沫，洒面也。从水，未聲。湏，古文沫从頁。」羅振玉曰：「此象人散髮就皿洒面之狀。」曾伯忽父匜作[金文]，亦象人就皿水濯髮形。許書作沬乃

洮　濤　涉　𣶒

後起之字。今隸作頮，从廾，與卜辭从皿同意，尚存古文遺意矣。」（增考）

㊙甲

後下十二·五

寧滬二·五二

㊙漢印

李須

王須之印

濤，甲文作𣲎，小篆作濤。《說文新附字》：「濤，大波也。从水，壽聲。」卜辭作地名，如「田于濤」（前二·二八·四）。

㊙甲

前二·二八·四

涉，甲文作𣲎，金文作𣶒，小篆作𣶒。《說文》：「𣶒，徒行厲水也。从𣶒，从步。涉，篆文从水。」甲文𣲎象兩足跡在水旁，表人步行過河。卜辭中用作渡水，如「虎方涉洮」（前六·六三·一）。

㊙甲

鐵六二·一

拾十二·八

前五·九·一

甲四二

戩三八·十

㊙金

格伯簋

格伯簋

散盤

川 川

璽 馬涉

漢印 涉倩之印　司馬涉　涉寄

川，甲文作𡿨、巜，金文作巛，小篆作巛。《說文》：「川，貫穿通流水也。《虞書》曰：濬く巜距川。言深く巜之水會為川也。」羅振玉釋甲骨文𡿨曰：「象有畔岸而水在其中，疑是川字。」（增考）金文把其中水形變為乚，小篆从之。

甲 前四十三・二　前四十三・三　前八十二・四　後下四十六　甲一六四七

金 矢簋　衛鼎

漢印 菑川王璽　史川私印　菑鹿川長

漢金 菑川鼎　菑川大子家盧

巠 巠 巟 巟 邕 邕

巠，金文作巠，小篆作巠。《說文》：「巠，水脈也。从川在一下。一，地也。壬省聲。一曰：水冥巠也。」巠古文巠不省。」林義光曰：「巠即經之古文，織縱絲也。巛象縷，壬持之，壬即滕字，機中持經者也。上从一，一亦滕之略形。」（文源）

㊎ 巠 盂鼎　巠 毛公鼎　巠 克鼎　巠 克鐘

巟，金文作巟，小篆作巟。《說文》：「巟，水廣也。从川亡聲。《易》曰：包巟，用馮河。」段注：「引申為凡廣大之偁。周頌：天作高山，大王巟之。傳曰：巟，大也。凡此等皆叚荒為巟也。荒，蕪也。荒行而巟廢矣。」銘文作人名，如「巟白（伯）乍姬寶毀」（巟伯簋）。

㊎ 巟 巟伯簋

邕，金文作邕，小篆作邕。《說文》：「邕，四方有水，自邕城池者。从川从邑。邕，籀文邕。」邑為人所居，从口从人。巛表水流環繞國邑之義。《甲骨文編》收邕為邕，于省吾釋邕為雝。

㊎ 邕 邕子甗

巛，甲文作巛，小篆作巛。《說文》：「巛，害也。从一雝川。《春秋傳》曰：巛雝爲澤，凶。」孫海波曰：「象洪水橫流成災之形。」(甲骨文編)卜辭用爲災，如「……王其田亡災」(甲二六七九)。

甲

鐵五三·一

前一·五·一

前二·三三·三

後上十三·二

戩九·四

州，甲文作巛，金文作巛，小篆作巛。《說文》：「水中可居者曰州。周繞其旁，从重川。昔堯遭洪水，民居水中高土，故曰九州。《詩》曰：『在河之州。』一曰：州，疇也。各疇其土而生之。巛，古文州如此。」羅振玉曰：「州爲水中可居者，故此字旁象川流，中央象土地。」(增考)卜辭中「州臣」(輔仁二四)爲官名。

甲

前四·一三·四

乙五三二七

輔仁二四

粹二六二

金

井侯簋

鬲比盨

散盤

戈文

璽

事州

陽州都右□司馬

成州

武州華

州鉨

漢印

冀州刺史

州印長遂

州印解事

京州韓聶

程州私印

泉　原

漢金　光和斛　光和斛 又二

泉，甲文作，小篆作，《說文》「泉，水原也。象水流出成川形也。」羅振玉曰：「此从，象从石罅涓涓流出之狀。古金文原字从（散盤）與此略同，新莽錢文曰『大泉五十』，泉字作，尚略存古文遺意。」（增考）

甲　鐵二百三一　拾十二八　前四·十七二　菁十一·十六　林二·二二·十

漢印　右泉苑監　榦官泉丞　赤泉邑丞　泉府

漢金　大良造鞅方量　南陵鍾　槖泉銅　富人大萬泉范　上大山竟

原，金文作，小篆作。《說文》：「原，水泉本也。从灥出厂下。篆文从泉。」金文象水从山石洞中流下之形，是源的本字。

金　雍伯原鼎　克鼎　散盤　散盤

永 [篆]

（漢印）

[原] 五原太守章

[原] 原利里附城

[原] 原都馬丞印

[原] 原既

[源] 楊源私印

永，甲文作[甲文]，金文作[金文]，小篆作[篆]。《說文》：「永，長也。象水巠理之長永也。《詩》曰：江之永矣。」高鴻縉曰：「按此永字即潛行水中之泳字之初文。原从人在水中行，由文人彳長意，故託以寄游泳之意。動詞。金文或加止以足行意，作[金文]，益證从彳之確。後人借用為長永，久而借意所專，乃加水旁作泳，以還其原。借為長永字者，後周人或加羊為聲符作[金文]。是[篆][篆]非二，而說文誤分之。」（字例）銘文皆作永久之永，如「其子子孫孫永寶」（宅簋）。

（甲）

[甲文] 鐵九十四

[甲文] 拾六·十一

[甲文] 前四·十三·三

[甲文] 餘一六·四

[甲文] 粹一五一四

（金）

[金文] 宅簋

[金文] 王人甗

[金文] 毛公鼎

[金文] 大簋

[金文] 平向父簋

（漢印）

[印] 田永私印

[印] 張永私印

[印] 王永私印

[印] 張永私印

[印] 馮永印

（漢金）

[漢金] 新嘉量二

[漢金] 永初鐘

[漢金] 永建升

[漢金] 永元雁足鐙

[漢金] 精白竟

羕 辰 𣳾 谷 𧮫

羕，金文作𦍌，小篆作羕。《說文》「羕，水長也。从永，羊聲。《詩》曰：江之羕矣。」羕與永同義，如銘文「子子孫孫羕（永）保用之」（鄦子簠）。

㊎ 羕 羕史尊 羕 鄦子簠 羕 𠂤君壺 羕 𨻰逆簠

𠂢，金文作𠂢，小篆作𠂢。《說文》「𠂢，水之衺流別也。从反永。」甲金文字正反不拘，銘文中𠂢即永字，如「吳其世子孫𠂢（永）寶用」。小篆中才分為兩字。

㊎ 𠂢 吳方彝 𠂢 大鼎

谷，甲文作𧮫，金文作谷，小篆作𧮫。《說文》「谷，泉出通川為谷。从水半見，出於口。」李孝定曰：「許云从水半見於形不類，疑字本从八口，會意，兩山分處是為谷矣。口則象谷口也。字在卜辭為地名。」（甲骨文集釋）

㊙ 𧮫 前二·五四 𧮫 前四十二·五 𧮫 後下三·三 𧮫 佚一一三

㊎ 谷 格伯簋 谷 格伯簋 谷 何尊

璽 八𠔌 俞谷 八𠔌 生止谷 八𠔌 東谷義

漢印 𠔌 上谷太守章 𠔌 谷蓉 𠔌 谷喻 𠔌 谷憙之印

漢金 𠔌 谷口鼎 𠔌 谷口鼎

冫，甲文作仌，金文作仌，小篆作仌。《說文》「仌，凍也。象水凝之形」。仌爲冰之初文。卜辭中作地名，如「往仌」（鹽微游四十五）。銘文中作卣文。

甲 仌 續二·三六·七

金 仌 卣文

冰，金文作㳉，小篆作冰。《說文》「冰，水堅也。从仌从水。凝，俗冰从疑」。金文㳉，∶象冰塊，㳉表以水結冰。銘文云「冰月丁亥」（陳逆簠），冰月見晏子春秋諫下第四，即十一月。

冰 冬

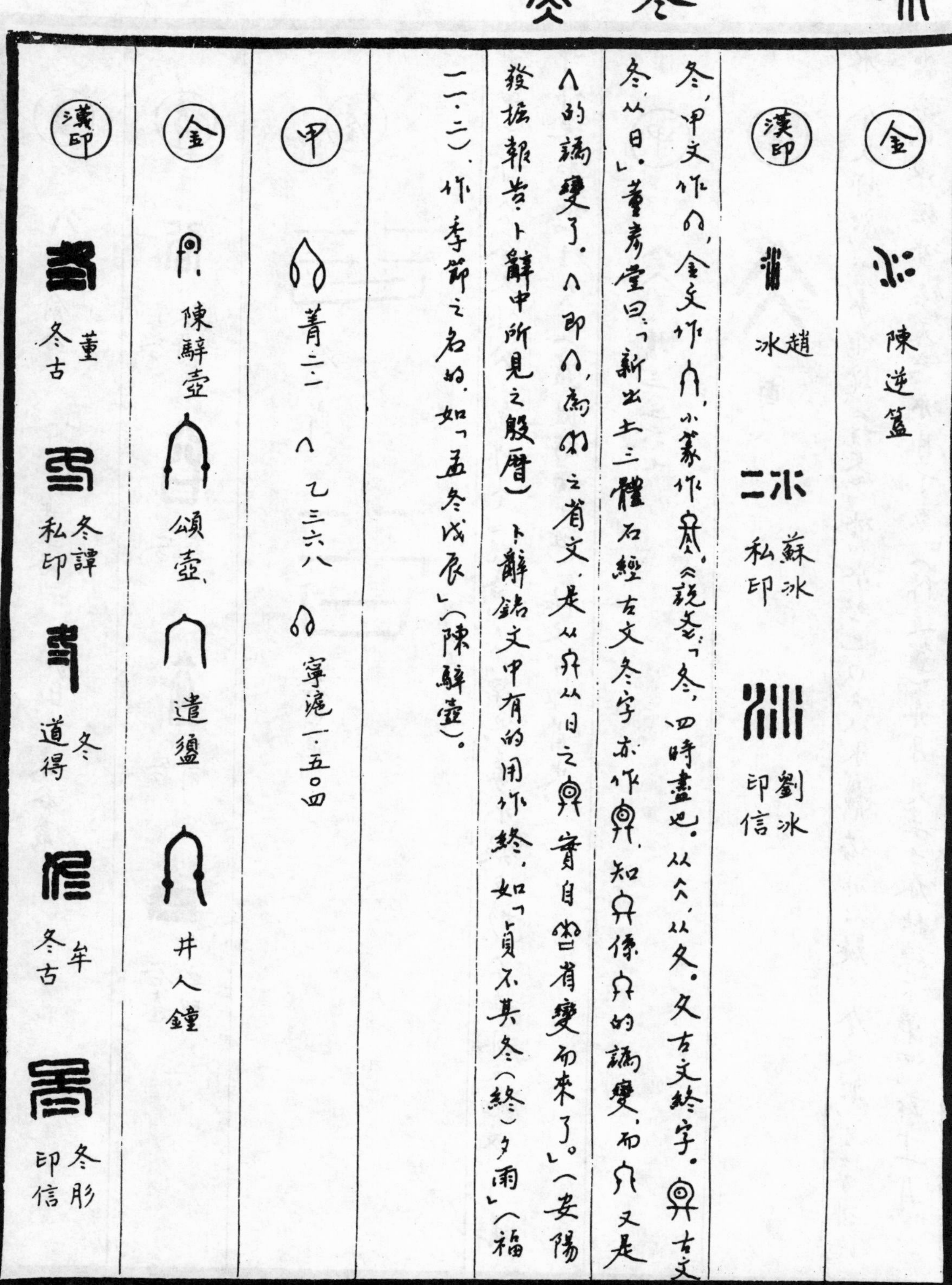

金 陳逆簠

漢印 趙冰　蘇冰私印　劉冰印信

冬，甲文作∧，金文作∩，小篆作㚵。《說文》：「冬，四時盡也。从仌，从夂。夂，古文終字。㚵古文冬从日。」董彥堂曰：「新出土三體石經古文冬字亦作㚵，知㚵係㚵的譌變，而㚵又是∧的譌變了。∧即∩，為㚵之省文，是从㚵从日之㚵實自㚵省變而來了。」（安陽發掘報告卜辭中所見之殷曆）卜辭銘文中有的用作終，如「貞不其冬（終）夕雨」（福一一・二）、作季節之名的，如「孟冬戊辰」（陳騂壺）。

甲 菁二・一　乙三六八　寧滬一・五〇四

金 陳騂壺　頌壺、　遣盨　井人鐘

漢印 董冬古　冬譚私印　冬道得　牟冬古　冬彤印信

靁 雷 雨 雨

漢篆 大良造鞅方量

雨，甲文作𠕒，金文作雨，小篆作雨。《說文》：「雨，水从雲下也。一象天，冂象雲，水霝其閒也。……𠕒古文」。甲文作𠕒僅畫天上下雨點，無雲形。金文雨中冂乃雨點演化而已，非雲形。卜辭中用其本義，如「貞其大雨」（佚九一六），銘文中用作人名，如「子雨己」（子雨己鼎）。

甲 鐵六三四 拾七十二 後上三二·三 林一·二一·四 戩十七·七

金 子雨己鼎 亞止雨鼎 子雨卣 中山王圓壺

漢篆 雨 騶氏竟 雨 刿氏竟 雨 張氏竟 雨 龍氏竟二

雷，甲文作𤳳，或𤳳，金文作靁，小篆作靁。《說文》：「靁，陰陽薄動，靁雨生物者也。从雨畾象回轉形。𩃬古文靁，䨻亦古文靁，𩆂籀文靁，閒有回。回，靁聲也」。高鴻縉曰：「雷之為物可聞而不可見，電之為物，可見而不可聞。而雷與電常相伴而作，故古文造雷字必因電字。𠃊等皆電字古文，𤰱（甲文申字即古電字，說見象形篇）之變，

䨏　電

其※，吕，吕，畾，𤳳，則皆雷聲之意象也。聲不可象，以假象象之。」（字例）卜辭銘文中，有的用其本義，如「貞及今二月雷」（乙五二九）；有的作地名，如「在丘雷」（明藏三九五）；有的用作器名罍，如「作父乙寶中尊雷（罍）」（父乙罍）；有的作人名，如「雷乍寶尊彝」（雷甗）。

甲

前二·十九·三

前四·十·七

前七·二六·三

前七·二四·四

後下一·十二

金

雷甗

齊侯壺

盠駒尊

父乙罍

淊罍

漢印

靁比干

寶合靁印

漢金

扶侯鐘

電，金文作𩃬，小篆作䨏。《說文》「電，陰陽激燿也。从雨从申。䨏古文電。」甲文申即是閃電之意。金文加雨作𩃬，小篆从之。

金

番生簋

霝　霝　霖　霖

漢印

虎騎電擊司馬

霝，甲文作𩂣，金文作霝，小篆作靁。《說文》「霝，雨零也。从雨㗊，象零形。《詩》曰：霝雨其濛」。霝爲零之本字，即下雨之義。卜辭中有作人名，如「令霝」（甲八〇六）。銘文常云「霝令」，徐中舒在《金文嘏辭釋例》中認爲霝冬即令終，是善終之義。

甲

拾三·七

前四·二四·一

前四·二四·四

後上十六·十一

戩十五·七

金

沈子簋

不嬰簋

追簋

霝簋

蔡侯盤

璽

霝城弟

霝朝

霝口

霝紑

霖，甲文作𩃬，小篆作霖。《說文》「霖，雨三日已往。从雨林聲」。卜辭有的作地名，如「王逐霖豕」（前四·四七·三）。

甲

前四·九·八

前四·四七·三

雩，甲文作[字形]，金文作[字形]，小篆作雩。《說文》：「雩，夏祭樂于赤帝，以祈甘雨也。从雨，亏聲。䨁，雩或从羽。雩，羽舞也。」卜辭有的作人名，如「乙亥乞自雩……」（金五三五）；有的作祭名，如「己卯雩示……」（佚一六二）。銘文有的用作連詞「與」、「及」之義，如「今其用各（格）我宗子雩（與）百生（姓）」（善鼎）。

甲

後下八·十六

後下十三·九

前五·三九·六

珠四五八

京津二九〇

金

盂鼎

禹鼎

毛公鼎

散盤

荊伯簋

璽

口雩

王雩

孫雩

孫雩

[illegible]雩

雲，甲文作[字形]，金文作[字形]，小篆作雲。《說文》：「雲，山川气也。从雨，云象雲回轉形。……云，古文省雨。[字形]亦古文雲。」云為雲之初文，加雨作雲為後起字。云又假為曰，如「人云亦云」。

甲

乙三九〇

續六·四二

前七·四三·二

菁四·一

存下九五六

金

如發劍

魚

璽

- 云子思士
- 云 云子思士

漢印

- 雲南令印
- 雲夢之印
- 郭雲
- 故子雲
- 云 任云私印

漢金

- 安陵鼎蓋
- 雲陽鼎
- 雲陽鼎
- 上大山竟二
- 清銅竟

魚，甲文作…，金文作…，小篆作…。《說文》：「魚，水蟲也。象形。魚尾與燕尾相似。」羅振玉曰：「卜辭魚與燕尾皆作从形，不从火。然石鼓文魚字下已作火形，知許君蓋有所受之矣。」（增考）卜辭中假爲捕魚之漁，如「貞王魚（漁）」（掇二·五四）。

甲

- 前一·九·四
- 前四·五五·五
- 前四·五五·六
- 後上三·二
- 後下六·十五

金

- 鳳魚鼎
- 魚父乙卣
- 魚父丁鼎
- 魚鼎
- 毛公鼎

璽

- 魚口

漢印　魚復長印　魚始昌　魚平　魚上中公　魚賢私印

漢金　魚丙午神鉤　魚袖珍奇鉤

鮮，金文作，小篆作鮮。《說文》：「鮮，魚名。出貉國。从魚，羴省聲。」銘文中作人名，如「鮮父乍寶障彝」（鮮父鼎）。鮮，典籍作治魚，如《禮記·內則》：「冬宜鮮羽。」鄭玄注：「鮮，生魚也。」引申為新鮮的肉，或鮮味。

金　鮮父鼎　畢鮮簋　中山王圓壺　伯鮮盨　散盤

璽　子鮮頭　郙鮮　鮮于瘍

漢印　趙鮮之印　鮮于賢　鮮于當時　徐鮮　丘鮮私印

漁，甲文作，，金文作，小篆作。《說文》：「瀫，捕魚也。从魚从水。」瀫，篆文瀫从魚。」甲文中，似以手持竿釣魚，似以手持网捕魚。金文似以双手在

漁

水中捉魚。卜辭銘文中有的作人名，如「貞㞢子漁登于大示」（後上二八・十一）；有的作捕魚之漁，如「……王漁十月」（前六・五〇・七）、「王漁于𡧊」（井鼎）。

（甲）

鐵一八四・二

拾二・五

前五・四五・四

前六・五〇・七

後下三五・二

（金）

簋文

卣文

楚王孫漁戈

適簋

井鼎

（漢印）

漁陽右尉

漁陽長平候

漁太陽守章

（漢金）

官鐸

孝文廟甗鍑

孝文廟甗鍑

燕　燕

燕，甲文作，小篆作燕。《說文》：「燕，玄鳥也。籋口，布翄，枝尾。象形。」羅振玉曰：「象燕籋口布翄枝尾之狀，篆書作燕形稍失矣。卜辭借為燕享字。」（增考）

（甲）

前六・四三・六

林二・一六・一三

林二・一六・二三

前六・四四・八

京津三一六〇

（漢印）

燕印安季

燕粉之印

燕幸

燕蟄

燕印德之

龍 龍 非

龍，甲文作或，金文作，小篆作龍。《說文》：「龍，鱗蟲之長。能幽能明，能細能巨，能短能長，春分而登天，秋分而潛淵。从肉，象飛之形。」朱芳圃曰：「龍从，頭上戴辛，象巨口長身之蟲。」（釋叢）許誤口爲肉，登天潛淵當屬神化。

甲

鐵一六三·四

拾五·五

前四·五三·二

後下六·十四

菁十一·三

金

龍母尊

昶仲無龍鬲

昶仲無龍匕

王孫鐘

楚王戈

璽

王龍

事龍

龍蠻

龍□

龍城□鉩

漢印

臣龍

肖龍

馮龍之印

劉龍印信

劉龍

漢金

龍淵宮鼎

新嘉量

龍蛇辟兵鉤

黃羊竟

佳銅竟

非，金文作，小篆作非。《說文》：「非，違也。从飛下翄，取其相背。」高鴻縉曰：「按鳥飛羽動，象人之揮手示不，故非从飛下翄，動詞。篆作非者是，作者乃唐人傳寫之譌。」（字例）

非　卂

金
非　毛公鼎
非　曶鼎
非　弱鼎
非　傳卣
非　蔡侯鐘

璽
非　非遠
非　非□

漢印
非　楊非子印
非　胡非
非　非當之印
非　吳非人
非　非雅

漢金
非　吾作竟
非　尚方竟十一

凡，金文作卂，小篆作卂。《說文》：「卂，疾飛也。从飛而羽不見。」高鴻縉曰：「飛而羽不見，其羽可知也。故後世加意符辵作迅，動詞。」（字例）銘文作人名，如「卂白作旅段」（卂伯簋）。

金
卂　卂伯簋

常用古文字字典卷十二

孔，金文作孔，小篆作孔。《說文》：「孔，通也。从乙，从子。乙，請子之候鳥也。乙至而得子，嘉美之也。古人名嘉字子孔。」高鴻縉曰：「按字之本意應爲甚，象小兒食乳形。小兒食乳，往往過甚也。由文子生意，故託以寄過甚之意，副詞。如詩：其新孔嘉，父母孔邇，等是。後人以同音，通段以代空，故有孔隙，孔穴之意，名詞。」（字例）

（金）孔鼎　虢季子白盤　曾伯簠　沇兒鐘　邾大宰簠

（璽）孔瞥　孔□　王孔

（漢印）孔利之印　孔霸　孔黽　孔胡　孔張得

（漢金）巨孔鐘　許氏竟

不，甲文作不，金文作不，小篆作不。《說文》：「不，鳥飛上翔，不下來也。从一，一猶天也，象形。」高鴻縉曰：「按詩常棣：常棣之華，鄂不韡韡。鄭箋：承華者曰鄂，不當爲柎，柎鄂足也。鄭是而

不　否　否

許非。是不原意為鄂足，象形字，名詞。後借用為否定副詞，日久而為借意所專，乃另造柎字以還其原。」（字例）銘文常用作丕，如「不（丕）顯考文王」（大豐簋）。

（甲）　鐵二·二　餘六·二　後上九·十　菁四·一　戩一五·二

（金）　大豐簋　盂鼎　頌鼎　卯簋　者沪鐘

（璽）　其母不敬　鄞不御　胸不脂　斐緦不　□□不□鈢

（漢印）　趙不圍　閻印不識　不壽　諸不梁　田不虞

（漢金）　廿六年詔十六斤權　臨晉鼎蓋　久不相見竟　青蓋竟　湅治竟

否，金文作否，小篆作否。《說文》：「否，不也。从口从不，不亦聲。」徐鍇曰：「不可之意見於言，故从口。」（徐箋）引申作無，如《大學》：「其本亂而末治者否矣。」《周易》中為六十四卦之一，如《易·否》：「象曰：天地不交，否。」又通「鄙」，《書·堯典》：「否德，忝帝位。」《史記·五帝本紀》「否」作「鄙」。

至 □

金 □ 毛公鼎 □ 晉公盨

至，甲文作□，金文作□，小篆作□。《說文》：「至，鳥飛從高，下至地也。从一，一猶地也。象形。不，上去。而至，下來也。……□古文至。」羅振玉曰：「□乃矢之倒文，一象地，□象天遠來降至地之形，非象鳥形也。」（雪堂金石文字跋尾）引申爲凡至之義。卜辭銘文中有至于之義，如「至祖丁」（粹二六五）。「至于京自」（克鐘）。銘文有的作人名，如「至作寶鼎」（至鼎）。

甲 □ 鐵六五三 □ 餘三一 □ 前四五五 □ 後下二六十四 □ 戩二二

金 □ 盂鼎 □ 矢方彝 □ 令鼎 □ 克鼎 □ 兮甲盤

漢印 □ 樂至之印 □ 至富

漢金 □ 壽成室鼎蓋 □ 安成家鼎 □ 建昭雁足鐙 □ 吾作竟 □ 至氏竟

西

西，甲文作□，金文作□，小篆作□。《說文》：「西，鳥在巢上也。象形。日在西方而鳥棲，故因以爲東西之西。……□，西或从木妻。□古文西，□籀文西。」唐蘭曰：「卜辭假甾爲西，不可逕釋爲西

鹵　鹵　鹵

也。又卜辭西方字每作鹵，實即鹵字，說文誤列西鹵為二，實西鹵聲近原只一字。又說文囟字古文作𠙵，實即當字異文。當囟亦聲近也。」（考古四期釋四方之名）

甲：鐵二九四　拾五七　後上二四五　菁二　甲一一九

金：戍甬鼎　𢍰鼎　散盤　不𡢁簋　陳伯元匜

璽：西方□　西方肎　西方齒　西𢼄　西□□□

漢印：西安丞印　西安丞印　西平令印　西平　西郭臨印

漢金：西鼎　西鄉鼎　西狀鍾　二年酒銷　交阯釜

鹵，金文作鹵，小篆作鹵。《說文》：「鹵，西方鹹地也。从西省，象鹽形。安定有鹵縣，東方謂之㡿，西方謂之鹵。」戴侗曰：「按潤下作鹹，東南多鹹也，不當从西。內象鹽，外象盛鹵器，與卣同。」（六書故）　郭沫若曰：「鹵字金文作鹵，免盤云：『王在周，命作冊內史易免鹵百陵。』陵殆𨻰字之異，錫鹵百𨻰者錫櫓百鐏也。字象圓楯之形，而

户　戶　庫　肁

上有文飾」。（金攷）

金　[glyph] 兔盤

漢印　[glyph] 蓮勺鹵鹹督印　[glyph] 蓮勺鹵督印

户，甲文作日，小篆作戶。《說文》：「户，護也。半門曰户。象形。……床，古文户从木。」金文庫字作𢊁，从户作日，與甲文同。卜辭中有作地名，如「岳于三户」（後下三六三）。

甲　日 後二三六三　日 甲五八九　日 乙二一二八反　日 輔仁九二　日 明藏六七七

漢印　戶 郎中户將　戶 文竹門掌户　戶 東户政印　戶 爰當户印

庫，金文作𢊁，小篆作肁。《說文》：「庫，始開也。从户从聿。」旁鼎庫作𢊁，象手持門歫開門之形。與甲文攴作𢼄，形義近同。銘文用作肇，如「旁庫（肇）乍尊諆」（旁鼎）。肇者，始也。

門

門，甲文作𨳇𨳈，金文作𨳇，小篆作門。《說文》：「門，聞也。从二户，象形。」羅振玉曰：「象兩扉形，次象加鍵，三則上有楣也。」（增考）卜辭中用其本義，如「南門」（甲八四〇）。銘文有的作人名，如「門用乍父乙隮彝」（門簋）。

（金）屖尊　滕虎簋　寧簋　旁鼎　叵尊

（甲）前四·十五·六　前四·十六·一　後下九·四　後下十·十四　甲二·二·十五

（金）門且丁簋　頌簋　散盤　格伯簋　門簋

（璽）門和秋　閔門　南門之鉨　上東門鉨　□門述

（漢印）北門賜　張門　牙門将印　王門之印　西門譚印

（漢金）大吉五器　臨晉鼎蓋　尚方竟四

闢

闢，金文作𨷺，小篆作闢。《說文》：「闢，開也。从門，辟聲。𨷺，《虞書》曰：闢四門。从門从𠬞」。開，象兩手開門之形。開，說文古文作開。銘文作人名，如「白闢作𩰫彝」（伯闢簋）。亦作開闢之闢，如「右（佑）闢四方」（彔伯簋）。

㊎

盂鼎

闢斝

伯闢簋

彔伯簋

㊞

開 后開□

閒

閒，金文作𨳡，小篆作閒。《說文》：「閒，隙也。从門从月。閖，古文閒。」阮元曰：「閒字月在門上。徐鍇所謂門夜閉而見月光，是有閒隙，非謂月在門内也。可見古文取象之妙。」（積古卷三）與閒同意，取日月之光透入門隙之義。

㊎

㝬鐘

曾姬無卹壺

㊞

□閒

王閒信鉩

郇閒

外閒

□□閒 鄄鉩

闌　闌　閑　閑

漢印

閒　河間王璽

閒　張印君閒

閒　段閒

閒　段閒

閒　戎閒

闌。金文作闌，小篆作闌。《說文》「闌，門遮也。从門，柬聲。」原為門口的柵門，後引申為遮攔物及欄檻的通稱，如柵闌、井闌、欄杆。銘文「闌闌龢鐘」（王孫鐘）于省吾釋闌闌猶閑閑，為大義。（雙選）有的作人名，如「闌乍障彝」（闌卣）。

金

闌　王孫鐘

闌　咢侯鼎

闌　闌卣

闌　宰椃角

漢印

闌　呂闌多

闌　闌咸之印

闌　譚闌

閑。金文作閑，小篆作閑。《說文》「閑，闌也。从門中有木。」銘文借為空閑之閑，如「母（毋）女（汝）又（有）閑」（同簋）。

金

閑　同簋

漢印

閑　司馬閑印

閑　楊閑

閉 關 關

閉，金文作閈，小篆作閉。《說文》「閉，闔門也。从門才，所以歫門也。」高鴻縉曰：「按字倚門畫其已閉，自內見其門橫之形。由文門生意，故託以寄關閉之閉之意，動詞。十非文字，乃物形，後變為才意不可說。閉後衍作閟。說文閟，閉門也。从門，必聲。音義皆同，精造變為形聲。」（字例）

（金）

閈 豆閉簋

閉 子禾子釜

關，金文作開，小篆作關。《說文》「關，以木橫持門戶也。从門，𢆶聲。」字象門上有門，卄即門，非聲符。引申為關閉、禁閉等義。

（金）

閞 陳猷釜

閞 小禾子釜

閞 左關之鈉

（璽）

口母似關

執關

句丘關

瀋和迲關

勿正關鉨

（漢印）

杆關尉印

關內侯印

關多

關復

關便

（漢金）

關 關邑家壺

耳 〔字形〕 聖 〔字形〕

耳，甲文作〔字形〕，金文作〔字形〕，小篆作〔字形〕。《說文》：「耳，主聽也。象形。」甲金文象耳形。銘文作人名，如「亞耳作丁冀尊」（亞耳尊）。

（甲）
〔字形〕 鐵一三八·二
〔字形〕 後一·三○·五
〔字形〕 後二·二五·一
〔字形〕 續四·二六·五
〔字形〕 存下七三

（金）
〔字形〕 亞耳簋
〔字形〕 山耳卣
〔字形〕 耳卣

（璽）
〔字形〕 口耳
〔字形〕 口耳
〔字形〕 口耳
〔字形〕 口耳
〔字形〕 王耳

（漢印）
〔字形〕 李高耳印
〔字形〕 耳儋
〔字形〕 夏耳私印
〔字形〕 齊耳
〔字形〕 臣耳

（漢金）
〔字形〕 許氏竟

聖，甲文作〔字形〕或〔字形〕，金文作〔字形〕，小篆作〔字形〕。《說文》：「聖，通也。从耳，呈聲。」甲金文畫人而突出其大耳，从口，會意其聽覺之靈敏。字中壬為人形，非聲符。古璽「聖人之聖」作〔字形〕，長沙馬王堆帛書老子乙本聖字亦作〔字形〕。

聽 聽

甲 [glyph] 林二·三五·四 [glyph] 乙六五三三 [glyph] 乙五一六一 [glyph] 前六·五四·六 [glyph] 戩四五·一〇

金 [glyph] 師望鼎 [glyph] 穆公鼎 [glyph] 禹鼎 [glyph] 克鼎 [glyph] 曾姬無卹壺

璽 [glyph] 長聖 [glyph] 卯聖 [glyph] 牛聖 [glyph] 聖人 [glyph] 吅聖

漢印 [glyph] 朱聖 [glyph] 臣聖 [glyph] 魏聖私印 [glyph] 吳印聖君 [glyph] 黃聖之印

漢金 [glyph] 池陽宮行鐙

聽，甲文作[glyph]，金文作[glyph]，小篆作聽。《說文》：「聽，聆也。从耳、悳，壬聲。」郭沫若曰：「古聽、聲、聖乃一字，其字即作⿰耳口，从口耳，會意。言口有所言，耳得之而為聲；其得聲之動作則為聽，聖、聲、聽均後起之字也。」（卜通）于省吾曰：「魏三體石經書無逸『此厥不聽』，古文聽作[glyph]，古文四聲韻下平十八青引義雲章聽作[glyph]，是以⿰耳口為聽也；又去聲四十六勁引古老子聖作[glyph]，是以⿰耳口為聖也；又下平十七清引華嶽碑聲作[glyph]，是以⿰耳口為聲也。金文聖早期作⿰耳口，晚期加壬為聲符作聖。此以形證之，知古聽、聖、聲之本作⿰耳口也。」（駢三）

聲 聲 聞 聞

甲

鐵二·三

前六·五四·八

後下三十·十六

乙三三九六

拾四·七

金

齊侯壺

齊侯壺

漢印

奚聽私印

黃聽

沐新聽印

聲，甲文作，小篆作聲。《說文》：「聲，音也。从耳，殸聲。殸，籀文磬。」郭沫若釋磬即聲字。（粹考）从耳从殸，其意相同。

甲

後一·七·六

粹一二二五

漢印

司馬聲

吳聲

文聲

杜子聲

周子聲印

聞，甲文作，金文作，小篆作聞。《說文》：「聞，知聲也。从耳，門聲。䎽，古文，从昏。」高鴻縉曰：「其初形當為倚耳畫人掩口，屏息靜聽之狀。由文耳生意，故託以寄聽聞之聞意。動詞。晚周，古文作䎽者，當是从耳昏聲，或作聋者，見三體石經古文。玉篇亦存聋應从耳，米聲。秦人改造聞字，从耳，門聲。聞行而古字俱廢。」（字例）

聾　聾　聝

甲

餘九·一

餘九·三

前七·七·三

甲一二八九

明藏七六三

金

孟鼎

璽

空侗聞

聞司馬鉩

聞司馬鉩

聞司馬鉩

□聞□□

漢印

聞人長公

聞意私印

聾，甲文作𦗸，金文作𪆫，小篆作聾。《說文》：「聾，無聞也。从耳，龍聲。」銘文中作人名，如「聾作寶器」（聾鼎）。

甲

佚二三四

金

聾鼎

聝，金文作戓，小篆作聝。《說文》：「聝，軍戰斷耳也。《春秋傳》曰：『以為俘聝。』从耳，或聲。馘，聝或从首。」《詩傳》曰：「馘，獲也，不服者殺而獻其左耳。」金篆形符有从耳、首之異，可

賊　匠　匠　手　手

見當時軍戰不僅僅斷耳，亦斷手、首。

（金）［古文字］虢季子白盤　［古文字］盂鼎

匠，金文作［古文字］，小篆作［古文字］。《說文》：「匠，顄也。象形。……頤，篆文匠从頁。䪿，籀文匠从首。」段注：「此文當橫視之。匠者，古文頤也。」高鴻縉曰：「按匠即俗所稱下巴，下巴動而向上，則嚼物以養人，故謂之頤養。」（字例）

（金）［古文字］鑄子簠　［古文字］㠱伯匜　［古文字］㠱伯盤

（漢金）匠　造作匠書鈴

手，金文作［古文字］，小篆作［古文字］。《說文》：「手，拳也。象形。……［古文字］，古文手。」字象手有五指之形。

（金）［古文字］曶鼎　［古文字］彔伯簋　［古文字］揚簋　［古文字］咢侯鼎　［古文字］卯簋

拜　扶

漢金

丙午神鉤

袖珍奇鉤

拜，金文作𢪒，小篆作𢱭。《說文》：「拜，首至地也。从手𠦪。𠦪音忽。𢱭楊雄說拜从兩手下。𢯱古文拜。」郭沫若釋𢪒曰：「此均示以手連根拔起草卉之意，解為拔之初字正適。拜手至地有類拔草卉然，故引伸為拜。引伸之義行而本義廢，故造拔字以尸之。拜手字有作𢷎（友毁）者，其本字也。」（金攷．釋𢷎）

金

井侯簋

彔卣

舀壺

大簋

寰盤

漢印

董拜

扶，金文作𣁑，小篆作𢪃。《說文》：「扶，左也。从手，夫聲。𣁑，古文扶。」以手助人謂之扶，當會意字。銘文中作人名，如「扶作旅鼎」（扶鼎）。

金

叔卣

扶鼎

漢印

扶安令印

公孫扶如

董扶

杜扶

漢金

扶 扶侯鐘

扶 成山宮渠斗

摯，甲文作（圖），小篆作（圖）。《說文》「摯，握持也。从手，从執。」李孝定曰：「契文象㚔人被桎梏以手執之之形，許訓握持乃引申誼。」（甲骨文集釋）

甲

前六·九·五

後下二三·九

後下三·八

明藏六三一

京津四四一

漢印

摯文便

摯隆

摯記印

摯順私印

摶，甲文用專為摶，作（圖），金文作（圖），小篆作（圖）。《說文》「摶，索持也。一曰至也。从手，專聲。」銘文中通薄，如「摶伐」（虢季子白盤）即「薄伐」，迫而伐之也。

甲

甲二三四一

金

虢季子白盤

不嬰簋

漢印

虎步
叜搏
司馬

招，金文作，小篆作。《說文》：「招，手呼也。从手，召聲。」銘文𧸘用作詔，如「夙（夙）夕𧸘（詔）我一人畫（烝）三方」（盂鼎）。《爾雅·釋詁》：「詔、亮、左右、相，導也。」

金

盂鼎

盂鼎

揚，金文作，象人執玉或周璧搭立之形。小篆作。《說文》：「揚，飛舉也。从手，昜聲。古文。」揚、颺、敭為異體字。銘文中多引申作稱揚，如「對揚王休」（免簋）。

金

貉子卣

矢方彝

令簋

段簋

叉卣

漢印

揚昌
里附
□

京兆
尹史
石揚

漢金

綏和雁
足鐙

徐揚釚

精白釚

昭明竟

扔，甲文作，小篆作。《說文》：「扔，因也。从手，乃聲。」《老子》：「則攘臂而扔之。」扔作拉。後用為投擲、拋棄之意。

播　播　撲　撲　女　女

甲　前八·六·二

播，金文作𢿊，小篆作播。《說文》「播，種也。一曰，布也。从手，番聲。𢾮，古文播，从攴。」郭沫若曰：「𢿊殆播字之異，說文播古文作𢾮，此省田耳。播者布也。」（金考）銘文中作地名，如「以西弄于𢿊城楮木」（散盤）。

金　𢿊　師旂鼎　散盤

撲，金文作𢾾，小篆作撲。《說文》「撲，挨也。从手，菐聲。」高鴻縉曰：「戩道撲。撲，擊也。以手曰撲，以戈曰戩。」（散盤集釋）銘文中亦作攻擊之義，如「撲伐𠂇都」（𡚸鐘）。

金　𡚸鐘　散盤

女，甲文作𡛥，金文作𡛥，小篆作女。《說文》「女，婦人也。象形。」象兩手相交，席地而坐之婦女。銘文借作第二人稱代詞汝，如「易（錫）女（汝）赤市」（師酉簋）。

甲　鐵九七三　餘十二　拾三·六　後上六·七　菁七·二

姓

(金) 孟文 女子鼎 女帚卣 者女觥 孟鼎

(璽) 取女 丞女 女官 女口璽

(漢印) 女印不侵 女李孺 魏小女 杜女私印 陳印女子

(漢金) 三羊竟 杜氏竟 汝陰矦鼎

姓，甲文作𡚽，金文作㞷，小篆作姓。《說文》：「姓，人所生也。古之神聖，母感天而生子，故稱天子。从女从生，生亦聲。《春秋傳》曰：天子因生以賜姓。」金文有的作生，如「諸侯百生（姓）」（兮甲盤）。

(甲) 前六・二八・三 前六・二八・三 佚四四五

(金) 兮甲盤 齊鎛

姜

璽

口姓

衛姓

率口居姓

漢印

劉姓

臣朱姓

屠兔姓

姜，甲文作□，金文作□，小篆作□。《說文》：「姜，神農居姜水，因以為姓。从女，羊聲。」馬敘倫謂羌姜古為一字，皆以牧羊為業者。（刻詞一五四頁．井姬鬲）李宗侗以為神農氏以羊為圖騰，因以為姓。姜水即因神農氏所居而得名。此亦地域之圖騰化。（古代中國社會與圖騰）

甲

河三〇三

甲一八二

乙三一三〇反

乙三三一三

乙六五八五反

金

令簋

才盤

萴簋

㠱伯匜

鄦子簠

璽

姜口

姜敬

漢印

姜鳳

姜印壽天

姬　嬴　娶

姬，甲文作，金文作，小篆作。《說文》：「姬，黃帝居姬水，因以爲姓。从女，𦣞聲。」于省吾在《駢三·釋𦣞》中釋爲姬，并以古文字古器物證明𦣞本象梳比之形，後世以竹爲之，作篦。銘文多爲人姓，如「作姬寶尊彝」（姬𦣞簋）。

甲

前一·三五·六

粹三八六

續一·三五·二

京津五〇八〇

京都二五八四

金

不㽙簋

禾簋

作姬簋

吳王姬鼎

干氏弔子盤

嬴，金文作，小篆作。《說文》：「嬴，少昊氏之姓。从女，羸省聲。」金文嬴，从女，聲符爲，似「能」字，是一動物之象形。銘文中亦作人姓，如「嬴氏蔑曆」（嬴氏鼎）。

金

嬴霝德簋

嬴霝德鼎

京弔盤

嬴氏鼎

杲同簋

娶，甲文作，小篆作。《說文》：「娶，取婦也。从女从取，取亦聲。」段注：「取彼之女爲我之婦也。經典多叚取爲娶。」

甲

菁七·二

婚 婚 婦 婦

婚，金文作，小篆作。《說文》：「婚，婦家也。禮娶婦以昏時，婦人陰也，故曰婚。从女，从昏，昏亦聲。籀文婚。」按：金文，實從聞字變來，从女者，蓋之足也。金文借為昏、婚。如「朋友（婚）遘」（克盨），亦有作聞的，如「（聞）于四方」（鄀王子鐘）。

㊎ 毛公鼎　叉季良父壺　克盨　諫簋　彔伯簋

㊢ 小 孟婚

婦，甲文作，金文作，小篆作。《說文》：「婦，服也。从女持帚，灑埽也。」甲金文中有借帚為婦者，如「比作伯帚（婦）簋」。唐蘭曰：「當作从女帚聲，帚之孳乳字也。卜辭且（祖）之配曰匕（妣），父之配曰母，婦者，殆今王之配與。」（文字記）

㊙ 乙八七一三　京津二〇二七　燕七二三　甲六六八

㊎ 比作伯婦簋　簋文　守婦觶　母辛卣　令簋

妃　妊

漢印

曹新婦白疏

妃，金文作𡚱，小篆作𡚱。《說文》「妃，匹也。从女，己聲。」羅振玉曰：「說文解字妃从戊己之己，又有改字，注曰：女字也。古金文中作妃作改者，（均从己）皆為女姓（即己姓）許君以為女字固非，金文家或釋作妃匹之妃則更誤矣。」（增考）

金

掾妃簋

召樂父匜

蘇公作王妃簋

穌甫人匜

匜君壺

漢印

江妃

妊，甲文作𡚾，金文作𡚾，小篆作妊。《說文》「妊，孕也。从女从壬，壬亦聲。」甲文身，作身，婦女懷孕之形。而妊本義非剋孕，當為人姓，如銘文「雚妊賸甗」（雚妊甗），後世壬、任、妊、姙四字，並从壬聲，義得互通，皆假為懷孕之義，如《釋名·釋天》：「壬，妊也，陰陽交，物壬。」

甲

乙一三二九

乙五二六九

前八·四·三

陳一〇二

母

（金）吹鼎　嬗妊壺　韓妊甗　鑄公簠　薛侯盤

母，甲文作，金文作，小篆作。《說文》：「母，牧也。从女，象裹子形。一曰：象乳子也。」字从女，其兩點表乳房，能乳子者為母。甲文中有的稱母與稱妻妾相同，為先公先王配偶，如「乙丑卜王曰貞祭母回才口月」（河三五八）；亦有作本義為母親的，如「母庚」（乙六○六二）。銘文中有的假為毋，如「永葉母（毋）忘」（𠫑羌鐘）。

（甲）鐵十九四　拾十一·七　前一·三九·五　菁四·一　林一·三·二

（金）司母戊鼎　母戊鼎　毳匜　頌鼎　夘簋

（璽）長母　肖母　口母似闕　母口鉨　梁𡩋母

（漢印）范母私印　高堂母

（漢金）母二泉范　蔡氏竟　三羊竟　袁氏竟　龍氏竟

姑　姑　威　威　妣

姑，金文作，小篆作。《說文》：「姑，夫母也。从女，古聲」。《爾雅·釋親》：「父之姐妹為姑」。

(金)

庚贏卣

頌卣

婦姑鼎

復公子簋

姑口句鑃

(漢印)

姑幕丞印

姑幕丞印

姑陶寬

威，金文作，小篆作。《說文》：「威，姑也」。从女，从戌。漢律曰：「婦告威姑」。威有作尊嚴義，如「皇考威義（儀）」（虢弔鐘）、「威儀棣棣」（詩·柏舟）；有的通「畏」，如「死喪之威，兄弟孔懷」（詩·常棣）。

(金)

弔向簋

虢弔鐘

虢弔編鐘

王孫鐘

邾公華鐘

(漢印)

王威私印

鄭子威

杜威私印

顏威之印

賈長威印

妣，甲文作或，金文作或，小篆作。《說文》：「妣，歿母也。从女，比聲」。籀文妣省。妣，本訓生母，如《爾雅·釋親》：「父曰考，母曰妣」。後世定為死母之稱。

妹 姪

甲

甲三五五

京都一八五二

金

豖妣辛簋

作羲妣鬲

召仲作生妣鬲

陳侯午錞

𠱾作妣丁爵

妹，甲文作，金文作，小篆作。《說文》：「妹，女弟也。从女，未聲。」卜辭銘文中有的通段爲昧。如「妹(昧)其雨」(前三·十九·五)，「女(汝)妹(昧)辰(晨)又大服」(盂鼎)。

甲

拾十·十一

前二·四十·七

前四·三五·五

林一·二一·十三

戩三五·八

金

盂鼎

沈子簋

𡨦桐盂

漢印

段妹

姪，甲文作，金文作，小篆作。《說文》：「姪，兄之女也。从女，至聲。」古女子稱兄弟之男女曰姪，并非專指女。今男稱兄弟之子亦曰姪，是字義範圍的擴大。

甲

前一·二五·三

前四·二六·五

前四·二六·六

奴　娥　妃

奴，金文作[glyph]，小篆作[glyph]。《說文》：「奴，奴婢皆古之辠人也。周禮曰：其奴，男子入于辠隸，女子入于舂稾。从女，从又。㑦，古之奴从人。」字从又从女，與孚（俘）意近同，是古之罪人。

（金）王子姪鼎

（金）臥奴甗　農卣

（璽）光奴相邦　義奴　口奴司寇

（漢印）李奴　竇奴　呂奴　王奴　高奴印

娥，甲文作[glyph]，小篆作[glyph]。《說文》：「娥，帝堯之女，舜妻，娥皇，字也。秦晉謂好曰姪娥。从女，我聲。」卜辭中作人名，如「貞㞢大于娥卯彘」（前四．五二．二）。

（甲）鐵九八四　前四五二．三　林一．二一．十四　戩九．四　戩九．五

妃，甲文作[glyph]，金文作[glyph]，小篆作[glyph]。《說文》所無。己、巳，古音通。卜辭銘文用作妃，如「辛丑卜，𣪊貞：畵妃（妃）不囚」（前四．二四．一），「作皇妣孝大妃（妃）祐（祭）器鈇錞」（陳侯午錞）。

始

甲

拾三·七

前四·二四·一

前四·二四·三

後上十六·十一

金

鄘侯簋

陳侯午錞

始，金文作□或□，小篆作□。《說文》：「始，女之初也。从女，台聲。」吳大澂曰：「始，婦之長者。爾雅，女子同出，謂先生為姒。凡經典姒字皆當作始，古文台以為一字，許書無姒字。」（古籀補）

金

衛姒鬲

頌鼎

季良父盉

會始鬲

鄧伯氏鼎

璽

始口鉨

口始

漢印

張始

更始

臣將始

張始

尹乃始

漢金

新嘉量

苦宮行燭定

永始高鐙

杜陵東園壺

泰言之始竟

媚

媚，甲文作，金文作，小篆作。《說文》：「媚，說也。从女，眉聲。」段注：「說，今悅字也。大雅毛傳曰：媚，愛也。」李孝定曰：「女之美莫如目，故契文特於女首著一大目又並其眉而象之。」（甲骨文集釋）

甲

前六・二六・六

後下三二・七

菁三・一

佚七〇六

誠五〇〇

金

子媚爵

子媚觚

漢印

李媚信印

好

好，甲文作，金文作，小篆作。《說文》：「好，美也。从女子。」段注：「好，本謂女子，引申為凡美之偁。」卜辭中作女姓，如「婦好」（殷虛卜辭二三六〇）。

甲

鐵三・一

鐵二〇四・三

前一・三六・一

菁十六

戩二四・十六

金

虘鐘

䖒編鐘

仲卣

杜伯盨

炑氏壺

如

漢印

好時丞印

好時丞印

東門好印

原好之印

漢金

好時鼎

好

好武泉范

壽如金石竟

青蓋竟

三羊竟

如，甲文作𡛟，小篆作𡛟。《說文》：「如，從隨也。从女从口。」段注：「從隨即隨從也。隨從必以口。从女者，女子從人者也。幼從父兄，嫁從夫，夫死從子。故白虎通曰：女者，如也。引申之凡相似曰如，凡有所往曰如，皆從隨之引申也。」璽文「相如」如作女，魏三字石經如字古文亦作女。

甲

鐵十三·二

鐵一六三·三

前五·三十·三

前五·三十·三

後下九·十

璽

䢵相如

事相如

事相如

事相如

漢印

笘印莫如

吳印如意

樊莫如

梁丘相如

蘇印莫如

漢金

元年詔版

生如山石竟

又二

與天相壽竟

湅治銅竟

嬪　嬰　妝

嬪，甲文作[甲骨文]，小篆作嬪。《說文》：「嬪，服也。从女，賓聲。」羅振玉曰：「卜辭云：『貞嬪歸好』與堯典『嬪于虞』大雅曰『嬪于京』誼同。又云：『王嬪[甲骨文]』則又借嬪為賓矣。」（增考）

（甲）[甲骨文] 鐵十三．三　[甲骨文] 拾十．十六　[甲骨文] 前四．三二　[甲骨文] 前七．二七四　[甲骨文] 菁三．一

嬰，甲文作[甲骨文]，金文作[金文]，小篆作[小篆]。《說文》：「嬰，頸飾也。从女賏。賏，其連也。」甲文字象女敢朋貝飾身。銘文中作人名，如「王子嬰次之庚（燎）盧（鑪）」（嬰次盧）。

（甲）[甲骨文] 乙八七二　[甲骨文] 乙八八九六　[甲骨文] 乙八八九六

（金）[金文] 嬰次盧

（璽）[璽文] 嬰口

（漢印）[印文] 廖嬰家印　[印文] 焦嬰齊　[印文] 魚嬰齊　[印文] 單嬰　[印文] 王嬰

妝，甲文作[甲骨文]，金文作[金文]，小篆作[小篆]。《說文》：「妝，飾也。从女，牀省聲。」或作娤，如《廣雅．釋詁》：「娤，飾也。」典籍中借裝為妝，如「體美容冶，不待飾裝」（宋玉賦）。銘文中

媿　妟

作人名，如「鄦子妝擇其吉金」（鄦子妝簠）。

㊙甲　鄴初下三八六　京津一六八二

金　鄦子妝簠

媿，甲文作，金文作，小篆作媿。《說文》：「媿，慙也。从女，鬼聲。愧，媿或从恥省。」銘文中作人姓，如「媿氏其眉壽萬年用」（毛𤘵盤）。後世借為慙愧之愧，則媿之本義廢。

甲　乙四二四　乙八〇〇〇　明二一四二

金　鄭同媿鼎　毛𤘵簋　毛𤘵匜　𦱤子鼎　後公子簋

妟，甲文作，金文作，說文所無。段玉裁補入女部曰：「妟，安也。从爫女。妟與安同意。」卜辭中有的作人名，如「小臣妟」（粹一二七五）。銘文用作綏，如「用妟（綏）多福」（寧簋）。

民 民

甲 [古字形] 前五·一九·一 [古字形] 青一〇·四 [古字形] 乙七七八 [古字形] 京津一四〇六 [古字形] 珠五四一

金 [古字形] 子妥鼎 [古字形] 沈子簋 [古字形] 寧簋 [古字形] 或者鼎 [古字形] 鄭井弔鐘

璽 [古字形] 口妥

漢印 [古字形] 衛妥

民，甲文作[古字形]，金文作[古字形]，小篆作民。《說文》：「民，衆萌也。从古文之象。……[古字形]古文民。」郭沫若曰：「作一左目形而有刃物以刺之。古人民盲每通訓。今觀民之古文，則民盲殆是一字，然其字均作左目，而以之爲奴隸之總稱。」(甲研·釋臣宰) 高鴻縉曰：「此初文象眸子出眶之形，即盲字也。……後借用爲人民之民，又加亡爲聲符，作氓，乃另造盲字以還其原。」(字例) 三體石經民古文作[古字形]，與甲金文近同。

甲 [古字形] 乙一一·一六 [古字形] 乙四五五

弗 弗

金
盂鼎
克鼎
齊鎛
秦公簋
齊侯壺

漢印
安民正印
綏民長印
辛安民
宜民和象

漢金
新嘉量二
口民高燭豆
民 張氏竟
龍氏竟二
騶氏竟

弗，甲文作弗，金文作弗，小篆作弗。《說文》：「弗，撟也。从丿从乀，从韋省」。高鴻縉曰：「弗即拂之初文，其意為撟枉。从八象不平直之兩物，而以繩索S束之使之平直，故有撟枉拂正之意。惟S為繩索之物形，而八則為兩不平直之物之通象，不拘何物也。故拂為指事字，動詞。後世（殷代已然）借為否定之否副詞，與不相似，而略有別。」（字例）

甲
鐵一二
拾四·十二
後下十七五
林一·四·七
戩七·十七

金
曶鼎
召卣
師望鼎
毛公鼎
番生簋

璽
弗褢
肙弗

氏

漢印

弗成 弗闕 弗福私印 弗讋 弗等

漢金

鼎胡宮行鐙

氏，甲文作𠂆，金文作𠂆，小篆作氏。《說文》：「氏，巴蜀名山，岸脅之旁箸欲落墮者曰氏。氏崩，聞數百里。象形。乀聲。」于省吾釋氏云：卜辭氏字應讀作厎。厎，致也。卜辭氏字皆有致義。（甲骨文編卷十二·十四）如「茲雨氏𢿱」（粹七五五）。郭沫若謂氏乃匙之初文（金文叢考·釋氏）。林義光在《文源》中說：本義爲根柢。𠂆象根，其種、姓氏之氏由根柢引申。

甲

鐵一四〇 前四·三六·五 甲一三五一 粹二二一 京津五八

金

彔卣 手簋 散盤 克鼎 䓣公鬲

璽

佃氏口 事冒氏 口氏丞 周氏 鄒氏鉨

氏　氒　戈

漢印

氏 蒖氏 成園丞印

氏 李氏大利

氏 帶氏

氏 蔡氏

氏 丁氏長幸唯印

漢金

氏 嚴氏造吉洗

氏 禺氏洗

氏 胡氏洗

氏 董氏洗

氏 汪氏器

氒，甲文作𠂎，金文作𠂎，小篆作氒。《說文》：「氒，木本。从氏，大於末。讀若厥。」郭沫若曰：「余謂氒乃矢栝之初文也。說文曰栝，檃也。从木昏聲。一曰矢栝檃弦處。」栝从昏聲，昏又从氒省聲，故栝氒同音。矢栝檃弦處之栝，此氒字也。古矢栝之形始為羅振玉所發現，其貞松堂集古遺文（卷十二．二十七）著录矢括三器，均有左字。今橅其第二器如次，上係原圖，下乃摹其另一面而横置者。……而横置之，非即古氒字所象之形邪。」（金攷．釋氒）

甲

𠂎 甲二九〇八

𠂎 乙九九四

𠂎 乙一一七

𠂎 菁三．一

𠂎 京津二五一三

金

𠂎 盂鼎

𠂎 天君鼎

𠂎 向卣

𠂎 散盤

𠂎 鄀公鼎

戈，甲文作戈，金文作戈，小篆作戈。《說文》：「戈，平頭戟也。从弋，一横之，象形。」羅振玉以「戈全為象形。丨象柲，一象戈。非从弋也。」（增考）

戈 戒 戒

甲

十 鐵四三

十 前六三八三

十 後下十二十

十 菁六二

十 林一三二

金

卣文

戈卯盉

冄戈爵

師奎父鼎

宋公欒戈

璽

戈邘都

漢印

戈船候印

戎，甲文作𢦏，金文作𢦏，小篆作戎。《說文》：「戎，兵也。从戈从甲。」甲古文甲字。羅振玉曰：「卜辭與古金文从戈从十。十，古文甲字。今隸戎字尚从古文甲，亦古文多存於今隸之一證矣。」（增考）

甲

前八二三

京津四〇〇〇

金

盂鼎

不𡢁簋

虢季子白盤

事戎鼎

𨛫伯御戎鼎

賊　戍　戍

漢印

戎能私印

高戎奴印

瘳皮戎印

戎臣

薄戎奴

漢金

戎　壓戎郡虎符

賊，金文作𢧵，小篆作賊。《說文》：「賊，敗也。从戈則聲。」字當會意，从人持戈毀貝。銘文中作毀義，屬誓辭，如「賊則爰千罰千」（散盤）。

金

散盤

漢印

備盜賊尉

戍，甲文作𢦦，金文作戍，小篆作戍。《說文》：「戍，守邊也。从人持戈。」甲金篆皆象人立戈下。郭沫若曰：「戍乃師戍之戍，與辰戍之戌有別。」（粹考）卜辭銘文作戍守義，如「五族戍𡿺」（粹一一四九）、「師雝父戍才（在）古自（屯）」（遇甗）。

甲

後二·一三·五

後二·四三·九

粹一一四七

寧滬一·五〇七

京都二一四二

戰 戲

㊎ 令簋 戎角鼎 遇甗 善鼎 貞簋

戰，金文作戲，小篆作戰。《說文》：「戰，鬭也。从戈，單聲。」商承祚曰：「戰魏三字石經之古文作𢧐，與此同隸古定尚書牧誓作戰，亦从嘼。上虞羅師云甲骨文獸即狩獵一字，从單，古者以田狩習戰陳，故字从戰省。以犬助田狩，故字从犬。此銘戰从嘼者，亦戰爭如獵獸也。」（十二寶五頁楚王酓忎鼎）

㊎ 酓忎鼎 酓忎盤

璽 戰埃司寇

漢印 傅戰司馬印 戰也里 戰欣之印 禁戰 護戰

戲，金文作䖒，小篆作戲。《說文》：「戲，三軍之偏也。一曰：兵也。从戈，䖒聲。」銘文有的作國名，如「乍戲𨻰𩜁」（戲卣）。《史記．項羽本紀》：「諸侯罷戲下，各就國。」顏注：「戲，軍之旌旗也。」

㊎ 戲伯鬲 豆閉簋 仲𡢁父鬲 戲卣 戲甗

或

璽：宗戲　圓戲　戲口　王戲　王戲

漢印：戲水之印　楊戲之印

或，甲文作 ，金文作 ，小篆作 。《說文》：「或，邦也。从口从戈，以守一，一，地也。域，或或从土。」孫海波曰：「口象城形，从戈以守之，國之義也。古國皆訓城。」（考古三期六十頁）銘文用作國或域，如「伐東或（國）」（明公簋）、「康能三（四）或（域）」（毛公鼎）。

甲：鐵一一七三　前二·六·五　後下三八·六　後下三九·六　戩三三·十三

金：舀鼎　矢簋　諫簋　毛公鼎　明公簋

漢印：高或私印

漢金：建武泉范

𢦏 武 武

𢦏，甲文作𢦏，金文作𢦏，小篆作𢦏。《說文》：「𢦏，傷也。从戈，才聲。」董彥堂曰：「𢦏字从戈从中，戈乃兵刃，足以傷人，又加中聲為之，當為巛之後起字。」（安陽發掘報告一九一頁）李孝定曰：「契文火災字作𡿧，水巛字作巛，兵𢦏字作𢦏，然每通用無別。」（甲骨文集釋）銘文有的用為哉，如「烏虖哀𢦏」（禹鼎）。

（甲） 𢦏 鐵一·二　𢦏 拾四·十四　𢦏 後上·十四·十三　𢦏 菁二　𢦏 戩一·九

（金） 𢦏 𢦏弔鼎　𢦏 𢦏弔鬲　𢦏 禹比盨　𢦏 禹鼎　𢦏 魚鼎匕

（漢印） 𢦏 翁𢦏　𢦏 宿𢦏　𢦏 董樂𢦏　𢦏 臣可𢦏　𢦏 顏𢦏

武，甲文作武，金文作武，小篆作武。《說文》：「武，楚莊王曰：夫武定功戢兵，故止戈為武。」朱芳圃曰：「戈，兵器；止，足趾，所以行走。象揮戈前進也。……武者，伐也，此本義也。廣雅釋詁：武，勇也，又武，健也，引伸之義也。」（釋叢） 卜辭銘文中有的作帝王名，如「武丁」（甲八）、「武王」（盂鼎）。

（甲） 武 鐵六七·四　武 前一·十七·三　武 林二·二五·三　武 甲三九四六　武 乙四三三三

戠 戠

㊎ 大鼎 毛公鼎 欸鐘 芇伯簋 矢簋

璽 王武 武尚都丞 武口口 武闗叡 武闗口鉨

漢印 武陵尉印 武徒府 武猛都尉 武止 王武

鏊 孝武廟鼎 山陽邸鐙 青羊竟 名銅竟 上黨武庫戈

戠，甲文作𢦏，金文作𢦏，小篆作戠。《說文》：「戠，闕。从戈从音。」商承祚曰：「𢦏即戠，别體作𢦏，金文作戠（趩尊）。此其省也。說文：『埴，黏土也。』禹貢：『厥土赤埴墳。』釋文：『埴，鄭作戠。』是埴戠同聲叚借。釋名釋地：『土黃而細密曰埴。』是戠乃黃色也。則卜辭之戠牛（前一·二〇·四）與此之戠，衆皆指色黃而言，與物華同為毛色，意同也。」（佚考）

㊙ 前四·四四 後一·三九·六 京津四三〇一 京津四三〇三 京都二三二六

㊎ 趩簋 免簋二 格伯簋 豆閉簋 朐簋

戔　戉　戉

（璽）

戩

郖戠

戔，甲文作𢦔，小篆作戔。《說文》：「戔，賊也。从二戈。《周書》曰：『戔戔巧言。』」羅振玉曰：「卜辭从二戈相向，當為戰爭之戰，乃戰之初字。兵刃相接，戰之意昭然可見。訓賊者，乃由戰誼引申之。黷武無厭，斯為戔矣。」（增考）卜辭中有的作殘殺義，如「貞勿乎戔𢀛方」（甲二·五十四）；有的作人名，如「癸戔甲翌日小甲」（下一·文八）。

（甲）

前四·三七·五

前六·三六·四

林二·五·十四

乙三七七四

珠一·三七三

戉，甲文作𠍋，金文作戉，小篆作戉。《說文》：「戉，斧也。从戈，乚聲。司馬灋曰：夏執玄戉，殷執白戚，周左杖黃戉，右秉白髦。」戉為象形字，象長柲上有環形刃。銘文中假為國名越，如「隹戉（越）十有九年」（者沪鐘），後世作鉞。

（甲）

鐵二二·二

拾四·十四

前二·十六·二

後上三·一·七

戩十二·四

（金）

戉父癸甗

虢季子白盤

者沪鐘

越王矛

越王劍

我 義

我，甲文作𢦏，金文作我，小篆作我。《說文》：「我，施身自謂也。或說我，頃頓也。从戈从𠂿。𠂿，或說古垂字。一曰古殺字。」朱芳圃曰：「我象長柄而有三齒之器，即錡之初文，原為兵器。」（釋叢）卜辭銘文中借為第一人稱代名詞，如「以祭我皇祖」（欒書缶）。

（甲）

鐵二五三　拾三·十二　後上九·十　菁二　林一·二·八

（金）

我鼎　盂鼎　舀鼎　散盤　毛公鼎

義，甲文作𦍌，金文作義，小篆作義。《說文》：「義，己之威儀也。从我羊。𦍌，墨翟書義从弗。魏郡有𦍌陽鄉，讀若錡，今屬鄴本內黃北二十里。」義在銘文中有的用作儀，如「皇考威義」（虢弔鐘）；有的作人名，如「中義父作新客寶鼎」（仲義父鼎）。

（甲）

甲三四四五　後二·三·五　掇二·四五　掇二·一三二　京都二一四二

（金）

仲義父𬪩　義仲鼎　鄭義羌父𬪩　虢季子白盤　虢弔鐘

璽

口義

高義

王義

萌義

義奴

漢印

鄭義

濁義

魏義

徐義

傅義

漢金

義　水康雁足鐙

義陽是鍾

直，甲文作，小篆作直。《說文》：「直，正見也。从乚，从十，从目。古文直」。甲文从目从丨。丨表視線，由目光直視，引申為曲直之直。典籍中亦通作值。

甲

乙四六七八

前六·七三

續五·六·二

佚五七

掇一·五四九

漢印

執法直二十二

霍印君直

所直

直長兄

閔可直

漢金

新嘉量二

永初鐘

扶侯鐘

上大山竟三

亡，甲文作，金文作，小篆作。《說文》：「亡，逃也。从入从乚」。郭沫若謂：「亡者盲之初文，今人稱為橫隔膜」（金考）周谷城謂：「是入於迟曲隱蔽之處，畏罪逃亡，不敢見人，是亡字的基本意義」。(古史零證) 楊樹達曰：「亡乃刃之別體」。(積微) 林潔明謂「亡為鋒芒之本字」。(金文詁林) 卜辭作有無之亡，如「亡災」(甲一五七二)。後世用作存亡之亡。

(甲) 鐵四·三　餘十·二　拾十·十　菁一·一　戩十四·四

(金) 大豐簋　𢾎伯簋　師望鼎　大保簋　杞伯鼎

(璽) 亡私　正行亡私　正行亡私　正行亡私　亡㝩

(漢印) 長毋相亡

作

作，甲文作乍，金文作乍，小篆作乍。《說文》：「乍，止也。一曰：亡也。从亡从一。」郭沫若曰：「乍乃象人伸腳而坐，有所操作之形，即作之初字。」(金玟) 卜辭中有的用為則，如「我其已(祀)宾乍(則)帝降若；我勿已宾乍帝降不若」(前七·三八·一)；有的用為作，如「囗般貞洹其乍(作)茲邑囚」(叢微地望四七·二)。銘文多用為作，如「伯乍(作)寶尊盂」(伯盂)。

(甲) 鐵八·三　餘七·二　拾十四·二　後下七·十一　林二·十七·十

匃 匄 區

金 乃孫作祖己鼎 孟鼎 毛公鼎 車匃 酓肯鼎

漢金 袁氏乍竟 又三 尚方竟七 至氏竟二

匃，甲文作𠤎，金文作匃，小篆作匃。《說文》：「匃，气也。逯安說亡人為匃。」王筠曰：「借雲气字為气求也，今省作乞。通俗文：求願曰匃。字體從人從亡，言人有亡失，則行求乞也。」（說文句讀）郭沫君曰：「卜辭屢言亡匃，猶言亡害也。與亡尤、亡𢦏同例。」（下通）銘文用為匄。匄，求也，如「用祈匄眉壽永命」（追簋）。

甲 前五.七.六 前七.二十三 後上十七.三 林一.三十.十二 戩十二.九

金 師奎父鼎 頌鼎 克鐘 或者鼎 及季良父壺

漢印 王匃

區，甲文作𠙵，金文作𠥓，小篆作區。《說文》：「區，踦區，藏匿也。从品在匸中。品，眾也。」朱芳圃曰：「區為甌之初文。說文瓦部：甌，小盆也。」「口與區形制全同，由于用途之異

區

匽　匽

分化爲二：大者爲口，用以貯物；小者爲區，用以盛食。」（釋叢）

（甲）　甲五八四　甲一〇五四　寧滬一·三四〇

（金）　子禾子釜

（璽）　區　區夫相鉩

（漢印）　區安世　任區雎　虞區人

匽，金文作匽，小篆作匽。《說文》：「匽，匿也。从匸，妟聲。」銘文中通作燕，國名，如「匽侯作饙盂」（匽侯盂）。戰國金文作郾，秦漢才改作燕。

（金）　匽侯鼎　匽公匜　匽伯匜　克鼎　烁氏壺

（漢印）　匽長安　匽忠之印　臣匽　匽輔之印　王匽

医　匹　匹　匸

医，甲文作[甲文]，小篆作医。《說文》：「医，盛弓弩矢器也。从匸从矢。《國語》曰：兵不解医。」《玉篇》：「医，所以蔽矢也。」卜辭中作地名，如「……田于医往來亡……」（文九）。

甲
前二·二三·二
河九
天九六

璽
信坒医

匹，金文作[金文]，小篆作匹。《說文》：「匹，四丈也。从八匸。八，揲一匹，八亦聲。」林義光曰：「匹象布一匹數揲之形。」（文源）《小爾雅》：「五尺謂之墨，倍墨謂之丈，倍丈謂之端，倍端謂之兩，兩謂之匹。」後借為馬匹之匹，如「馬四匹」（毛公鼎）。

金
𠷎鼎
衛簋
𢻫簋
兮甲盤
無㠱簋

漢印
巨侯萬匹
巨高方匹

匸，甲文作[甲文]，金文作[金文]，小篆作匸。《說文》：「匸，受物之器。象形。……讀若方。[籀文]籀文匸。」卜辭作祭名，如「貞其出匸于囗家其口」（拾一·七）唐蘭認為是祊祭。銘文作人

匚　匡　匡　匜

名，如「匚宁乍父癸彝」（匚宁鼎）。

（甲）

鐵二三六·二

拾五·二·七

後上六·七

後上二七·十二

林一·八·七

（金）

乃孫作且己鼎

匚宁鼎

匡，金文作□，小篆作□。《說文》：「匡，飲器，筥也。从匚，㞷聲。筐，匡或从竹」。銘文作器名，如「叔家父作仲姬匡」（弔家父匡）。方器多曰匡，亦借為匡正之匡。

（金）

尹氏匡

史免匡

弔家父匡

舀鼎

禹鼎

（璽）

長匡

公孫匡

王匡

□匡

（漢印）

史匡之印

襄匡

筐當之印

筐定

筐光私印

匜，金文作□□，小篆作□。《說文》：「匜，似羹魁，柄中有道，可以注水。从匚，也聲」。高鴻縉曰：「字原象匜注水之形。水之流注，二與三無別，以其為皿也，故加皿旁。」以其金

匜 曲 [古文]

（銅）匜也，故加金旁。亦或金皿並加之。東周之時也，始借用為語助詞，小篆以也已借為助詞，乃加匚作匜，於是歧為二字。」（字例）銘文作器名，如「子仲匜」，「蔡侯匜」。

金

子仲匜

弔上匜

大師子大孟姜匜

史頌匜

蔡侯匜

漢金

陳倉成山匜

曲 金文作[古文]，小篆作[古文]。《說文》：「曲，象器曲受物之形。或說曲蠶薄也。……[古文]古文曲。」[古文]與匚匧似，為同類器名。高鴻縉曰：「[古文]為竹器，可為蠶薄，亦可以作濾飯器，字象器形，下頓而上斂。」（字例）後借為曲直之曲。

金

曲父丁爵

漢印

曲成侯尉

曲昭私印

騎部曲將

曲周丞印

曲鐃

漢金

曲成家高錠

曲成家行鐙

甾 由 弓 弓

甾，即由字。甲文作由，金文作由，小篆作甾。《說文》：「甾，東楚名缶曰甾，象形。……由，古文。」唐蘭曰：「卜辭借甾為西，應收卜辭之西為甾之本字。」（考古四期．釋方之名）亦有作地名，如「田甾」（前二．三八．二）。銘文中作器名，如「子陵口之孫口口口口行甾」（子陵鼎）。容庚曰：「行甾乃鼎之別名。」（金文編）尚方竟中「浮由天下」假為游。

（甲） 由 前二．三八．一　由 前二．三八．二　由 甲三六九〇　由 粹二九〇　由 河一二〇

（金） 由 子陵鼎

（漢印） 由 李由之印　由 汝由之印　由 時由

（漢金） 由 元始鈁　由 尚方竟十

弓，甲文作弓，金文作弓，小篆作弓。《說文》：「弓，以近窮遠，象形。古者揮作弓。《周禮》六弓：王弓、弧弓，以射甲革甚質。夾弓、庾弓，以射干侯鳥獸。唐弓、大弓，以授學射者。」高鴻縉曰：「按弓字象形，其上一橫為弓柄，弭也，而甲文皆象弓張之形，有弦。金文漸變去其弦，小篆隸楷俱从無弦之弓。」（字例）卜辭多作人名，如「貞弓芻勿

口詩」(乙二一九・四五)。銘文除作人名外，作器名，如「弓矢」(豆閉簋)。

甲

前五七・二

後下十三・十五

後下三十四

菁十一・二

林一七・四

金

弓父庚卣

弓衛且己爵

靜卣

趞曹鼎

豆閉簋

璽

弓襄

漢印

弓咸

弓長君

弓加之印

盧弄弓

彊 彊

彊，甲文作彊，金文作彊，小篆作彊。《說文》：「彊，弓有力也。从弓，畺聲。」段注：「引申為凡有力之稱。又叚為彊迫之彊。」銘文用作疆，如「頌其萬年眉壽無疆」(頌簋)。

甲

後二・四七

金

頌簋

弘

璽

莫邑彊　彊涓　文祏酉彊司寇　石臧彊司寇　成彊

漢印

郝彊　魏彊　賈彊　臣彊　耿彊

篆

彊　元延乘輿鼎

弘，甲文作𢎘，金文作𢏳。高明《古文字類編》釋為引。小篆作弘。《說文》：「弘，弓聲也。从弓，厶聲。」徐中舒曰：「象弛弓有臂形。……當為弩之本字。」（集刊第四本弋射與弩之溯原及關於此類名物之考釋）卜辭銘文多作人名，如「貞勿令弘」（前五．一五．三）、「責弘作尊彝」（責弘觥）。後用作大意，如「含弘光大」（易坤）。

甲

鐵五九．一　前二．三三．二　前五．八．五　後上十八．七　存下二二九

金

責弘觥　師旂鼎　守簋　毛公鼎　頌鼎

漢印

瀆弘之印　徐弘私印　成弘私印　高弘　視弘之印

弜　系　孫

弜，甲文作弜，金文作弜，小篆作弜。《說文》：「弜，彊也。从二弓。」用二弓之力表彊意。卜辭多用為否定詞，與弗、勿同意，如「弜用牝」（外六·七）。銘文作人名，如「㠱弜父丁」（弜父丁觶）。

甲

鐵九六·二

拾一·十

後上十五

林一·九二

戩四·六

金

𩍙簋

父乙爵

弜父丁觶

系，甲文作系，金文作系，小篆作系。《說文》：「系，繫也。从糸丿聲。……𦃃，系或从毄處。𦅻，籀文系，从爪絲。」字象手持相聯之絲形。小篆「丿」由爪省，非聲符。卜辭中有的作方國名，如「令戈𢆶」（前五·三六·六）。銘文中作人名，如「小臣系卣」（戕系爵）。

甲

鐵二·三

拾二·十四

前五·三六·六

後上六·十四

林二·十二·十

金

小臣系卣

戕系爵

孫，甲文作孫，金文作孫，小篆作孫。《說文》：「孫，子之子曰孫。从子从系。系，續也。」卜辭銘文作子孫之孫，如「囗多子孫囗田」（後下十四·七）、「子子孫孫其永寶」（㠱鼎）。

孫

甲

前七·十五·三

後下十四·七

後下三·七

甲二〇〇一

京津四七六八

金

乃孫作且己鼎

己侯簋

大鼎

虢季子白盤

曶鼎

璽

孫墜

正孫口鉨

孫退

孫口

孫雩

漢印

孫子夫

公孫少孺

公孫慶印

長孫橫印

責長孫

漢金

初平五年洗

宜子孫洗

蜀大吉利洗

大吉利尉斗

永初鍾

常用古文字字典卷十三

糸，甲文作 ，金文作 ，小篆作 。《說文》：「糸，細絲也。象束絲之形。……讀若覛。 古文糸。」羅振玉曰：「說文解字糸古文作 ，此與許書篆文合。 象束餘之緒，或在上端，或在下端，無定形。」（增考）卜辭云：「不雨，乙幺雨少」（粹八一六）。郭沫若認為「幺雨」是「細雨」「微雨」，俗稱「毛毛雨」（粹考）。卜辭銘文還作人名，如「子糸爵」。

甲 粹八一六 乙六七三三 京津四四八七 鄴典一〇〇 乙一一二四

金 子糸爵 糸父壬爵 子 父癸鼎

漢印 陳糸 鄀糸 張糸幽

純，金文作 ，小篆作 。《說文》：「純，絲也。从糸，屯聲。《論語》曰：今也純儉。」銘文假屯為純，如「錫女玄衣黹屯」（頌簋）。《易》曰：「不襍曰純。」

金 頌簋 陳猷釜 中山王方壺

經　經　織　織　紀

漢印

梁純印信

尤純私印

金

虢季子白盤

齊陳曼簠

漢印

楨經君印

楊經私印

經，金文作經，小篆作經。《說文》：「經，織也。从糸，巠聲。」段注：「古謂橫直為衡從。」《大戴禮》曰：「南北曰經，東西曰緯。」銘文有「經雒四方」（虢季子白盤）。

織，金文作戠，小篆作織。《說文》：「織，作布帛之總名也。从糸，戠聲。」段注：「經與緯相成曰織。古段為識字。如詩之織文徽識也。」銘文用戠為織，如「易（錫）戠（織）衣」（免簋）。

金

免簋

漢印

織室令印

紀，金文作己，小篆作紀。《說文》：「紀，絲別也。从糸，己聲。」《禮器》曰：「紀散而眾亂。」注曰：「紀，絲縷之數有紀。」銘文以己為紀，姜姓，如「己侯貉子分己姜寶」（紀侯貉子簋）。引申作紀

紀　絕　𢇍　繼

綱、紀律、紀年單位，通作記，如「紀錄」。通作基，基礎，如「有紀有堂」（詩.終南）。

（金）

己　紀侯貉子簋

己　紀華父鼎

（漢印）

紀　趙紀之印

紀　紀於次

紀　紀貫之印

紀　紀句含

紀　紀鳳

（漢鑒）

紀　青蓋竟

紀　桼言之始竟

紀　桼言之紀竟

紀　又二

絕，金文作𢇍，小篆作絕。《說文》「絕，斷絲也。从糸、从刀从卩。𢇍，古文絕。象不連體，絕二絲。」金文正與古文同。字象用刀割斷絲。

（金）

𢇍　中山王方壺

（漢鑒）

絕　精白竟

絕　劉氏竟

繼，金文作𢆶，小篆作繼。《說文》「繼，續也。从糸𢇍。一曰，反𢇍為繼。」如銘文「𢆶（繼）毋星用祀」（柏敦蓋）。

繼 續 續 紹 紹

（金）繼 柏敦蓋

續，甲文作[甲文字形]，小篆作續。《說文》：「續，連也。从糸，賣聲。賡古文續，从庚貝。」甲文从庚貝，正與古文同。《爾雅·釋詁》：「賡，續也。」

（甲）[甲文字形] 後下二一·十五

（漢印）續 王續私印　續 楊續世　續 續平　賡 臣續　續 續晉之印

（漢金）續 尹續有盤

紹，金文作𦀌，小篆作紹。《說文》：「紹，繼也。从糸，召聲。一曰：紹，緊糾也。𦀌古文紹，从邵。」林義光曰：「與昭形近。刀聲猶召聲也。」𦀌盖與紹同字，相承誤用為斷𢇍之𢇍。（文源）商承祚曰：「𦀌即紹。說文紹之古文作𦀌，魏三體石經之古文作𦀌，亦即邵字，通昭。𦾔氏羌鐘作𥚻。」（十二家·楚王酓志盤）典籍多作繼承意，如「紹復先王之大業。」（書·盤庚）亦引申作「介紹」。

終

金　酓志盤

璽　周紹 　事紹 　旂紹 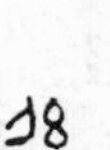　旂紹　閒紹

終，甲文作ᐱ，金文作ᐱ，小篆作終。《說文》：「終，絿絲也。从糸，冬聲。ᐱ古文終。」高鴻縉曰：「ᐱ原象繩端終結之形。（殆即結繩之遺）故託以寄終結之意。動詞，亦狀詞。周時秋冬之冬，從之得聲，作冬，从仌（冰）ᐱ聲。後人又造終字，从糸，冬聲。而ᐱ字遂廢。許書以ᐱ為古文終，蓋ᐱ至周末變為ᐱ也。又以終為絿絲，當為借用之意，非本意也。」（字例）

銘文作極，盡意，如「帝無終于有周」（井侯簋）。

甲　鐵五七三 　拾七八 　前四·三一·七　菁六·一 　林一·十四·十三

金　井侯簋 　遣甗　頌鼎 　頌簋 　井人鐘

漢印　陽成終印 　彭終根 　肥終 　李終私印 　段合終

綠 緆 組 組 縈 縈

綠，甲文作𦃃，小篆作緆。《說文》：「綠，帛青黃色也。从糸，彔聲。」

(甲) 𦃃 河八〇〇

組，金文作組，小篆作組。《說文》：「組，綬屬。其小者以爲冕纓。从糸，且聲」。綬系印之絲帶。銘文中有的作人名，如「虢季氏子組作寶壺」（虢季氏子組壺）。

(金) 組 師寰簋 組 虢季氏子組壺 組 虢季氏子組簋

(漢) 組 銅華竟 組 又二

縈，金文作縈，小篆作縈。《說文》：「縈，收韏也。从糸，熒省聲。」王筠曰：「桜手部捲，一曰捲收也。卽此收卷也。通俗文，收績曰縈。」（說文句讀）銘文作人名，如「齊縈姬盤」。

(金) 縈 齊縈姬盤 縈 縈伯簋

(璽) 縈 韓縈 縈 肖縈 縈 陽城縈 縈 肖縈

維 綏

維，金文作，小篆作維。《說文》：「維，車蓋維也。从糸，隹聲」。銘文曰：「經維四方」（虢季子白盤）。楊樹達曰：「經謂經營，維謂規度，猶詩江漢云經營四方也」。（積微一四八頁）

金

虢季子白盤

璽

維口口之鉨

綏，甲文作，金文作，小篆作。《說文》：「綏，車中把也。从糸从妥」。甲金文不从糸，皆以妥為綏。《爾雅·釋詁》：「綏，安也」。如銘文「永妥多福」（蔡姞簋）。

甲

前五·一九·二

金

蔡姞簋

璽

宋綏

漢印

綏仁國尉

綏平集卿

綏民長印

彝

漢

綏和雁足鐙

綏和鋗

彝，甲文作　，金文作　，小篆作　。《說文》：「彝，宗廟常器也。从糸。糸，綦也。廾持米，器中實也，彑聲。此與爵相似。《周禮》六彝：雞彝、鳥彝、黃彝、虎彝、蟲彝、斝彝，以待祼將之禮。　、　皆古文彝。」劉節曰：「最初的彝是拿實物來作的，所以甲骨文裏是从兩手執着鳥形。後來到了周朝，是成為飄揚欲動的徽幟了。在幟的上面，畫一亞形，也有不用亞形的，在亞形之中，則繪一作該族圖騰的物。再後來花樣更多了，把該氏的圖騰刻在宗廟所用的禮器上，則名之曰尊彝。」（致存）卜辭中有的作地名，如「……在雇彝」（前二六·六）。銘文中多作器名，如「𢀛魚作寶尊彝」（𢀛魚鼎）。

甲

前二·六·六

前五·二·三

後上十·十六

下七·四

金

華卣

伯矩簋

亥簋

史見卣

卯簋

璽

武彝

絲　𢇍　率

絲，甲文作𢇁，金文作絲，小篆作絲。《說文》：「絲，蠶所吐也。从二糸。」字象二束絲形。卜辭銘文中有時用作茲，如「甲子卜出貞絲（茲）雨非禍」（簠徵天象三八）、「曶用絲（茲）金作朕文孝（考）穿白（伯）䵼牛鼎」（曶鼎）。有時作方國名，如「上絲」（後二、八、七）。

（甲）
𢇁 後下八、七
𢇁 下八、八
𢇁 通別二、五三
𢇁 燕五一
𢇁 簠天三八

（金）
絲 曶鼎
絲 辛伯鼎
絲 守宮盤

（璽）
絲 閭絲

（漢印）
絲 封絲私印
絲 李絲
絲 曹絲

（漢金）
絲 銅華竟
絲 又二
絲 又三
糸 又四省文

率，甲文作𠦬、𠦬，金文作𠦬、𠦬，小篆作𠦬。《說文》：「率，捕鳥畢也。象絲罔，上下其竿柄也。」陳鐵凡曰：「宋育仁遂以為索率一字。略謂索篆作𦃃，八即八之變，上下為木十之譌。」—

率　　虫　　□

此則較之徐氏又進一步。甲骨文率作□，盂鼎作□，皆似索形，并上下糾其兩無之，……□——見毛公鼎」，此由□字孳乳，亦衍為□。」(中國文字廿六冊) 卜辭中作祭名，如「率牛」(前六·三三·六)。

甲

□ 鐵一六十·三

□ 前一·十一·五

□ 前二·四三·三

□ 林二·五·十

□ 戩四·一

金

□ 盂鼎

□ 毛公鼎

璽

□ 衛(率)口角

□ 率口口

□ 率口謹

□ 率口生駽

□ 率口琣

漢印

□ 率口之印

□ 豫章南昌連率

□ 漢保塞烏桓率眾長

□ 魏率善氐佰長

虫，甲文作□，金文作□，小篆作□。《說文》：「虫，一名蝮，博三寸，首大如擘指，象其臥形，物之微細，或行，或毛，或蠃，或介，或鱗，以虫為象。」與它同字，象蛇形。羅振玉曰：「卜辭諸字皆象博首而宛身之狀。」(增考)

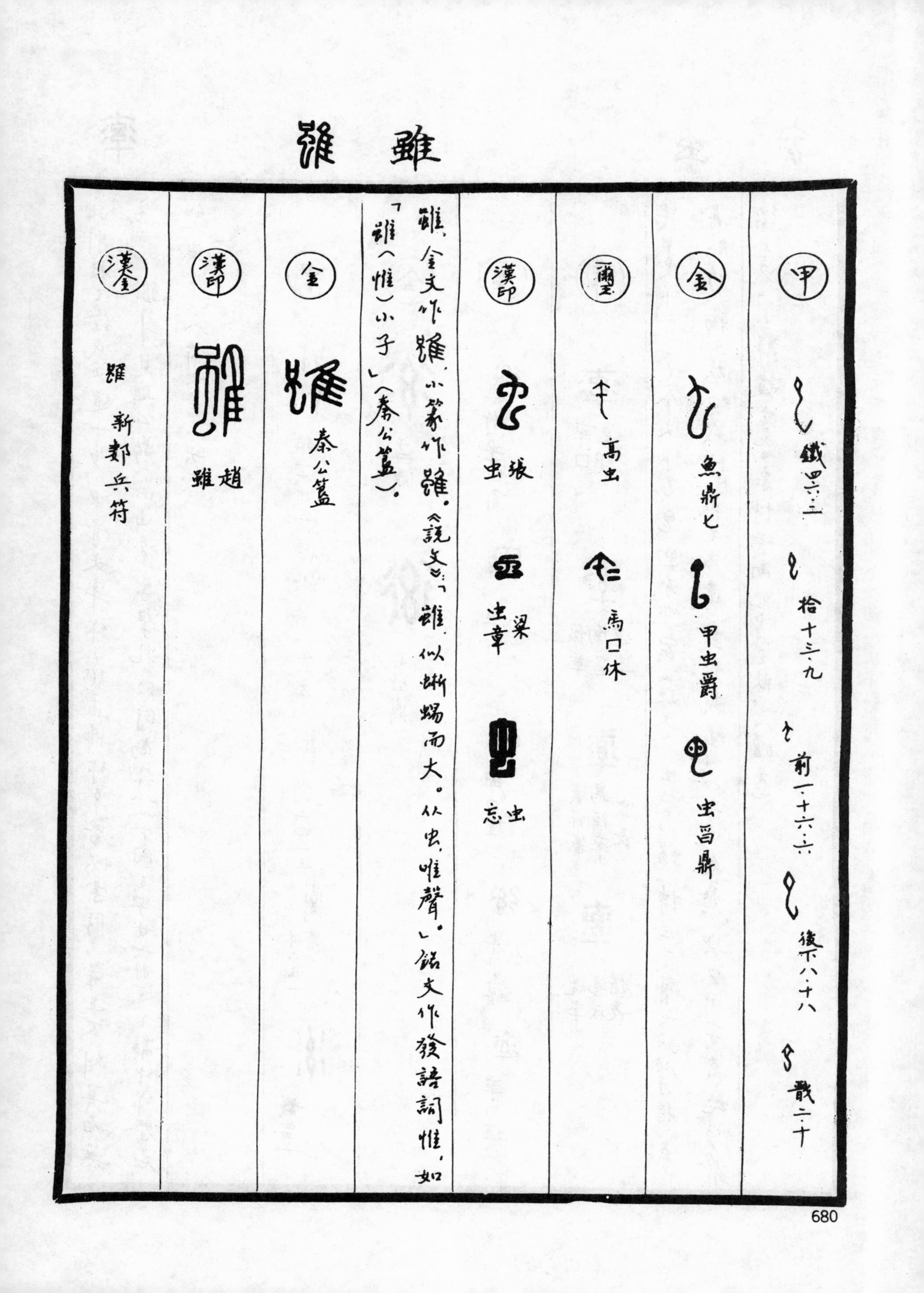

雖 雖

甲 鐵四六・三 拾十三・九 前一・十六・六 後下八・十八 戩二・十

金 魚鼎匕 甲虫爵 虫晉鼎

璽 高虫 馬口休

漢印 張虫 梁虫章 虫忘

雖，金文作雖，小篆作雖。《說文》：「雖，似蜥蜴而大。从虫，唯聲。」銘文作發語詞惟，如「雖（惟）小子」（秦公簋）。

金 秦公簋

漢印 趙雖

漢金 新郪兵符 雖

蜀　虹

蜀，甲文作□，金文作□。《說文》：「蜀，葵中蠶也。从虫，上目象蜀頭形，中象其身蜎蜎。《詩》曰：蜎蜎者蜀。」卜辭作地名，如「癸子卜貞……在蜀」（庫九九三）。

（甲）

鐵五三

前一·五一·六

後上九·七

下三十·十

林六·三十·六

（金）

班毀

（漢印）

蜀郡都尉章

蜀郡太守章

李蜀之印

程憙蜀印

王蜀私印

（漢金）

蜀大吉利洗

蜀郡董是洗

蜀郡嚴氏洗

二年酒鋗

熹平三年竟

虹，甲文作□，小篆作□。《說文》：「虹，螮蝀也。狀似蟲。从虫，工聲。明堂月令曰：虹始見。蜺，籀文虹，从申。申，電也。」于省吾曰：「甲骨文以有希（祟）與出虹連文，以為虹能作禍祟。又視虹為有生機之物而能飲。均可與典籍相發明。虹之形與杠梁、玉璜頗相類，均可以證成□為虹之象形初文。商代晚期金文則以形聲字之虹或虹代之，後此則虹行而□廢，世人尤不知其本作□矣。」（釋林）

蚰 風

（甲）

前七·七·二

菁四·二

簠雜一〇九

珠四五二

前七·四三·三

蚰，甲文作𧈧，金文作𧈧，小篆作𧖅。《說文》：「蚰，蟲之總名也。从二虫。……讀若昆。」卜辭中作人名，如「𢀛于蚰」（前四·五三）。陳邦福認為蚰即湯左相仲虺。（說存）

（甲）

前四·五二·四

前四·五五·二

後上九·十一

上二三·十五

林一·七·十六

（金）

魚鼎匕

風，甲文借凡、鳳、𪇰為風，作凡、𪇰、𪇰。小篆作風。《說文》：「風，八風也。東方曰明庶風，東南曰清明風，南方曰景風，西南曰涼風，西方曰閶闔風，西北曰不周風，北方曰廣莫風，東北曰融風。風動蟲生，故蟲八日而化。从虫，凡聲。……𠙊古文風。」

（甲）

餘七·二

拾七·九

甲三九一八

（漢金）

秋風起竟

張氏竟

龍氏竟二

刈氏竟

騶氏竟

它 它 龜

它，甲文作[甲文字形]，金文作[金文字形]，小篆作[小篆字形]。《說文》「它，虫也。从虫而長。象冤曲垂尾形。上古艸居患它，故相問無它乎。……蛇，它或从虫。」羅振玉曰：「卜辭中从止（即足也）下它或增从彳。其文皆曰『亡𧊒』或曰『不𧊒』，殆即它字。上古相問以無它，故卜辭中凡貞祭於先祖，尚用不它亡它之遺言，殆相沿以為無事故之通稱矣（卜辭中亦單稱它則當是有故不可以祭矣）又案：它與虫殆為一字，後人誤析為二，又并二字而為蛇，尤重複無理。許君於虫部外別立它部，不免沿其誤矣。」（增考）

（甲）
鐵六·三
前一·十一·五
後上二·十
林一·二·八
戩四·四

（金）
芇伯簋
沈子它簋
甫人匜
弔碩父匜
鳧弔匜

（漢印）
戰它里
祭它私印
張它私印
陳它私印
黃它

（漢金）
虵
《說文》「或从虫」
龍蛇辟兵鉤

龜，甲文作[甲文字形]，金文作[金文字形]，小篆作[小篆字形]。《說文》「龜，舊也。外骨內肉者也。从它，龜頭與它頭同，天地之性，廣肩無雄，龜鼇之類，以它為雄，象足甲尾之形。……[古文字形]古文龜。」甲金

龜　黽　黽

文字象正面或側面的龜形，皆昂首被甲短尾。卜辭中有的用其本義，如「用龜一月」（前四·五四·六）。有的作地名，如「……田从戴至于龜獲羌」（前七·二·四）。

甲

餘十七·三

前四·五四·三

前四·五四·七

前六·五十八

前四·五六·二

金

龜父丙鼎

漢印

龜洛長印

黽，甲文作[甲文]，小篆作黽。《說文》：「黽，鼃黽也。从它，象形。黽頭與它頭同。……䵶，籀文黽。」字象昆蟲伸鉤爪之形。卜辭中有的作人名，如「黽死」（甲一一六一）。卜辭中常見成語有「不幺黽」（甲二二四一）。陳邦福釋為「不告黽」，「不告黽」者或「不牿殊」，「不牿殊」之音段，猶云「不乖殊」也。又卜辭「不告黽」多與「宏吉」「上吉」連文，正卜之曰「吉事不乖殊也」（辨疑）

甲

甲一一六一

鐵二三·二

前六·二四·三

佚七二四

燕一五六

漢印

黽印初宮

范黽

二　二　亟　亟

二。甲文作二，金文作二，小篆作二。《說文》：「二，地之數也。从偶一。……弍，古文。」甲金文一二三四，作一二三亖，積畫為數，為指事字。

甲　二 拾一·六　二 前一·十六·五　二 後上二七·四　二 青三·一　二 林一·七·十九

金　二 我鼎　二 盂鼎　二 曶鼎　二 散盤　二 秦公簋

漢印　二 執法直二十二

漢金　二 上林鼎二　二 南皮侯家鼎　二 十二鈁　二 平陽甗　弍 光和斛二

亟。甲文作亟，金文作亟，小篆作亟。《說文》：「亟，敏疾也。从人从口从又从二。二，天地也。」于省吾曰：「亟即亟之初文也。按毛伯班簋『作四方亟』，亟作亟，較契文上多一橫畫。如正之作正，亦作正，是其證。毛公鼎亟作亟，从攴與从又一也，已開小篆先河。亟古極字，亟又為亟之初文，中从人而上下有二橫畫，上極於頂，下極於踵，而極之本義昭然可觀矣。」（駢三）

甲　亟 前四·四六·三　亟 掇一·三三五反　亟 簠雜一三〇

恒

金　毛公鼎　伯𣳲其盨　曾大保盆

漢金　與天無亟竟　熹平三年竟　張氏竟　騶氏竟

恒，甲文作𠄨，金文作𢛳，小篆作恒。《說文》：「恒，常也。从心从舟，在二之間上下。心以舟施，恒也。𠄨古文恒从月。《詩》曰：如月之恒。」王國維曰：「古从月之字，後或變而从舟，殷虛卜辭朝莫之朝作𦩍，从日月在茻間，與莫字从日在茻間同意，而篆文作𣌃，不从月而从舟。以此例之，𠄨本當作𠄨，智鼎有𢛳字，从心从𠄨，與篆文之恒从舟者同，即𠄨之初字。卜辭其作𠄨者，詩小雅曰如月之恒，毛傳：恒，弦也。弦本弓上物，故字又从弓。然則𠄨𠄨二字確為恒字。」（觀堂集林）卜辭中有的作殷先祖之名，如「貞㞢于王恒」（藏一九九）。

甲　鐵一九九三　前七．十一．二　後上九．十　下七．七

金　晉鼎

璽　恒昌

[glyph] 亘 凡 [glyph]

漢印

[glyph] 恒宮之印

[glyph] 恒參

亘，甲文作[glyph]、[glyph]，小篆作亘。《說文》：「亘，求亘也。从二从回。回古文回，象亘回形，上下所求物也。」孫詒讓曰：「此[glyph]即亘形之省，[glyph]又省一，即回古文也。金文从亘字如宣字作[glyph]（虢季子白盤），䞨字作[glyph][glyph]（陳侯因資敦、虢季子白盤），洹字作[glyph][glyph]（齊侯壺），並从[glyph]而互有增省。䞨首䞨作[glyph]，則省作半形，與此形尤近也。」（舉例上）卜辭中有的作方名，如「甲申卜貞[glyph]及亘方」（綜圖二二·四）。

甲

[glyph] 鐵六·四

[glyph] 拾十·十四

[glyph] 前一·四·二

[glyph] 林一·六·八

[glyph] 戩三·五·四

凡，甲文作[glyph]，金文作[glyph]，小篆作[glyph]。《說文》：「凡，最括也。从二，二，偶也。从乃，乃，古文及字。」郭沫若曰：「[glyph]乃凡字，槃之初文也。象形。前片作[glyph]，即後來之般字，字當作[glyph]，譌變而从舟从殳。而柘槃字乃益之以木，均槃繁文也。」（卜通）卜辭中有的作祭名，如「凡父乙」（丙三〇）。有的作地名，如「在凡」（粹九六〇）。有的作人名，如「凡庚」（前一·一六·四）。有的用為風，如「貞不其征凡」（藏一二〇·二）。銘文用為最括意，如「凡十又五夫」（散盤）。

土 土

甲

鐵一六三·一

餘十六·三

拾七·十一

林二·三·四

戩四·六·三

金

散盤

散盤

大豐簋

昌鼎

禹比盨

漢印

凡音之印

凡臧

凡得

漢金

新鄭兵符

土，甲文作，金文作土，小篆作土。《說文》：「土，地之吐生物者也。二象地之下，地之中，物出形也。」高鴻縉曰：「甲文殆象土塊形，一則地之通象也。土本為地初文。不以一表之者，嫌於一二之一也；不以表之者，徒土塊不足以賅地也。土塊作者，羅振玉曰：『契刻不能作粗筆，故而匡郭也。』隸篆又由粗筆變橫直矣。」（字例）卜辭有的段作社，如「貞：尞于土」（鐵二二八）。有的作方名，如「土方」（粹一一〇七）。銘文中有的用作徒，如「令免作𤔲土（司徒）」（免簋）。有的用其本義，如「疆土」（盂鼎）。

甲

鐵十四·三

拾一·二

菁一·二

林一·二七·十一

戩十二·十三

堣 堣 塍 塍

(金) 盂鼎　亳鼎　朐簋　散盤　㝬鐘

(璽) 口生土　土信　土口　土目　登土

(漢印) 莊青土　應土　買土　王土餘印　土霸私印

(漢金) 蘄嘉量　又二　土軍侯高燭豆

堣，金文作𡏳，小篆作堣。《說文》：「堣，堣夷，在冀州陽谷。立春日，日值之而出。从土，禺聲。《尚書》曰：宅堣夷。」𡏳城陽之象形，禺為聲符。𡏳篆隸改作土，成堣字。

(金) 史頌簋　史頌鼎

塍，金文作䑹，小篆作塍。《說文》：「塍，稻田中畦也。」从土，朕聲。銘文假借為賸，賸，贈送也。如「𥄕白（伯）塍（賸）𧊒尹母𤕯般」（𥄕伯盤）。

(金) 郳伯作塍鬲　𡨦侯簋　𥄕伯盤　伯侯父盤　王中嬀簠

基　堵

基，甲文作，金文作，小篆作基。《說文》：「基，牆始也。从土，其聲。」銘文假借為期，如「其釁壽無基（期）」（子璋鐘）。

甲　戩四·二五　拾四·七

金　子璋鐘　子璋鐘

漢印　弓基印信

堵，金文作或，小篆作。《說文》：「堵，垣也。五版為一堵。从土，者聲。籀文从𦫵。」《周禮·小胥》：「凡縣鐘磬半為堵，全為肆。」銘文如「鑄（鑄）辝（予）龢鐘二堵」（邾公牼鐘）。

金　部鐘　邾公牼鐘

璽　堵城河丞

在 㙊

漢印
堵陽左尉
堵輔之印

漢金
嘉至搖鐘

在，甲文作 中，金文作 中 或 㙊，小篆作 㙊，《說文》：「在，存也。从土，才聲」。甲金文多以才為在，如「……卜才（在）高貞王步于……亡災」（續三·三一·一○）；「王才（在）宗周令盂」（盂鼎）。

甲
甲二四

金
盂鼎
盂鼎
盂鼎
㸚氏壺

璽
旗在
昌在
昌在
旗在
旗在

漢印
馬在之印
杜在在
在弱公
張在戍
馬在之印

漢金
陽陵兵符
新嘉量二
光和七年洗
上廣車飾
龍氏竟

坒 坒 封 封

坒，金文作[glyph]，小篆作坒。《說文》：「坒，地相次比也。衛大夫貞子名坒。从土，比聲。」坒即陛之初文。陛，升高階也，即土地之相比次者。

㊎ [glyph] 王作臣坒簋　[glyph] 坒卣　[glyph] 坒角

封，甲文作[glyph]，金文作丰或[glyph]，小篆作封。《說文》：「封，爵諸侯之土也。从之从土从寸。守其制度也。公侯百里，伯七十里，子男五十里。𡉚古文封省。[glyph]籀文从丰。」郭沫若曰：「太古之民多利用自然林木以為族與族間之畛域。封之初字即丰。周金有康侯丰作寶鼎，即武王弟康叔封，亦即許書說『艸盛丰丰』之丰，與『古文封省』之𡉚，如毛公鼎二邦字作[glyph]，即丰𡉚為一之證。丰即以林木為界之象形，𡉚乃形聲字，从土丰聲。从土即起土界之意矣。以林木為界之事，散氏盤銘優可徵考，……」（甲研）

㊙甲 [glyph] 京津四四九九

㊎ [glyph] 康侯丰鼎　[glyph] 召伯簋　[glyph] 伊簋

璽 [glyph] 軒封　[glyph] 封孱　[glyph] 長封

城 城 圣

漢印

開封亭侯

封口之印

第八封完

馮封私印

封多牛

漢金

雒陽武庫鐘

開封行鐙

城，金文作𩫨，小篆作城。《說文》「城，以盛民也。从土从成，成亦聲。𩫨，籀文城从𩫏。」金文𩫨與籀文同。𩰫羌鐘城作𡎺，與小篆近同。銘文有的用其本義城郭，如「長城」（𩰫羌鐘）。有的作人名，如「城虢遣生作旅毀」（城虢遣生簋）。

金

元年師兌簋

城虢遣生簋

居簋

散盤

𩰫羌鐘

璽

增城發弩

陽城鈚

陽城口

泃城

龍城口鉨

漢印

彭城丞印

昭城門候印

尊寵里附城

斳城

城平令印

圣，甲文作㘱，象兩手在土上有所作為。小篆作圣。《說文》「圣，汝潁之間，謂致力於地曰圣。从土从又，讀若兔窟。」楊樹達曰：「圣，說文讀若兔鹿窟之窟，實掘或搰之初文，圣

圣　坏　圭　圭

圣即掘礦，亦即今語之挖礦也。(求義) 挖掘與許訓致力於地義近同。鉩文怪當即圣字。

甲

粹一三二

粹一三三

粹一三二三

粹一五四四

京都二三六三

璽

戀成怪

陽陰(陰)都之门君怪

庶口怪

宮窩怪守

陽口怪

漢印

圣　高

坏，金文作𨸏坏，小篆作坏。《說文》「坏，丘再成者也。一曰瓦未燒。从土，不聲。」按字亦作坯、岯、𨸏、𨺅。銘文作地名，如「才(在)坏」(咢侯鼎)，坏即今之成皋。

金

競卣

咢侯鼎

秦公簋

圭，金文作圭，小篆作圭。《說文》「圭，瑞玉也。上圜下方。公執桓圭，九寸。侯執信圭，伯執躬圭，皆七寸。子執穀璧，男執蒲璧，皆五寸。圭以封諸侯。从重土。楚爵有執圭。珪，古文圭从玉。」銘文用其本義，如「王乎宰利易(錫)遷瑂圭一，璪章(璋)三(四)」(師遽方彝)。

堯　堯　堇　堇

㊎
圭　師遽方彝
土土　召伯簋
土土　毛公鼎

堯，甲文作𡉈，小篆作堯。《說文》：「堯，高也。从垚，在兀上。高遠也。𡉏古文堯。」甲文从土，从兀。與堯之古文近同。

㊙甲
後下三二·十六

璽
堯□□鉨

漢印
刀堯之印
石堯
敬堯私印

堇，甲文作𡆠，金文作𡎸，小篆作堇。《說文》：「堇，黏土也。从土从黄省。……𡎸𡏁皆古文堇。」甲金文字象人立火之上。卜辭中可用為饉，如「降我堇」（佚文六四）。銘文有的作人名，如「堇白作肇尊彝」（堇伯鼎）。有的用為瑾，如「反入（返納）堇章（瑾璋）」（頌鼎）。有的用為勤，如「王肇適省文武堇（勤）疆土」（㝬鐘）。

甲
鐵十七·二
鐵一五九·三
前三·二四·四
後下十八·一
下二四·三

艱 艱　　里 里

㊎

堇伯鼎

召伯簋二

𠭯鐘

毛公鼎

齊侯壺

艱，甲文作𡆥，金文作𩠉，小篆作𩠉。《說文》：「艱，土難治也。从堇，艮聲。𡓫，籀文艱从喜。」甲金文艱从喜从堇，與說文籀文同。卜辭銘文中用為艱難之義，如「又(有)來艱」（後上三十·三），「我車陷于艱」（不𡢁簋）。

㊥

前三十六·三

前五四·一

後上三十·三

上三十·四

戩二六·十一

㊎

毛公鼎

毛公鼎

不𡢁簋

里，金文作里，小篆作里。《說文》：「里，居也。从田从土。」《尚書·酒誥》：「百姓里居」，當為百官及貴族宗室。王國維謂里居之居為君字之譌。銘文「眔里君」（矢尊）可證王說。銘文又用為量詞，如「五十里」（召卣）。

㊎

矢方彝

召卣

史頌簋

右里啟盨

䩬侯鼎

釐　野

璽：里 口里之鉨　里 安昌里鉨　里 杻里司寇　里 咸鄙里竭　里 顛里典

漢印：里 正行里附城　里 里歆私印　里 彭里

漢金：里 盩厔鼎蓋　里 刖里楊里酒器　里 龍氏竟三

釐，甲文作𠩺，𢼸，通作釐。金文作𤔲，小篆作釐。《說文》：「釐，家福也。从里，𠩺聲。」金文字上部即𠩺字，象以手持杖打麥，收獲儲糧以表有福。銘文有的作「福」義，如「魯多釐眉壽無疆」（秦公簋）。有的作人名，如「釐乍寶齍鼎」（釐鼎）。

甲：𢼸 佚一四七　𢼸 粹五七七　𢼸 後下三三·一

金：釐 師酉簋　釐 善夫克鼎　釐 師兌簋　釐 無㠱簋　釐 釐鼎

野，甲文作𣏟，金文作埜，小篆作野。《說文》：「野，郊外也。从里，予聲。壄，古文野。」从里省，从林。」羅振玉曰：「許書之古文亦當作埜，不从予聲。許於古文下并不言予

野

聲也。今增予者，殆後人傳寫之失。許書字本不誤而為後人寫失者多矣。玉篇埜(林部)、壄(土部)，並注古文野。殆埜為顧氏原文，所見許書尚不誤。壄則宋重修時所增也。」(增考)

甲 前四·三三·五 後下三二 鄴三下·六·四 乙三六〇

金 克鼎 冶盤勺 酓忎鼎

璽 口圣野鉨 東野眯

漢印 新野左尉 野荆 陳野 東郭野 東野忠廣

田

田，甲文作田，金文作田，小篆作田。說文：「田，陳也。樹穀曰田。象四口十阡陌之制也。」本義為田地，如卜辭云「辛未貞今日蓐田」(甲編一九七·八)。亦作動詞田獵，如「辛酉卜貞王田雍，往來無災」(前二·三六·四)。

𤰝 疇

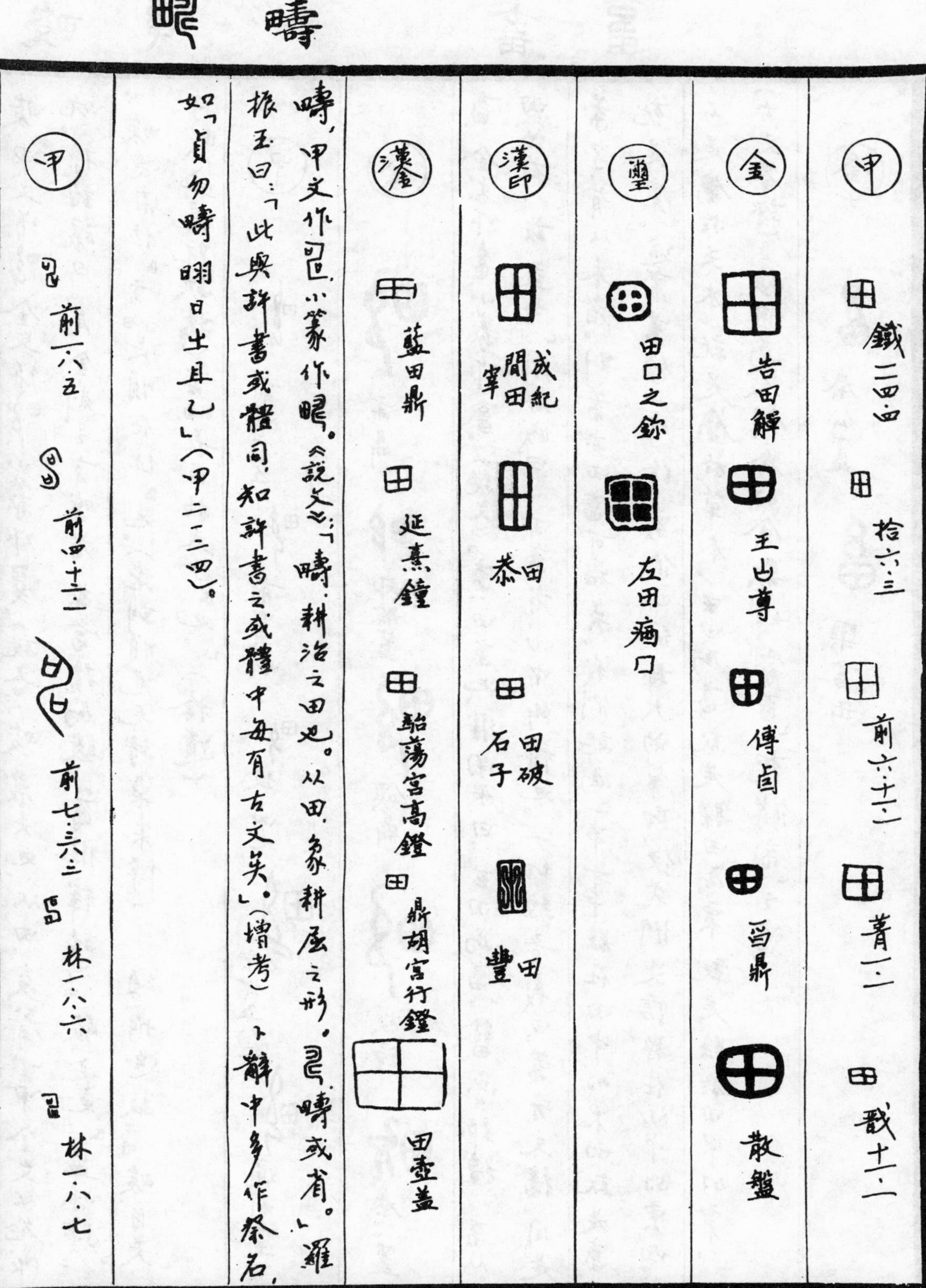

甲 田 鐵二四四 田 拾六.三 田 前六.十二 田 菁一.二 田 戩十.二

金 田 吉田解 田 王山尊 田 傳卣 田 曶鼎 田 散盤

璽 田 田口之鉨 田 左田痾口

漢印 田 成紀閒田宰 田 田恭 田 田破石子 田 田豐

漢金 田 藍田鼎 田 延熹鐘 田 駘蕩宮高鐙 田 鼎胡宮行鐙 田 田壺蓋

疇，甲文作田，小篆作𤰝。《說文》：「疇，耕治之田也。从田，象耕屈之形。𤰝，疇或省。」羅振玉曰：「此與許書或體同，知許書之或體中每有古文矣。」（增考）卜辭中多作祭名，如「貞勿疇明日出耳乙」（甲二一二四）。

甲 𤰝 前一.六.五 𤰝 前四.十三 𤰝 前七.三六.三 𤰝 林一.六.六 𤰝 林一.八.七

畯 　畯 　畜 　畜

畯，甲文作㽙，金文作畯，小篆作畯。《說文》：「畯，農夫也，从田，夋聲。」甲金文从允，作畂。孫詒讓曰：「凡金刻之言畯者，並當讀爲駿。《爾雅·釋詁》：『駿，長也。』盂咏鐘：『畯惠在位』言『長順在位』也。（惠訓順見毛詩桑柔傳）……頌鼎追敦：『畯臣天子』（並見阮款識）言『長臣於天子』也。」（拾遺）

甲　前四·二六·五 　前四·二六·六 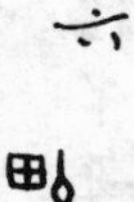　後下四·七 　京津五八二　通別二·五一

金　盂鼎 　師𩛥簋 　頌鼎 　㝬鐘 　秦公簋

畜，金文作畜，小篆作畜。《說文》：「畜，田畜也。淮南子曰：玄田爲畜。䓄魯郊禮，畜从田从茲。茲，益也。」周谷城曰：「田畜者，田中所積也。一切經音義曰：畜，古文稸。同是蓄字，有从禾者。則蓄亦田畜可知矣。我們認爲一串一串縣在田中的東西就是畜，就是粟。這裏蓄稸二字給了我們一個極大的幫助，使我們更信縣在田中的東西，不是屬於禾本，就是屬於草本。玄田爲畜，就是縣田爲粟，就是縣於田中的粟。」（古史零證）後用爲人飼養的禽獸，如「家畜」和「儲畜」之畜。

金　秦公簋　樂書缶

畕　畺

㊀漢印

（篆印）楠畜府　（篆印）掌畜丞印　（篆印）畜且　（篆印）畜容　（篆印）李畜之印

畕，甲文作畕，金文作畕，小篆作畕。《說文》：「畕，比田也。从二田。」段注：「比，密也。二人為从，反从為比。比田者，兩田密近也。」銘文用作疆，如「其萬年無畕（疆）」（湶伯友鼎）。

㊀甲

畕　庫四九二

㊀金

畕　湶伯友鼎

畺，甲文作畺，金文作畺，小篆作畺。《說文》：「畺，界也。从畕。三，其界畫也。疆，畺或从彊土。」疆，原為田界。从弓者，古代以弓紀步。後彊用作強弱之強，乃作疆字，如春秋之吳王光鑑作疆。銘文常云：「萬年無疆」，其疆，或作畺，或作彊，或作疆，可見三字同義。

㊀甲

畺　後下四·七

㊀金

畺　毛伯簋

彊　盂鼎

彊　散盤

畺　猶鐘

疆　蔡侯盤

黄 黄

(璽) 㚕 郟𤲞

(漢印) 𩍿 𦥑𤲞私印

(漢金) 𩍿 吾作竟三

黄，甲文作東，金文作𡗜黄，小篆作黄。《說文》：「黄，地之色也。从田从炗，炗亦聲。炗古文光。……𡗜古文黄。」郭沫若曰：「黄字實古玉佩之象形也。明甚，由字形瞻之，中有環狀之物當係佩之體，即㑒𡗜所之所合成。……黄即佩玉，自殷代以來所舊有，後假爲黄白字，卒至假借義行而本義廢，乃造珩若璜以代之。」（金玫）卜辭有的作人名，如「黄尹」（戩九九）。銘文多用爲佩玉之横，如「赤市朱黄」（頌簋）。

(甲) 東 甲一六四七 東 乙四六二九反 東 粹五四七 東 林一九五 東 京津六三七

(金) 黄 召尊 黄 𠩺尊 黄 黄仲匜 黄 𨚕壺 東 𡚱黄簋

男 男

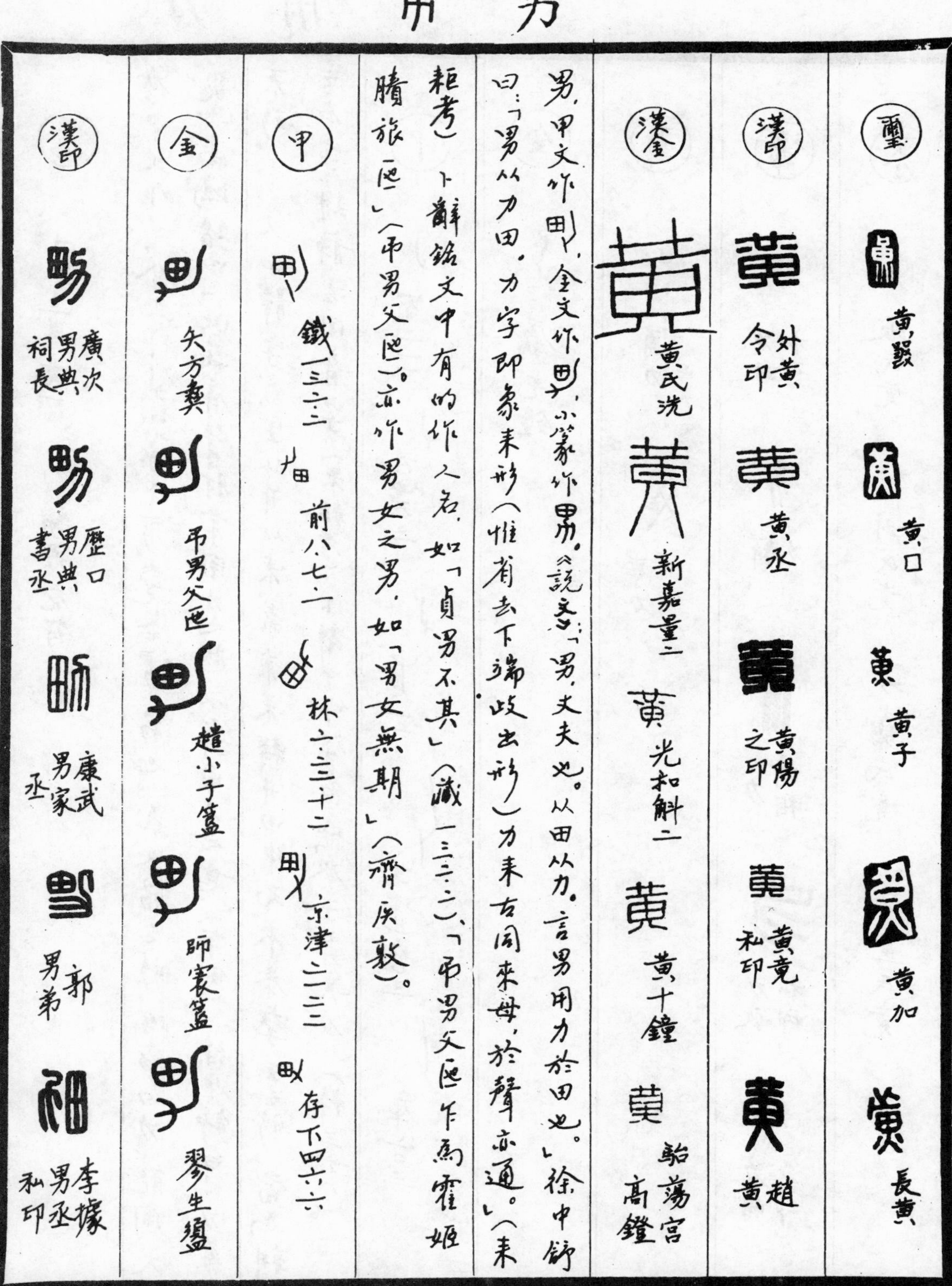

璽
黃毀
黃口
黃子
黃加
長黃
漢印
外黃令印
黃丞
黃陽之印
黃竟私印
趙黃
漢金
黃氏洗
新嘉量二
光和斛二
黃十鐘
駘蕩宮高鐙
男，甲文作𤰔，金文作𤰔，小篆作𤰔。說文：「男，丈夫也。从田从力，言男用力於田也。」徐中舒曰：「男从力田。力字即象耒形（惟省去下端歧出形）力耒古同來母，於聲亦通。」（耒耜考）卜辭銘文中有的作人名，如「貞男不其」（藏一三三·二）、「弔男父匜作爲霍姬膡旅匜」（弔男父匜）。亦作男女之男，如「男女無期」（齊侯敦）。
甲
鐵一三三·三
前八·七·一
林二·三·十二
京津二三二三
存下四六六
金
矢方彝
弔男父匜
趞小子簋
師寰簋
𨟻生盨
漢印
廣次男典祠長
歷口男典書丞
康武男家丞
郭男弟
李據男丞私印

力 𠠲

漢金 男 辛羊竟一 𠢀 騶男虎符

力，甲文作𠃌，金文作𠃌，小篆作𠠲。《說文》：「力，筋也。象人筋之形。治功曰力，能圉大災。」高鴻縉曰：「此託肩臂肘掌用力之狀，以寄用力之意。」（字例）徐中舒曰：「力象耒形。……又如靜字，从生从井从耒，象秉耒耕井田中而禾黍孳生之形，當爲耕之本字，耕靜古同音字。」（耒耜考）卜辭中作祭名，如「癸子貞其力」（粹三六八）。

甲 𠃌 甲二二 𠃌 乙四五三 𠃌 中大二 𠃌 京津一九〇三 𠃌 庫二〇三

金 𠃌 鬲羌鐘

璽 𠃌 肖力 𠃌 事力

漢印 力敢私印 力靳 力倚相 力敏私印 力昭之印

漢金 力 張氏竟 力 𠛱氏竟 力 騶氏竟 力 王氏竟

動 加

動，金文作𨔝，小篆作動。《說文》：「動，作也。从力，重聲。𨔝古文動，从辵。」商承祚曰：「从辵者，作行作止，不静之兒。重字石經古文作𨔝，此不應同小篆，當據正。金文毛公鼎曰『𨔝母動』，已作𨔝，𨔝重古通，且有辵」。（古考）

金

毛公鼎

漢印

李動印

文動

加，金文作加，小篆作加。《說文》：「加，語相增加也。从力从口。」銘文有的作人名，如「加作文戌」（加爵）。有的用作嘉，如「王孔加（嘉）子白義」（虢季子白盤）。

金

加爵

虢季子白盤

璽

黃加

黃加

奇加

漢印

張加信印

朱加之印

家加壽

張加

臧加翠

劦

劦，甲文作 或 ，金文作 ，小篆作 。《說文》：「劦，同力也。从三力。《山海經》曰：惟號之山，其風若劦。」甲金文中皆為祭名，如「己亥卜王劦……」（摭續三〇八）、「惟王六祀劦日」（肄簋）。董彥堂曰：「劦祭在祭祀專名中亦當為協合之義，蓋此種劦祭在最後舉行，或同時聯合他種祀典一並舉行之也。」（殷曆譜上）

（甲）

鐵六二·一

拾三·十

前四三·三

菁七·一

戩五·四

（金）

肄簋

（璽）

王劦

常用古文字字典卷十四

金

金，金文作[glyph]，小篆作[glyph]。《說文》「金，五色金也。黃為之長，久薶不生衣，百鍊不輕，從革不違，西方之行。生於土，从土，左右注，象金在土中形。今聲。……[glyph]古文金」。五金為：金，銀，銅，鐵，錫。

銘文中吉金，金車，金甬之金皆為銅。

（金）
[glyph] 麥鼎
[glyph] 曶鼎
[glyph] 同卣
[glyph] 毛公鼎
[glyph] 弔朕簠

（璽）
[glyph] 千金
[glyph] 長金之鉨
[glyph] 長金之鉨
[glyph] 千口金口
[glyph] 千金牛

（漢印）
[glyph] 金府
[glyph] 千金
[glyph] 可置金
[glyph] 賞金
[glyph] 翁伯金

（漢金）
[glyph] 陽周倉鼎
[glyph] 萬金扁壺
[glyph] 乘輿缶
[glyph] 杜氏竟
[glyph] 千斤金合符鈎

錫

錫，甲文作[glyph]，金文作[glyph]，小篆作錫。《說文》「錫，銀鉛之間也。从金，易聲」。甲文作[glyph]，毛公鼎作[glyph]，皆以易為錫。卜辭銘文皆為賜，如「易(賜)貝二朋」（坊間三．八一）、「易(錫)女(汝)鬯卣」

錫　銅

一卣」（毛公鼎）。

（甲）

甲二三六四

（金）

毛公鼎

曾伯簠

曾伯簠

（漢金）

龍氏竟三

精白竟

新有善銅竟

桼言之紀竟

佳銅竟

銅，金文作鋁，小篆作銅。《說文》：「銅，赤金也。从金，同聲。」《酓忎鼎》：「楚王酓忎戰隻（獲）兵銅」中「兵銅」指兵器。

（金）

鋁 酓忎鼎

鋁 酓忎盤

鋁 長陵盉

（漢印）

銅 □銅

銅 少府銅丞

銅 空銅僕

（漢金）

銅 壽成室鼎

銅 孝武廟鼎

銅 安成家鼎

銅 一石鍾

銅 大賈壺

鋚，金文作𨦫，小篆作鋚。《說文》：「鋚，鐵也。一曰：轡首銅也。从金，攸聲。」銘文中多作轡首銅，即以銅飾轡首。如「鋚勒」（彔伯簋）。毛公鼎借攸為鋚，作𢿍。朱芳圃曰：「攸為假借。彝銘作鋚，从金，言其質也。經傳作鞗，从革，言其用也。」（釋叢）

金

毛公鼎

彔伯簋

曾伯陭壺

康鼎

鑄，甲文作𨯳，金文作𨯳，小篆作鑄。《說文》：「鑄，銷金也。从金，壽聲。」吳大澂曰：「𨯳，古鑄字，象手鑄器形，下象鑪火，中二為金，以火銷金曰鑄。」（古籀補）或增金為形符，作𨯳，或增己為聲符，作𨯳。《周乎卣》：「周乎鑄旅宗彝」中，「鑄」為鑄制。

甲

金五二

金

大保鼎

王鑄觶

守簋

弔皮父簋

漢印

應鑄

鑄異私印

齊鑄長

循鑄

朱鑄青

鍾 鐘 鑑 鑒

鍾，金文作鍾，小篆作鍾。《說文》：「鍾，酒器也。从金，重聲。」段注：「古者此器蓋用以宁酒，故大其下，小其頸。自鍾傾之而入於尊，自尊勺之而入於觶。故量之大者亦曰鍾。引申之義為鍾聚。」銘文中與鐘為一字，如「自乍龢鍾（鐘）」（邾公牼鐘）。

漢金 駘蕩宮壺

金 邾公牼鐘　楚公鐘　中子平鐘　𪄉羌鐘

漢印 廣印鍾　令鍾私印

漢金 南陵鍾　新中尚方鍾　一石鍾　項伯鍾　朝陽少君鍾

鑑，金文作監或鑑，小篆作鑒。《說文》：「鑑，大盆也。一曰：鑑諸，可以取明水于月。从金，監聲。」高田忠周曰：「鑑、鏡，器同名異。三代曰鑑，秦漢曰鏡。蓋鑑元取明水之器，而鑑有明水，人臥而臨之，其形容自見水中。此當所以鑑鏡之起矣。後世專用為取影之器。」（古籀篇）銘文用作鏡，如「自乍御鑑」（攻吳王鑑）。

鑊

鎬 鎬

㊎

攻吳王鑑　吳王光鑑　智君子鑑

鑊，甲文作，金文作，小篆作鑊。《說文》：「鑊，鑴也。从金，蒦聲。」段注：「少牢饋食禮有羊鑊，有豕鑊。鑊，所以煮也。」羅振玉曰：「此从鬲，隻聲。殆即許書之鑊。或加⋮⋮象水形，所以煮也。隻即獲字，或省隻作隹。」（增考）卜辭中有的作人名，如「貞鑊其有疾」（乙二七六二）。

甲

前六·四五·七　前六·四五·八　後下一四·十三　後下三一·十一

㊎

弔鼎　猷侯之孫鼎　鄀公鼎　蔡侯龖鼎　哀成叔鼎

鎬，金文作，小篆作鎬。《說文》：「鎬，溫器也。从金，高聲。武王所都，在長安西上林苑中，字亦如此。」吳大澂曰：「京，舊釋旁京，經典無旁京。大澂疑為鎬京之鎬。本从茻，後人因避茻字，改从鎬。鎬為器名，非鎬京之鎬。否則他邑不得云京，茻京為彝器中屢見之文，故疑為鎬京也。」（愙齋八冊）

㊎

靜簋　臣辰卣　臣辰盉　大子鎬　召伯簋

鋸 鋸 鍰 鍰 鈞

（漢金）

鋸 鄦偏鼎

鋸，金文作𨧠，小篆作鋸。《說文》：「鋸，槍唐也。从金，居聲。」段注：「槍唐蓋漢人語。」廣韻引古史考曰：孟莊子作鋸。」鋸，刀具名，古代斷足的刑具，如「中刑用刀鋸」（漢書·刑法志）。顏師古注：「刀，割刑；鋸，刖刑也」。銘文作兵器名，如「郾王職作五攻鋸」（郾王職戈）。後亦作治木之具。

（金）

𨧠 郾王職戈

鍰，甲文作𨦁，小篆作鍰。《說文》：「鍰，鋝也。从金，爰聲。《罰書》曰：列百鍰。」羅振玉曰：「卜辭有𤔲字，殆即从金之鍰。鍰為重量之名，諸亦為罰金。古者貨貝而寶龜，至周而錢，至秦廢貝行泉。故从貝从金一也。又篆文从寽之字，古文皆作寽，知鍰鋝本一字，誤析為二矣。」（增考）

（甲）

𨦁 前四·二八·七

𨦁 前八·三·四

鈞，金文作匀、㔑、𨥨、銞，小篆作鈞。《說文》：「鈞，三十斤也。从金，匀聲。𠣏古文鈞从旬。」子禾子釜之鈞从旬與許說古文同。銘文作量詞，如「金十鈞」（守簋）。

鋗　　　　鈴　　鈴　　　　鐘　　鐘

㊎ 𣪕鼎　守簋　陵子盤　子禾子釜　是成戾鐘

漢印 呂鋗

漢金 新鋗權　乘輿缶　右糟鍾　楚鍾　西秋鍾

鈴，金文作鈴，小篆作鈴。《說文》：「鈴，令丁也。从金从令，令亦聲。」容庚曰：「鈴之類別有二，一綴于旂上者。詩載見：『和鈴央央』。左氏桓二年傳：『錫鸞和鈴』。毛公鼎：『朱旂二鈴』是也。一為樂器。周禮春官巾車大祭祀：『鳴鈴以應雞人』是也。」（頌齋十六頁王成周鈴）

㊎ 成周鈴　師寰簋　番生簋　毛公鼎　邾君求鐘

鐘，金文作鐘，小篆作鐘。《說文》：「鐘，樂鐘也。秋分之音，物穜成。从金，童聲。古者垂作鐘。銿，鐘或从甬。」鐘為金屬所制古樂器，懸于架上，以槌叩之而鳴。後為計時器和時間。銘文中有的作樂鐘，如「楚王領自作鈴鐘」（楚王領鐘）。有的作人名，如「大師鐘伯侵自作石沱」（鐘伯鼎）。

㊎ 王孫鐘 士父鐘 虘鐘 克鼎 走鐘

漢印 鐘壽丞印 鐘犢 鐘兄 鐘諱 鐘晏私印

漢金 鐘 嘉至搖鐘 一石鐘

處，甲文作[glyph]，金文作[glyph]，小篆作処。《說文》：「処，止也，得几而止。从几从夂。處，処或从虍聲。」林潔明曰：「字在甲骨文作[glyph]（乙一九七八）、[glyph]（乙一八五七）从止（足也）入冂（屋形），是居止之義也。於六書為會意。許書字作処，猶存古意，特將冂移至夂旁，遂誤釋為几。金文已加虍聲作處，由會意變為形聲，仍用為止処之意，如井人鐘『宪處宗室』，魚鼎匕『毋處其所』等是。」（金文詁林）

㊙甲 乙一九七八 乙八四〇〇 珠二八二

㊎ 井人鐘 曶鼎 魚鼎匕 歔鐘

且

且，甲文作且，金文作且，小篆作且。《說文》：「且，薦也。从几，足有二橫。一，其下地也。」甲金文中用作祖，如「且甲爵」。高鴻縉曰：「按且字本意為祖廟，只象祖廟之形。且，上象廟宇，左右兩牆，中二橫為楣限，下則地基也。廟為祖宗之鬼所居，故與人居之介無不同，字只分詳略之異而已。商周皆借為祖宗之祖，謂廟中所供之鬼也。至戰國時或於且加示為意符作祖，而經典中祖亦借為始，故許曰：祖，始廟也。」（字例）

俎 俎 斤 斤

（漢金）

壽如金石竟

龍氏竟三

善銅竟

具名銅竟

佳銅竟

俎，甲文作㚒，金文作㚒，小篆作俎。《說文》：「俎，禮俎也。从半肉在且上。」甲文象置肉於且上。卜辭爲祭名。如「翌乙未俎易日」（前六·二十三）。俎與宜甲金文形同。參見宜釋例。

（甲）

鐵十六·三

前一·二七·三

前七·十七·四

菁三·一

林二·六·八

（金）

盥作父辛卣

大豐簋

史宜父鼎

貉子卣

弋卩卣二

（漢印）

王印俎私

斤，甲文作㇒，金文作斤，小篆作斤。《說文》：「斤，斫木也。象形。」于省吾曰：「甲骨文斤字初文本應作㇒，象手持斤形，再變爲㇒，三變爲㇒，四變則省爲㇒。至于商周金文仍繼續有所變化。商代末期㠱尊的新字从斤作㇒，周初器臣卿鼎的新字从斤作斤。這是從甲骨文的㇒或㇒形，向周代金文的斤字作斤或斤的過渡期所表現的遞嬗迹象，最後說文才變作斤」。（釋林）

斧

甲

坊間四·二〇四　存下四六三　前八·七·二

金

天君鼎　仕斤戈

漢印

計斤丞印

漢金

廿六年詔十六斤權　壽成室鼎　杜陽鼎　頻鼎　陶陵鼎

斧，甲文作𠁥，金文作斧，小篆作斧。《說文》：「斧，斫也。从斤，父聲。」高鴻縉曰：「按戊斧斤一字，其形如戉，而刃在横端，刃廣，故字形如物形，而與戈異。及戊借爲天干第五位之名，乃造从斤父聲之斧。」戊斧分行，而人莫知戊爲何物。（字例）于省吾曰：「字象横列的斧形，即斧的初文。商代金文繼形斧字作者屢見，和出土的實物相符。」（釋林）

甲

簠文六七

金

郘大弔斧　居簋　居簋

所　所

斯　斯

（漢印）推斧　司馬　郭斧

所，金文作所，小篆作所。《說文》：「所，伐木聲也。从斤，戶聲。《詩》曰：伐木所所。」銘文借為處所之所，如「毋處其所」（魚鼎匕）。

（金）不易戈　魚鼎匕　庚壺　口所鼎　司料盆蓋

（璽）所輿

（漢印）所印章　所直　中所識　所咸　所中孫

（漢金）河東鼎　宮律所平器　市官所平器　黃羊竟　清銅竟

斯，金文作斯，小篆作斯。《說文》：「斯，析也。从斤，其聲。《詩》曰：斧以斯之。」段注：「以疊韻為訓。陳風曰：墓門有棘，斧以斯之。傳曰：斯，析也。段借訓為此，亦疊韻也。」殷其靁傳曰：斯，此也。」林義光曰：「其非聲，其箕也。析竹為之，从斤治箕。古作斯。（儀兒鐘）」（文源）

𣂔 新

金

余義編鐘

漢印

陳斯已

漢金

大騩權

旬邑權

兩詔楕量

元年詔版

新甲文作𣂔，金文作新，小篆作𣂔。《說文》：「新，取木也。从斤，亲聲。」字形聲兼會意。亲，即柴木。新，為以斤砍柴木。借為新舊之新，乃造薪字。銘文作新舊之新，如「王在新邑」（駇尊）。

甲

甲二一三

後二·九·二

戩二五·一〇

前七·四一

燕一二六

金

駇尊

師遽簋

師湯父鼎

師酉簋

散盤

璽

新聚侄

新邦官鉩

陳之新口

斗 斗

漢印

新陽長印　新都令印　新成左祭酒　新成日利　新成歆印

漢金

新　新鄴兵符　新嘉量二　常樂衛士飯幘　新興辟雍竟　新有善銅竟

斗，甲文作斗，金文作斗，小篆作斗。《說文》：「斗，十升也，象形，有柄。」高鴻縉曰：「斗原非量名，乃挹注之器，有長柄，似杓而深，並如北斗七星之形。金文象其傾注，故口向下也。小篆以下字形距象形遠矣。其後以其器為木製，故加木旁作枓。至于升斗之斗乃後世假借之義，非其朔也。」（字例）銘文作量名，如「肖元器一斗七升八奉段」（秦公簋）

甲

京津二五二　乙二一七　甲三二四九　存下七二九

金

秦公簋　眉脒鼎

璽

肖勅器容一斗

漢印

董斗

升

車

㊀漢金　雍一斗鼎　臨菑鼎　銷鼎盖　雍棫陽鼎　楚鍾

升，甲文作，金文作，小篆作。《說文》：「升，十龠也。从斗，亦象形」。甲金文升斗形同，僅於斗中增點橫而已。柯昌濟曰：「古升字象升形，中象酒也」（韡華）卜辭作祭名，如「其升羌且……」（京四一〇九）。銘文作量詞，如「貞元器一斗七升八奉殷」（秦公簋）。後與昇、陞通用。

㊀甲　甲五五〇　乙七七二三　前一·三〇·七　戩二五·一〇　京都一八一二

㊀金　友簋　秦公簋　安邑下官鍾

㊀漢印　升睦子家丞　孫升　樊升之印　王升印信

㊀漢金　安陵鼎盖　頻鼎盖　楚鍾　晉壽升　口民高燭豆

車，甲文作，金文作，小篆作車。《說文》：「車，輿輪之總名。夏后時奚仲所造。象形。」籀文車。」高鴻縉曰：「按字象輿輪形。中方者為車箱，兩邊圓者為

車

車輪。輪之外為車輞，中長橫為車軸，長直為車輈，前橫者為衡，衡之兩邊為軛。甲文省變之形亦有數種，惟此形最完。後世後為省變，遂成隸楷之形。許書籀文从二戈，乃周文之鈔譌，今攷甲金文字異體頗多，無一从戔作者。（字例）

甲：鐵一一四二　拾十二·十六　前五·六·五　前七·五·三

金：車仳盨　車且丁爵　盂鼎　揚鼎　同卣

璽：日庚都萃車馬　長車　高口車　車　車

漢印：輕車令印　車成　公車賞　車成

漢金：車宮鋌槃　犛車宮鼎二　車　青蓋竟　車　許氏竟

輿

輿，甲文作，小篆作。《說文》：「輿，車輿也。从車，舁聲。」羅振玉曰：「案考工記『輿人為車』。此象眾手造車之形。軾較軫軹轛皆輿事，而獨象輪者，車之所

輿　載　載　軍

以載者在輸，且可象，它皆不可象。舉輪則造車之事可概見矣」（增考）卜辭中作人名，如「……輿其途象方告于大甲十一月」（叕一九）。

（甲）前五·六·六　佚九四九　掇二·六二

（漢印）北輿丞印　乘輿馬府　輿胃

（漢金）南陵鍾　乘輿缶　永始乘輿鼎　永始三年乘輿鼎　元延乘輿鼎

載，金文作車𢦏，小篆作載。《說文》：「載，乘也。从車，𢦏聲。」銘文假為𢦏，如「埔夜君□之載（𢦏）鼎」。亦有作人名的，如「鄦侯載作左車」（鄦侯載矛）。

（金）埔夜君□之載鼎　鄦侯簠　鄦侯載矛

（漢印）載丞之印　載國大行

軍，金文作𠦝，小篆作軍。《說文》：「軍，圜圍也。四千人為軍。从車，从包省。軍，兵車也。」朱芳圃曰：「字从車，从勹，會意。古者車戰，止則以車自圍。周禮地官鄉師：

軍

大軍旅會同，正治其徒役與其輂輦。鄭注：輂駕馬，輦人輓行，所以載任器也，止以為蕃營。」（釋叢）銘文作軍隊之軍，如「齊三軍圍□」（庚壺）。

（金）
軍 庚壺
軍 郾右軍矛
軍 郾矦載矛
軍 中山王鼎

（璽）
軍 □軍坐車
軍 猲軍
軍 左軍丞鉨
軍 軍計之鉨
軍 右軍□千

（漢印）
軍 裨將軍印
軍 軍曲候丞印
軍 定胡軍司馬
軍 大師軍壘壁前私門丞
軍 李罷軍

（漢金）
軍 土軍矦高蠋豆
軍 下軍矛

轉 轉

轉，金文作轉，小篆作轉。《說文》：「轉，運也。从車，專聲。」車運曰轉。銘文作人名，如「轉作寶盤（朕）」（轉盤）。

（金）
轉 轉盤
轉 克盨

（漢印）
轉 轉慶之印

輦　𠂤　𠂤　官

輦，金文作，小篆作輦。《說文》：「輦，輓車也。从車从㚘在車前引之。」金文正象二人輓車之形。銘文中作人名，如「輦作寶尊彝」（輦卣）。

（金）

輦卣

妣癸卣

妣癸卣

𠂤，甲文作，金文作，小篆作𠂤。《說文》：「𠂤，小𠂤也。象形。」𠂤，甲金文作，是形直畫，𠂤，小𠂤，即之直書。徐海波曰：「𠂤之本義為小阜。古者都邑必賓附丘陵。都邑為王者之居，軍旅所守，故𠂤有師意，更引申而有眾意，古言某邑或某師以此也。」（文錄）卜辭銘文用作師，如「東至于京𠂤（師）」（克鐘）。

（甲）

鐵三八四

前一．九．七

後上七．六

後下二五．五

林二．十九．十七

（金）

召尊

𠂤鼎

仲𠂤父鼎

盂鼎

柳鼎

（璽）

北宮皮𠂤

官，甲文作，金文作，小篆作。《說文》：「官，史事君也。从宀，从𠂤。𠂤猶眾也。此與師同意。」从宀者，皆以房室為義，官原為官吏治事所居之處，即官府，後引申為

官　𠂤　𨸏

官職之稱。銘文中有的作官舍，如「白庠父皇競各于官」（競卣）。

甲
前四·二七·七
後下四·六
後下四·十
菁十·十二
珠二六

金
頌鼎
師奎父鼎
揚簋
無叀鼎
卯簋

璽
五官之鉨
計官之鉨
高口官
安官
安官

漢印
中和官丞
榦官泉丞
上官運印
上官翁孫
史官

漢金
大官鼎
王后中官鼎
項伯鍾
官　高官竟
桼言之始竟

𠂤，甲文作𠂤、𠂤，小篆作𨸏。《說文》：「𠂤，大陸。山無石者。象形。……𨸏古文。」葉玉森曰：「契文作𠂤，其陟降諸字之偏旁作𠂤𠂤。从丨，象土山高陗。从彡，三象阪級。故陟降諸字从之」（文字編）。

陵

甲

菁三·一

甲二三二七

甲三三七二

甲三九三六

庫一九一七

漢印

阜陵邑印

兒阜

歸阜

閭丘阜印

陵，甲文作[字形]，金文作[字形]，小篆作[字形]。《說文》「陵，大𨸏也。从𨸏，夌聲。」羅振玉曰：「陵訓乘，（廣雅·釋詁四）訓上，（漢書·司馬相如傳·集注）訓升，（文選·西京賦·薛注）故此字象人梯而升高，一足在地，一足已階而升。」（增考）卜辭銘文中作人名，如「貞陵寇不口」（前六·五五·五）、「陵叔作衣寶彝」（陵弔鼎）。

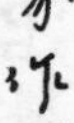

甲

前六·二十一

前六·五五·五

前七·九·四

前七·十八·三

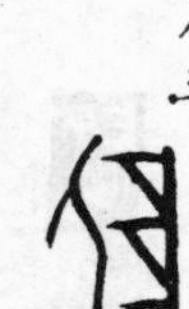

菁三·一

金

散盤

陵叔鼎

陳猷釜

長陵盉

璽

口陵口口肯師

高陵

陵憲

漢印

安陵令印

蘭陵左尉

陵賞

徐於陵

左陵山

陰　陰　陽　陽

漢金

陽陵兵符　南陵鍾　雲陽鼎　安陵鼎蓋　陶陵鼎

陰，金文作侌、𨸏，小篆作陰。《說文》：「陰，闇也。水之南，山之北也。从𨸏，侌聲。」銘文中有的作地名，如「先會于平陰（陰）」（驫羌鐘）。其中陰作陰，爲同音通假。

金

驫羌鐘　上官鼎　㠱伯盨　㠱伯盨

璽

吉陰　襄陰司寇　平陰都司徒　陰口　陰忘

漢印

汾陰令印　汾陰馬丞印　陰茲之印　陰芒　陰博

漢金

女陰戾鼎　大吉五器　河陰戈　青羊竟　尚方竟

陽，甲文作昜，金文作陽，小篆作陽。《說文》：「陽，高明也。从𨸏，昜聲。」與陰相反，水之北，山之南也。如「其陰其陽」（㠱伯盨）。銘文亦用作揚，如「敢對陽（揚）王休」（衆卣）。

甲

前五·四二·五

陸 陸

金
陽 虢季子白盤
陽 叔姬鼎
陽 異伯盨
陽 柳鼎
陽 農卣

璽
陽戎
陽城口
口陽門
陽閒
口陽胖

漢印
陽成終印
黃陽
沙陽鄉
陽成信
逢陽

漢金
美陽鼎
陽周倉鼎
項伯鐘
中陽殘戈
光和斛

陸，金文作陸，小篆作陸。《說文》：「陸，高平地。从𨸏从坴，坴亦聲。𨺵，籀文陸。」金文𨺵即籀文𨺵之省。坴陸似同字，从𨸏从土意通。銘文陸多用爲人名，如「陸冊父甲鼎」。

金
陸冊父乙卣
陸父甲角
陸父乙角
義伯簋
邾公釛鐘

璽
陸口

漢印
永陸任之印
陸林之印
困陸奴
陸植
陸延國

阿　　限

漢金　平陸鼎

阿，金文作阿，小篆作阿。《說文》「阿，大陵也。一曰：曲𨸏也。从𨸏，可聲。」阿在銘文中作人名，如「阿武戈」。古籍中作大陵者，如「菁菁者莪，在彼中阿」（詩·小雅·菁菁者莪）。作曲隅者，如「珊瑚碧樹，周阿而生」（文選·西都賦）。

金　阿武戈

璽　肖阿

平阿

口阿左稟

漢印　阿陽長印

鄞印君阿

漢金　祝阿矦鐘

限，金文作限，小篆作限。《說文》「限，阻也。一曰：門榍。从𨸏，艮聲。」「垠，地垠也。从土，艮聲。一曰：岸也。」古𨸏土義通，故限、垠可為同字，亦可訓界。銘文有的作人名，如：

「白限乍寶彝」(伯限爵)。

㊎
晉鼎
伯限爵
禹比盨

陟，甲文作𨸏，金文作𨸏，小篆作𨸏。《說文》「陟，登也。从𨸏从步。𨸏古文陟」。甲金文从阜，表山陵之形，从步，象二足由下而上，故為登山之義。古文从乃阜之譌。卜辭中有用其本義登山的，如「貞陟十月」(後下十一·十四)。有的似為祭名，如「其陟于大乙且乙」(南明五三七)。郭沫若在《兩考》中認為銘文「陟二公」(沈子簋)之陟讀為德，猶言謝恩也。

㊙
鐵二十二
前五·三十·六
後下十一·十三
後下十一·十四
林二·二三·二

㊎
沈子簋
散盤
蔡侯盤
痶鐘

隊，甲文作𨸏，从阜从㐬，象人由阜下墜之形。金文作𨸏，小篆作隊。《說文》「隊，从高隊也。从阜，㒸聲」。銘文中有的作地名，如「易(錫)于隊一田」(卯簋)。卜辭中似為祭名，如「……出(有)𡿧(災)王隊……」(粹一五八〇)。高明曰：「墜古作彖或隊，東周時代墜又通作𡐦字，說文籀文地作𡐦」。(古文字類編)

降

甲

胡 前五·二·一

胡 金一二四

粹一五八〇

明藏一四六

菁三·一

金

毛公鼎

卯簋

漢金

新郪兵符

降，甲文作𨸏，金文作𨸏，小篆作䧄。《說文》「降，下也。从𨸏，夅聲。」陟以兩足登阜，而降與陟相反，以兩止向下，表人由阜上而下行。引申為降服之降。卜辭銘文有的作下降義，如「貞茲云其降其雨」（乙三二九四），「用天降大喪于二國」（禹鼎）。

甲

鐵十九·二

前二·四四

前七·三六·一

後下十·十四

林二·二二·三

金

大保簋

𥂕且丁卣

散盤

㝬鐘

圅皇父簋

漢印

立降右尉

集降尹中後候

降良之印

郭降

陳 陳 書

書，甲文作𢼸，金文作𢼸，小篆作書。《說文》：「書，書商，小塊也。从𠂤从臾。」甲金文象双手取𠂤，小篆譌作𠂤。卜辭銘文中用爲遣，如「貞王㞢書（遣）」（乙二八八二），「大保克苟（敬）亡書（遣）」（大保簋）。郭沫若曰：「亡遣乃金文恆語，遣讀爲譴，猶言亡尤、亡咎。」（兩攷）

甲

鐵二五二一

後下十二三

乙二八八二

乙三三一七

中大一九六

金

小臣遣簋

大保簋

陳，金文作𨻰，小篆作陳。《說文》：「陳，宛丘。舜後嬀滿之所封。从𨸏从木，申聲。𨻰，古文陳。」金文从𨸏从東，从申乃小篆之譌。原爲地名，引申爲姓氏，如「陳公子甗」、「陳侯鬲」。

金

陳公子甗

陳侯鬲

齊陳曼簠

陳侯午錞

陳肪簋

璽

陳□三立事歲右稟釜

陳□信鉨

陳逆

陳之新□

陳子

漢印

陷陳募人

陳信

陳尊

陳子長印

陳印嬰齊

陶

（漢金） 陳倉成山匜　陳彤鐘

陶，甲文作，金文作，小篆作。《說文》：「陶，再成丘也，在濟陰。从𨸏，匋聲。夏書曰：東至于陶丘。陶丘有堯城，堯嘗所居，故堯號陶唐氏也。」容庚曰：「陶或作陰，故知陶陰為一字，不𡢁簋『宕伐𤞤允于高陶』。」（金文編）亦作人名，如「白（伯）陶乍（作）氒（厥）文考宮弔（叔）寶𩰫彝」（伯陶鼎）。

（甲） 珠四四三　前六三

（金） 不𡢁簋　陶子盤　伯陶鼎

（璽） 亥陶

（漢印） 姑陶寬　陶便私印　陶高　陶賢私印　陶王孫印

（漢金） 陶陵鼎　館陶郭小鈁　慶陶虎符

四

宁

四，甲文作亖，金文作亖，小篆作四。《說文》：「四，陰數也。象四分之形。……卯，古文四。亖，籀文四。」甲金文積畫為數，四作亖，郘鐘作四，象口中有气之形，乃呬之本字，以四代亖，後再造呬字。卜辭銘文多作數字，如「遘于四方」（保卣）。

（甲）

亖 鐵三·二·三

亖 餘十六·三

亖 前四·二九·五

亖 菁六·二

亖 林一·十八·二

（金）

亖 盂鼎

亖 晉鼎

亖 毛公鼎

亖 虢季子白盤

四 鄲孝子鼎

（漢）

四 南陵鐘

四 谷口鼎

四 廢丘鼎蓋

四 建寧四年洗

亖 朱氏竟

宁，甲文作宁，金文作宁，小篆作宁。《說文》：「宁，辨積物也。象形。」羅振玉曰：「象形，上下及兩旁有搘柱，中空可貯物。」（增考）卜辭銘文有的作人名，如「貞勿令宁氏射」（甲三六五六）、「宁木父乙冊」（宁木盉）。

（甲）

宁 鐵六二·二

宁 前四·三·三

宁 前四·二五·七

宁 後上二十四

宁 戩二三·三

ㄨ 五　　亞 亞

㊎

[亞] 寧未盉

[亞] 鼎文

[亞] 亞宁父丁觶

[亞] 㡯宁父戊爵

亞，甲文作亞，金文作亞，小篆作亞。《說文》「亞，醜也。象人局背之形。賈侍中說以為次弟也。」高鴻縉曰：「字原象四面屋相連之形，乃古者宮室之制也。」（字例）朱芳圃曰：「亞，火壇也。象形。原始社會有祀火之俗，於室之中央砌一亞形之壇，燃火其中，晝夜不息，視為神聖之所，無敢跨越。」（釋叢）卜辭銘文為侯爵之名，如「亞旅」（甲三九一·三）、「者侯（諸侯）大亞」（𩯁簋）。

㊙甲

[亞] 鐵二七·一

[亞] 拾五·六

[亞] 後上·三十五

[亞] 後下·二七·二

[亞] 戩三九·一

㊎

[亞] 丙申角

[亞] 亞盉

[亞] 傳尊

[亞] 延盨

[亞] 豚鼎

五，甲文作ㄨ，金文作ㄨ，小篆作ㄨ。《說文》「五，五行也。从二，陰陽在天地間交午也。……ㄨ古文五省。」丁山曰：「ㄨ之本義為當收繩器，引申之則曰交午。」（集刊第一本數名古誼）甲文有的作三，因易與三混淆，又以ㄨ代三。

𠫪　六

甲	金	璽	漢印	漢篆
 鐵二四七三	晉鼎	 五口正鈢	 騎五百將	臨菑鼎
餘十五・三	宅簋	五口語	五祝	杜宣鼎
拾三・十五	大鼎	五司	 五威將焦掾並印	扶侯鐘
菁三・一	散盤	罕:五句都口	何常五印	 二年酒鋗
林一・十八・三	兮甲盤		第五建	 項伯鐘

六，甲文作介，金文作介，小篆作𠫪。《說文》：「六，易之數，陰變於六，正於八。从入从八。」于省吾曰：「契文六字作入形者皆為早期卜兆側之紀數字，其應用於文辭之中者則作∧∩介介，不作入，以其與入字形同易混也。惟佚七六「六旬」合文作[illegible]，粹七五七「六百」之六作入。金文六字亦作介介介，城子崖圖版拾陸六字作人，此可知六字之演變由入而∧∩，而介介，至為明顯。」（駢三）

𠤎 七

甲

𠤎	鐵一〇〇.二
𠤎	拾一.三
𠤎	前一.二七
𠤎	菁一.二
𠤎	林一.二.二

金

𠤎	曶鼎
𠤎	㽙鼎
𠤎	克鐘
𠤎	𠭰鐘
𠤎	曾姬無卹壺

璽

𠤎	六令之印
𠤎	六安府□
𠤎	六安內史印
𠤎	六安相印章

秦漢

𠤎	廿六年詔權
𠤎	新中尚方鐘
𠤎	新嘉量
𠤎	頌伯鐘
𠤎	二斗盤

七，甲文作十，金文作十，小篆作𠤎。《說文》：「七，陽之正也。从一，微陰从中衺出也。」丁山曰：「七古作通「十」者，刌物為二，自中切斷之象也。……考其初形則七即切字。說文刀部：切，刌也。从刀，七聲。說文所載形聲字，古或但有其聲而無偏傍。「刑罰字从刀也」，而兮甲盤敢不用命則即刑撲伐，盂鼎今我隹即刑啇于玟王刑，竝作井。刑鼻之劓从刀也，而書多方爾罔不克臬（釋文引馬本）則作臬。是今之作切者古或可省刀傍為七矣。」（數名古誼）卜辭銘文作數字，如「七月」（甲三二四）、「隹七月」（井鼎）。

甲

十	拾一.四
十	前三.十九.三
十	後下九.一
十	菁一.二
十	林二.二六.二

九

金
矢簋
盂鼎
趞曹鼎
井鼎
大梁鼎

漢金
上林鼎
藍田鼎
上林行鐙
光和七年洗
項伯鐘

九，甲文作𠃌，金文作𠃌，小篆作九。《說文》：「九，陽之變也。象其屈曲究盡之形。」有吾曰：「九字象蟲形之上屈其尾。……契文有[glyph]字，从冂从強，象以叉取蟲類藏室。」（駢三）丁山曰：「九本肘字，象臂節形。……臂節可屈可伸，故有糾屈意。」（古誼未校記）卜辭銘文中作數字，如「九牛」（甲二八五）、「隹九月」（盂鼎）。

甲
鐵二四九·二
前一·五·五
菁二·二
林二·十九·十
戩二五·十一

金
盂鼎
令簋
召卣二
散盤
鄧公簋

璽
孫九益
九

漢印
九門丞印
九馬
九臣
李宜九
九張

禽  萬 

㊀漢金

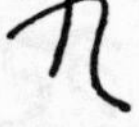
櫟鼎

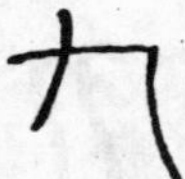
中私府鐘

扶侯鐘

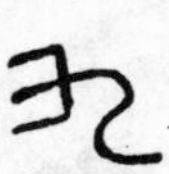
梁鐘

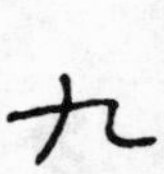
二年酒鋗

禽，甲文作，金文作，小篆作。《說文》：「禽，走獸總名。从厹，象形，今聲。」甲文即捕取動物之工具，故禽實擒之初文。金文加今作聲符。卜辭銘文有的作擒獲，如「今日王禽」（甲六二〇）、「女多禽折首執訊」（不嬰簋）。亦作人名，如「禽用乍寶彝」（禽簋）。禽獸之義當為引申。

㊀甲

甲二二八五

甲二三三〇

鐵四二·一

拾六·四

寧滬一·二三六

㊀金

禽簋

大祝禽鼎

不嬰簋

㊀漢印

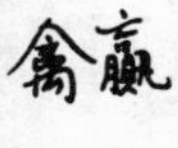
贏禽

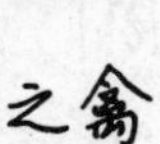
禽武之印

禽東之印

禽丹私印

禽適將軍章

萬，甲文作，金文作，小篆作。《說文》：「萬，蟲也，从厹，象形。」甲文不从厹，象蝎形。卜辭有的作方國之名，如「……卜萬受年」（前三·二〇·五）。銘文借作數字，如「其萬年永用」（仲簋）。

㊀甲

前三·三十·五

前五·三一·三

後下十九·八

林二·二·十三

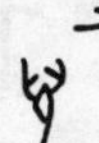
明藏一九〇

禹 𥝌

金

仲簋

静簋

頌鼎

叔碩父鼎

效卣

璽

有千百萬

宜有萬金

千萬

萬歲

千万

漢印

萬蘭

巨樂千萬

萬石

萬光

巨戻万匹

漢金

新嘉量二

萬金扁壺

長宜官竟

大監千万鐘

巨万鈎

禹，金文作𠃢，小篆作𥝌。《說文》：「禹，蟲也，从禸，象形。𥝌古文禹。」字象蟲有頭身足尾之形。銘文作人名，如「命禹紹朕祖考」（禹鼎）。

金

叔向簋

禹鼎

秦公簋

璽

禹

禹

禹

肖禹

漢印

鄭禹

盧禹

邯鄲禹

路禹

張印禹光

獸 甲

(漢金) 龍淵宮鼎

獸，甲文作，金文作，小篆作獸。《說文》：「獸，守備者，从嘼从犬。」獸字甲金文从單从犬。單，狩獵之具；犬，逐嘼之用，故獸為狩獵之義。卜辭銘文作狩獵義，如「貞王獸于」(前一四四·又)、「王獸于昏敵」(員鼎)。亦作人名，如「獸乍父戊寶口」(獸爵)。

(甲) 鐵三九·一　餘五·一　拾六·三　前四·八·一　林二·十五·七

(金) 先獸鼎　宰峀簋　史獸鼎　員鼎　獸爵

甲，甲文作十、或田，金文作十、或田，小篆作中。《說文》：「甲，東方之孟陽气萌動，从木，戴孚甲之象。一曰：人頭空為甲，甲象人頭。……命古文甲，始於十，見於千，成於木之象。」羅振玉曰：「此字初以𢇁於數名之十，而以田代十，即又𢇁於田疇之田，而申長其直畫以示別。既又變口為冂，更由冂譌凵，由十譌丅，而初形遂晦矣。」(雪堂金石文字跋尾) 甲文十原切字初文，借為數字又；亦借為天干第一之甲。如「甲寅」(甲二三三八)；後又通作介，如「介虎」為「甲虎」。卜辭銘文中亦作人名，如「上甲」(甲六三二)、「甲作寶𪔂鼎」(甲鼎)。

乙

㊞甲 後上三·十六 鐵二八·三 前四·六·八 林一·八·十四 戩一·八

㊞金 且甲卣 頌鼎 甲盉 甲鼎 兮甲盤

㊞漢印 李甲 新成甲 韓甲 庚甲 史甲

㊞漢金 甲 新郪兵符 光和七年洗 初平五年洗 宣曲鼎 廢丘鼎蓋

乙，甲文作𠃊，金文作乀，小篆作乙。《說文》：「乙，象春艸木冤曲而出。陰气尚彊，其出乙乙也。與丨同意。乙承甲，象人頸。」唐蘭說：「乙作乙（天三）則玄鳥之乙所以出也。」（天壤文釋）卜辭作干支名，如「乙卯」（明藏五二五）銘文有的作人名，如「父乙鼎」。

㊞甲 鐵二四四 拾十三·五 前七·四二 青五·一 戩三一·五

㊞金 父乙鼎 我鼎 且乙卣 散盤 酓肯簠

尤

- 璽：肖乙
- 漢印：傅乙；李乙；李乙印；信乙鍴；乙臣
- 漢金：大良造鞅方量；衛鼎；臨晉鼎蓋；陽平家鐙；陽泉熏盧

尤，甲文作[seal glyph]，金文作[seal glyph]，小篆作[seal glyph]。《說文》：「尤，異也。从乙，又聲。」高鴻縉曰：「尤實从又（手）而以一橫畫表禁止之動象，言手有作為，而有外力以禁止之，其本義應為禁阻。」（字例）卜辭銘文中多有「亡尤」語，尤用作禍。

- 甲：鐵五十一；拾十四八；前一四十五；後上七八；後下二五·四
- 金：[illegible]伯簋
- 漢印：尤𢿍私印；王尤私印；宔翁尤；史尤；尤明之印

丙 丙

丙，甲文作丙，金文作丙，小篆作丙。《說文》：「丙，位南方。萬物成炳然。陰气初起，陽气將虧。从一入冂。一者陽也。丙承乙，象人肩。」于省吾曰：「象物之安。……即今俗所稱物之底座。丙之形上象平面可置物，下象左右足，與古文[illegible]其下象足形者同。卜辭習見[illegible]字，象兩手奉牲首置于座上之形，是丙可置物之證。」（駢枝）借為天干第三，如「丙寅」（甲四二九）。銘文有的作人名，如「犬父丙鼎」。

甲：鐵七七·二　餘五·二　拾十三·十七　菁七·二　林一·二二

金：枚父丙卣　彈父丙觶　古伯尊　父乙鼎　䡨侯鼎

璽：吳丙　□丙

漢印：丙泄　尹丙　年丙印　丙賢之印　徐丙

漢金：建武泉范　丙午神鉤　袖珍奇鉤　丙　熹平三年竟

丁　个　戊

丁，甲文作口，金文作●，小篆作个。《說文》：「丁，夏時，萬物皆丁實，象形。丁承丙，象人心。」丁即釘之初文，金文作●，象俯視所見釘頭之形，小篆作个，則爲側視釘形。卜辭銘文多借作天干之名，如「唯十月又一月丁亥」（我鼎）；亦有作人名，如「用作且丁寶障彝」（作冊大鼎）。

甲：口 鐵二四二　口 餘十五二　口 前五八五　口 菁三一　口 林二·二三·十四

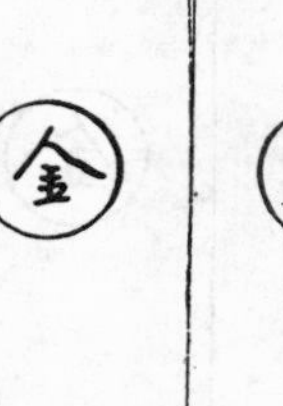

金：且丁尊　我鼎　王孫鐘　冉且丁尊　益卣

璽：丁口　丁口　丁部信鉩　事丁　王丁

漢印：丁宋　丁衆　丁印護衆　丁李　丁譚私印

漢金：建初元年鐖　日有憙竟

戊，甲文作□，金文作□，小篆作戊。《說文》：「戊，中宮也。象六甲五龍相拘絞也。戊承丁，象人脅。」甲金文戊字象兵器之形，與斧鉞之形大同小異。卜辭銘文用作天干之名，如

戊　成　㡿

「戊午」（京都三一四八）；亦有作人名的，如「司母戊鼎」。

甲　鐵四三·二　拾一·十　前七·十三·四　青三·一　戩十一·十三

金　司母戊鼎　戊寅鼎　山父戊尊　且戊尊　同卣

璽　長戊　□戊　司馬戊　□戊

漢印　戊石　戊蓋　戊臣　戊史

漢金　新嘉量二　光和斛　又二　常樂衛士飯幘

成，甲文作㦸，金文作戌，小篆作㡿。《說文》：「成，就也。从戊，丁聲。㡿，古文成从午。」甲文从戌，丁聲。戌為兵器，形同斧鉞。卜辭中作人名，陳夢家認為是成湯之廟號，如「癸上甲成大丁大甲下乙」（乙五三〇三）。銘文作地名，如「王才（在）成周」（格伯簋）；有的借作臧，如「用成（臧）楢梁」（弔家父匡）。

己

甲

戊 前五十六

續六·三·七

摭續一

乙七五二〇

後一·九·二

金

成王鼎

盂爵

易鼎

格伯簋

叔家父匡

璽

成

枯成盟

成口

成忠

成

成公疕

漢印

成親之印

成秋

成弘私印

成逢

新成甲

漢金

元年詔版

濕成鼎蓋

陳倉成山匜

二年酒銗

成周戟

己，甲文作己，金文作己，小篆作己。《說文》「己，中宮也。象萬物辟藏詘形也。己承戊，象人腹。……己古文己。」朱芳圃曰：「余謂己象繩索詰詘之形，弟从己作，是其證矣。孳乳為紀。說文糸部：紀，別絲也。从糸，己聲。別絲謂別理絲縷，係之以繩，使不紛亂也。」（釋叢）卜辭銘文多作天干之名，如「己卯卜……」（續一·九·八）亦作人名，如「父己鼎」。

甲

鐵三九四

餘十六·三

前一·五四·三

菁三·一

林一·十五·二

㠱　庚

金

我鼎

父己鼎

大鼎

鐘伯鼎

兮仲鐘

璽

口己

宋己

漢印

張己私印

將田己部右候

時己登印

范病己印

漢金

新嘉量

又二

尹續有盤

晉大康奩

口三己錞于

㠱，甲文作，金文作，小篆作。《說文》：「㠱，長踞也。从己，其聲。讀若杞。」㠱為古國名，乃姜姓之國，如卜辭銘文中常有的「㠱侯」。

甲

前二·二·六

前三·十八·四

金

亯㠱卣

㠱侯父戊簋

㠱仲壺

無㠱簋

㠱伯盨

庚，甲文作，金文作，小篆作。《說文》：「庚，位西方，象秋時萬物庚庚有實也。庚承己，象人齎。」郭沫若曰：「觀其形製當是有耳可搖之樂器，以聲類求之當即是鉦。」（甲研）

庚　康　穅

卜辭銘文中作天干之名，如「庚辰」（甲二三八）、「隹正月初吉庚午」（□伯盨）；亦有作人名的，如「史父庚鼎」。

(甲)
鐵十六·四　拾四·十一　前一·三·二　後上五·一　菁四·二

(金)
史父庚鼎　子父庚爵　女庚爵　克鐘　曾伯簠

(璽)
日庚都萃車馬　庚都右司馬　庚都丞　鄭庚

(漢印)
庚角霸印　橋庚私印　吳庚　周庚

(漢金)
上林鼎

康，甲文作□，金文作□，小篆作□。林潔明曰：「金文字並从庚从∴作□，意為吉康。王筠釋例、高田忠周、高鴻縉等以許書穅字釋之，謂∴象米形，然字實非从米，且金文亦從未見有米穅之意，說殆非。郭沫若則謂康字當以和樂為本義，从庚从∴，庚亦聲，庚乃手搖之樂器，說詳庚字條下。∴數點蓋猶彭之作彭。按郭說甚是。庚字實象

辛

其形，康字蓋虛象其意，康字庚下數點，蓋象庚搖動時之樂聲，由樂聲以見和樂之義也」（金文詁林） 銘文中作國名，如「康侯丰（封）作寶尊」（康侯鼎）。說文所無。

甲　京津五〇五二　後上二〇·五

金　女康丁簋　康侯簋　克鐘　命瓜君壺　蔡侯盤

辛：甲文作𠆢，金文作辛，小篆作辛。《說文》：「辛，秋時萬物成而孰，金剛味辛。辛痛即泣出。从一从辛。辛，辠也。辛承庚，象人股。」吳其昌曰：「辛之本義亦為金質刃屬兵形之器。辛之形體亦由石斧工一形化衍而出，甚為淺著明白。蓋由工之一形，其鋒刃下向者，則衍為工、士、壬、王諸字，其鋒刃左右旁向者，則衍為戊戌成咸諸字，其鋒刃仰而上向者，則衍為辛字也。」（武大文哲季刊五卷三期） 卜辭銘文多作干支名，如「辛卯」（乙八五一五）；亦有作人名，如「𢀛父辛簋」。

甲　鐵二十三　餘一·二　拾一·十　後上十八·三　林一·九·一

金　父辛簋　子辛卣　父辛盉　辛爵　蠆且辛卣

辥　辥

璽

王辛

孫辛

辛口口鉩

辛口

辛口

漢印

全國辛　干夷槐　佰右小長

辛臨私印

辛印長舒

辛延年

辛吸

漢金

辛　富平侯家温酒鐎

辥，甲文作𨐨，金文作辥，小篆作辥。《說文》：「辥，辠也。从辛，𡲬聲」。𨐨，王國維在《觀堂釋辥》中說即古辥字。𢆉即說文辛字之初文，辠也。𡲬者嶭也，金文或加止，蓋謂人有辛，𡲬以止之。經典用作嬖。卜辭常言「不隹辥」，辥借為孽，含有「凶禍」之意。銘文用作嬖，治也，如「保辥（嬖）周邦」（克鼎）。

甲

鐵一一三·四

拾九·十一

前六·四一

林一·二五·十六

林一·二五·十九

金

毛公鼎

克鼎

鄀嫛盤

璽

辥庚

辤 辭 辭 辭

漢印

薛丞之印

薛爵

薛奉

薛遂

漢金

辥釚

辤，金文作辝，小篆作辭。《說文》：「辤，不受也。从辛从受，受辛宜辤之。辝，籀文辤从台」。金文辝與籀文同，銘文辝借為台，《爾雅·釋詁》：「台，我也」。郭沫若讀為余，如「葉萬至於辝（予）孫子」（𪓐鎛）。

金

齊鎛

邾公牼鐘

伯六辝鼎

辭，金文作𤔲，小篆作辭。《說文》：「辭，訟也。从𤔔，𤔔猶理辜也。𤔔，理也。𤔲，籀文辭从司」。金文正與籀文同。𤔔象兩手理絲之形，故有治理意。銘文借為司，為官名，如「命女（汝）[illegible]𤔲公族雩（與）參有𤔲」（毛公鼎）。

金

毛公鼎

壬

漢金

大騩權　旬邑權　元年詔版　兩詔楕量　禾石鐵權

壬，甲文作工，金文作王，小篆作壬。《說文》：「壬，位北方也。陰極陽生，故《易》曰：龍戰于野。戰者接也。象人褱妊之形。承亥壬以子生之敘也。壬與巫同意。壬承辛，象人脛，脛任體也。」林義光曰：「按壬與懷妊形不類。古作工，作王，即縢之古文，機持經者也。象形。……巠為經之古文，古作巠，正象縢持絲形，从壬。」（文源）卜辭銘文多用作天干之名，如「壬戌……」（乙二八七四）、「隹五月壬辰」（宅簋）。

甲

鐵七五·一　拾一·二　餘十七·二　林一·十五·三　戩十七·十五

金

父壬爵　木父壬鼎　員尊　鬲攸比鼎　湯叔盤

璽

翟壬　宋壬　長壬　壬尚

漢印

趙壬　衆利壬　康壬之印

癸 [glyph]

癸，甲文作[glyph]，金文作[glyph]，小篆作[glyph]。《說文》：「癸，冬時水土平，可揆度也，象水從四方流入地中之形。癸承壬，象人足。……[glyph]，籀文癸，从𣥠，从矢。」吳其昌曰：「癸字原始之初誼為矢之象形，雙矢交揆成[glyph]形，[glyph]形，[glyph]形，[glyph]形，而得癸字。」（金文名象疏證兵器篇）卜辭銘文用為天干之名，如「癸亥」（甲二二五五）、「八月初吉癸未」（鄀公鼎）；亦有作人名，如「父癸鼎」。

甲	金	璽	漢印	漢金
[glyph] 鐵十·二	[glyph] 癸山簋	[glyph] 夏侯癸	[glyph] 郭癸	[glyph] 新始建國權
[glyph] 拾五·三	[glyph] 觶文		[glyph] 柏癸	[glyph] 新量斗
[glyph] 後下一·十二	[glyph] 光癸爵		[glyph] 任癸	[glyph] 新一斤十二兩權
[glyph] 菁三·一	[glyph] 保癸爵		[glyph] 宣癸	[glyph] 新承水槃
[glyph] 林一·十五·三	[glyph] 鄀公鼎		[glyph] 張癸	[glyph] 陳彤鐘

子　　字

子，甲文作、，金文作、，小篆作。《說文》「子，十一月，陽气動，萬物滋。人以為偁，象形。……古文子，从巛，象髮也。籀文子，囟有髮，臂脛在几上也。」，似幼兒頭上有髮及兩足之形，似有變，象幼兒在襁褓之中，上為頭和兩手。卜辭銘文作天干之名，如「子丑」（菁六·一）；亦作子孫之子，如「其子子孫孫永寶」（趠鼎）。

甲：鐵一二七·二　鐵二五·三　後下十九·三　菁六·一　戩二·七

金：傳卣　史頌簋　子且己卣　者妸罍　申鼎

璽：黃子　君子有志　云子思士　士君子　子

漢印：趙大子丞　王公子　字公子　倉石子　陳子長印

漢金：王長子鼎　永初鍾　蜀大吉利洗　宜子孫洗　長宜子孫竟

字，金文作，小篆作。《說文》「字，乳也。从子在宀下，子亦聲。」字，愛撫子也。銘文有的用為子，如「百字（子）千孫」（沕其簋）；有的用為慈，如「而傳之字（慈）父」（余義鐘）。

字

季

季

（金）

字父乙解

余義鐘

沕其簋

（璽）

字

（漢印）

字丞之印

陳令字印

字公子

榮成字中孺

季，甲文作…，金文作…，小篆作…。《說文》：「季，少偁也。从子从稚省，稚亦聲。」林義光曰：「按禾為稚省不顯。說文云：稚亦聲。是季與稚同音。當為稺之古文，幼禾也，从子禾。古作…（趠尊彝）。引申為叔季之季，亦與稺通用。詩：有齊季女（采蘋）、季女斯飢（候人）季猶稺也。」（文源）卜辭銘文中作人名，如「出于季」（前七·四一·二）、「季鼎」。

（甲）

前五·四十三

前五·四十四

前五·四十五

前七·四一·二

後上九·六

（金）

季鼎

呂鼎

克鼎

虢季子白盤

季念鼎

（漢印）

許季

徐季

晉季

季倫

季□

孟 孳

（漢金）

萊季兒鼎

孟，金文作[古文字]，小篆作[古文字]。《說文》：「孟，長也。从子，皿聲。[古文字]古文孟。」孟為人之年長，故兄長曰孟兄，又如《詩．鄭風》：「彼美孟姜，洵美且都。」毛傳：「孟姜，齊之長女。」銘文中亦作人名，如「卜孟作寶𤔲彝」（卜孟簋）。

（金）

父乙孟觚

延盨

番匊生壺

齊侯壺

陳子匜

（璽）

孟襄

孟□

孟阜

孟□身

孟扎

（漢印）

孟當

張文孟緣

杜孟

孟護

孟商

孳，金文作[古文字]，小篆作[古文字]。《說文》：「孳，汲汲生也。从子，茲聲。[古文字]，籀文孳从絲。」字从絲，从子，表子孫代代繁殖之義。从生息、繁殖又引申作努力不懈，如「孳孳不倦」。銘文中作人名，如「艮孳迺遣間來逆邵王」（㝬鐘）。

疑　疑　育　育

金

㝬鐘

甲

前七・一九・一

戩二七・一

後下一三・二

前六・二一・三

金

伯疑父簋

齊史疑觶

疑觶

漢印

張不疑

董疑

李印開疑

孫不疑印

周不疑

漢金

大良造鞅方量

廿六年詔十六斤權

廿六年詔櫝量

廿六年詔版

元年詔版

疑，甲文作[glyph]，金文作[glyph]，小篆作[glyph]。《說文》：「疑，惑也。从子止匕，矢聲。」孫海波曰：「象人扶杖而立，徘徊歧路之意。」（考古三期）銘文作人名，如「疑乍寶隩彝」（疑觶）。

育，甲文作[glyph]，金文作[glyph]，小篆作[glyph]。《說文》：「育，養子使作善也。从𠫓，肉聲。《虞書》曰：教育子。毓，育或从每。」甲金文象婦女生子之形。卜辭用為后，商人稱其先人為后，如「[glyph]（后）祖乙」（甲四一四）。秦後除用為生育外，常用為養育教育之義。

丑 丑

甲

前一.三十五

前二.二四.八

後下二.二.七

林一.二.六

戩三.十一

金

毓且丁卣

呂仲爵

漢印

育矦

陳育

臣育

蘇育私印

將育之印

丑，甲文作□，金文作□，小篆作丑。《說文》：「丑，紐也。十二月，萬物動，用事。象手之形。時加丑，亦舉手時也。」字象手指彎曲之手形。卜辭銘文多用作天干之名，如「辛丑王卜貞……」（遺一二二）、「隹正月丁丑」（貉子卣）。

甲

鐵十二

餘八.二

拾一.三

菁三.一

林一.七.二

金

大豐簋

令簋

同簋

柏敦盖

鄀公簋

璽

□丑

羞　羞　寅

漢印

丑 張丑之印　丑 訾丑　丑 張丑印

漢金

丑 新嘉量二　丑 大吉丑器　丑 佳銅竟　丑 桼言之紀竟　丑 尚方竟又八

羞，甲文作𦍌，金文作𦍌，小篆作羞。《說文》：「羞，進獻也。从羊，羊，所進也。从丑，丑亦聲。」甲金文不从丑，从羊又，小篆改从丑。丑、又同意，字象用手取羊之形。取羊進獻也。卜辭銘文用作進獻的，如「勿羞」（甲二・十七・二）、「仲姞作羞鬲」（仲姞鬲）。卜辭有的作方國名，如「羞方」（鐵文八四）。

甲

前二・十一・二　前四・三四・三　林二・十七・二　明藏四三八　鄴三下・四六・二

金

鼎文　丁羞爵　齊侯壺　伯乙鼎　羞鼎

漢印

御羞丞印　中行羞府

寅，甲文作，金文作，小篆作。《說文》：「寅，髕也。正月陽气動，去黃泉，欲上出，陰尚彊。象宀不達，髕寅於下也。𢀈，古文寅。」朱芳圃曰：「寅，甲文早期作

寅

晚期作，口為附加之形符，所以別兵器之矢於干支之寅也，間有作兩手奉矢形者。入周以後，字形頗異，要皆兩手奉矢形之演變也。从音言之，矢與寅古讀遠紐雙聲，脂真對轉，昔人謂音隨義異，此即其一例矣。」（釋叢） 甲金文用作天干之名，如「丙寅……降」（掇二·四八八）、「甲寅」（坐甬）。

（甲）

 鐵六·一

 拾十三·十七

 前三·四一

 菁五·一

 林一·十六·八

（金）

 戊寅鼎

 坐甬

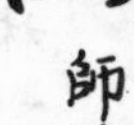 師趛鼎

 豆閉簋

 無㠱簋

（璽）

 公孫寅

（漢印）

 鄭寅

 智寅

 耿寅

（漢金）

 相邦呂不韋戟

 中私府鍾

 王氏竟

 佳銅竟

 朱氏竟

卯

卯，甲文作，金文作，小篆作。《說文》：「卯，冒也。二月，萬物冒地而出。象開門之形，故二月為天門……，古文卯。」卯，本義難明，諸家說法不一。葉玉森謂「象門有

卯

雙環，雙環外猶乃開門形。」（前釋）胡小石曰：「卯為劉之原字。」（說文古文考）

吳其昌曰：「卯象雙刀並植形。」（殷代人祭考）卜辭有的用為天干之名，如「癸卯卜……」（人三〇〇四）；有的作用牲之祭，如「……卯于大乙六牛」（遺六三三）。

甲

鐵一四四·二

拾四·十七

前七·十八·二

林一·一·三

戩二九·七

金

旅鼎

亞中卯鼎

戍甬鼎

卯簋

散盤

璽

司寇卯

庚卯

漢印

治卯之印

沈卯

周卯

漢金

尹緟有盤

佳銅竟

尚方竟三

又八

鳳皇竟

辰

辰，甲文作辰，金文作辰，小篆作辰。《說文》：「辰，震也。三月，陽气動，雷電振，民農時也。物皆生。从乙匕，象芒達。厂聲也。辰，房星，天時也。从二，二，古文上字。」辰即蜃，

辰 巳

古耕田之器，甲文農字从之作𦥑，象手持蜃除草之形。卜辭多用作干支名，如「丙辰卜……」（鐵文四·二）。銘文用作日辰之辰，如「唯王九月辰才（在）乙卯」（散盤）。

（甲） 鐵七四　拾一·三　前三·八·四　菁五·一　戩十七·圭

（金） 矢尊　呂鼎　盂鼎　散盤　仲中父簋

（漢印） 李辰之印　臣辰　馬丙辰印　慶辰　臣辰

（漢金） 新嘉量二　上林鼎　佳銅竟　尚方竟八　鳳皇竟

巳，甲文作，金文作，小篆作。《說文》：「巳，巳也。四月，陽气巳出，陰气巳藏，萬物見，成文章，故巳為蛇，象形。」田倩君曰：「巳在甲文中原是個子字，如有兩隻手，下部在襁褓中。或書成，象胎兒形。但到了周金文字，卻把胎兒下部略成彎曲狀者甚多，加彎曲，無手，古文還在頭部加一點，象眼睛，變成象一條曲蠕前進的蛇。」（叢釋）　甲文干支之子作，辰巳之巳，子孫之子並作，如「子癸」（甲六八〇）。卜辭中巳有的用為祀，如「王勿巳（祀）」（京津九四三）。銘文有的作

以

發語詞，如「已曰……」（毛公鼎）；有的作語气詞，如「往已」（吳王光鑑）

（甲） 鐵二·四　餘二·三　菁三·一　前四·四三　戩二·十一

（金） 辛巳簋　盂鼎　毛公鼎　吳王光鑑　欒書缶

（璽） 鄭病已

（漢印） 王乾已　王病已印　周傷已印　臣病已　許已

（漢金） 新嘉量　泰山竟　佳銅竟　尚方竟八　龍氏竟

以，甲文作㠯，金文作㠯，小篆作㠯。《說文》：「㠯，用也。从反巳。賈侍中說，巳意巳實也。象形。」高鴻縉曰：「㠯，甲、金文均作㠯，即古耜之象形文，象曲柄折頸寬口向內之形。其用如今日之挖鍬，所以發土也。後以其爲木製，故加木旁作枱，後又以其用與耒同功，故亦加耒旁作耜。耒即今日之犁，而形相異，耒與耜均耕作之具，故常同稱。」

午

（頌器考釋）卜辭有的作用，如「吕衆」（甲三五四）；有的作巳，如「吕雨」（明藏四二九）；有的作己矢止詞，如「于毓（后）祖乙吕」（甲四一四）。銘文作以，如「永吕爲寶」（邾鐘）。

甲　拾一·十一　前五·二七·一　後上·二五·七　後下·二四·三　鐵二四·十一

金　者姛尊　䧹鼎　毛公鼎　散盤　仲盤

漢印　倩躬德以佚賢世興顯令名存　魯以君　劉以君　邯印以君

漢金　新郪兵符　光和斛　新有善銅竟　精白竟　銅華竟

午，甲文作8、丨，金文作个，小篆作午。《說文》：「午，啎也。五月，陰气午逆陽，冒地而出。此與矢同意。」林義光曰：「丨象杵形，實杵之古文，或作个，秦篆作㐬，象兩手持杵形，个正杵字。」（文源）卜辭銘文用作天干之名，如「壬午卜……」（續三·二九·五）、「甲午」（召卣二）。

甲　鐵五二·四　餘一·二　後下·三六·八　菁三·一　戩五·十三

未

金
召卣二
賢簋
公貿鼎
公父宅匜
效卣

璽
長午
𨑨午
紆午
口午
周午信

漢印
李午
王午
趙午通印
程午之印
華午

漢金
大吉丑器
午鉤
鳳皇竟
佳銅竟
尚方竟五

未，甲文作𣎳，金文作米，小篆作未。《說文》：「未，味也。六月滋味也。五行木老於未。象木重枝葉也。」高鴻縉曰：「字原為茂之初文。字倚木畫其枝葉滋茂之形，由物形重枝葉」生意，故託以寄滋茂之意。狀詞。後世借為午未或未有之未，乃另造楙（从林矛聲）、造茂（从艸戊聲），以還其原。」（字例）卜辭銘文用作天干之名，如「癸未卜……」（佚三九九）、「隹正六月癸未」（陳侯因𰶤錞）。

甲
餘一·一
前三·九·二
後上十·五
林一·十五·十二
戩二·六

申

（金）
丁未角
宁未盉
婦未于鼎
史戰鼎
矢尊

（璽）
公孫未
右未貞鉨

（漢印）
高未央
趙未
上官未央
周未央
樂未央

（漢金）
乘輿缶
陽泉熏鑪
宜弟兄竟
富貴安樂竟
尚方竟八

申，甲文作，金文作，小篆作。《說文》「申，神也。七月，陰气成，體自申束。从臼，自持也。吏臣餔時聽事，申旦政也。……古文申。籀文申。」甲文象雲中有閃電形，乃電之初文，字義可參見神字。卜辭、銘文用為天干之名，如「丙申卜貞……」（粹一八八）、「辰在甲申」（矢尊）。

（甲）
鐵六三·四
餘十五·三
後上十三·十
菁六·二
林一·十五·十三

（金）
丙申角
矢尊
杜伯盨
不嬰簋
寡兒鼎

酉 酉

璽
長申　申瘐　申痄　申口　申之

漢印
申徒朗　申屠昌　申啐　申赦

漢金
建武泉范　佳銅竟　上華山竟　尚方竟三　泰山竟

酉，甲文作酉，金文作酉，小篆作酉。《說文》「酉，就也。八月黍成，可為酎酒。象古文酉之形。……丣，古文酉，从卯，卯為春門，萬物已出。酉為秋門，萬物已入。一，閉門象也。」甲金文酉象酒壺之形，上為頸口，下為圓腹尖底。卜辭銘文中有的作天干之名，如「辛酉卜……」（掇二·三八六）、「既望辛酉」（庚辰盉）；有的假為酒，如「王卿（饗）酉（酒）」（遹簋）。有的作人名，如「酉乍旅」（酉卣）。

甲
餘六·二　拾五·七　後上八·五　林一·十五·三　戩二九·九

金
酉卣　酉父癸尊　酉乙鼎　矢方彝　師酉簋

酒

璽

虍酉生慮

鮮口

吳酉

杵酉都

漢印

史酉

杜酉之印

冬酉口印

漢金

大良造鞅方量

新五斤權

新鈞權

新承水槃

尚方竟五

酒，甲文作酒，金文作酉，小篆作酒。《說文》：「酒，就也。所以就人性之善惡。从水从酉，酉亦聲。一曰造也。吉凶所造也。古者儀狄作酒醪，禹嘗之而美，遂疏儀狄。杜康作秫酒。」

古文以酉作酒，酉借為天干名，乃加水以區別。卜辭中有的作地名，如「在酒盂受年」（京都一九三二）。金文多以酉為酒，如「毋敢湎于酉（酒）」（毛公鼎）。

甲

甲二一二三

京都一九三二

金

天君鼎

乙亥鼎

盂鼎

毛公鼎

沈兒鐘

漢印

漢匈奴伊酒莫當百

新成左祭酒

酒單祭尊

步昌祭酒

韓多酒印

醴　酓　酓　配

漢金

酒 二年酒銷

酒 梁鐘

酒 長貴富竟

酒 清銅竟

酒 大中宜酒酒器

醴，金文作醴，小篆作醴。《說文》：「醴，酒一宿孰也。从酉，豊聲。」《漢書．楚元王傳》：「……常穆生設醴。」顏注：「醴，甘酒也。」銘文可作「甜酒」，如「穆王鄉醴」（長由盉）。

金

醴 師遽方彝

醴 𩡧仲多作醴壺

醴 大鼎

醴 鄭楙叔壺

醴 曾伯陭壺

酓，甲文作酓，金文作酓，小篆作酓。《說文》：「酓，酒味苦也。从酉，今聲。」甲文飲作㱃，而酓似甲文飲衍變，故卜辭銘文用作飲，如「……王酓」（寧一．五四）、「王酓多壺」（辛巳簋）；有的作人名，如「楚王酓肯作鑄金簠」（酓肯簠）。

甲

酓 乙八七〇

酓 乙八七二三

酓 粹一三一六

酓 鄴初下三二八

酓 寧滬一．五四

金

酓 辛巳簋

酓 酓肯鼎

酓 酓志鼎

酓 酓肯盤

配，甲文作配，金文作配，小篆作配。《說文》：「配，酒色也。从酉，己聲。」甲金文借為匹配，配對之義，如「庚寅卜王余奠于其配」（金五五三）、「配我有周」（毛公鼎）。

配　酢　酢　酉彡

配

甲 [glyph] 金五五三　[glyph] 存二三四四　[glyph] 京都

金 [glyph] 毛公鼎　[glyph] 㝬鐘　[glyph] 拍敦盖　[glyph] 蔡侯盤

漢印 [glyph] 韓配印信　[glyph] 屠配印信

酢，金文作[glyph]，小篆作[glyph]。《說文》："酢，醶也。从酉，乍聲。"段注："酢本截漿之名，引申之凡味酸者謂之酢。"銘文借為作，如："王子□自酢（作）飲鼎"（王子姪鼎）。古籍用作醋，如："宁飲三升酢"（隋書酷吏傳）。

金 [glyph] 王子姪鼎　[glyph] 邻王義楚耑

酉彡，甲文作[glyph]，金文作[glyph]，《說文》所無。卜辭作酒祭之專名，从彡象酒水澆地，如："癸丑卜宕貞酉彡大甲告于且乙一牛八月"（佚一一五）。銘文有的作人名，如："酉彡作父乙尊彝"（酉彡尊）。

甲 [glyph] 鐵四四　[glyph] 拾一·二　[glyph] 前一·三十·七　[glyph] 林一·二·十三　[glyph] 戩四·五

尊

金

戊寅鼎

酌尊

尊甲文作[古文]，金文作[古文]，小篆作[古文]。《說文》：「尊，酒器也，从酋，廾以奉之。《周禮》六尊：犧尊、象尊、著尊、壺尊、太尊、山尊，以待祭祀賓客之禮。[古文]尊或从寸。」甲金文象雙手捧酒器之形，卜辭中似為祭名，如「丁亥卜寅其尊歲三牢」（粹二三二）。銘文中作彝器之通名，如「矩乍寶尊彝」（矩尊）。後借為尊卑之尊。

甲

鐵二七一

前五·四四

前五·四五

前五·四七

戩二六·三

金

臣卣

對簋

公史簋

頌壺

師高簋

璽

畋尊

鄃尊信鉩

漢印

孝子單祭尊

王尊

解尊

李尊

李尊

漢金

大良造鞅方量

竟寧雁足鐙

林光宮行鐙

龍氏竟二

王氏竟

戌　　戌　　亥

戌，甲文作戌，金文作戌，小篆作戌。《說文》：「戌，滅也。九月，陽气微，萬物畢成，陽下入地也。五行土生于戊，盛于戌，从戊含一。」戌似斧，爲廣刃之兵器。與戉、戊、成形義相同。卜辭銘文用作天干之名，「甲戌貞……」（合四一二）、「辰才（在）壬戌」（呂鼎）。

甲	金	璽	漢印	漢金
鐵五五·二	頌鼎	口戌	戌疾	大吉丑器
餘二·二	頌簋	長戌	戌屈	王氏竟
前一·五十四	呂鼎	司戌之鉨		佳銅竟
拾八·一	休盤	鄆戌鉨		尚方竟八
菁四·一	師虎簋			泰山竟

亥，甲文作亥，金文作亥，小篆作亥。《說文》：「亥，荄也。十月微陽起，接盛陰。从二，二古文上字。一人男，一人女也。从乙，象裹子咳咳之形。春秋傳曰：亥有二首六身。亥古文亥，亥爲豕，與豕

亥

同意。亥而生子，復从一起」。商承祚曰：「案甲骨文作[亥字形]，家字亦从[亥字形]，金文善鼎作[亥字形]，為古亥豕一字之證。故己亥涉河，而謀讀作三豕涉河也。小徐本作[亥字形]，是也」（古考）甲金用作天干之名，如「癸亥卜……」（掇一．四一．三）、「唯十月又一月丁亥」（我鼎）。

甲

[亥字形] 鐵五七二

[亥字形] 拾十三．五

[亥字形] 前二．九．二

[亥字形] 菁九．三

[亥字形] 林一．二．四

金

[亥字形] 乙亥鼎

[亥字形] 我鼎

[亥字形] 曶鼎

[亥字形] 免卣

[亥字形] 陳矦鼎

璽

[亥字形] 口亥

[亥字形] 王亥

[亥字形] 口亥

[亥字形] 亥陶

[亥字形] 亥

漢印

[亥字形] 原亥

[亥字形] 臣亥

[亥字形] 高亥私印

[亥字形] 司馬亥

[亥字形] 徐亥

漢金

[亥字形] 王氏竟

[亥字形] 鳳皇竟

[亥字形] 佳銅竟

[亥字形] 尚方竟八

[亥字形] 泰山竟

後記

大學時代酷愛古文字學，曾參加古文字研究小組，並與好此者合編古文字教學參考資料《甲金篆真四體六百字》、《說文部首彙釋》。

近年來，在從事古文字學教學之中，發現有志於古文字學的青年越來越多。有關古文字方面的字典雖然已出版了一些，但是大多或缺乏較完整的形體流變，或沒有字意方面的解釋，不便於初學者使用。根據本人過去學古文字的經歷，以及在教學中發現的問題，深感如能有一部字意和字形流變相結合的字典，既可速成學習，又可幫助教學，以此產生了自己動手編寫的念頭。在一些同好的贊同和上海書畫出版社的支持下，歷經了兩個春秋終於完成了此稿。

本稿，字意方面擇善引述各家的考釋，並插入了自己的觀點；字形流變方面選了甲骨至漢金諸體。漢金文字的形體介於篆隸之間，它應該屬於古文字範疇，是小篆演變為隸書的一個過程。收了漢金文字，古文字的流變也就完整了。過去，一些字形流變字典一般均不收漢金文，白璧存瑕了。編寫中考慮到古文字的資料，不可能求全，故只收常見的古文字，計一千一百六十餘字，字形方面也僅選代表時代性的形體，簡牘、帛書、玉片之類一概不收。

編寫過程中，承蒙上海社會科學院歷史研究所柯昌濟先生看稿，并為作序；又蒙李玲璞先生、王元鹿、濮茅祖等同志鼎力相助。借此，謹向諸位表示衷心感謝。

由于編者學識淺陋，書中的不當之處在所難免，希望讀者批評指正。

一九八六年二月

王延林於華東師範大學

引用書目表

本書引用著作凡有簡稱者，前列簡稱，次列全名，同一作者著作不止一種，只系作者姓名於首列著作之下。

簡稱	全名	作者
爾雅		
說文	說文解字	許慎
六書故		戴侗
段注	說文解字段注	段玉裁
釋例	說文釋例	王筠
句讀	說文句讀	
通訓定聲	說文通訓定聲	朱駿聲
徐箋	說文解字注箋	徐灝
疑疑	說文疑疑	孔廣居
博古圖		王黼
拾遺	古籀拾遺	孫詒讓
舉例	契文舉例	

簡稱	書名	作者
名原		
述林	籀高述林	
積古	積古齋鐘鼎彝器款識	阮元
古籀補	說文古籀補	吳大澂
憙齋	憙齋集古錄	
增考	增訂殷虛書契考釋	羅振玉
雪堂金石文字跋尾		
丁戊稿		
觀堂	王觀堂先生全集	王國維
戩考	戩壽堂所藏殷虛文字考釋	
先公先王考	殷卜辭中所見先公先王考	
甲金論叢三集		
史籀篇疏證		
文源		林義光
卜通	卜辭通纂	郭沫若
兩攷	兩周金文辭大系攷釋	

甲研	甲骨文字研究	
粹考	殷契粹編攷釋	
金攷	金文叢攷	
青研	殷周青銅器銘文研究	
金文餘釋		
刻詞	讀金器刻詞	馬叙倫
金石	積微居金石論叢	楊樹達
積微	積微居金文說	
甲文說	積微居甲文說	
小學	積微居小學述林	
求義	卜辭求義	
金文編		容庚
頌齋	頌齋吉金圖錄	
金文續編		
古攷	說文中之古文攷	商承祚
福攷	福氏所藏甲骨文字釋文	

簡稱	書名	作者
佚攷	殷契佚存攷釋	
類編	殷虛文字類編	
十二	十二家吉金圖錄	
文字記	殷虛文字記	唐蘭
導論	古文字學導論	
天壤文釋	天壤閣甲骨文存考釋	
釋四方之名		
獲白兕攷		
懷鉛隨錄		
西周銅器斷代中的康宮問題		
韡華	韡華閣集古錄跋尾	柯昌濟
說文古文攷		胡小石
字例	中國字例	高鴻縉
頌器考釋		
散盤集釋		
毛公鼎集釋		

簡稱	書名	作者
卜釋	殷虛卜辭考釋	瞿潤緡
叢釋	中國文字叢釋	田倩君
釋林	甲骨文字釋林	于省吾
駢枝	殷契駢枝	
古雜	雙劍誃古文雜釋	
雙選	雙劍誃吉金文選	
駢續	殷契駢枝續編	
甲骨文編		孫海波
耒耜攷 金文嘏辭釋例		徐中舒
綜述	殷虛卜辭綜述	陳夢家
釋叢	殷周文字釋叢	朱芳圃
小箋	殷虛書契考釋小箋	陳邦懷
說存	殷契說存	陳邦福
辨疑	殷契辨疑	
疑義	說文疑義	陳啟彤

殷曆譜　董作賓
卜辭中所見之殷曆
古籀篇　說文古籀篇　高田忠周
殷墟卜辭綜類　島邦男
古史零證　周谷城
孜存　古史孜存　劉節
數名古誼　丁山
闕義　說文闕義箋
甲骨文所見氏族及其制度
古誼末校記
西周壂鼎銘研究　譚戒甫
集釋　甲骨文字集釋　李孝定
金文詁林　周法高
古文字類編　高明
金文名象疏證兵器篇　吳其昌
殷代人祭考

前釋　殷虛書契前編集釋　葉玉森

校譚　研契枝譚

說契

古璽文編　羅福頤

古璽彙編

漢印文字徵

武大文史哲季刊　武漢大學

中山　中山大學語言歷史所周刊　中山大學

文史學研究所月刊

中國文字　台灣大學

國刊　國學季刊

考古

文物

集刊　中央研究院歷史語言研究所集刊

甲骨文著錄

簡稱	書名	著者
天	天壤閣甲骨文存	唐蘭
京	北京大學藏甲初稿	北京大學
拾	鐵雲藏龜拾遺	葉玉森
戩	戩壽堂所藏殷虛文字	王國維
摭	殷契摭佚	李旦立
鐵（或簡稱藏）	鐵雲藏龜	劉鶚
餘	鐵雲藏龜之餘	羅振玉
續	殷虛書契續編	
後	殷虛書契後編	
菁	殷虛書契菁華	
前	殷虛書契前編	
河	甲骨文錄	孫海波
甲	殷虛文字甲編	董作賓
乙	殷虛文字乙編	

簡稱	書名	作者
簠	簠室殷契徵文	王襄
燕	殷契卜辭	容庚 瞿潤緡
福	福氏所藏甲骨文字	商承祚
佚	殷契佚存	
鄴	鄴中片羽	黃濬
誠	誠齋殷虛文字	孫海波
掇	殷契拾綴	郭若愚
摭續	殷契摭拾續編	李亞農
明	殷虛卜辭	明義士
明藏	明義士舊藏甲骨文字（編入南北）	
寧滬	戰後寧滬新獲甲骨集	胡厚宣
南北（或簡稱南明）	戰後南北所見甲骨錄	
京津	戰後京津新獲甲骨集	
存	甲骨續存	
陳	甲骨文零拾	陳邦懷
林	龜甲獸骨文字	林泰輔

京都　京都大學人文科學研究所所藏甲骨文字　貝塚茂樹

珠　殷契遺珠　金祖同

庫　庫方二氏所藏甲骨卜辭　方法斂

金　金璋所藏甲骨卜辭

卜　卜辭通纂　郭沫若

粹　殷契粹編

合　甲骨文合集

通別　卜辭通纂別錄

中大　中央大學所藏甲骨　南京大學

師友　南北師友所見甲骨錄（編入南北）

坊間　南北坊間所見甲骨錄（編入南北）

無想　無想山房舊藏甲骨文字（編入南北）

誠明　誠明文學院所藏甲骨文字（編入南北）

輔仁　輔仁大學所藏甲骨文字（編入南北）

周早　陝西岐山鳳雛村發現周初甲骨文（文物·一九七九·十）

檢字索引(按說文部首)

第一卷

第二卷

道 99
遽 100
邊 100
途 101
德 101
復 102
往 103
後 104
得 105
御 106
(馭)
廷 107
延 107
延 108
行 108
衛 109
齒 110
足 111
路 112
品 112
喿 113

龠 114
龢 114
冊 115
嗣 116

第三卷

㗊 117
器 117
舌 118
干 119
𢆉 120
丙 120
([illegible])
㕯 121
商 121
句 122
丩 123
古 123
十 124
千 125
廿 126
卅 127

世 128
卌 128
言 129
語 130
謂 131
許 131
讎 132
諸 132
誨 133
訊 133
謦 134
諫 134
詠 135
詳 135
䜌 135
諆 136
詐 136
訟 137
訶 137
誰 138
善 138

(誩)
競 139
音 140
章 140
童 141
妾 142
業 143
對 143
僕 145
収 146
奉 146
丞 147
畀 148
弄 149
𢍏 149
戒 150
兵 150
龔 151
具 152
𢍰 153
共 153

異 154
舁 155
與 155
興 155
要 156
([illegible])
晨 157
農 158
(農) 158
革 159
勒 159
鬲 160
鬳 161
爪 161
孚 162
爲 162
丮 163
埶 164
孰 165
𩰲 165
巩 166
𢀣 166

鬥 167
又 167
叉 168
父 168
㝇 169
曼 169
尹 170
叡 171
燮 172
及 172
秉 173
反 173
𠬪 174
𣪠 175
叔 175
取 176
彗 177
段 177
友 177
ナ 178
卑 179

史 179
事 180
𦘒 181
聿 182
書 183
晝 184
畫 184
隶 185
臤 185
臣 186
臧 187
殳 188
殸 188
毀 189
殿 189
段 190
殷 190
役 191
殺 191
寺 192
尋 193

第六卷

第七卷

第八卷

俘 464
弔 465
免 465
𠤕 466
真 466
化 467
从 468
從 468
并 469
比 470
北 470
丘 471
眾 472
壬 473
望 473
監 474
臨 475
身 476
殷 477
衣 477
卒 478

裘 479
老 480
壽 481
考 482
孝 482
毛 483
尸 484
尾 485
舟 485
朕 486
(𦨶)
般 486
服 487
方 488
儿 489
兒 490
允 490
兑 491
兇 492
兢 493
先 494

見 494
視 495
吹 496
歌 496
次 497
㱃 497
(飲)

第九卷

頁 499
頌 499
碩 500
顯 500
面 501
首 501
𩠐 502
縣 502
須 503
文 503
后 504
司 505
令 506
印 507
卯 507
卿 508

辟 509
勹 510
旬 510
苟 511
敬 511
鬼 512
畏 513
禺 514
山 514
嵒 515
府 515
庫 516
廐 517
廣 517
龐 518
庶 518
廟 520
厂 521
厲 521
厓 522
厭 522

石 523
磬 524
長 524
肆 525
勿 525
昜 526
冉 527
而 528
豕 528
彖 529
𧱓 530
(豚)
𤉡 530
易 531
象 532

第十卷

馬 533
廌 534
薦 534
灋 535
(法)
鹿 535
麋 536
麤 536
麗 537
兔 538
逸 538
犬 539
尨 539
獲 540
獻 540
狂 541

猶 542
狼 542
狽 543
能 544
火 544
熒 545
然 545
閔 546
烄 546
㶣 547
焚 547
焦 547
烖 548
光 549
熙 549
炎 550
燮 551
粦 551
黑 552
悤 552
赤 553

第十一卷

第十二卷

第十三卷

第十四卷

(处) 且 715 俎 716 斤 716 斧 717 所 718 斯 718 新 719 斗 720 升 721 車 721 輿 722 載 723 軍 723 轉 724 輦 725 𠂤 725 官 725 𨸏 726 陵 727 陰 728

陽 728 陸 729 阿 730 限 730 陟 731 隊 731 降 732 𨺅 733 陳 733 陶 734 四 735 宁 735 亞 736 五 736 六 737 七 738 九 739 禽 740 萬 740 禹 741 獸 742

甲 742 乙 743 尤 744 丙 745 丁 746 戊 746 成 747 己 748 巽 749 庚 749 康 750 辛 751 辥 752 辭 753 辡 753 壬 754 癸 755 子 756 字 756 季 757 孟 758

孼 758 疑 759 育 759 丑 760 羞 761 寅 761 卯 762 辰 763 巳 764 以 765 午 766 未 767 申 768 酉 769 酒 770 醴 771 酓 771 配 771 酢 772 酌 772 尊 773

(尊) 戌 774 亥 774

檢字索引（按筆序）

五畫

六畫

共 153
聿 182
臣 186
役 191
寺 192
自 220
百 225
羽 226
羊 235
再 247
丝 248
死 254
四 254
肉 255
肎 256
朸 261
竹 266
朻 267
旨 283
血 297
刑 301

合 308
缶 314
朱 340
休 347
叒 352
回 363
因 367
邦 378
扑 393
有 402
夙 407
多 408
束 411
年 418
米 422
宅 426
宫 428
向 428
安 430
守 434
同 446

网 447
企 455
伊 457
任 461
伐 463
并 469
衣 477
老 480
考 482
舟 485
先 494
次 497
后 504
印 507
旬 510
而 528
光 549
夸 556
夷 556
亦 557
交 561

江 579
汝 583
充 598
州 599
𠂢 602
冰 603
至 616
西 616
耳 623
匠 627
妃 636
妃 640
好 642
如 643
牟 649
成 651
匡 663
曲 664
弜 668
糸 670
虫 679

亘 687
在 691
圭 694
劦 706
𠂤 725
字 756
戌 774
亥 774

七畫

每 36
余 52
牡 55
牢 56
告 57
吹 59
吾 60
君 61
启 67
走 75
步 81
辵 85
延 92
延 108
足 111
冏 121
冊 128

言 129
弄 149
弃 149
戒 150
兵 150
弃 153
孚 162
巩 166
更 200
攸 201
攻 205
改 206
甫 211
爭 253
利 257
初 259
角 262
巫 273
豆 287
皀 302
即 302

良 325
弟 333
杜 337
杞 338
生 354
束 362
困 368
貝 370
邑 377
囧 404
夙 407
甬 410
克 413
安 435
宏 438
宋 440
吕 442
兩 447
伯 456
何 458
作 459

八畫

九畫

帝 7
祉 13
祉 19
祈 22
皇 26
春 43
彖 50
牲 56
哉 66
咸 67
哀 73
前 78
是 84
逆 90
追 97
後 104
品 112
音 140
舁 148
要 156
革 159
窦 169
段 177
段 190
故 198
貞 210
旻 215
相 217
眉 219
省 219
皆 222
美 238
爯 247
幽 249
爰 251
則 259
迺 277
壴 284
既 303
食 305
矦 317
亯 323
厚 324
复 330
韋 332
亲 336
柳 338
某 339
枼 347
南 358
剌 363
屑 366
郢 382
昷 388
祖 391
星 398
卣 410
耑 423
室 426
宣 427
客 439
胄 446
帥 449
保 454
侵 460
俘 464
匏 466
頁 499
面 501
首 501
茍 511
畏 513
禺 514
易 526
洛 582
洹 584
洋 585
衍 587
砅 593
洒 595
泉 600
拜 628
姜 633
姬 634
威 638
姪 639
戒 650
匽 661
紀 671
虹 681
風 682
亟 685
恒 686
封 692
俎 716
軍 723
限 730
降 732
禹 741
癸 755

十畫

旁 8
祐 10
祐 14
祇 15
神 15
祖 18
祠 20
祝 21
班 30
荊 37
茲 38
芻 40
斯 41
哲 61
唐 71
哭 74
徒 86
造 89
通 91
逖 98
途 101
席 120
訊 133
鬲 160
鬥 167
書 183
殸 188
専 194
效 197
眔 217
眼 218
隻 228
羔 236
烏 244
萬 246
剛 260
益 294
邕 304
倉 311
射 317
高 319
亳 320
畐 325
夏 331
乘 334
格 343
桑 353
師 356
索 358
圃 366
圂 368
員 369
貣 371
都 379
時 385
晉 386
旂 393
旅 396
圅 409

十一畫

十二畫

十三畫

十四畫

十五畫

十六畫

十七畫

十八畫

十九畫

二十畫

二十一畫